Предисловие

Уверенное владение языком невозможно без знания правил. Это
действительно как для родного, так и для иностранного языка.
Настоящая книга является переработанным и дополненным изданием
вышедшей в 1985 году „Грамматики немецкого языка с упражнениями". Она предназначена для учащихся, завершающих первую
основную ступень обучения и для учащихся средней ступени,
желающих приобрести фундаментальные знания по грамматике
немецкого языка. В книгу вошли четко сформулированные и иногда
упрощенные правила со множеством примеров, справочные списки,
таблицы и большое число упражнений. В переработанном издании
система грамматических правил построенна на постепенном принци-
пе и упражнения к ним также очень ясно соответствуют каждому отдельному грамматическому шагу. Раздел грамматики для основной
ступени расширен за счет новых простых упражнений.

Структура книги обусловлена стремлением расположить граммати-
ческий материал таким образом, чтобы вначале изучались наиболее
важные в языковом отношении явления: простое предложение и его
составные части, наиболее употребительные типы придаточных
предложений (части I и II). Затем следуют склонение прилагательных и описание ряда других частей речи и их синтаксических
функций (часть III), а также конъюнктив (часть IV). Употребление
предлогов (часть V) представляет собой скорее семантическую, чем
грамматическую проблему, поэтому рекомендуется использовать
материал этого раздела параллельно с изучением предыдущих.

В переработанное издание в качестве заключения вошел § 63. В нем
рассматриваются и сравниваются наиболее важные времена глагола.
Для быстрой ориентации в конце книги находятся раскладывающиеся
таблицы с обзором важнейших моментов спряжения глагола и склонения существительных и прилагательных. Что касается терминоло-
гии, которая подробно объяснена в приложении, переработанное
издание придерживается терминов, принятых в настоящее время в
области „немецкого языка как иностранного", таблицы склонения
составлены с целью большей наглядности в следующем порядке
следования падежей: именительный, винительный, дательный,
родительный.

Всюду, где это возможно и необходимо в смысловом отношении,
упражнения состоят не из отдельных предложений, а представляют
связные тексты.

Нумерация упражнений, в которых необходимо большое смысловое
соотношение, те упражнение состоят не из отдельных предложений,
а представляют между собой связ.

Благодаря отдельно прилагаемым ключам к упражнениям, позво-
ляющим проверить свои знания, новое переработанное издание
„Грамматики немецкого языка" наилучшим образом годится для
самостоятельного изучения языка.

Оглавление

Hilke Dreyer · Richard Schmitt

Lehr- und Übungsbuch
der deutschen Grammatik
Neubearbeitung

Грамматика немецкого
языка с упражнениями

Новое издание

Max Hueber Verlag

К настоящему учебнику предлагаются:

Ключи к упражнениям
(номер для заказа 3–19–107255–1)

2 аудиокассеты
с записями отдельных упражнений для понимание
на слух и контроля упражнений
(номер для заказа 3–19–087255–4)

2 компактдиска
с записями отдельных упражнений на понимание
на слух и для контроля упражнений
(номер для заказа 3–19–097255–9)

Тесты
Контрольные тесты к всем парагафам
для уроков и само стоятельных учащихся
(номер для заказа 3–19–017255–2)

Übersetzung und Bearbeitung:
J. Kazamtschewa L. Beyer

 Dieses Werk folgt der seit dem 1. August 1998 gültigen
Rechtschreibreform.

E   3.   2.   1. | Die letzten Ziffern
2005 04 03 02 01 | bezeichnen Zahl und Jahr des Druckes.
Alle Drucke dieser Auflage können, da unverändert,
nebeneinander benutzt werden.
1. Auflage
© 2001 Max Hueber Verlag, D-85737 Ismaning
Umschlag und Layout: Peer Koop, München
Satz: Satz + Layout Fruth GmbH, München
Druck und Bindearbeiten: Druckerei Appl, Wemding
Printed in Germany
ISBN 3-19-067255-5
(früher erschienen im Verlag für Deutsch ISBN 3–88532–725–2)

Часть I

§ 1 Склонение имен существительных. тип I

I Склонение имен существительных с определенным артиклем в единственном числе

Singular	maskulin	feminin	neutral	man fragt
Nominativ	der Vater	die Mutter	das Kind	Wer? / Was?
Akkusativ	den Vater	die Mutter	das Kind	Wen? / Was?
Dativ	dem Vater	der Mutter	dem Kind	Wem?
Genitiv	des Vaters	der Mutter	des Kindes	Wessen?

Окончания имен существительных мужского и среднего рода в единственном числе:

a) *-s* употребляется при многосложных существительных:
    des Lehrers, des Fensters, des Kaufmanns

b) *-es* употребляется, как правило, при односложных существительных:
    des Mannes, des Volkes, des Arztes

c) *-es* обязательно, если существительное оканчивается на *-s, -ß, -x, -z, -tz*:
    das Glas – des Glases; der Fluss – des Flusses; der Fuß – des Fußes; der Komplex – des Komplexes; der Schmerz – des Schmerzes; das Gesetz – des Gesetzes

1 Какой глагол сочетается с какими существительными? Образуйте предложения, поставив существительные в винительном падеже единственного числа. (Возможны различные варианты.)

Ich lese die Zeitung.

	hören	der Hund (-e)	das Flugzeug (-e)
Ich	sehen	das Kind (-er)	der Lastwagen (-)
	rufen	das Buch (ˍer)	das Motorrad (ˍer)
Wir	lesen	die Verkäuferin (-nen)	der Autobus (-se)
	fragen	die Nachricht (-en)	die Lehrerin (-nen)

2 Определите падеж существительного.

Der Sekretär	bringt	der Ministerin	die Akte.
Wer? (Was?)		Wem?	(Wen?) Was?
Subjekt		*Objekt*	*Objekt*
Nominativ		*Dativ*	*Akkusativ*

1. Der Wirt serviert dem Gast die Suppe.
2. Der Ingenieur zeigt dem Arbeiter den Plan.

3. Der Briefträger bringt der Frau das Päckchen.
4. Der Chef diktiert der Sekretärin einen Brief.
5. Der Lehrer erklärt dem Schüler die Regel.

3 Образуйте предложения с существительными в дательном и винительном падежах единственного числа.

der Besucher / der Weg *Er zeigt dem Besucher den Weg.*

1. die Mutter	die Schule	5. der Freund	das Zimmer
2. der Politiker	der Stadtpark	6. der Minister	das Rathaus
3. der Redakteur	der Zeitungsartikel	7. die Hausfrau	der Staubsauger
4. das Mädchen	die Hausaufgabe	8. der Käufer	der Computer

4 Поставьте второе существительное в родительном падеже единственного числа и образуйте предложения.

der Vertreter / die Regierung *Das ist der Vertreter der Regierung.*

1. das Fahrrad (ër) / die Schülerin (-nen)
2. der Motor (-en) / die Maschine (-n)
3. das Ergebnis (-se) / die Prüfung (-en)
4. die Tür (-en) / das Haus (ër)
5. das Foto (-s) / die Schulklasse (-n)
6. das Auto (-s) / der Lehrer (-)
7. die Wohnung (-en) / die Dame (-n)
8. das Schulbuch (ër) / das Kind (-er)
9. das Haus (ër) / die Arbeiterfamilie (-n)
10. das Instrument (-e) / der Musiker (-)

II Склонение существительных с определенным артиклем во множественном числе

Plural	maskulin	feminin	neutral
Nominativ	die Väter	die Mütter	die Kinder
Akkusativ	die Väter	die Mütter	die Kinder
Dativ	den Vätern	den Müttern	den Kindern
Genitiv	der Väter	der Mütter	der Kinder

Существительные получают в дательном падеже множественного числа окончание *-n:*
die Bäume – auf den Bäumen, die Frauen – mit den Frauen

Исключение составляют существительные, оканчивающиеся во множественном числе на *-s:*
das Auto – die Autos – in den Autos, das Büro – die Büros – in den Büros

Существуют 8 способов образования множественного числа:

1.	-	der Bürger	–	die Bürger
2.	¨	der Garten	–	die Gärten
3.	-e	der Film	–	die Filme
4.	¨e	die Stadt	–	die Städte

5.	-er	das Bild	–	die Bilder
6.	¨er	das Amt	–	die Ämter
7.	-(e)n	der Student	–	die Studenten
		die Akademie	–	die Akademien
8.	-s	das Auto	–	die Autos

Примечания

1. Существительные, оканчивающиеся на -*nis,* имеют в форме множественного числа -*nisse:*
   das Ergebnis – die Ergebnisse

2. Существительные женского рода на -*in* оканчиваются во множественном числе на -*innen*:
   die Freundin – die Freundinnen; die Französin – die Französinnen

Правописание: ß или ss?

1. *ß* пишется после долгого гласного или дифтонга:
   die Straße, der Gruß, außen …

2. *ss* пишется после краткого гласного:
   der Fluss, er musste, essen, gerissen

В Швейцарии ß не употребляется, вместо ß пишется ss.

5 Поставьте существительные из упражнения 1 во множественном числе и образуйте с ними предложения. (В скобках дана форма множественного числа в именительном падеже.)

   Wir lesen die Zeitungen.

6 Кто противоречит кому? Назовите правильных партнеров в единственном и во множественном числе.

der Sohn – der Vater   *Der Sohn widerspricht dem Vater.*
                        Die Söhne widersprechen den Vätern.

1. der Mieter (-)   a) die Mutter (¨)
2. die Schülerin (-nen)   b) der Schiedsrichter (-)
3. der Geselle (-n)   c) der Arzt (¨e)
4. die Lehrerin (-nen)   d) der Großvater (¨)
5. der Fußballspieler (-)   e) der Schulleiter (-)
6. der Sohn (¨e)   f) der Meister (-)
7. der Enkel (-)   g) der Hausbesitzer (-)
8. die Krankenschwester (-n)   h) der Lehrer (-)

7 Поменяйте партнеров местами.

der Vater – der Sohn   *Der Vater widerspricht dem Sohn.*
Die Väter widersprechen den Söhnen.

8 Поставьте существительные из упражнения 4 во множественном числе и образуйте с ними по образцу предложения.

der Vertreter (-) / die Regierung (-en)   *Das sind die Vertreter der Regierungen.*

9 Существительные в дательном падеже единственного числа поставьте во множественном числе.

Er hilft dem Kind (-er). *Er hilft den Kindern.*

1. Die Leute glauben dem Politiker (-) nicht.
2. Wir danken dem Helfer (-).
3. Der Bauer droht dem Apfeldieb (-e).
4. Die Wirtin begegnet dem Mieter (-).
5. Wir gratulieren dem Freund (-e).
6. Der Rauch schadet der Pflanze (-n).
7. Das Streusalz schadet dem Baum (ᴗe).
8. Das Pferd gehorcht dem Reiter (-) nicht immer.
9. Er widerspricht dem Lehrer (-) oft.
10. Der Kuchen schmeckt dem Mädchen (-) nicht.
11. Die Polizisten nähern sich leise dem Einbrecher (-).

III Образование множественного числа

Singular	maskulin		feminin		neutral	
Nominativ	ein	Vater	eine	Mutter	ein	Kind
Akkusativ	einen	Vater	eine	Mutter	ein	Kind
Dativ	einem	Vater	einer	Mutter	einem	Kind
Genitiv	eines	Vaters	einer	Mutter	eines	Kindes
Plural						
Nominativ		Väter		Mütter		Kinder
Akkusativ		Väter		Mütter		Kinder
Dativ		Vätern		Müttern		Kindern
Genitiv*		(Väter)		(Mütter)		(Kinder)

*Родительный падеж множественного числа со существительными без артикля не употребляется (§ 3, II, c).

Существительные мужского и среднего рода получают в этом случае такие же окончания, как и в пункте 1.

10 Замените в упражнении 1 определенный артикль на неопределенный.

Ich lese eine Zeitung.

11 Что кому принадлежит? Употребите дательный падеж.

eine Pistole / der Wachmann
Die Pistole gehört einem Wachmann.

1. ein Handball (m) / der Sportverein
2. ein Koffer (m) / der Kaufmann
3. ein Kinderwagen (m) / die Mutter
4. ein Herrenfahrrad (n) / der Student
5. eine Landkarte / die Busfahrerin

6. eine Puppe / das Mädchen
7. eine Trompete / der Musiker
8. ein Schlüssel (m) / die Mieterin
9. ein Kochbuch (n) / die Hausfrau
10. eine Badehose / der Schwimmer

12 Какие существительные справа и слева сочетаются по смыслу?
Второе существительное стоит с неопределенным артиклем в родительном падеже.

der Schüler (-) / die Schule

die Schüler einer Schule
Hier demonstrieren die Schüler einer Schule.

1. der Krankenpfleger (-)
2. der Arbeiter (-)
3. der Student (-en)
4. die Schülerin (-nen)
5. der Kassierer (-)
6. das Mitglied (-er)
7. der Musiker (-)
8. der Mitarbeiter (-)

a) die Universität
b) der Supermarkt
c) die Partei
d) die Klinik
e) die Fabrik
f) das Orchester
g) die Sparkasse
h) das Gymnasium

§ 2 Склонение имен существительных. тип II (склонение на -n)

I Склонение существительных с определенным и неопределенным артиклями

Singular	Nominativ	der	Mensch	ein	Mensch
	Akkusativ	den	Menschen	einen	Menschen
	Dativ	dem	Menschen	einem	Menschen
	Genitiv	des	Menschen	eines	Menschen
Plural	Nominativ	die	Menschen		Menschen
	Akkusativ	die	Menschen		Menschen
	Dativ	den	Menschen		Menschen
	Genitiv	der	Menschen		(Menschen)

1. Ко второму типу склонения относятся только существительные мужского рода. Исключение: **das Herz**

2. Во всех падежах, кроме именительного падежа единственного числа, данные существительные имеют окончание *-(e)n*. Во множественном числе эти имена существительные никогда не получают умлаута.

II Список важнейших имен существительных, относящихся ко второму типу склонения

Только -*n* стоит во множественном и единственном числе следующих существительных:

1. Все существительные мужского рода на -*e*:

der Affe, des Affen	der Knabe, des Knaben
der Bote, des Boten	der Kollege, des Kollegen
der Bube, des Buben	der Komplize, des Komplizen
der Bulle, des Bullen	der Kunde, des Kunden
der Bursche, des Burschen	der Laie, des Laien
der Erbe, des Erben	der Lotse, des Lotsen
der Experte, des Experten	der Löwe, des Löwen
der Gefährte, des Gefährten	der Mensch, des Menschen
der Genosse, des Genossen	der Nachkomme, des Nachkommen
der Hase, des Hasen	der Neffe, des Neffen
der Heide, des Heiden	der Ochse, des Ochsen
der Hirte, des Hirten	der Pate, des Paten
der Insasse, des Insassen	der Rabe, des Raben
der Jude, des Juden	der Riese, des Riesen
der Junge, des Jungen	der Sklave, des Sklaven
	der Zeuge, des Zeugen

2. Все существительные мужского рода, оканчивающиеся на -*and*, -*ant*, -*ent*:   -*ist*:

der Doktorand, des Doktoranden	der Idealist, des Idealisten
der Elefant, des Elefanten	der Journalist, des Journalisten
der Demonstrant, des Demonstranten	der Kapitalist, des Kapitalisten
der Lieferant, des Lieferanten	der Kommunist, des Kommunisten
der Musikant, des Musikanten	der Polizist, des Polizisten
der Präsident, des Präsidenten	der Sozialist, des Sozialisten
der Produzent, des Produzenten	der Terrorist, des Terroristen
der Student, des Studenten	der Utopist, des Utopisten
	auch: der Christ, des Christen

3. Существительные мужского рода – обозначения профессий, заимствованные из греческого языка:

der Biologe, des Biologen	der Fotograf, des Fotografen
der Soziologe, des Soziologen	der Seismograf, des Seismografen
der Demokrat, des Demokraten	der Architekt, des Architekten
der Bürokrat, des Bürokraten	der Philosoph, des Philosophen
der Diplomat, des Diplomaten	der Monarch, des Monarchen
der Automat, des Automaten	der Katholik, des Katholiken
der Satellit, des Satelliten	der Soldat, des Soldaten

4. Кроме того:

der Bär, des Bären
der Nachbar, des Nachbarn
der Narr, des Narren
der Prinz, des Prinzen
der Herr, des Herrn (Pl. die Herren)
der Rebell, des Rebellen

der Bauer, des Bauern
der Fürst, des Fürsten
der Graf, des Grafen
der Held, des Helden
der Kamerad, des Kameraden

5. Исключение: Некоторые существительные получают в родительном падеже дополнительно окончание *-s*:

der Buchstabe, -ns; der Gedanke, -ns; der Name, -ns
das Herz - das Herz, dem Herzen, des Herzens, (Pl.) die Herzen

1 Дополните предложения существительными из колонки справа, поставив их в нужном падеже.

1. Der Wärter füttert (A)
2. Der Onkel antwortet (D)
3. Die Polizisten verhaften (A)
4. Der Fachmann widerspricht (D)
5. Der Wissenschaftler beobachtet (A)
6. Das Parlament begrüßt (A)
7. Der Richter glaubt (D)
8. Der Professor berät (A)
9. Das Kind liebt (A)
10. Der Kapitän ruft (A)
11. Der Laie befragt (A)
12. Der Fotohändler berät (A)
13. Der Kaufmann bedient (A)
14. David besiegt (A)

der Neffe
der Zeuge
der Laie
der Bär
der Präsident
der Demonstrant
der Satellit
der Lotse
der Stoffhase
der Riese Goliath
der Kunde
der Doktorand
der Fotograf
der Experte

2 В нижеприведенных высказываниях нарушены смысловые отношения. Восстановите их.

1. Der Automat konstruiert einen Ingenieur.
2. Der Bundespräsident beschimpft den Demonstranten.
3. Der Bauer befiehlt dem Fürsten.
4. Die Zeitung druckt den Drucker.
5. Der Zeuge befragt den Richter.
6. Der Hase frisst den Löwen.
7. Der Student verhaftet den Polizisten.
8. Der Gefängnisinsasse befreit den Aufseher.
9. Der Diplomat befragt den Reporter.
10. In dem Buchstaben fehlt ein Wort.
11. Der Hund füttert den Nachbarn.
12. Das Buch liest den Studenten.
13. Der Junge sticht die Mücke.
14. Der Patient tut dem Kopf weh.
15. Der Erbe schreibt sein Testament für einen Bauern.
16. Der Kuchen bäckt den Bäcker.
17. Der Sklave verkauft den Herrn.
18. Ein Narr streitet sich niemals mit einem Philosophen.
19. Der Kunde fragt den Verkäufer nach seinen Wünschen.
20. Die Einwohner bringen dem Briefträger die Post.

3 Вставьте подходящие существительные в правильной форме в предложении.

1. Viele Hunde sind des … Tod. (Sprichwort)

2. Du, du liegst mir am …, du, du liegst mir im Sinn. (Anfang eines Liedes)
3. Fürchte den Bock von vorn, das Pferd von hinten und den … von allen Seiten. (Sprichwort)
4. sich (nicht) in die Höhle des … wagen (Redensart)
5. Liebe deinen …, aber reiße den Zaun nicht ab.
6. O, herrlich ist es, die Kraft eines … zu haben. (Shakespeare)
7. Mach dir doch darüber keine …! (Redensart)

a) der Gedanke
b) der Mensch
c) der Hase
d) das Herz
e) der Löwe
f) der Nächste
g) der Riese

Список наименований жителей стран и континентов:

склонение II типа	склонение I типа
der Afghane – des Afghanen	der Ägypter – des Ägypters
der Brite – des Briten	der Algerier – des Algeriers
der Bulgare – des Bulgaren	der Araber – des Arabers
der Chilene – des Chilenen	der Argentinier – des Argentiniers
der Chinese – des Chinesen	der Belgier – des Belgiers
der Däne – des Dänen	der Brasilianer – des Brasilianers
der Finne – des Finnen	der Engländer – des Engländers
…	…
der Asiate – des Asiaten	der Afrikaner – des Afrikaners
	der Amerikaner – des Amerikaners
	der Australier – des Australiers
	der Europäer – des Europäers

Исключение составляют следующие существительные:

1. der Israeli – des Israelis – (множ. число) die Israelis
   der Saudi – des Saudis – (множ. число) die Saudis
   der Somali – des Somalis – (множ. число) die Somalis
   der Pakistani – des Pakistanis – (множ. число) die Pakistanis

2. Существительное *der Deutsche* склоняется как прилагательное:
   м. р.: der Deutsche / ein Deutscher;   ж. р.: die Deutsche / eine Deutsche
   множ. число: die Deutschen / Deutsche

Примечание

Наименования жительниц стран и континентов, за исключением слова *die Deutsche*, всегда оканчиваются на *-in*, например:

    die Polin, die Russin, die Französin (!) и т. д.
    die Spanierin, die Iranerin и т. д..
    die Asiatin, die Europäerin и т. д.

4 Выполните упражнение по образцу, можно провести в группе соревнование на время.

I	II	III	IV	V
Polen	*der Pole*	*des Polen*	*die Polen*	*die Polin*
Spanien	*der Spanier*	*des Spaniers*	*die Spanier*	*die Spanierin*
Afrika	...	...	...	...
Asien	...	...	...	...
...	...	...	...	...

5 Образуйте самостоятельно 10 предложений по следующему образцу:

    der Grieche   *Kennst du einen Griechen?*
                          Nein, einen Griechen kenne ich leider nicht.

6 Выполните упражнение на образование дательного падежа.

    A: Der Ire singt gern.   *B: Ja, man sagt vom Iren, dass er gern singt.*

Ваше согласие с предложенным высказыванием можно подчеркнуть выражениями:
Ja, das stimmt, man sagt vom Iren, ...
или:
Ja, richtig, ...; Ja, da haben Sie / hast du Recht, ...

1. Der Grieche handelt gern.
2. Der Deutsche trinkt gern Bier.
3. Der Holländer ist sparsam.
4. Der Japaner ist besonders höflich.
5. Der Türke ist besonders tapfer.
6. Der Italiener liebt die Musik.
7. Der Chinese ist besonders fleißig.
8. Der Araber ist ein guter Reiter.
9. Der Pole tanzt gern und gut.
10. Der Spanier ist stolz.
11. Der Engländer isst morgens gern gut und kräftig.
12. Der Ungar ist sehr musikalisch.
13. Der Franzose kocht gern und gut.
14. Der Österreicher liebt Mehlspeisen.
15. Der Schweizer wandert gern.

Общие упражнения к склонению имен существительных (§ 1 и § 2)

7 Определите падеж существительных, написанных курсивом.

Höflicher Pistolenmann
(Frankfurt) Eine 51 Jahre alte *Hausfrau* des *Stadtteils Born-*
heim machte am *Montag Bekanntschaft* mit einem höfli-
chen *Räuber.*
Die *Frau* verkaufte gebrauchte *Elektrogeräte* aus dem *Haus-*
5   *halt* ihrer *Mutter.* Deshalb hatte sie eine *Annonce* in die
Zeitung gesetzt. Am gleichen *Tag* meldete ein „*Herr Schä-*
fer" seinen *Besuch* telefonisch an.
Kurz darauf kam der *Herr* und besichtigte die *Sachen:* verschiedene *Küchengeräte* der *Firma Moulinex,* ein altes *Radio,*
10 einen *Staubsauger* der *Marke Siemens* usw. Plötzlich zog er
eine kleine *Pistole* aus der *Tasche* seines *Mantels* und ver-
langte *Bargeld.* Die mutige *Frau* sagte mit fester *Stimme:*
„Ich habe kein *Geld!* Verlassen Sie sofort die *Wohnung!"*
„*Herr Schäfer"* gehorchte und – so der *Polizeibericht* – „ver-
15 gaß nicht sich für sein *Benehmen* zu entschuldigen."

§ 3   Употребление артикля

I Определенный артикль

Правила

a) Определенный артикль употребляется в том случае, если лицо или предмет
    известны слушающему (читающему) или упоминаются повторно, а также, если
    речь идет об общеизвестных лицах, предметах или понятиях.
    Der Lehrer schreibt das Wort an die Tafel.
    Das Parlament hat die Gesetze über den Export geändert.

b) Определенный артикль стоит перед именем прилагательным в превосходной
    степени (см. § 40 I 2).
    Der Mount Everest ist der höchste Berg der Erde.

c) Некоторые предлоги могут сливаться с артиклем.
    Die Sonne geht im Osten auf und im Westen unter.
    Wir gehen am Freitag ins Kino.

    дательный падеж: an + dem = *am;* bei + dem = *beim;* in + dem = *im;*
                        von + dem = *vom;* zu + dem = *zum;* zu + der = *zur.*

    винительный падеж: an + das = *ans;* in + das = *ins.*

II Неопределенный артикль

a) Неопределенный артикль употребляется в том случае, если лицо или предмет неизвестны слушающему (читающему), а также, если речь идет о любом лице или предмете или если безразлично, о ком или о чем идет речь.
Ein Fahrrad kostet etwa 500 Euro.
Sie nahm eine Tasse aus dem Schrank.

В связном повествовании наименования лиц или предметов вначале употребляют с неопределенным артиклем, а затем, при вторичном упоминании с определенным.
Ein König hatte *eine* schöne Tochter. *Der* König lebte in *einem* Schloss in *einem* wilden Wald. *Eines* Tages kam *ein* Prinz zu *dem* Schloss. *Der* Prinz wollte *die* Tochter *des* Königs gewinnen.

b) Во множественном числе обозначения неопределенных лиц или предметов употребляется без артикля.
Kinder fragen viel.
Er raucht nur Zigarren.

c) В родительном падеже множественного числа употребляется сочетание предлога *von* с дательным падежом имени существительного.
Genitiv Singular: Man hört das Geräusch eines Zuges.
Genitiv Plural: Man hört das Geräusch von Zügen.

В родительном падеже множественного числа может стоять определение, выраженное сочетанием существительное + прилагательное:
Der Professor liebt die Bücher *junger Schriftsteller.*
Der Bau *neuer Industrieanlagen* zerstört die Landschaft.

d) При отрицании употребляется слово *kein-*, обозначающее отсутствие лица, предмета и т. п.
Im Hotel war kein Zimmer frei.
Wir haben keine Kinder.

Singular	maskulin		feminin		neutral	
Nominativ	kein	Mann	keine	Frau	kein	Kind
Akkusativ	keinen	Mann	keine	Frau	kein	Kind
Dativ	keinem	Mann	keiner	Frau	keinem	Kind
Genitiv	keines	Mannes	keiner	Frau	keines	Kindes
Plural	m + f + n					
Nominativ	keine Männer / Frauen / Kinder					
Akkusativ	keine Männer / Frauen / Kinder					
Dativ	keinen Männern / Frauen / Kindern					
Genitiv	keiner Männer / Frauen / Kinder					

1 Im Warenhaus

(n) Fahrrad / 600,–
Hier haben wir ein Fahrrad für 600 Euro. – Nein, das Fahrrad ist mir zu teuer!

1. (m) Gebrauchtwagen / 4500,–
2. (f) Lederjacke / 290,–
3. (m) Elektroherd / 410,–
4. (n) Motorrad / 3000,–
5. (f) Kaffeemaschine / 90,–
6. (f) Waschmaschine / 600,–

2 Выполните упражнение по следующему образцу:

(m) Dosenöffner / im Küchenschrank
Ich brauche einen Dosenöffner. – Der Dosenöffner ist im Küchenschrank!

(Pl.) Nadeln / im Nähkasten
Ich brauche Nadeln. – Die Nadeln sind im Nähkasten!

Вы можете усилить выражение необходимости словами: *Ich brauche unbedingt …*
В ответе можно выразить легкое нетерпение, например: *Der Dosenöffner ist doch im Küchenschrank, das weißt du doch!*

1. (Pl.) Briefumschläge / im Schreibtisch
2. (Pl.) Briefmarken / in der Schublade
3. (m) Hammer / im Werkzeugkasten
4. (m) Kugelschreiber / auf dem Schreibtisch
5. (n) Feuerzeug / im Wohnzimmer
6. (Pl.) Kopfschmerztabletten / in der Hausapotheke
7. (n) Wörterbuch / im Bücherschrank
8. (m) Flaschenöffner / in der Küche

3 Образуйте множественное число.

Er schenkte mir ein Buch.   Ich habe das Buch noch nicht gelesen.
Er schenkte mir Bücher.   *Ich habe die Bücher noch nicht gelesen.*

1. Ich schreibe gerade einen Brief. Ich bringe den Brief noch zur Post.
2. Morgens esse ich ein Brötchen. Das Brötchen ist immer frisch.
3. Ich kaufe eine Zeitung. Ich lese die Zeitung immer abends.
4. Ich brauche eine Kopfschmerztablette. Wo habe ich die Tablette hingelegt?
5. Sie hat ein Pferd. Sie füttert das Pferd jeden Tag.
6. Ich suche einen Sessel. Der Sessel soll billig sein.
7. Die Firma sucht eine Wohnung. Sie vermietet die Wohnung an Ausländer.
8. Er kaufte ihr einen Brillanten. Er hat den Brillanten noch nicht bezahlt.

4 Образуйте единственное число.

Die Mücken haben mich gestochen.   *Die Mücke hat mich gestochen.*
Die Firma sucht Ingenieure.   *Die Firma sucht einen Ingenieur.*

1. Ich helfe den Schülern.
2. Sie hat Kinder.
3. Er liest Liebesromane.
4. Sie gibt mir die Bücher.

5. Er hat Katzen im Haus.
6. Sie füttert die Tiere.
7. Wir leihen uns Fahrräder.
8. Er besitzt Häuser.
9. Er vermietet Wohnungen.
10. Er sucht noch Mieter.
11. Aber die Wohnungen sind zu teuer.
12. Vermieten Sie Zimmer?
13. Sind die Zimmer nicht zu teuer?
14. Hunde bellen, Katzen miauen.

5 Образуйте предложения.

(Briefmarken / sammeln) ist ein beliebtes Hobby.
Das Sammeln von Briefmarken ist ein beliebtes Hobby.

1. (Bäume / fällen) ist nicht ungefährlich.
2. (Militäranlagen / fotografieren) ist oft nicht erlaubt.
3. (Fernseher / reparieren) muss gelernt sein.
4. (Kraftwerksanlagen / betreten) ist verboten.
5. (Hunde / mitbringen) ist untersagt.
6. (Rechnungen / schreiben) ist nicht meine Aufgabe.
7. (Schnecken / essen) überlasse ich lieber anderen.
8. (Landschaften / malen) kann man erlernen.
9. (Fotokopien / anfertigen) kostet hier zwanzig Cent pro Blatt.
10. (Pilze / sammeln) ist in manchen Gebieten nicht immer erlaubt.

6 Вставьте определенный или неопределенный артикль в нужном падеже.
В скобках указан род существительного.

In ... (f) Seeschlacht fand ... (m) Matrose Zeit sich am Kopf zu kratzen, wo ihn ...
(n) Tierlein belästigte. ... Matrose nahm ... (n) Tierchen und warf es zu Boden.
Als er sich bückte um ... (n) Tier zu töten, flog ... (f) Kanonenkugel über seinen
Rücken. ... Kugel hätte ihn getötet, wenn er sich nicht gerade gebückt hätte.
„Lass dich nicht noch einmal bei mir sehen!", meinte ... Matrose und schenkte ...
Tier das Leben.

7 Сделайте упражнение по следующему образцу:

der Lärm / ein Motorrad / (-er)   *Man hört den Lärm eines Motorrads.*
                                    Man hört den Lärm von Motorrädern.

1. Das Singen / ein Kind (-er)
2. das Sprechen / eine Person (-en)
3. das Laufen / ein Pferd (-e)
4. das Pfeifen / ein Vogel (-)
5. das Hupen / ein Autobus (-se)
6. das Bellen / ein Hund (-e)
7. das Miauen / eine Katze (-n)
8. das Brummen / ein Motor (-en)
9. das Ticken / eine Uhr (-en)
10. das Klatschen / ein Zuschauer (-)

8 Употребите имена существительные из упражнения 2.

Hier hast du den Dosenöffner.   *Danke, aber ich brauche keinen Dosenöffner mehr.*
Hier hast du die Nadeln.   *Danke, aber ich brauche keine Nadeln mehr.*

9 Употребите существительные из упражнения 1.

Hier haben wir ein Fahrrad für 1200 Mark.
Sehr schön, aber ich brauche kein Fahrrad.

III Отсутствие артикля при существительных именах, стоящих в единственном числе

Без артикля употребляются:

1. Имена собственные, названия городов, стран и континентов:
    Goethe wurde 82 Jahre alt.   Deutschland ist ein Industrieland.
    Dr. Meyer ist als Forscher bekannt.   Afrika und Asien sind Kontinente.
    Berlin ist eine große Stadt.   также: Gott ist groß.

    Примечание: Вместо родительного падежа в единственном числе часто
    употребляется сочетание предлога *von* особенно, если они оканчиваются
    на *s* или *z:*
    Gerhard ist der Bruder von Klaus.
    Einige Schriften von Aristoteles sind verloren.
    Die Autobahnen von Los Angeles sind berühmt.

    В остальных случаях, включая собственные имена, как правило, употребляется
    родительный падеж.
    Die Straßen Venedigs sind eng.
    Wir fliegen jetzt über die Wälder Kanadas.

    Запомните: Если перед названными существительными стоит прилагательное
    или за ними следует определение в родительном падеже, данные существи-
    тельные употребляются с определенным артиклем:
    der alte Goethe, der Goethe der Weimarer Zeit
    das große Berlin, das Berlin der Zwanzigerjahre
    im Polen der Nachkriegszeit
    der liebe Gott

    Исключение составляют следующие названия стран, употребляющиеся с
    определенным артиклем:

maskulin	feminin	Plural
der Libanon	die Schweiz	die Niederlande
der Sudan	die Türkei	
(der) Irak	(und alle anderen Namen auf -*ei*)	
(der) Iran	die Antarktis	
(der) Jemen		

В названиях стран, в которые входит их политическое обозначение, употребляется артикль данного политического обозначения:
die Bundes*republik* Deutschland
das Vereinigte König*reich*
die Vereinigten *Staaten* von Amerika (= Pl.)

2. a) Неисчисляемые понятия без сопроводительного слова, например: *Brot* (n.), *Geld* (n.), *Energie* (f.), *Elektrizität* (f.), *Wasserkraft* (f.), *Luft* (f.), *Wärme* (f.):
    Hast du *Geld* bei dir?
    Die Hungernden schreien nach *Brot*.
    Eisbären fühlen sich bei *Kälte* wohl.
    Aus *Wasserkraft* wird *Energie* gewonnen.

    Запомните: Если данные существительные сопровождаются определением или обстоятельствами, употребляется определенный артикль:
    die verseuchte Luft, die Wärme in diesem Raum

    b) Наименования жидкостей и веществ без сопроводительного слова, например:
    Wasser (n.), *Milch* (f.), *Bier* (n.), *Wein* (m.), *Öl* (n.), *Benzin* (n.), *Alkohol* (m.), *Holz* (n.), *Glas* (n.), *Kohle* (f.), *Stahl* (m.), *Beton* (m.), *Kupfer* (n.), *Kalk* (m.):
    Zum Frühstück trinkt man *Tee, Kaffee* oder *Milch*.
    Zum Bau von Hochhäusern braucht man *Beton, Stahl* und *Glas*.

    Запомните: das schmutzige Meerwasser, das Gold der Münze

    c) Наименования качеств характера или чувств без сопроводительного слова, например: *Mut* (m.), *Kraft* (f.), *Freundlichkeit* (f.), *Intelligenz* (f.), *Ehrgeiz* (m.), *Nachsicht* (f.), *Angst* (f.), *Freude* (f.), *Liebe* (f.), *Trauer* (f.), *Hoffnung* (f.), *Verzweiflung* (f.)

    в винительном падеже:
    Sie hatten Hunger und Durst.
    Er fühlte wieder Mut und Hoffnung.

    с предлогом:
    Mit Freundlichkeit kann man viel erreichen.
    Sie war sprachlos *vor Freude*.
    Aus Angst reagierte er völlig falsch.

    Запомните: die Freude des Siegers, die Verzweiflung nach der Tat

3. Обозначения национальности, профессии и глаголами *sein* и *werden,* а также после *als* и перед наименованием учебных предметов:
    Ich bin *Arzt*. Mein Sohn wird *Ingenieur*.
    Er ist *Türke*. Er arbeitet als *Lehrer*.
    Er studiert *Chemie*; seine Schwester studiert *Germanistik*.

Запомните: Если перед именем существительным, обозначающим профессию или национальность, стоит определение, слово употребляется с артиклем:
Er ist ein guter Verkäufer.
Das ist der bekannte Architekt Dr. Meyer.

4. Имена существительные, стоящие после обозначения меры, веса, количества:
Ich kaufe ein Pfund *Butter.*   Er trinkt ein Glas *Milch.*
Wir besitzen eine große Fläche *Wald.*   Wir hatten 20 Grad *Kälte.*

5. Имена существительные в пословицах и устойчивых словосочетаниях:
   a) *Ende* gut, alles gut.   Kommt *Zeit*, kommt *Rat.*
   b) *Pech* haben, *Farbe* bekennen, *Frieden* schließen, *Widerstand* leisten, *Atem* holen и т.д.
   c) Er arbeitet *Tag* und *Nacht; Jahr* für *Jahr.*

6. Имена существительные, если перед ними стоит определение в родительном падеже:
Alle waren gespannt auf *die Antwort* des Ministers. –
    Alle waren gespannt auf des Ministers *Antwort.*
Wir haben gestern *den Bruder* von Eva getroffen. –
    Wir haben gestern Evas *Bruder* getroffen.

Примечание

Артикль часто отсутствует после предлогов *ohne, zu, nach, vor* и др. (см. § 58–60):
ohne Arbeit, ohne Zukunft, ohne Hoffnung, и т.д.
zu Weihnachten, zu Ostern, zu Silvester, и т.д.
zu Fuß gehen; zu Besuch kommen; zu Boden fallen; zu Mittag essen, и т.д.
nach / vor Feierabend; nach / vor Beginn; nach / vor Ende, и т.д.

10 Вставьте, где необходимо, определенный или неопределенный артикль.

1. Morgens trinke ich … Tee, nachmittags … Kaffee.
2. Schmeckt dir denn … kalte Kaffee?
3. Er ist … Engländer und sie … Japanerin.
4. Siehst du … Japaner dort? Er arbeitet in unserer Firma.
5. Ich glaube an … Gott.
6. Allah … Gott des Islam.
7. … Arbeit meines Freundes ist hart.
8. Ich möchte ohne … Arbeit nicht leben.
9. Du hast doch … Geld! Kannst du mir nicht 50 Euro leihen?
10. Die Fabrik ist … Tag und … Nacht in Betrieb.
11. Wollen Sie in eine Stadt ohne … Motorenlärm? Dann gehen Sie nach Zermatt in … Schweiz; dort sind … Autos und Motorräder für Privatpersonen nicht erlaubt.
12. Zu … Ostern besuche ich meine Eltern, in … Ferien fahre ich in … Alpen.
13. Wenn du … Hunger hast, mach dir ein Brot.
14. Mein Bruder will … Ingenieur werden; ich studiere … Germanistik.
15. Sie als … Mediziner haben natürlich bessere Berufsaussichten!

11 Вставьте, где необходимо, определенный артикль в нужном падеже.

1. ... Rom ist die Hauptstadt von ... Italien.
2. Er liebt ... Deutschland und kommt jedes Jahr einmal in ... Bundesrepublik.
3. ... Dresden, ... Stadt des Barocks, liegt in ... Sachsen.
4. ... schöne Wien ist ... Österreichs Hauptstadt.
5. ... Bern ist die Hauptstadt ... Schweiz, aber ... Zürich ist die größte Stadt des Landes.
6. Die Staatssprache in ... Tschechischen Republik ist Tschechisch.
7. ... Ankara ist die Hauptstadt ... Türkei; ... schöne Istanbul ist die größte Stadt des Landes.
8. ... GUS (= Gemeinschaft Unabhängiger Staaten) ist ungefähr 62-mal größer als ... Deutschland.
9. ... Mongolei, genauer ... Mongolische Volksrepublik, liegt zwischen ... Russland und ... China.
10. In ... Nordamerika spricht man Englisch, in ... Kanada auch Französisch, in ... Mittel- und Südamerika spricht man hauptsächlich Spanisch, außer in ... Brasilien; dort spricht man Portugiesisch.
11. In ... Vereinigten Staaten leben 250 Millionen Menschen.
12. In ... Nordafrika liegen die arabischen Staaten, das Gebiet südlich davon ist ... sogenannte Schwarzafrika.
13. ... Arktis ist im Gegensatz zu ... Antarktis kein Erdteil.
14. Der offizielle Name von ... Holland ist „... Niederlande".

12 Определенный, неопределенный артикль или без артикля? Объясните Ваш выбор.

... kalifornische Filmgesellschaft wollte ... spannenden Goldgräberfilm drehen, der zu ... großen Teil in ... Wäldern ... Kanadas spielen sollte. Man hätte natürlich ... winterliche Goldgräberdorf in ... Filmstudios nachbauen können und ... Holzhäuser und ... Straßen mit ... weißem, glitzerndem Salz bestreuen können,
5 aber ... Regisseur wünschte ... echten Schnee, ... wirkliche Kälte und ... natürliches Licht. Deshalb brachte man alles Notwendige in ... schweren Lastwagen in ... einsames Dorf an ... kanadischen Grenze. Etwas Besseres hätten sich ... Schauspieler nicht vorstellen können, denn es bedeutete für sie ... herrliche Tage in ... ruhigen Wäldern von ... Kanada. Dort war noch kein Schnee gefallen
10 und ... Schauspieler lagen in ... warmen Oktobersonne, fingen ... Fische in ... Seen und genossen ... freie Zeit. Nach ... drei langen Wochen verlor ... Filmgesellschaft endlich ... Geduld, denn jeder Tag kostete ... Menge Geld. So ließ sie ... zwanzig Lastwagen voll ... Salz nach ... Kanada fahren, was wieder ... Geld kostete. ... Salz wurde von ... kanadischen Sportfliegern über ... ganze Dorf ver-
15 streut und es war, als es fertig war, ... wunderschöne Winterlandschaft. In ... nächsten Nacht begann es zu schneien, a... frühen Morgen lag in ... Wäldern ringsum ... dicker Schnee, nur in ... Goldgräberdorf war nichts anderes zu sehen als ... hässlicher, brauner Matsch.

13 Вставьте, где необходимо, определенный или неопределенный артикль.

1. Seit ... Anfang ... April arbeitet ... Martin in ... Österreich als ... Krankenpfleger.
2. Seine Freundin ... Inge, geboren in ... Deutschland, studiert jetzt in ... Schweiz ... Medizin.
3. Sie will später ... Ärztin für ... Lungenheilkunde und ... Allergien werden.
4. Sie hat leider noch ... Probleme mit ... Sprache.
5. Sie studiert nämlich in ... Genf.
6. ... Sprache an ... Universität ist ... Französisch.
7. Sie hatte wohl ... Französisch in ... Schule gelernt, aber das ist nicht genug für ... Studium.
8. ... Martin arbeitet in ... Graz.
9. ... Martin und ... Inge treffen sich immer zu ... Ostern, ... Pfingsten und an ... Weihnachtsfeiertagen.
10. Manchmal hat ... Martin ... Urlaub und ... Inge hat ... Semesterferien.
11. Dann reisen sie mit ... Flugzeug nach ... Ägypten.
12. Er ist nämlich ... Hobby-Archäologe.
13. Oft ist ... Inge auch bei ... Martin in ... Graz.
14. Dann besuchen sie zusammen ... Theater, ... Oper oder auch ... Disko.
15. Auch ... Martins ... Schwester ... Angela in ... Wien besuchen sie manchmal.
16. Letztes Jahr konnte ... Inge nicht kommen; sie hatte ... Fieber und ... Bronchitis.
17. ... Bronchitis hatte sie schon als ... Kind oft gehabt.
18. Inge fliegt auch manchmal auf ... Insel Helgoland.
19. Inges ... Mutter lebt nämlich auf ... Helgoland.
20. Sie ist ... Künstlerin; sie malt gern ... Bilder von ... See.
21. Auf ... meisten Bildern sieht man nur ... Wellen, manchmal auch ... Schiffe.
22. ... Künstlerin ist nicht sehr bekannt.
23. „... Mutti, komm doch mal zu mir nach ... Genf!", sagt ... Inge, aber ... Mutter hat ... Angst vorm Fliegen und vor langen Reisen.
24. Auf ... Helgoland holt sich ... Inge immer ... Kraft und ... Ausdauer für ... Studium.

14 Объясните употребление артикля.

Immer wieder gibt es Brände. Mal brennt ein Haus, mal eine Scheune oder ein Stall. Auch Waldbrände gibt es von März bis Oktober immer wieder. Die Feuerwehr rät:

1. Benzin, Heizöl oder Spiritus nicht in der Wohnung lagern.
2. Gardinen brennen leicht. Deshalb Vorsicht mit Kerzen oder Zigaretten!
3. Nie im Bett rauchen! Dabei sind schon oft Brände entstanden.
4. Für Bauern gilt die Regel: Heu nur trocken in der Scheune lagern! Wenn das Heu feucht und das Wetter warm ist, kann ein Brand entstehen.
5. Rauchen in Wäldern ist von März bis Oktober sehr gefährlich. Leicht entsteht ein Waldbrand.

§ 4   Склонение личных местоимений

Singular	Person	1.	2.	3.		
Nom.		ich	du	er	sie	es
Akk.		mich	dich	ihn	sie	es
Dat.		mir	dir	ihm	ihr	ihm
Gen.*		(meiner)	(deiner)	(seiner)	(ihrer)	(seiner)
Plural		**1.**	**2.**	**3.**		
Nom.		wir	ihr	sie/Sie		
Akk.		uns	euch	sie/Sie		
Dat.		uns	euch	ihnen/Ihnen		
Gen.*		(unser)	(euer)	(ihrer)/(Ihrer)		

*Личные местоимения в родительном падеже не употребляются. Их можно встретить в старой литературе и в религиозных выражениях.

1. Личные местоимения *ich, du, wir, ihr, Sie* в именительном, дательном и винительном падежах всегда относятся к наименованиям лиц:
Ich habe dich gestern gesehen. – Wir haben euch gut verstanden.
Ich habe Ihnen geschrieben. – Wir rufen Sie wieder an.

2. Личные местоимения *er, sie, es, sie* (множ. число) в именительном, дательном и винительном падежах могут относиться как к ранее упоминавшимся наименованиям лиц, так и предметов:
Der Professor ist verreist. Er kommt heute nicht.
Die Verkäuferin bedient mich oft. Ich kenne sie schon lange.
Die Blumen sind vertrocknet. Ich habe ihnen zu wenig Wasser gegeben.
Das Ergebnis ist jetzt bekannt. Es ist negativ ausgefallen.

Примечания

1. a) Обращения *du* и *ihr* употребляются по отношению к детям, родственникам, друзьям, часто среди рабочих и студентов, иногда среди сотрудников (напр. в бюро).
   b) Обращения *Sie* употребляется по отношению к незнакомым людям. Это форма вежливого обращения к отдельному лицу или нескольким лицам. Официальным обращением среди взрослых (кроме случаев в пункте а) является *Sie*.

2. a) Местоимения *du, dich, ihr, euch* и т. д. пишутся по новым правилам с маленькой буквой, включая письма и сообщения.
   b) В оффициальном обращении слова *Sie, Ihnen, Ihren Brief* и т. п. всегда пишутся с большой буквой.

1 Замените выделенные существительные соответствующими местоимениями.

Einem alten Herrn war sein Hündchen entlaufen, das er sehr liebte. *Der alte Herr* suchte *das Hündchen* in allen Straßen und Gärten, aber *der alte Herr*
5 konnte *das Hündchen* nirgendwo finden. Darum ließ *der alte Herr* in der Zeitung eine Belohnung ausschreiben. Wer *dem alten Herrn* das Hündchen wiederbringt, bekommt 250 Euro Belohnung. Als
10 *das Hündchen* nach drei Tagen noch nicht zurückgebracht war, rief der alte Herr wütend bei der Zeitung an.

Aber der Pförtner konnte *den alten Herrn* nicht beruhigen und konnte *dem alten Herrn* auch keine genaue Auskunft
15 geben, weil niemand von den Angestellten der Zeitung anwesend war. „Wo sind *die Angestellten* denn", schrie der alte Herr aufgeregt, „warum kann ich mit keinem von *den Angestellten*
20 sprechen?" *„Die Angestellten* suchen alle nach Ihrem Hündchen", antwortete der Pförtner.

2 Вместо существительных, написанных с наклоном и в пропущенных местах вставьте подходящие личные местоимения.

Die Maus und der Stier

Ein Stier war auf einer Wiese und fraß Gras. Wie *der Stier* so den Kopf zur Erde senkte, sprang eine Maus herbei und biss *den Stier* in die Nase.
… werde *die Maus* umbringen, dachte der Stier böse. Da hörte *der*
5 *Stier die Maus* rufen: „Fang … doch! … kriegst … ja doch nicht." „Das ist eine Frechheit!", dachte *der Stier*, senkte die Hörner und wühlte mit *den Hörnern* in der Erde, bis *der Stier* müde war. Dann legte *der Stier* sich auf den Boden.
Darauf hatte die Maus nur gewartet. Hupp, da kam *die Maus* aus der
10 Erde und biss den Stier noch schlimmer als das erste Mal.
„Jetzt reicht es … aber!", schrie *der Stier*. Wütend sprang *der Stier* auf die Beine und wühlte mit den Hörnern wieder und wieder in der Erde. Aber es half *dem Stier* nichts. Die Maus war schon an einer ganz anderen Stelle. „Holla!", piepste *die Maus*. „Streng … nicht so an, mein Dicker!
15 Es nützt … nichts. … will … etwas sagen: … großen Kerle könnt nicht immer erreichen, was … wollt. Manchmal sind … Kleinen stärker, verstehst … …?"

Nach einer Fabel von Äsop

3 То же задание, как и в 2.

– Hallo Fritz, wie geht es …?
– Danke, … geht es gut. Und wie geht's … und deiner Frau?
– Bei … ist alles in Ordnung. Übrigens, … habe ein Buch für ….
Das Buch ist sehr interessant.
– … danke …!

– Gib ... *das Buch* zurück, wenn du ... gelesen hast. ... gehört meiner Schwester; *meine Schwester* hat das Buch auch noch nicht gelesen. Sag *meiner Schwester*, wie *das Buch* ... gefallen hat. Das wird *meine Schwester* interessieren.

– ... komme nächste Woche ... und deine Eltern besuchen. Sag *deinen Eltern* schöne Grüße. Ruft ... an und sagt ..., wann es ... passt. Es gibt viel zu besprechen.

4 Вставьте недостающие личные местоимения. Выполните упражнение письменно. Обратите внимание на правописание личных местоимений.

1. Kommst du morgen? Dann gebe ich ... das Buch. ... ist sehr interessant. Gib ... ... zurück, wenn du ... gelesen hast.
2. Besuchst ... deinen Bruder? Gib ... bitte dieses Geschenk. ... ist von meiner Schwester. Ich glaube, sie mag ... .
3. Du hast noch meine Schreibmaschine. Gib ... ... bitte zurück; ich brauche ... dringend.
4. Hört mal, ihr zwei, ich habe so viele Blumen im Garten; ... könnt euch ruhig ein paar mitnehmen. ... verwelken sonst doch nur.
5. Hier sind herrliche Äpfel aus Tirol, meine Dame. Ich gebe ... ... für einen Euro fünfzig das Kilo. ... sind sehr aromatisch!
6. „Kommst du morgen mit in die Disko?" „... weiß noch nicht. ... rufe ... heute Abend an und sage ... Bescheid."
7. Wenn du das Paket bekommst, mach ... gleich auf. Es sind Lebensmittel drin. Leg ... gleich in den Kühlschrank, sonst werden ... schlecht.
8. Geh zu den alten Leuten und gib ... die Einladung. ... freuen sich bestimmt, wenn ... ... bekommen.
9. „Also, Herr Maier, ich sage ... jetzt noch einmal: Drehen ... das Radio etwas leiser!" „Aber ich bitte ..., Herr Müller, stört ... das denn?"
10. „Schickst ... den Eltern eine Karte?" „Ich schicke ... keine Karte, ... schreibe ... einen Brief."

§ 5   Притяжательные местоимения

I Притяжательные местоимения 1–3 лица в именительном падеже единственного и множественного числа

Singular	maskulin	feminin	neutral	Plural	m + f + n
1.	mein	meine	mein		meine
2.	dein	deine	dein		deine
3.	sein	seine	sein		seine
	ihr	ihre	ihr		ihre
	sein	seine	sein		seine
1.	unser	uns(e)re	unser		uns(e)re
2.	euer	eure	euer		eure
3.	ihr	ihre	ihr		ihre
	Ihr	Ihre	Ihr		Ihre

1. Притяжательные местоимения указывают на принадлежность лица или предмета:

Das ist meine Tasche.   =   Sie gehört mir.
Das ist seine Tasche.   =   Sie gehört dem Chef.
Das ist ihre Tasche.   =   Sie gehört der Kollegin.
Das ist unsere Tasche.   =   Sie gehört uns.
Das ist ihre Tasche.   =   Sie gehört den beiden Kindern.

2. Форма вежливого обращения *Ihr, Ihre, Ihr* может относиться как к одному лицу, так и к многим лицам, которым принадлежит данное лицо или предмет.

Ist das Ihre Tasche? – Ja, sie gehört mir.
Ist das Ihre Tasche? – Ja, sie gehört uns.

II Склонение притяжательных местоимений

Singular	maskulin		feminin		neutral	
Nom.	mein	Freund	meine	Freundin	mein	Haus
Akk.	meinen	Freund	meine	Freundin	mein	Haus
Dat.	meinem	Freund	meiner	Freundin	meinem	Haus
Gen.	meines	Freundes	meiner	Freundin	meines	Hauses
Plural	*maskulin / feminin / neutral*					
Nom.	meine	Freunde / Freundinnen / Häuser				
Akk.	meine	Freunde / Freundinnen / Häuser				
Dat.	meinen	Freunden / Freundinnen / Häusern				
Gen.	meiner	Freunde / Freundinnen / Häuser				

1. Притяжательные местоимения стоят перед существительным и согласуются с ним:
   a) в падеже (именительный, родительный, дательный, винительный),
   b) в роде (мужской, средний, женский),
   c) в числе (единственное, множественное).

   Das ist meine Tasche. (им. п., ед. ч., ж. р.)
   Ich kenne ihren Sohn. (вин. п., ед. ч., м. р.)
   но: Ich kenne ihre Söhne. (вин. п., мн. ч., м. р.)

2. Итак: При употреблении притяжательных местоимений необходимо иметь в виду два вопроса:
   a) Кому принадлежит предмет или лицо?
   b) Какое окончание получает притяжательное местоимение?

   Ich hole *den* Mantel **der Kollegin**. = 3 лицо, ед. ч., ж. р.
   Ich hole **ihr**en Mantel. = вин. п., ед. ч., м. р.

1a Выполните упражнения a) и b) по следующим образцам. Притяжательное местоимение должно стоять в именительном падеже. Продолжите упражнения самостоятельно.

    Wo ist dein Lexikon?   *Mein Lexikon ist hier!*

Wo ist deine Tasche?   Wo sind deine Arbeiten?
Wo ist dein Kugelschreiber?   Wo sind deine Aufgaben?
Wo ist dein Deutschbuch?   Wo sind deine Hefte?
Wo ist …?   Wo sind …?

b Wo ist mein Mantel?   *Dein Mantel ist hier!*

Ваше нетерпение, напр. после длительных поисков, можно выразить словами:
Wo ist denn nur mein Mantel?

Wo ist mein Hut?   Wo ist mein Portmonee?
Wo ist meine Tasche?   Wo ist meine Brieftasche?
Wo sind meine Handschuhe?   Wo sind meine Zigaretten?
Wo ist …?   Wo sind …?

2 Выполните упражнение по следующему образцу. Используйте существительные из упражнения 1.

    Wo ist Ihr Lexikon?   *Mein Lexikon ist hier!*
    Wo ist mein Mantel?   *Ihr Mantel ist hier!*

3 Вставьте притяжательные местоимения в дательном падеже.

Das ist Herr Müller mit …
seiner Familie (f).   … Töchtern (Pl.).
… Frau.   … Kind.
… Sohn.   … Nichte.
Das ist Frau Schulze mit …
… Freundinnen (Pl.).   … Söhnen.

... Schwester.
... Tochter.
Das sind Thomas und Irene mit...
... Spielsachen (Pl.).
... Eltern (Pl.).
... Lehrer (m).

... Mann.
... Enkelkindern.

... Fußball (m).
... Freunden (Pl.).
... Mutter.

4 Выполните упражнение по следующему образцу:

Haus (n) / Tante   *Das Haus gehört meiner Tante.*

1. Wagen (m) / Schwiegersohn
2. Garten (m) / Eltern
3. Möbel (Pl.) / Großeltern
4. Fernseher (m) / Untermieterin

5. Bücher (Pl.) / Tochter
6. Teppich (m) / Schwägerin
7. Schmuck (m) / Frau
8. Schallplatten (Pl.) / Sohn

5 Выполните упражнение по следующему образцу. Притяжательное местоимение должно стоять в винительном падеже.

Wo hab' ich nur meinen Kugelschreiber hingelegt? (... auf den Tisch gelegt.)
Deinen Kugelschreiber? Den hast du auf den Tisch gelegt.

В ответе можно выразить легкое удивление или нетерпение словами:
Den hast du doch auf den Tisch gelegt! („doch" стоит без ударения)

Wo hab' ich nur ...
1. ... Brille (f) hingelegt? (... auf den Schreibtisch gelegt.)
2. ... Jacke (f) hingehängt? (... an die Garderobe gehängt.)
3. ... Handschuhe (Pl.) gelassen? (... in die Schublade gelegt.)
4. ... Schirm (m) hingestellt? (... da in die Ecke gestellt.)
5. ... Bleistift (m) gelassen? (... in die Jackentasche gesteckt.)
6. ... Briefmarken (Pl.) gelassen? (... in die Brieftasche gesteckt.)
7. ... Brief (m) hingetan? (... in den Briefkasten geworfen.)

6 Используйте вопросы из упражнения 5 для упражнения по следующему образцу:

Wo hab' ich nur meinen Kugelschreiber hingelegt?
Ihren Kugelschreiber? Den haben Sie auf den Tisch gelegt.

7 Вставьте притяжательные местоимения в правильной форме.

1. Wir sind in ein anderes Hotel gezogen. ... altes Hotel (n) war zu laut.
2. ... Eltern haben ... Schlafzimmer gegenüber von ... Zimmer.
3. ... Schlafzimmer ist aber kleiner.
4. ... Bruder Alex hat ... Bett (n) an der Tür, ... Bett steht am Fenster.
5. Die Mutter fragt: „Habt ihr ... Sachen (Pl.) schon ausgepackt?"
6. „... Seife (f) und ... Waschlappen (Pl.) legt bitte ins Bad!"

7. „... Anzüge (Pl.) hängt ihr in den Schrank, ... Hemden legt ihr hierhin und ...
Schuhe (Pl.) stellt ihr unters Bett.“

8. Alex ruft plötzlich: „Wo ist ... Mantel (m)? Hast du ... Mantel gesehen?“

9. „Alex“, sage ich, „da kommt Vater mit ... Mantel und ... Schuhen.“

10. „Ihr habt die Hälfte ... Sachen (Gen.) im Auto gelassen!“, sagt Vater.

11. Mutter sucht ... Portmonee (n). „...Portmonee ist weg! Und ... Handtasche (f)
auch!“, ruft sie aufgeregt.

12. „Hier ist ... Handtasche und auch ... Portmonee“, sagt der Vater.

13. „Wenn sich ... Aufregung (f) gelegt hat“, meint Vater, „dann gehen wir jetzt
essen. ... Freunde warten schon auf uns.“

8 Вставьте, где необходимо, окончания притяжательных местоимений.

Frankfurt, den 30. Mai

Lieber Hans,

dein__ Antwort (f) auf mein__ Brief (m) hat mich sehr gefreut.
So werden wir also unser__ Ferien (Pl.) gemeinsam auf dem
Bauernhof mein__ Onkels verbringen.
Sein__ Einladung (f) habe ich gestern bekommen. Er lädt
5   dich, dein__ Bruder und mich auf sein__ Bauernhof (m) ein.
Mein__ Freude (f) kannst du dir vorstellen. Es war ja schon
lange unser__ Plan (m), zusammen zu verreisen.
Mein__ Verwandten (Pl.) haben auf ihr__ Bauernhof (m) allerdings ihr__ eigene Methode (f): Mein__ Onkel verwendet kei-
10 nen chemischen Dünger, er düngt sein__ Boden (m) nur mit
dem Mist sein__ Schafe und Kühe (Pl.). Ebenso macht es
sein__ Frau: Ihr__ Gemüsegarten (m) düngt sie nur mit natür-
lichem Dünger. Ihr__ Gemüse (n) und ihr__ Obst (n) wachsen
völlig natürlich! Sie braucht keine gefährlichen Gifte gegen
15 Unkraut oder Insekten und ihr__ Obstbäume (Pl.) wachsen
und gedeihen trotzdem. Deshalb schmecken ihr__ Äpfel und
Birnen (Pl.) auch besser als unser__ gekauften Früchte (Pl.).
Ihr__ Hühner und Gänse (Pl.) laufen frei herum; nur abends
treibt sie mein__ Onkel in ihr__ Ställe (Pl.). Dort legen sie Eier
20 und brüten ihr__ Küken (Pl.) aus; das wird dein__ kleinen Bruder interessieren!
Die Landwirtschaft mein__ Verwandten (Pl.) ist übrigens sehr
modern. Ihr__ Haushalt (m) versorgen sie mit Warmwasser
aus Sonnenenergie; sogar die Wärme der Milch ihr__ Kühe
25 (Pl.) verwenden sie zum Heizen! Die Maschinen sind die mo-
dernsten ihr__ Dorfes (n).
Mein__ Verwandten sind noch jung: Mein__ Onkel ist 30,
mein__ Tante 25 Jahre alt. Ich finde ihr__ Leben (n) und ihr__
Arbeit (f) sehr richtig und sehr gesund. Aber du wirst dir
30 dein__ Meinung (f) selbst bilden.

Herzliche Grüße, dein__ Klaus

§ 6   Спряжение глаголов

I Общие сведения

1. Глагол состоит из основы и окончания:
   lach-en, folg-en, trag-en, geh-en

2. В немецком языке различают слабые, сильные глаголы и глаголы смешанного спряжения (см. неправильные глаголы).

3. Все слабые глаголы спрягаются одинаково. Они образуют самую многочисленную группу глаголов в немецком языке.
   Сильные глаголы и глаголы смешанного спряжения образуют свои формы по особым правилам, часто с изменением корневого гласного. Это относительно малочисленная группа глаголов, которую следует заучить (см. Приложение).

4. Глаголы необходимо заучивать с их основными формами. От трех основных форм глаголов образуются все глагольные формы немецкого языка. К основным формам относятся:
   a) инфинитив, неопределенная форма глагола   lachen, tragen
      (= инфинитив I)
   b) имперфект, форма прошедшего времени   er lachte, er trug
   c) причастие второе   (hat) gelacht, (hat) getragen
      (= причастие II)

5. Причастие II образуется при помощи приставки *ge-* и окончания *-t* у слабых глаголов или *-en* у сильных глаголов:
   lachen – gelacht, einkaufen – eingekauft
   tragen – getragen, anfangen – angefangen

   Глаголы на *-ieren* образуют причастие II без приставки *ge-* (см. § 8).

6. Большинство глаголов образуют формы перфекта и плюсквамперфекта с глаголом *haben,* некоторые – с глаголом *sein* (см. § 12).

7. Претеритум (имперфект) употребляется в письменной речи. Перфект употребляется, как правило, при устном сообщении об уже прошедшем. Плюсквамперфект употребляется в том случае, если надо выразить, что прошедшее действие произошло раньше, чем действие в перфекте или в претеритуме.
   Претеритум (в романе): Ein junger Mann *kam* in eine fremde Stadt und *sah* ein hübsches Mädchen. Er *verliebte* sich sofort …
   Перфект (в диалоге): „*Hast* du deinem Freund endlich die Wahrheit *gesagt*?" – „Ich *habe* ihm vor zwei Wochen einen langen Brief *geschrieben*, aber er *hat* noch nicht *geantwortet*."
   Плюсквамперфект (как правило, в письменной речи): Ein junger Mann liebte ein Mädchen und stand jeden Abend vor ihrem Fenster, aber er *hatte* noch nie vorher mit ihr *gesprochen*.

II Спряжение слабых глаголов

mit haben

	Präsens	Präteritum	Perfekt	Plusquamperfekt
Singular	ich lache	ich lachte	ich habe gelacht	ich hatte gelacht
	du lachst	du lachtest	du hast gelacht	du hattest gelacht
	er	er	er	er
	sie lacht	sie lachte	sie hat gelacht	sie hatte gelacht
	es	es	es	es
Plural	wir lachen	wir lachten	wir haben gelacht	wir hatten gelacht
	ihr lacht	ihr lachtet	ihr habt gelacht	ihr hattet gelacht
	sie lachen	sie lachten	sie haben gelacht	sie hatten gelacht

	Futur I		Futur II	
Singular	ich werde lachen		ich werde gelacht haben	
	du wirst lachen		du wirst gelacht haben	
	er		er	
	sie wird lachen		sie wird gelacht haben	
	es		es	
Plural	wir werden lachen		wir werden gelacht haben	
	ihr werdet lachen		ihr werdet gelacht haben	
	sie werden lachen		sie werden gelacht haben	

mit sein

	Präsens	Präteritum	Perfekt	Plusquamperfekt
Singular	ich folge	ich folgte	ich bin gefolgt	ich war gefolgt
	du folgst	du folgtest	du bist gefolgt	du warst gefolgt
	er	er	er	er
	sie folgt	sie folgte	sie ist gefolgt	sie war gefolgt
	es	es	es	es
Plural	wir folgen	wir folgten	wir sind gefolgt	wir waren gefolgt
	ihr folgt	ihr folgtet	ihr seid gefolgt	ihr wart gefolgt
	sie folgen	sie folgten	sie sind gefolgt	sie waren gefolgt

	Futur I		Futur II	
Singular	ich werde folgen		ich werde gefolgt sein	
	du wirst folgen		du wirst gefolgt sein	
	er		er	
	sie wird folgen		sie wird gefolgt sein	
	es		es	
Plural	wir werden folgen		wir werden gefolgt sein	
	ihr werdet folgen		ihr werdet gefolgt sein	
	sie werden folgen		sie werden gefolgt sein	

1. Слабые глаголы при образовании основных форм корневой гласный изменяют.

2. Имперфект образуется посредством -te-.

3. Причастие II оканчивается на -t.

4. Футурум I (первая форма будущего времени) образуется из настоящего времени глагола *werden* и инфинитива основного глагола. (см. § 21 Об употреблении).

Примечания

1. О форме вопроса (Lachst du? Lacht ihr? Lachen Sie?), см. § 17.

2. О форме императива (Lach! Lacht! Lachen Sie!), см. § 11.

1 Проспрягайте нижеприведенные глаголы в настоящем времени (презенс) в прошедшем времени (имперфекте и перфекте – ich schicke, du heilst, и т. д.)

		1	2	3
Sg.	1. Person	schicken	glauben	zählen
	2.	heilen	kaufen	spielen
	3.	fragen	machen	kochen
Pl.	1.	legen	weinen	drehen
	2.	führen	lachen	stecken
	3.	stellen	bellen	leben

2 Выполните упражнение a) сначала по левому, b) затем по правому образцу.

Brauchst du ein Wörterbuch? Braucht ihr ein Wörterbuch?
Ja, ich brauche ein Wörterbuch. *Ja, wir brauchen ein Wörterbuch.*
Er braucht ein Wörterbuch! *Sie brauchen ein Wörterbuch!*

Вашу заинтересованность в получении ответа можно подчеркнуть словами:
Brauchst du eigentlich ein Wörterbuch?
В ответе можно указать на то, что данное действие является само собой разумеющимся:
Ja, natürlich brauche ich ein Wörterbuch.
Или еще сильнее: *Ja, selbstverständlich brauche ich ein Wörterbuch.*

1. Hörst du morgens die Vögel? 5. Lernst du die Verben?
2. Holst du den Koffer mit dem Taxi? 6. Übst du immer laut?
3. Machst du den Kaffee immer so? 7. Kletterst du über die Mauer?
4. Brauchst du heute das Auto? 8. Sagst du es dem Kellner?

3 Выполните упражнение 2, употребляя глаголы в форме перфекта.

III Спряжение сильных глаголов*

mit **haben**				
	Präsens	*Präteritum*	*Perfekt*	*Plusquamperfekt*
Singular	ich trage	ich trug	ich habe getragen	ich hatte getragen
	du trägst	du trugst	du hast getragen	du hattest getragen
	er	er	er	er
	sie trägt	sie trug	sie hat getragen	sie hatte getragen
	es	es	es	es
Plural	wir tragen	wir trugen	wir haben getragen	wir hatten getragen
	ihr tragt	ihr trugt	ihr habt getragen	ihr hattet getragen
	sie tragen	sie trugen	sie haben getragen	sie hatten getragen

mit **sein**				
	Präsens	*Präteritum*	*Perfekt*	*Plusquamperfekt*
Singular	ich gehe	ich ging	ich bin gegangen	ich war gegangen
	du gehst	du gingst	du bist gegangen	du warst gegangen
	er	er	er	er
	sie geht	sie ging	sie ist gegangen	sie war gegangen
	es	es	es	es
Plural	wir gehen	wir gingen	wir sind gegangen	wir waren gegangen
	ihr geht	ihr gingt	ihr seid gegangen	ihr wart gegangen
	sie gehen	sie gingen	sie sind gegangen	sie waren gegangen

1. Сильные глаголы всегда изменяют корневую гласную в имперфекте и, как правило, в форме причастия II:

   finden, fand, gefunden   tragen, trug, getragen

   Ряд глаголов образует основные формы от разных корней или с изменением всей основы:

   gehen, ging, gegangen   sein, war, gewesen

2. В первом и третьем лице единственного числа имперфекта сильные глаголы не имеют окончаний:

   ich / er trug; ich / er ging

3. Некоторые сильные глаголы имеют особую форму во втором и третьем лицах единственного числа в презенсе. Эти формы с изменением корневого гласного необходимо заучивать, например:

   ich gebe – du gibst, er gibt   ich lasse – du lässt, er lässt
   ich nehme – du nimmst, er nimmt   ich stoße – du stößt, er stößt
   ich lese – du liest, er liest   ich laufe – du läufst, er läuft
   ich schlafe – du schläfst, er schläft

4. Причастие II сильных глаголов оканчивается на *-en.*

* см. Алфавитный список в Приложении

5. Футурум I образуется из глагола *werden* и инфинитива основного глагола *(ich werde tragen / gehen)*; Футурум II образуется из *werden* и инфинитива II основного глагола *(ich werde getragen haben / gegangen sein)*.

4 Употребите глаголы с изменением корневого гласного во втором лице единственного числа.

Ich esse Fisch. *Was isst du?*

1. Ich brate mir ein Kotelett. Was … du dir?
2. Ich empfehle den Gästen immer das „Hotel Europa". Was … du ihnen?
3. Ich fange jetzt mit der Arbeit an. Wann … du an?
4. Ich gebe dem Jungen einen Euro. Was … du ihm?
5. Ich halte mir einen Hund. … du dir auch einen?
6. Ich helfe ihr immer montags. Wann … du ihr?
7. Ich verlasse mich nicht gern auf ihn. … du dich denn auf ihn?
8. Ich laufe hundert Meter in 14 Sekunden. Wie schnell … du?
9. Ich lese gern Krimis. Was … du gern?
10. Ich nehme ein Stück Kirschtorte. Was … du?
11. Ich rate ihm zu fliegen. Was … du ihm?
12. Ich schlafe immer bis sieben. Wie lange … du?
13. Ich spreche sofort mit dem Chef. Wann … du mit ihm?
14. Ich sehe das Schiff nicht. … du es?
15. Ich trage den Koffer. … du die Tasche?
16. Ich treffe sie heute nicht. … du sie?
17. Ich vergesse die Namen so leicht. … du sie auch so leicht?
18. Ich wasche die Wäsche nicht selbst. … du sie selbst?
19. Ich werde im Mai 25. Wann … du 25?
20. Ich werfe alte Flaschen nicht in den Mülleimer. … du sie in den Mülleimer?

5 Употребите подлежащее следующих предложений в единственном числе.

1. Die Köchinnen eines Restaurants haben viel Arbeit.
2. Schon früh kommen die Boten und bringen Obst und Gemüse, Fleisch und Kartoffeln.
3. Die Köchinnen waschen das Gemüse, schälen die Kartoffeln und schneiden das Fleisch.
4. Sie kochen die Milch, bereiten die Suppen und backen die Süßspeisen für den Mittagstisch.
5. Später kommen die Kellner.
6. Sie stellen die Teller und Gläser auf den Tisch.
7. Dann legen sie Messer, Gabel und Löffel daneben.
8. Auch die Servietten vergessen sie nicht.
9. Sie füllen die Kannen mit Wasser und holen den Wein aus dem Keller.
10. Die Kellner geben den Gästen die Speisekarten.
11. Die Gäste studieren die Karte und bestellen.
12. Nun haben die Köchinnen viel Arbeit.
13. Sie braten das Fleisch, kochen das Gemüse und bereiten den Salat.
14. Sie bringen die Speisen zum Speisesaal und die Kellner servieren sie.
15. Nach dem Essen bezahlen die Gäste und verlassen das Restaurant.

6 Поставьте повествовательные предложения упражнения 1 в перфект,
упражнения 2 – в имперфект

7 Употребите подлежащее следующих предложений в единственном числе.

1. a) Die Münzen (f) fallen in den Spielautomaten.
   b) Meistens gewinnen die Spieler nichts.
2. a) Die Fischer geraten in einen Sturm.
   b) Sie fahren zum nächsten Hafen.
3. a) Die Gärtner graben ein Loch.
   b) Dann setzen sie einen Baum in das Loch und geben Erde auf die Stelle.
4. a) Die Schüler messen die Temperatur der Flüssigkeiten.
   b) Dann schreiben sie die Messdaten an die Tafel.
5. a) Die Diebe stehlen ein Auto.
   b) Dann verbergen sie es in einer Scheune.
6. a) Die Gäste betreten die Wohnung.
   b) Die Gastgeber empfangen die Gäste.
7. a) Die Pflanzen (f) wachsen bei der Kälte nicht.
   b) Sie müssen in einem mäßig warmen Raum stehen.
8. a) Die Firmen (die Firma) werben für ihre Produkte.
   b) Sie geben dafür viel Geld aus.

8 Вставьте предложения из упражнения 7 в претеритум, после того в перфект.

IV Спряжение глаголов со вспомогательным -*e*

Schwache Verben

Singular	*Präsens*	*Präteritum*	*Perfekt*
Singular	ich antworte	ich antwortete	ich habe geantwortet
	du antwortest	du antwortetest	du hast geantwortet
	er antwortet	er antwortete	er hat geantwortet
Plural	wir antworten	wir antworteten	wir haben geantwortet
	ihr antwortet	ihr antwortetet	ihr habt geantwortet
	sie antworten	sie antworteten	sie haben geantwortet

Starke Verben

Singular	*Präsens*	*Präteritum*	*Perfekt*
Singular	ich biete	ich bot	ich habe geboten
	du bietest	du botest	du hast geboten
	er bietet	er bot	er hat geboten
Plural	wir bieten	wir boten	wir haben geboten
	ihr bietet	ihr botet	ihr habt geboten
	sie bieten	sie boten	sie haben geboten

1. Глаголы, основа которых оканчивается на -d- или -t-, имеют между основой и личными окончаниями -st, -te, -t вспомогательный гласный -e.

2. Аналогично спрягаются глаголы, основа которых оканчивается на -m или -n, с предшествующим согласным, кроме -r-:
atm-en: er atmet, du atmetest, er hat geatmet
rechn-en: du rechnest, wir rechneten, ihr rechnetet

9 Образуйте вопросительные предложения.

Die Bauern reiten ins Dorf. *Wer reitet ins Dorf?*

1. Die Verkäufer bieten einen günstigen Preis.
2. Einige Parteimitglieder schaden der Partei.
3. Die Kinder baden schon im See.
4. Die Frauen öffnen die Fenster.
5. Die Angestellten rechnen mit Computern.
6. Die Sportler reden mit dem Trainer.
7. Die Schauspieler verabschieden sich von den Gästen.
8. Die Fußballspieler gründen einen Verein.
9. Die Politiker fürchten eine Demonstration.
10. Die Sanitäter retten die Verletzten.
11. Die Fachleute testen das Auto.
12. Die Schüler warten auf die Straßenbahn.
13. Die Techniker zeichnen die Maschinenteile.
14. Die Jungen streiten mit den Mädchen.

10 Употребите предложения упражнения 9 сначала в имперфекте, а затем в перфекте.

V лалаголы смешанного спряжения

Präsens	Präteritum	Perfekt
ich denke	ich dachte	ich habe gedacht
du denkst	du dachtest	du hast gedacht
er denkt	er dachte	er hat gedacht
wir denken	wir dachten	wir haben gedacht
ihr denkt	ihr dachtet	ihr habt gedacht
sie denken	sie dachten	sie haben gedacht

1. Глаголы смешанного спряжения получают окончания слабых глаголов.

2. В то же время они изменяют корневой гласный в основных формах, поэтому их необходимо заучивать, как и сильные глаголы.

3. К глаголам смешанного спряжения относятся *brennen, bringen, kennen, nennen, rennen, senden, wenden, wissen,* а также модальные глаголы (см. Алфавитный список в Приложении).

11 Поставьте следующие предложения в имперфект и перфект:

1. Die Abiturienten bringen die Bücher zur Bibliothek.
2. Meine Schwestern denken gern an den Urlaub im letzten Jahr.
3. Die Kinder wissen den Weg nicht.
4. Ihr kennt die Aufgabe.
5. Die Mieter senden dem Hausbesitzer einen Brief.
6. Ihr wisst seit langem Bescheid.
7. Die Teilnehmer denken an den Termin.
8. Die Lampen im Wohnzimmer brennen.

12 Употребите предложения из упражнения 11 в единственном числе имперфекта и перфекта.

13 Образуйте вопросительные предложения в презенсе и перфекте.

1. (bringen) ihr ihm die Post nicht?
2. (wissen) Sie nichts von dem Vorfall?
3. (denken) du an die Verabredung?
4. (nennen) er die Namen der Mitarbeiter nicht?
5. (senden) ihr den Brief mit Luftpost?
6. (brennen) die Heizung im Keller nicht?

14 Образуйте предложения в презенсе, претеритуме у в перфекте.

1. du / denken / ja nie / an mich
2. das Haus / brennen / jetzt schon / zum zweiten Mal
3. wieder / bringen / der Briefträger / mir / keine Nachricht
4. du / kennen / deine Nachbarn / nicht / ?
5. immer / rennen / der Hund / wie verrückt / durch den Garten
6. ich / senden / ihr / herzliche Grüße
7. bei Problemen / ich / sich wenden / immer / an meinen Vater
8. warum / wissen / du / seine Telefonnummer / nicht / ?

VI Особые правила спряжения

1. Если основа оканчивается на -s-, -ss-, -ß- или -z-, во втором лице единственного числа употребляется окончание -t:

   les-en: du lies*t*   ras-en: du ras*t*   lass-en: du läss*t*
   stoß-en: du stöß*t*   heiz-en: du heiz*t*   schütz-en: du schütz*t*

2. Слабые глаголы, оканчивающиеся на -eln и -ern, в первом и третьем лице множественного числа получают окончание -n. Таким образом, эти формы совпадают с инфинитивом:

klingeln:	wir kling*eln*, sie kling*eln*	Imperativ: *Klingle!*
lächeln:	wir läch*eln*, sie läch*eln*	Imperativ: *Lächle!*
streicheln:	wir streich*eln*, sie streich*eln*	Imperativ: *Streichle!*
ändern:	wir änd*ern*, sie änd*ern*	Imperativ: *Ändre!*
fördern:	wir förd*ern*, sie förd*ern*	Imperativ: *Fördre!*
rudern:	wir rud*ern*, sie rud*ern*	Imperativ: *Rudre!*

Глаголы на *-eln* образуют первое лицо единственного числа презенса без *-e:*
ich lächle, ich klingle

3. Глагол *wissen* имеет следующие формы:
ich *weiß,* du *weißt,* er *weiß,* wir wissen, ihr wisst, sie wissen

15 Образуйте второе лицо единственного числа презенса от следующих глаголов:

gießen, messen, schließen, sitzen, stoßen, vergessen, wissen, lassen,
beißen, fließen, schmelzen, heizen

16 Образуйте первое лицо единственного и множественного числа презенса от
следующих глаголов:

angeln, wechseln, bügeln, sich ekeln, handeln, klingeln,
schaukeln, stempeln, zweifeln, ändern, liefern, wandern, bedauern,
hindern, erwidern, flüstern, verhungern, zerkleinern

17 Выполните упражнение по следующему образцу:

Wechselst du dein Geld denn nicht?   *Doch, natürlich wechsle ich es!*

1. Bügelst du denn nicht alle Hemden?
2. Ekelst du dich denn nicht vor Schlangen? (vor ihnen)
3. Handelst du denn nicht mit den Verkäufern?
4. Zweifelst du denn nicht an der Wahrheit seiner Aussage? (daran)
5. Regelst du denn deine Steuerangelegenheiten nicht selbst?
6. Klingelst du denn nicht immer zweimal, wenn du kommst?
7. Plauderst du denn nicht gern mit deinen Nachbarn?
8. Änderst du denn deine Reisepläne nicht?
9. Lieferst du denn deine Arbeit nicht ab?
10. Wanderst du denn nicht gern?
11. Bedauerst du denn seine Absage nicht?
12. Förderst du denn nicht unsere Interessengemeinschaft?

18 Поставьте вопросы упражнения 17 во множественном числе и ответьте на них
отрицательно.

Wechselt ihr euer Geld denn nicht?   *Nein, wir wechseln es nicht.*

В вопросе слово „denn“ может быть заменено словом „eigentlich“, вместо
„natürlich“ в ответе можно употребить „selbstverständlich“.

19 Сформулируйте нижеследующую историю в претеритуме(имперфекте).

1. Werner Stubinreith erhält seine
Entlassung.
2. Das erscheint ihm ungerecht.
3. Er arbeitet schon viele Jahre dort
und kennt den Leiter gut.

4. Er kennt auch alle Kollegen
und nennt sie beim Vornamen.
5. Er denkt an Rache, weiß aber noch
nicht wie.
6. Im Traum sieht er den Betrieb.

7. Es ist dunkel.
8. Er nimmt ein paar Lappen, tränkt sie mit Öl und legt damit im Betrieb an drei Stellen Feuer.
9. Dann rennt er schnell weg.
10. Dabei verliert er seinen Hausschlüssel.
11. Ab und zu wendet er sich um.
12. Tatsächlich! Der Betrieb brennt!
13. Alles steht in Flammen.
14. Die Feuerwehr schickt drei Löschfahrzeuge.
15. Der Betriebsleiter nennt der Polizei die Namen der Entlassenen.
16. Werner Stubinreith ist auch dabei.
17. An der Brandstelle findet man einen Schlüssel.
18. Der Schlüssel passt zu Stubinreiths Haustüre.
19. Werner gesteht die Tat.
20. Er kommt für drei Jahre ins Gefängnis.
21. Werner wacht auf und findet seine Rachepläne nicht mehr so gut.

§ 7   Глаголы с отделяемыми приставками

Infinitiv: zuhören, weglaufen		
Präsens	*Präteritum*	*Perfekt*
ich höre ... zu	ich hörte ... zu	ich habe ... zugehört
ich laufe ... weg	ich lief ... weg	ich bin ... weggelaufen

1. В качестве отделяемых приставок в немецком языке выступают в большинстве случаев предлоги и наречия, значение которых легко установить, например: *ab-, an-, auf-, aus-, bei-, ein-, fest-, her-, hin-, los-, mit-, nach-, vor-, weg-, wieder-, zu-, zurück-, zusammen-,* и др. Отделяемые приставки всегда стоят под ударением.

   Исключение: приставка *hinter-* не отделяется (см. § 8, 1).

2. При спряжении глагола в презенсе и имперфекте приставка отделяется. В самостоятельном предложении отделяемая приставка стоит на последнем месте:
   Er *hörte* gestern Abend dem Redner eine halbe Stunde lang *zu.*

3. В форме перфекта и плюсквамперфекта приставка не отделяется:
   Er hat dem Redner eine halbe Stunde lang *zugehört.*

4. В качестве отделяемых компонентов глагола могут употребляться различные части речи:
   Er hat sein Auto *kaputt*gefahren.
   Sie hat das Insekt *tot*getreten.
   Er hat den ganzen Abend *fern*gesehen.
   Haben Sie an der Versammlung *teil*genommen?

Примечания

1. Сочетания, состоящие из двух глаголов, пишутся после реформы правописания раздельно: *spazieren gehen, kennen lernen*
2. Форма вопроса: *Hörst du zu? Hast du zugehört?*
3. Форма императива: *Hör zu! Hört zu! Hören Sie zu!*
4. Инфинитив с *zu*: *aufzuhören, anzufangen*

1a Выполните ряд упражнений на спряжение глаголов с отделяемыми приставками в презенсе.

Von der Arbeit einer Sekretärin
Telefonate weiterleiten   *Sie leitet Telefonate weiter.*

1. Besucher anmelden
2. Aufträge durchführen
3. Gäste einladen
4. Termine absprechen

5. die Post abholen
6. Besprechungen vorbereiten
7. wichtige Papiere bereithalten
8. Geschäftsfreunde anschreiben

b Was hat die Sekretärin alles gemacht?

Sie hat Telefonate weitergeleitet. Sie hat …

c Von der Arbeit einer Hausfrau

einkaufen   *Sie kauft ein.*

1. das Essen vorbereiten
2. das Geschirr abwaschen und abtrocknen
3. alles in den Schrank zurückstellen
4. Möbel abstauben
5. die Wäsche aus der Waschmaschine herausnehmen und aufhängen
6. die Wäsche abnehmen, zusammenlegen und wegräumen
7. die Kinder an- und ausziehen
8. die Kinder zum Kindergarten bringen und sie von dort wieder abholen
9. Geld von der Bank abheben

d Abends fragt sie sich:

Was habe ich eigentlich alles gemacht? Ich *habe eingekauft, ich habe* das … usw.

e Продолжите письменно рассказ о ее рабочем дне:

Sie kaufte ein, sie bereitete das … usw.

2a Заполните пропуски глаголами с отделяемыми приставками.

Bei einer Flugreise: Was macht der Passagier?
Wir landen in wenigen Minuten!

Bitte
1. aufhören zu rauchen!   Er hört auf zu rauchen.
2. anschnallen!   Er … sich …
3. vorn aussteigen!   Er …
4. die Flugtickets vorzeigen!   Er … die Flugtickets …
5. den Koffer aufmachen!   Er …
6. das Gepäck mitnehmen!   Er …
7. die Zollerklärung ausfüllen!   Er …
8. den Pass abgeben!   Er …

b Erzählen Sie dann Ihrem Partner:

Ich *habe aufgehört* zu rauchen. Ich *habe mich* … Ich *bin* … и т. д.

c Запишите рассказ от третьего лица:

Er *hörte auf* zu rauchen. Er … и т. д.

3 Ein Abteilungsleiter hat seine Augen überall.
   Выполните упражнение по следующему образцу:

   Hat Inge die Pakete schon weggebracht?   *Nein, sie bringt sie gerade weg.*

   1. Hat Udo die Flaschen schon aufgestellt? – Nein, er …
   2. Hat Frau Schneider die Waren schon ausgezeichnet?
   3. Hat Fritz den Abfall schon rausgebracht?
   4. Hat Reimar schon abgerechnet?
   5. Hat die Firma Most das Waschpulver schon angeliefert?
   6. Hat Frau Holzinger die Preistafeln schon aufgehängt?
   7. Hat Uta den Keller schon aufgeräumt?
   8. Hat die Glasfirma die leeren Flaschen schon abgeholt?
   9. Hat Frau Vandenberg die neue Lieferung schon ausgepackt?
  10. Hat Herr Kluge die Bestelllisten schon ausgeschrieben?
  11. Hat Gerda die Lagerhalle schon aufgeräumt?

4a Hier gibt's Ärger!

    Sie zieht den Vorhang auf. (zu-)   *Er zieht ihn wieder zu.*

    1. Sie schließt die Tür auf. (zu-)   4. Sie packt die Geschenke ein. (aus-)
    2. Sie dreht den Wasserhahn auf. (zu-)   5. Sie macht die Fenster auf. (zu-)
    3. Sie schaltet das Radio an. (ab-)   6. Sie hängt die Bilder auf. (ab-)

b Wie war das bei den beiden?
   Употребите в ответах перфект.
   Используйте материал упражнения 4 a.

   Sie hat den Vorhang aufgezogen; er hat ihn wieder zugezogen.

5 Образуйте перфект.

1. Mein Hund läuft weg. Ich laufe hinterher.
2. Er rechnet ihr ihre Dummheiten vor. Sie leiht ihm einen Taschenrechner aus.
3. Der Lehrling sagt etwas und der Chef stimmt zu. Der Chef sagt etwas und der Lehrling hört nicht zu.
4. Der Arzt steht dem Kranken bei, aber der Kranke wirft seine Tabletten weg.
5. Ich gebe meine Fehler zu, aber sie sieht ihre Fehler nicht ein.
6. Sie schaltet das Radio ein; aber er schaltet es wieder aus.
7. Sie macht das Licht an und er schaltet es wieder aus.
8. Meine Schwiegermutter kommt heute früh an; sie fährt zum Glück gegen Mittag wieder weiter.
9. Der Junge stößt den Nachbarn weg. Der Nachbar stürzt die Treppe hinunter.
10. Unsere Freunde führen uns einen Film vor. Ich schlafe beinahe ein.
11. Ich rufe ihn immer wieder an, aber er nimmt den Hörer nicht ab.
12. Die Kühe reißen sich los. Der Bauer bindet sie wieder an.

6 Образуйте презенс и претеритум.

1. Der Chef hat die Schreibtischschublade zugeschlossen. Die Sekretärin hat sie am anderen Morgen wieder aufgeschlossen.
2. Die Kinder sind vorangelaufen und die Großeltern sind langsam hinterhergegangen.
3. Er hat mir einige Teegläser aus der Türkei mitgebracht. Ich habe sie gleich ausgepackt.
4. Sie hat ihr Wörterbuch ausgeliehen, aber sie hat es leider nicht zurückbekommen.
5. Er hat sich alle grauen Haare ausgerissen. Es sind leider nicht viele Haare auf seinem Kopf zurückgeblieben.
6. Der Dieb hat die Tasche hingestellt und ist fortgerannt. Ich bin hinterhergelaufen.
7. Den Dieb habe ich festgehalten. Die Tasche hat inzwischen ein anderer Dieb mitgenommen.
8. Der Beamte hat mir endlich die Genehmigung ausgestellt. Ich bin sofort losgefahren.
9. Das Töchterchen hat die Milch ausgetrunken und ihr Brot aufgegessen. Der Hund hat die Tasse und den Teller ausgeleckt.
10. Die beiden jungen Leute sind endlich zusammengezogen. Der Hausbesitzer hat ihnen aber den Strom abgestellt.

§ 8   Глаголы с неотделяемыми приставками

Präsens	Präteritum	Perfekt
ich erzähle	ich erzählte	ich habe … erzählt
ich verstehe	ich verstand	ich habe … verstanden

1. К неотделяемым приставкам относятся приставки *be-, emp-, ent-, er-, ge-, miss-, ver-, zer-* и др., значение которых трудно установить. Все они безударные.

   Хотя приставка *hinter-* имеет самостоятельное значение, она не отделяется.
   Er hinterlässt seinem Sohn einen Bauernhof.

2. Эти приставки придают глаголу новое значение, не выводимое из значения корневого глагола:
   Ich suche den Schlüssel.   но: **Ich besuche meinen Onkel.**
   Sie zählt das Geld.   но: **Sie erzählt ein Märchen.**
   Wir stehen im Flur.   но: **Wir verstehen den Text.**

3. Приставки стоят вместе с глаголами и не отделяются:
   ich versuche, ich versuchte; ich bekomme, ich bekam

4. Причастие II образуется без приставки *ge-* (как и с глаголами на *-ieren*):
   er hat berichtet, er hat erklärt, er hat verstanden

Примечания

1. В некоторых глаголах с неотделяемыми приставками невозможно выделить полнозначный корневой глагол, например: *gelingen, verlieren* etc.
2. Форма вопроса: *Versteht ihr das? Habt ihr das verstanden?*
3. Форма императива: *Erzähl! Erzählt! Erzählen Sie!*
4. Инфинитив с *zu*: *zu verstehen, zu erzählen*

1 Раскройте скобки. Употребите глагол сначала в презенсе, а затем в перфекте. (Перфект данных глаголов всегда образуется с „haben").

1. Der Arzt (verbieten) meinem Vater das Rauchen.
2. Die Kinder (empfinden) die Kälte nicht.
3. Der Student (beenden) seine Doktorarbeit.
4. Auch der Wirtschaftsminister (erreichen) keine Wunder.
5. Seine Freundin (gefallen) mir gut.
6. Heute (bezahlen) Gustl die Runde.
7. Wer (empfangen) die Gäste?

8. Die Schauspielerin (erobern) die Herzen ihrer Zuschauer.
9. Franz und Sigrun (erreichen) den Zug nicht mehr.
10. Warum (versprechen) er sich eigentlich dauernd?
11. Heinz (beachten) die Ampel nicht und (verursachen) leider einen Unfall.
12. Die Stadtverordneten (beschließen) den Bau des Schwimmbades.
13. Der Vater (versprechen) der Tochter eine Belohnung.
14. Du (zerstören) unsere Freundschaft!
15. Paul (vergessen) bestimmt wieder seine Schlüssel!
16. Der Architekt (entwerfen) einen Bauplan.

2 Поставьте следующие предложения в презенс и имперфект.

1. Die Eltern haben das Geschenk versteckt.
2. Er hat mir alles genau erklärt.
3. Der Hausherr hat unseren Mietvertrag zerrissen.
4. Die Kinder haben die Aufgaben vergessen.
5. Die Fußballmannschaft hat das Spiel verloren.
6. Der Medizinstudent hat die erste Prüfung bestanden.
7. Ich habe ihm vertraut.
8. Der Ingenieur hat einen neuen Lichtschalter erfunden.
9. In der Vorstadt ist eine neue Wohnsiedlung entstanden.
10. Das Kind hat die chinesische Vase zerbrochen.
11. Der alte Professor hat die Frage des Studenten gar nicht begriffen.
12. Er hat mich immer mit seiner Freundin verglichen.
13. Wir haben den Bahnhof rechtzeitig erreicht.
14. Er hat seine Gäste freundlich empfangen.
15. Auf dem langen Transport ist das Fleisch verdorben.

3 Образуйте перфект от глаголов с отделяемыми и неотделяемыми приставками.

Vorschläge der Bevölkerung:

1. den Park erweitern
2. Sträucher anpflanzen
3. Straßen verbreitern
4. einen Busbahnhof anlegen
5. neue Buslinien einrichten
6. den Sportplatz vergrößern
7. das Klubhaus ausbauen
8. das Gasleitungsnetz erweitern
9. die alte Schule abreißen
10. eine neue Schule errichten
11. das hässliche Amtsgebäude abbrechen
12. den Verkehrslärm einschränken
13. neue Busse anschaffen
14. die Straßen der Innenstadt entlasten
15. Fußgängerzonen einrichten
16. ein Denkmal errichten
17. Luftverschmutzer feststellen

Durchführung:

Man hat den Park erweitert.
Man hat Sträucher angepflanzt.
…

18. den Fremdenverkehr ankurbeln
19. leer stehende Häuser enteignen
20. historische Feste veranstalten
21. einen Stadtplan herausgeben
22. die Durchfahrt des Fernverkehrs durch die Stadt verhindern
23. die Rathausfenster anstreichen
24. Radfahrwege anlegen
25. Grünflächen einplanen

Worterklärungen:
erweitern, vergrößern, ausbauen: größer machen
abreißen, abbrechen: zerstören, wegnehmen
anschaffen: kaufen
einschränken: (hier) weniger/geringer machen
einrichten: (hier) schaffen
errichten: bauen
feststellen: (hier) finden
ankurbeln: stärker/schneller machen
veranstalten: organisieren, machen
verhindern: machen, dass etwas nicht geschieht
enteignen: einem Besitzer (zugunsten der Allgemeinheit) etwas wegnehmen

4   Назовите нижеследующие предложения в перфекте.

1. Kirstin besuchte das Museum.
2. Sie besorgte sich eine Eintrittskarte für Studenten und bezahlte drei Euro dafür.
3. Sie betrat den ersten Saal.
4. Dort betrachtete sie die Bilder der Künstler des 17. Jahrhunderts.
5. Kirstin blieb hier nicht so lange.
6. Sie verließ den Saal und gelangte in den nächsten Raum zu den Bildern der Maler des 19. Jahrhunderts.
7. Hier verbrachte sie viel Zeit.
8. Sie studierte beinah jedes Bild ganz genau.
9. Manchmal erkannte sie den Maler schon an der Art der Technik.
10. So verging die Zeit sehr schnell.

5   Поставьте глаголы с неотделяемыми приставками в перфекте.

Man versteht dich ja!   *Bis jetzt hat mich noch niemand verstanden!*

1. Man enteignet die Leute!   –   Bis jetzt hat man noch niemand(en) … !
2. Man entlässt die Arbeiter!   –   … hat man noch niemand(en) … !
3. Man verklagt die Anführer!   –   … hat man sie noch nicht … !
4. Man verbietet ihnen alles!   –   … hat man ihnen noch nichts … !
5. Man bedroht die Leute!   –   … hat man noch niemand(en) … !
6. Begreifen die Leute endlich?   –   … hat noch niemand etwas … !
7. Verhungern die Leute nicht?   –   … ist noch niemand … !
8. Verlangen sie nicht Unmögliches?   –   … haben sie nichts Unmögliches … !
9. Der Versuch misslingt!   –   … ist er noch nicht … !

10. Das Fleisch verdirbt bestimmt!   –   … ist es jedenfalls nicht … !
11. Das Glas zerspringt bestimmt!   –   … ist es jedenfalls noch nicht … !
12. Bekämpft man den Lärm nicht?   –   … hat ihn noch niemand … !
13. Du vergisst deine Freunde.   –   … habe ich sie noch nicht … !
14. Vermisst du die Zigaretten nicht?   –   … habe ich sie noch nicht … !

§ 9   Особые случаи употребления отделяемых и неотделяемых приставок

❙ Правила

	Präsens	*Perfekt*
trennbar	Das Schiff *geht* im Sturm *unter*.	Das Schiff *ist* im Sturm *untergegangen*.
untrennbar	Er *unterschreibt* den Brief.	Er *hat* den Brief *unterschrieben*.

1. Некоторые приставки, например: *durch-, über-, um-, unter-, wider-, wieder-,* являются то отделяемыми, то неотделяемыми.

2. Отделяемые приставки стоят под ударением (например: *úmkehren*), неотделяемые приставки – безударны, ударение падает на основу глагола (например: *umgében*).

3. Отделяемые приставки сохраняют, в основном, свое прямое значение, например: unter (под, вниз) – Das Schiff geht unter. – (Корабль тонет.) Большинство глаголов с неотделяемыми приставками такого типа стоят с дополнением в винительном падеже.

	trennbar	*untrennbar*
durch	Er *bricht* den Stock *durch*.	Der Richter *durchschaut* den Zeugen.
über	Er *läuft* zum Feind *über*.	Der Lehrer *übersieht* den Fehler.
um	Er *fuhr* den Baum *um*.	Das Kind *umarmt* die Mutter.
unter	Die Insel *geht* im Meer *unter*.	Der Präsident *hat* das Gesetz *unterschrieben*.
wider	Das *spiegelt* die Lage *wider*.	Warum *widersprichst* du mir?
wieder	Er *bringt* mir die Zeitung *wieder*.	Ich *wiederhole* den Satz.

4. В зависимости от того, является ли приставка отделяемой или неотделяемой, меняется значение глагола, например:

wiéderholen (= etwas zurückholen)

Das Kind holt den Ball wieder.

úmfahren (= etwas mit einem Fahrzeug zu Fall bringen)
Ein Autofahrer hat den kleinen Baum umgefahren.

wiederhólen (= etwas noch einmal sagen / lernen)

Er wiederholt die Verben.

umfáhren (= außen um etwas herumfahren)
Auf der neuen Straße umfährt man das Dorf in wenigen Minuten.

dúrchbrechen (= etwas in zwei Teile teilen)
Die Holzbrücke über den Bach ist durchgebrochen.

durchbréchen (= durch etwas hin-durchgehen)
Die Sonne durchbricht die Wolken.

ǘberziehen (= etwas zusätzlich anziehen)

Zieh dir etwas über, es ist kalt.

überzíehen (= das Bett mit frischer Wäsche versehen; vom Konto mehr Geld abheben, als drauf ist)
Sie hat die Betten frisch überzogen.
Ich überziehe mein Konto nur ungern.

II Список глаголов

Так как трудно различить, в каких случаях приставки *durch-, über-, um-, unter-,* и др. отделяются от глагола, а в каких случаях нет, мы приводим короткий список примеров.

1. *durch-* В большинстве случаев приставка durch- отделяется, лишь у небольшого количества глаголов эта приставка не отделяется.

   Глаголы с отделяемой приставкой *durch-*:

er reißt … durch	Sie riss den Brief durch und warf ihn weg.
er fällt … durch	Er ist bei der Prüfung durchgefallen.
er schläft … durch	Der Kranke hat bis zum Morgen durchgeschlafen.
er streicht … durch	Der Lehrer streicht das falsche Wort durch.
er liest … durch	In einer Woche hat er das dicke Buch durchgelesen.

   Глаголы с неотделяемой приставкой *durch-*:

durchqueren	Die Flüchtlinge durchquerten den Wald in einer halben Stunde.
durchschauen	Der Junge hatte eine schlechte Note bekommen. Er wollte es zu Hause nicht sagen, aber die Mutter durchschaute ihn sofort und fragte …
durchsuchen	Drei Polizisten durchsuchten die Wohnung des angeklagten Betrügers.

2. *über-* В большинстве случаев приставка über- отделяется, лишь у небольшого количества глаголов эта приставка не отделяется.

   Глаголы с отделяемой приставкой *über-*:

er läuft … über	Der Verräter ist zum Feind übergelaufen.
er tritt … über	Der Parlamentarier hat seine Partei verlassen. Er ist zu einer anderen Partei übergetreten.
etwas kocht … über	Der Topf ist zu klein. Der Reis kocht über.

   Глаголы с неотделяемой приставкой *über-*:

überfallen	Die Räuber haben ein kleines Dorf überfallen.
überfahren	Der Autofahrer überfuhr eine Katze.
überleben	Die meisten Einwohner der Stadt überlebten das Erdbeben.
überraschen	Dein Bericht hat mich überrascht.

sich überlegen	Ich weiß jetzt, was ich tun will. Ich habe mir alles genau überlegt.
übersetzen	Er übersetzte den Roman aus dem Russischen ins Deutsche.
überweisen	Ich habe 200 Euro von meinem Konto auf dein Konto überwiesen.
übertreiben	Wenn er von seinen Abenteuern erzählt, übertreibt er immer.

3. *um-* Большинство глаголов стоит с отделяемой приставкой *um-*, лишь в редких случаях приставка отделяется.

Глаголы с отделяемой приставкой *um-*:

er bindet ... um	Weil es kalt ist, bindet sie (sich) ein Tuch um.
er wirft ... um	Als er betrunken war, hat er sein Glas umgeworfen.
er stellt ... um	Sie hat alle Möbel in ihrer Wohnung umgestellt.
er zieht ... um	Die Familie ist umgezogen, sie wohnt jetzt in einer anderen Stadt.
er steigt ... um	Der Reisende ist in einen anderen Zug umgestiegen.
er kehrt ... um	Weil das Wetter so schlecht war, sind wir umgekehrt und wieder ins Hotel gegangen.
er fällt ... um	Bei dem Sturm letzte Nacht sind im Park sieben Bäume umgefallen.
er bringt ... um	Der Mörder hat vier Frauen umgebracht.
er kommt ... um	Bei der Flugzeugkatastrophe ist der Pilot umgekommen.

Глаголы с неотделяемой приставкой *um-*:

umarmen	Die Mutter umarmt den Sohn, der aus einem fremden Land zurückgekommen ist.
umgeben	Ein Wald umgibt das kleine Dorf. Die Umgebung des Dorfes ist sehr schön.
umringen	Zum Abschied umringen die Kinder die Kindergärtnerin.
umkreisen	Satelliten umkreisen die Erde.

4. *unter-* В большинстве случаев приставка *unter-* не отделяется, лишь в редких случаях она отделяется.

Глаголы с отделяемой приставкой *unter-*:

er geht ... unter	Bei der Sturmflut 1348 gingen viele Inseln im Meer unter.
er bringt ... unter	Weil das Hotel schon geschlossen war, hat ihn sein Freund bei Bekannten untergebracht.

Глаголы с неотделяемой приставкой *unter-*:

unterbrechen	Er redete eine Stunde lang. Dann haben wir ihn schließlich unterbrochen.
unterhalten	1. Ich habe mich mit meinem Nachbarn unterhalten. (= reden)
	2. Im Theater haben wir uns gut unterhalten. (= sich amüsieren)
	3. Während des Studiums hat ihn sein Vater unterhalten. (= finanziell unterstützen)
unterstützen	Ich spende monatlich 50 Euro. Damit unterstütze ich behinderte Kinder.
unterrichten	Er unterrichtet Chemie an einem Frankfurter Gymnasium.
unterscheiden	Bitte unterscheiden Sie die schwachen und starken Verben.
untersuchen	1. Der Arzt untersucht einen Patienten.
	2. Die Polizei untersucht einen Kriminalfall.
unterlassen	Unterlassen Sie es, im Unterricht zu rauchen. (= etwas nicht tun)
unterdrücken	Der Tyrann unterdrückt sein Volk.

5. *wieder-* В большинстве случаев приставка *wieder-* отделяется, лишь в редких случаях нет.

Глаголы с отделяемой приставкой *wieder-*:

er bringt ... wieder	Der Hund bringt den Stock wieder.
er holt ... wieder	Was? Du hast das Messer in den Müll geworfen? Hol es sofort wieder!
er findet ... wieder	Nach langem Suchen fand er seinen Schlüssel wieder.
er kommt ... wieder	Nach zwei Monaten kam er wieder.
er sieht ... wieder	Später sah ich ihn wieder.

Глаголы с неотделяемой приставкой *wieder-*:

wiederholen	Er wiederholte den Satz zweimal.

6. *wider-* Эта приставка отделяется только от глагола *widerspiegeln*. Во всех остальных случаях она не отделяется.

er spiegelt ... wider	Die Bäume spiegeln sich im See wider.

Глаголы с неотделяемой приставкой *wider-*:

widersprechen	Der Lehrling widersprach dem Meister.
sich widersetzen	Er sollte seinen Kollegen denunzieren, aber er widersetzte sich.
widerrufen	Was er gesagt hat, hat er später widerrufen.

Примечание

Все глаголы с приставкой *hinter-* неотделяемые (см. § 8, I).
Nach seinem Tod hat mir mein Onkel sein Ferienhaus in den Alpen hinterlassen. (= vererbt)
Sie hat mir ein Geheimnis hinterbracht. (= verraten)

1 Отделяемая или неотделяемая приставка? Образуйте предложения в презенсе и перфекте. Приставка под ударением напечатана курсивом.

1. Ernst / die starken Verben / wieder*holen.*
2. die Fischer / die Leine / *durch*-schneiden
3. der Direktor / den Brief / unter-*schreiben*
4. ich / mich / mit den Ausländern / unter*halten*
5. wir / die Großstadt / auf der Autobahn / um*fahren*
6. der Betrunkene / die Laterne / *um*-fahren
7. er / zum katholischen Glauben / *über*treten
8. ich / die Pläne meines Geschäftspartners / durch*schauen*
9. die Milch / *über*laufen
10. der Einbrecher / den Hausbesitzer / *um*bringen
11. warum / du / schon wieder alle Möbel / *um*stellen?
12. warum Sie / den Sprecher / dauernd unter*brechen?*
13. der Assistent / den Professor mit seinen guten Kenntnissen über-*raschen*
14. das Schiff / im Sturm *unter*gehen
15. der Politiker / seinen Austritt aus der Partei sehr genau über*legen*
16. die Soldaten / in Scharen zum Feind *über*laufen
17. der Redner / den Vortrag unter-*brechen*

2 Вставьте глаголы в нужной форме.

1. Du (übernehmen/Präsens) also tatsächlich am 1. Januar das Geschäft deines Vaters? Das (überraschen/Präsens) mich, denn ich habe (annehmen), dein Vater (weiterführen/Präsens) das Geschäft, bis er die Siebzig (überschreiten) hat.
2. Man (annehmen/Präsens), dass der Buchhalter mehrere zehntausend Euro (unterschlagen) hat. Lange Zeit hatte es die Firma (unterlassen), die Bücher zu (überprüfen). Dann aber (auffallen/Präteritum) der Buchhalter durch den Kauf einer sehr großen Villa. Nun (untersuchen/Präteritum) man den Fall. Dann (durchgreifen/Präteritum) die Firma schnell. Sie (einschalten/Präteritum) sofort die Polizei. Der Mann war aber (dahinterkommen) und war schnell in der Großstadt (untertauchen). Nach zwei Wochen fand man ihn im Haus seiner Schwester; dort war er nämlich (unterkommen). Aber im letzten Moment (durchkreuzen/Präteritum) der Buchhalter die Absicht der Polizei: Er nahm seine Pistole und (sich umbringen/Präteritum).

3 Отделяется приставка или нет? Образуйте предложения в указанном времени.

1. er / durchfallen / bei / letztes Examen (n) (Perfekt)
2. ich / durchschauen / Ausrede (f) / sofort (Perfekt)
3. Lehrer / durchstreichen / ganzer Satz (m) (Perfekt)

4. Verkäufer / durchschneiden / Brot (n) (Perfekt)
5. zum Glück / durchschlafen / krankes Kind / bis zum Morgen (Perfekt)
6. Bauern (Pl.) / durchqueren / mit / ihre Wagen (Pl.) / ganze Stadt (Präteritum)
7. er / überweisen / Betrag (m) / an / Versicherung (f) (Präteritum)
8. in / seine Tasche / wiederfinden / er / sein Pass (m) (Präteritum)
9. an / nächster Tag / widerrufen / Politiker / seine Äußerung (m) (Perfekt)
10. Lehrling / sich widersetzen / Anordnung (f) / des Chefs (Präteritum)
11. warum / unterlassen / ihr / Besuch (m) / bei / euer Onkel / ? (Perfekt)

§ 10 Возвратные глаголы

	Akkussativ	Dativ
ich	mich	mir
du	dich	dir
er, sie, es	sich	
wir	uns	
ihr	euch	
sie, Sie	sich	

1. Возвратное местоимение склоняется, как личное местоимение (см. § 4); исключение составляет третье лицо единственного и множественного числа, где употребляется форма sich.

2. Возвратное местоимение передает направленность действия на подлежащее предложения:
Ich habe mich in der Stadt verlaufen. (= mich selbst)
Die Geschwister haben sich wieder vertragen. (= sich miteinander)
Die Gleise haben sich verbogen. (= sich selbstständig)

Как и во многих других языках, в немецком языке нет правил, какие глаголы возвратные, а какие нет. Такие глаголы надо сразу учить вместе с возвратным местоимением.

3. Пояснения к таблице:
Ряд глаголов образует с возвратным местоимением в винительном падеже устойчивое словосочетание, например:

sich ausruhen	Das war ein langer Weg! Wir ruhen uns erst einmal aus.
sich bedanken	Der Busfahrer war sehr freundlich. Ich bedankte mich und stieg aus.
sich beeilen	Wir kommen zu spät! – Ja, ich beeile mich schon.
sich befinden	Neben dem Hotel befindet sich eine kleine Bar.

sich beschweren	Die Heizung funktionierte nicht. Die Mieter beschwerten *sich* beim Hausmeister.
sich einigen	Nicht jeder kann Recht haben. Wir müssen *uns* einigen.
sich entschließen	Er hat *sich* entschlossen Chemie zu studieren.
sich ereignen	Bei Nebel und glatten Straßen ereignen *sich* viele Unfälle.
sich erkälten	Hast du *dich* schon wieder erkältet?
sich erkundigen	Ich erkundige *mich* bei meinem Nachbarn, ob er meine Katze gesehen hat.
sich freuen	Er freut *sich* sehr, weil er im Lotto gewonnen hat.
sich irren	Ich habe *mich* geirrt. Der Zug fährt erst um 9 Uhr ab.
sich verabreden	Sie hat *sich* mit ihrem neuen Freund im Restaurant verabredet.
sich verlieben	Er hat *sich* in seine neue Mitschülerin verliebt.
sich wundern	Du bist ja ganz verändert. Ich wundere *mich*.

4. Некоторые глаголы имеют как форму с возвратным местоимением, так и без него; значение глагола при этом видоизменяется, например:

sich ändern		Er ist nicht mehr so unzuverlässig, er hat *sich* wirklich geändert.
	но:	Er ändert seine Pläne.
sich anmelden		Ich möchte den Direktor sprechen. – Haben Sie *sich* angemeldet?
	но:	Habt ihr euer Kind schon im Kindergarten angemeldet?
sich anziehen		Er hatte verschlafen. Er zog *sich* schnell an und …
	но:	Heute ziehe ich das rote Kleid an.
sich ärgern		Ich ärgere *mich*, weil die Haustür wieder offen ist.
	но:	Warum bellt der Hund? – Der Junge hat ihn wieder geärgert.
sich aufregen		Warum hast du *dich* so aufgeregt?
	но:	Meine Lügen regen meine Frau auf.
sich beherrschen		Sei ruhig, du musst *dich* beherrschen.
	но:	Er beherrscht die englische Sprache.
sich beruhigen		Er war sehr aufgeregt. Erst nach einer Stunde hat er *sich* beruhigt.
	но:	Die Mutter beruhigt das weinende Kind.
sich beschäftigen		Der Professor beschäftigt *sich* mit russischer Literatur.
	но:	Die Firma beschäftigt 200 Angestellte.

sich bewegen		Wenn du *dich* mehr bewegst, wirst du gesund.
	но:	Der Wind bewegt die Zweige.
sich entschuldigen		Er hat *sich* bei mir entschuldigt.
	но:	Ich kann zu der Party nicht mitkommen. Entschuldigst du mich bitte?
sich fürchten		Abends geht sie nicht mehr aus dem Haus. Sie fürchtet *sich*.
	но:	Er fürchtet eine Katastrophe.
sich hinlegen		Du siehst schlecht aus. Du musst *dich* hinlegen (= ins Bett gehen).
	но:	Die Mutter legt das Kind hin (= ins Bett).
sich langweilen		Der Film langweilt *mich*. So etwas habe ich schon hundertmal gesehen.
	но:	Der Lehrer langweilt die Schüler mit den reflexiven Verben.
sich treffen		Morgen treffe ich *mich* mit ihm am Hauptbahnhof.
	но:	Er traf zufällig seinen Schulfreund.
sich unterhalten		Morgens unterhält *sich* die Hausfrau gern mit ihrer Nachbarin.
	но:	Der Gastgeber unterhält seine Gäste.
sich verabschieden		Ich möchte *mich* jetzt verabschieden. Auf Wiedersehen.
	но:	Gestern hat das Parlament das Gesetz verabschiedet. (= Die Mehrheit hat zugestimmt, es ist angenommen.)
sich verletzen		Ich habe *mich* beim Sport verletzt.
	но:	Er verletzte ihn an der Hand.
sich verstehen		Ich habe in der letzten Zeit immer mehr Ärger mit meiner Schwester. Wir verstehen *uns* nicht mehr.
	но:	Er spricht sehr leise. Ich verstehe kein Wort.
sich verteidigen		Was du über mich sagst, ist falsch. Jetzt muss ich *mich* verteidigen.
	но:	Als die Soldaten kamen, verteidigten die Bauern ihr Dorf.

5. Возвратное местоимение при глаголах, управляющих винительным падежом, стоит в дативе. Формы дательного и винительного падежей различаются только в первом и втором лице единственного числа:

sich etwas ansehen	Hast du *dir* den Film schon angesehen?
sich etwas ausdenken	Ich denke *mir* eine Geschichte aus.
sich etwas rasieren	Als Radprofi muss ich *mir* die Beine rasieren.
sich etwas vorstellen	Du stellst *dir* die Sache zu einfach vor.
sich etwas waschen	Vor dem Essen wasche ich *mir* noch die Hände.
sich etwas merken	Ich habe *mir* seine Autonummer gemerkt.

Примечания

1. Сочетание глагола *lassen* + возвратное местоимение (см. § 19 III Примеч.).
   Man kann etwas leicht ändern. = Das lässt sich leicht ändern.
   Man kann das nicht beschreiben. = Das lässt sich nicht beschreiben.

2. Форма вопроса: *Freust du dich? Habt ihr euch gefreut? Haben Sie sich gefreut?*

3. Форма императива: *Fürchte dich nicht! Fürchtet euch nicht! Fürchten Sie sich nicht!*

4. Инфинитив с частицей *zu: sich zu fürchten, sich vorzustellen*

1 Проспрягайте в презенсе, претеритуме и перфекте.

ich	sie / Sie	sich anziehen	sich die Aufregung vorstellen
du	ihr	sich umziehen	sich eine Entschuldigung ausdenken
er / sie	wir	sich entfernen	sich die Ausstellung ansehen
wir	er / sie	sich beschweren	sich ein Moped kaufen
ihr	du	sich erinnern	sich ein Bier bestellen
sie / Sie	ich	sich freuen	sich die Adresse merken

2 Образуйте предложения с глаголами в скобках в презенсе, претеритуме и перфекте.

Das Wetter ändert sich in diesem Winter dauernd.
Das Wetter änderte sich in diesem Winter dauernd.
Das Wetter hat sich in diesem Winter dauernd geändert.

1. Wir (sich ausruhen) nach der Wanderung erst einmal.
2. Der Student (sich bemühen) um ein Stipendium.
3. Der Geschäftsmann (sich befinden) in finanziellen Schwierigkeiten.
4. Die Kinder (sich beschäftigen) mit einer Spielzeugeisenbahn.
5. Der Junge (sich fürchten) vor der Dunkelheit.
6. Die Autonummer (sich merken) wir jedenfalls.
7. (sich treffen) ihr jede Woche im Café?
8. Wann (sich trennen) du von deiner Freundin?
9. Ich (sich rasieren) immer mit einem Elektrorasierer.
10. Wir (sich unterhalten) gern mit dem Bürgermeister.
11. Wir (sich verstehen) immer gut.
12. Sie (sich waschen) vor dem Essen die Hände.
13. Die Eltern (sich wundern) über die Zeugnisnoten ihrer Tochter.

3 Выполните упражнение на употребление возвратного местоимения.

Bückt er sich nicht nach dem Geld?　　*Doch, er bückt sich nach dem Geld.*

1. Fürchtet ihr euch nicht vor der Dunkelheit?
2. Ruht ihr euch nach dem Fußmarsch nicht aus?
3. Erholst du dich nicht bei dieser Tätigkeit?
4. Duscht ihr euch nicht nach dem Sport?
5. Zieht ihr euch zum Skifahren nicht wärmer an?
6. Legen Sie sich nach dem Essen nicht etwas hin?

7. Setzen Sie sich nicht bei dieser Arbeit?
8. Erkundigt sich der Arzt nicht regelmäßig nach dem Zustand des Kranken?
9. Überzeugt sich Vater nicht vorher von der Sicherheit des Autos?
10. Erinnert ihr euch nicht an das Fußballspiel?
11. Wunderst du dich nicht über meine Geduld?
12. Unterhaltet ihr euch nicht oft mit euren Freunden über eure Pläne?
13. Rasierst du dich nicht mit dem Elektrorasierer?
14. Bewerben Sie sich nicht um diese Stelle?
15. Besinnst du dich nicht auf den Namen meiner Freundin?
16. Freuen Sie sich nicht auf die Urlaubsreise?
17. Schämst du dich nicht?
18. Entschuldigst du dich nicht bei den Nachbarn?
19. Ziehst du dich fürs Theater nicht um?
20. Ärgerst du dich nicht über seine Antwort?

4   А теперь поставьте предложения упражнения 3 в перфект.

Hat er sich nicht nach dem Geld gebückt?
Doch, er hat sich nach dem Geld gebückt.

5   Что к чему подходит?

1. Das Huhn setzt		a) im Sanatorium.
2. Erholen Sie		b) nicht für ihr Benehmen.
3. Müllers schämen		c) um diese Stelle?
4. Ruth interessiert	возвратное	d) für Hans.
5. Erkundigst du	местоимение?	e) nicht an Sie.
6. Albert beschäftigt		f) mit Spanisch.
7. Ich erinnere		g) ins Nest.
8. Wir bemühen		h) um einen Studienplatz.
9. Bewerbt ihr		i) nach dem Zug?

6   Что к чему подходит?

1. Wir leisten		a) ein Haus.
2. Helen leiht		b) eine Weltreise.
3. Die Geschwister kaufen	возвратное	c) die Haare?
4. Erlaubt ihr	местоимение?	d) diesen Lärm!
5. Färben Sie		e) einen Scherz?
6. Ich verbitte		f) einen Kugelschreiber.
7. Du wäschst		g) die Hände.

7   Вставьте недостающее возвратное местоимение.

Sie trafen ... am Rathaus, begrüßten ... mit einem Kuss und begaben ... in ein Café. „Komm, wir setzen ... hier ans Fenster, da können wir ... den Verkehr draußen anschauen", meinte er. Sie bestellte ... einen Tee, er ... eine Tasse Kaffee. „Wie habe ich ... auf diesen Moment gefreut! Endlich können wir ... mal in
5   Ruhe unterhalten!" – „Ja, ich habe ... sehr beeilt; beinahe hätte ich ... verspätet."

– „Wir müssen … von jetzt ab öfter sehen!" – „Ja, da hast du recht. Sag mal, was hast du … denn da gekauft? Einen Pelzmantel? Kannst du … denn so etwas Teures kaufen?" – „Kaufen kann ich … den natürlich nicht; aber ich kann ihn … schenken lassen." – „Du hast ihn … schenken lassen??" – „Ja, von einem sehr
10   guten Freund." – „Ha! Schau an! Sie lässt … Pelzmäntel schenken! Von ‚guten' Freunden!" – „Reg … doch nicht so auf!" – „Du begnügst … also nicht mit einem Freund? Mit wie vielen Freunden amüsierst du … denn? Du bildest … wohl ein, ich lasse … das gefallen?" – „Beruhige … doch! Sprich nicht so laut! Die Leute schauen … schon nach uns um. Benimm … bitte, ja? Schau, der ‚sehr
15   gute Freund' ist doch mein Vater; wir verstehen … wirklich gut, aber zur Eifersucht gibt es keinen Grund! Da hast du … jetzt ganz umsonst geärgert."

§ 11   Императив

Просьба или приказ по обращению

a)   к одному лицу:
     Anrede mit *du*   *Gib* mir das Lexikon!
     Anrede mit *Sie*   *Geben Sie* mir das Lexikon!

b)   к некоторым лицам:
     Anrede mit *ihr*   *Macht* die Tür *zu*!
     Anrede mit *Sie*   *Machen Sie* die Tür *zu*!

Для выражения просьбы к императиву добавляют слово „bitte". Во многих ситуациях выраженная таким образом просьба звучит несколько категорично и тогда употребляют коньюктив II (см. § 54, VI).

1.   Обращение на *du*

a)   Форма императива образуется от формы второго лица презенса без окончания -*st*:
     du fragst   императив: Frag!
     du kommst   императив: Komm!
     du nimmst   императив: Nimm!
     du arbeitest   императив: Arbeite!

b)   Сильные глаголы теряют умлаут:
     du läufst   императив: Lauf!
     du schläfst   императив: Schlaf!

c)   Вспомогательные глаголы имеют особые формы императива:
     haben: du hast   императив: Hab keine Angst!
     sein: du bist   императив: Sei ganz ruhig!
     werden: du wirst   императив: Werd(e) nur nicht böse!

2. Обращение на *ihr*
   Форма императива совпадает с формой второго лица множественного числа:

ihr fragt	императив: Fragt!
ihr kommt	императив: Kommt!
ihr nehmt	императив: Nehmt!

3. Обращение на *Sie*
   Форма императива совпадает с формой третьего лица множественного числа. Личное местоимение ставится после глагола:

sie fragen	императив: Fragen Sie!
sie kommen	императив: Kommen Sie!
sie nehmen	императив: Nehmen Sie!
sie sind	императив: Seien Sie so freundlich! (исключение)

4. Изначально все формы императива второго лица единственного числа оканчивались на *-e: Komme bald! Lache nicht!* В настоящее время они неупотребительны как в устной, так и в письменной речи. Гласный *-e* сохранился только у глаголов с основой на *-d, -t, -ig,* у глаголов rechnen, öffnen. Наличие *-e* облегчает произнесение данных слов (см. § 6, VI, 2):

leiden:	du leidest	императив: Leide, ohne zu klagen!
bitten:	du bittest	императив: Bitte ihn doch zu kommen!
entschuldigen:	du entschuldigst	императив: Entschuldige mich!
rechnen:	du rechnest	императив: Rechne alles zusammen!

Примечания

1. При обращении ко многим неопределенным лицам вместо императива употребляется инфинитив глагола:
   Nicht aus dem Fenster lehnen!
   Nicht öffnen, bevor der Zug hält!

2. В приказах, требующих незамедлительного исполнения, употребляется причастие II глагола:
   Aufgepasst! Hiergeblieben!

1 Der Hotelportier hat viel zu tun

Was er tut:
Er bestellt dem Gast ein Taxi.

Die Bitte des Gastes:
Bestellen Sie mir bitte ein Taxi!

1. Er weckt den Gast um sieben Uhr.
2. Er schickt dem Gast das Frühstück aufs Zimmer.
3. Er besorgt dem Gast eine Tageszeitung.
4. Er bringt den Anzug des Gastes zur Reinigung.
5. Er verbindet den Gast mit der Telefonauskunft.
6. Er lässt den Gast mittags schlafen und stört ihn nicht durch Telefonanrufe.
7. Er besorgt dem Gast ein paar Kopfschmerztabletten.
8. Er läßt die Koffer zum Auto bringen.
9. Er schreibt die Rechnung.

2 a Schüler haben's manchmal schwer!

Was sie tun:　　　　　　Was sie tun sollen:
Hans spricht *zu* laut.　　*Sprich nicht so laut!*

Требование можно сделать более категоричным, если вы скажете: *Sprich doch nicht so laut!* (Слово „doch" безударно).

1. Günther schreibt zu undeutlich.
2. Heidi isst zu langsam.
3. Fritz raucht zu viel.
4. Otto fehlt zu oft.
5. Edgar macht zu viele Fehler.

6. Angelika spricht zu leise.
7. Else kommt immer zu spät.
8. Ruth ist zu unkonzentriert.
9. Maria ist zu nervös.
10. Willi macht zu viel Unsinn.

b　　　Was sie nicht getan haben:　　　　　Was sie tun sollen:

Udo hat seine Schultasche nicht mitgenommen.　　　　　　*Nimm bitte deine Schultasche mit!*

1. Gisela hat ihre Arbeit nicht abgegeben.
2. Heinz hat sein Busgeld nicht bezahlt.
3. Irmgard hat ihren Antrag nicht ausgefüllt.
4. Alex hat seine Hausaufgaben nicht gemacht.

5. Monika hat das Theatergeld nicht eingesammelt.
6. Didi hat seine Vokabeln nicht gelernt.
7. Uschi hat die Unterschrift des Vaters nicht mitgebracht.
8. Wolfgang ist nicht zum Direktor gegangen.

3 Die Bevölkerung fordert … – Образуйте императив с материалом упражнения 3 § 8.

Erweitert den Park!　　　　　*Pflanzt Sträucher an!*

4 Образуйте императив с материалом упражнений 1 a и 1 c § 7.

Telefonate weiterleiten　　　　*Leiten Sie die Telefonate bitte weiter!*

5 Einige Fluggäste werden aufgefordert – Образуйте императив с материалом упражнения 2 § 7.

Bitte aufhören zu rauchen!　　*Hören Sie bitte auf zu rauchen!*
Bitte anschnallen!　　　　　*Schnallen Sie sich bitte an!*

6 Используйте материал упражнения 4 a § 7 и образуйте предложения по нижеследующему образцу:

Sie zieht den Vorhang auf. (zu-)　*Zieh den Vorhang bitte wieder zu!*

§ 12   Образование перфекта.
Выбор вспомогательного глагола

Общие сведения

Перфект и плюсквамперфект образуются из вспомогательного глагола *haben* или *sein* и причастия II полнозначительного глагола. Основная трудность заключается в выборе вспомогательного глагола.

I Глаголы с „sein"

Со вспомогательным глаголом *sein* спрягаются:

1. все непереходные глаголы, обозначающие передвижение в пространстве: *aufstehen, begegnen, fahren, fallen, fliegen, gehen, kommen, reisen*, и др.

2. все непереходные глаголы, обозначающие изменение состояния, переход в новую фазу процесса, например: *aufblühen, aufwachen, einschlafen, entstehen, werden, wachsen* или *sterben, ertrinken, ersticken, umkommen, vergehen*, и др.

3. глаголы *sein* и *bleiben*.

Примечания

1. Глаголы *fahren* и *fliegen* могут употребляться также и как переходные. В этом случае они спрягаются с глаголом *haben*:
   Ich habe *das Auto* selbst in die Garage gefahren.
   Der Pilot hat *das Flugzeug* nach New York geflogen.

2. Глагол *schwimmen*:
   Er ist *über den Kanal* geschwommen. (= движение к определенной цели)
   Er hat zehn Minuten *im Fluss* geschwommen. (= движение в ограниченном пространстве, без указания на цель передвижения)

II Глаголы с „haben"

Остальные глаголы образуют перфект с *haben*:

1. все глаголы, управляющие винительным падежом (= переходные глаголы): *bauen, fragen, essen, hören, lieben, machen, öffnen* и др.

2. все возвратные глаголы: *sich beschäftigen, sich bemühen, sich rasieren* и др.

3. все модальные глаголы (см. § 18 II): *dürfen, können, mögen, müssen, sollen, wollen*.

4. Непереходные глаголы, обозначающие продолжительные действия или состояния. К ним относятся:

   a) глаголы, сочетающиеся с обстоятельствами места и времени, но не предполагающие перемену места, состояния или передвижение в пространстве: *hängen* (= сильный глагол), *liegen, sitzen, stehen, stecken, arbeiten, leben, schlafen, wachen,* и др. На юге Германии глаголы *liegen, sitzen, stehen* употребляют в перфекте с *sein*.

   b) глаголы, управляющие дательным падежом, не обозначающие движения: *antworten, danken, drohen, gefallen, glauben, nützen, schaden, vertrauen,* и др.

   c) глаголы *anfangen, aufhören, beginnen,* обозначающие начало и конец действия.

1 „Haben" или „sein"?

> Wann beginnt das Konzert?   *Es hat schon begonnen.*
> Wann reist euer Besuch ab?   *Er ist schon abgereist.*

1. Wann esst ihr zu Mittag? – Wir …
2. Wann rufst du ihn an? – Ich …
3. Wann kaufst du die Fernsehzeitschrift?
4. Wann kommt die Reisegruppe an?
5. Wann fährt der Zug ab?
6. Wann schreibst du den Kündigungsbrief?
7. Wann ziehen eure Nachbarn aus der Wohnung aus?
8. Wann ziehen die neuen Mieter ein?
9. Wann schafft ihr euch einen Fernseher an?

2 „Haben" или „sein"? Употребите вспомогательный глагол в нужной форме.

1. „ … du geschlafen?" „Ja, ich … plötzlich eingeschlafen; aber ich … noch nicht ausgeschlafen." „Ich … dich geweckt, entschuldige bitte!"
2. Die Rosen … wunderbar geblüht! Aber jetzt … sie leider verblüht.
3. Heute Morgen waren alle Blüten geschlossen; jetzt … sie alle aufgegangen; heute Abend … sie alle verblüht, denn sie blühen nur einen Tag. Aber morgen früh … wieder neue erblüht.
4. Wir … lange auf die Gäste gewartet, aber jetzt … sie endlich eingetroffen.
5. Um 12.15 Uhr … der Zug angekommen; er … nur drei Minuten gehalten, dann … er weitergefahren.
6. Die Kinder … am Fluss gespielt; dabei … ein Kind in den Fluss gefallen. Es … um Hilfe geschrien. Ein Mann … das gehört, er … in den Fluss gesprungen und er … das Kind gerettet.
7. Gas … in die Wohnung gedrungen. Die Familie … beinahe erstickt. Das Rote Kreuz … gekommen und … die Leute ins Krankenhaus gebracht. Dort … sie sich schnell erholt.

3 Christof kommt nach Hause und erzählt: „Heute ist eine Unterrichtsstunde ausgefallen und wir haben gemacht, was wir wollten."

> Hans (zum Fenster rausschauen)   *Hans hat zum Fenster rausgeschaut.*

1. Ulla (ihre Hausaufgaben machen)
2. Jens (sich mit Hans-Günther unterhalten)
3. Gilla (die Zeitung lesen)
4. Ulrich (mit Carlo Karten spielen)
5. Karin (Männchen malen)
6. Ulrike (Rüdiger lateinische Vokabeln abhören)
7. Christiane (sich mit Markus streiten)
8. Katja (ein Gedicht auswendig lernen)
9. Heike (mit Stefan eine Mathematikaufgabe ausrechnen)
10. Iris (etwas an die Tafel schreiben)
11. Claudia und Joachim (sich Witze erzählen)
12. Wolfgang und Markus (ihre Radtour besprechen)
13. Ich (in der Ecke sitzen und alles beobachten)

4 Eine Woche Urlaub – Поставьте предложения в перфект.

Zuerst fahren wir nach Bayreuth. Dort gehen wir am Samstag in die Oper.
An diesem Tag steht der „Tannhäuser" von Wagner auf dem Programm. Auch
am Sonntag bleiben wir in Bayreuth und schauen uns die Stadt und die
Umgebung an.
Am Sonntagabend treffen wir uns mit Freunden und fahren ins Fichtelgebirge.
Da bleiben wir eine Woche. Wir wandern jeden Tag zu einem anderen Ziel.
Abends sitzen wir dann noch zusammen und unterhalten uns, sehen fern
oder gehen tanzen. Kaum liegt man dann im Bett, schläft man auch schon ein.
Am Sonntag darauf fahren wir dann wieder nach Hause.

5 После „und" однородное подлежащее не употребляется (см. § 23, IV).

Herr Traut im Garten // Beete umgraben / Salatpflanzen setzen
Was hat Herr Traut im Garten gemacht?
Er hat Beete umgegraben und er hat Salatpflanzen gesetzt.
лучше: *Er hat Beete umgegraben und Salatpflanzen gesetzt.*

Lieschen Müller gestern // in die Schule gehen / eine Arbeit schreiben
Was hat Lieschen Müller gestern gemacht?
Sie ist in die Schule gegangen und sie hat eine Arbeit geschrieben.
лучше: *Sie ist in die Schule gegangen und hat eine Arbeit geschrieben.*

1. Frau Traut im Garten // Unkraut vernichten / Blumen pflücken
2. Inge gestern in der Stadt // ein Kleid kaufen / Schuhe anprobieren
3. Herr Kunze gestern // in die Stadt fahren / Geld von der Bank abheben
4. Frau Goldmann gestern // zur Post fahren / ein Paket aufgeben
5. Herr Lange gestern // den Fotoapparat zur Reparatur bringen / die Wäsche aus der Wäscherei abholen
6. Herr Kollmann gestern // Unterricht halten / Hefte korrigieren
7. Frau Feldmann gestern im Büro // Rechnungen bezahlen / Telexe schreiben
8. Professor Keller gestern // Vorlesungen halten / Versuche durchführen
9. Fritzchen Hase gestern // in den Kindergarten gehen / Blumen und Schmetterlinge malen
10. Frau Doktor Landers gestern // Patienten untersuchen / Rezepte ausschreiben

6 Поставьте предложения в перфект.

Der Mieter kündigte und zog aus.
Der Mieter hat gekündigt und ist ausgezogen.

Maiers besichtigten die Wohnung und unterschrieben den Mietvertrag.
Maiers haben die Wohnung besichtigt und den Mietvertrag unterschrieben.

1. Herr Maier besorgte sich Kartons und verpackte darin die Bücher.
2. Er lieh sich einen Lieferwagen und fuhr damit zu seiner alten Wohnung.
3. Die Freunde trugen die Möbel hinunter und verstauten sie im Auto. (verstauen = auf engem Raum unterbringen, verpacken)
4. **Dann fuhren die Männer zu der neuen Wohnung und luden dort die Möbel aus.**
5. Sie brachten sie mit dem Aufzug in die neue Wohnung und stellten sie dort auf.
6. Frau Maier verpackte das Porzellan sorgfältig in Kartons und fuhr es mit dem Auto zu der neuen Wohnung.
7. Dort packte sie es wieder aus und stellte es in den Schrank.
8. Maiers fuhren mit dem Lieferwagen fünfmal hin und her, dann brachten sie ihn der Firma zurück.

7 Еще одно упражнение:

1. Ein Mann überfiel eine alte Frau im Park und raubte ihr die Handtasche.
2. Ein Motorradfahrer fuhr mit hoher Geschwindigkeit durch eine Kurve und kam von der Straße ab. Dabei raste er gegen einen Baum und verlor das Bewusstsein.
3. Ein betrunkener Soldat fuhr mit einem Militärfahrzeug durch die Straßen und beschädigte dabei fünfzehn Personenwagen.
4. Auf einem Bauernhof spielten Kinder mit Feuer und steckten dabei die Stallungen in Brand. Die Feuerwehrleute banden die Tiere los und jagten sie aus den Ställen.
5. Zwei Räuber überfielen eine Bank und nahmen eine halbe Million Mark mit.

8 Образуйте перфект. Передайте содержание текста от первого лица.

Er wachte zu spät auf, sprang sofort aus dem Bett, zerriss dabei die Bettdecke und warf das Wasserglas vom Nachttisch. Das machte ihn schon sehr ärgerlich. Er wusch sich nicht, zog sich in aller Eile an, verwechselte die Strümpfe und band sich eine falsche Krawatte um. Er steckte nur schnell einen Apfel ein, verließ die Wohnung und rannte die Treppe hinunter. Die Straßenbahn fuhr ihm gerade vor der Nase weg. Er lief ungeduldig zehn Minuten lang an der Haltestelle hin und her. Er stieg eilig in die nächste Bahn, verlor aber dabei die Fahrkarte aus der Hand. Er drehte sich um, hob die Fahrkarte vom Boden auf, aber der Fahrer machte im selben Augenblick die automatischen Türen zu. Er hielt ein Taxi an, aber der Taxifahrer verstand die Adresse falsch und lenkte den Wagen zunächst in die falsche Richtung. So verging wieder viel Zeit. Er kam 45 Minuten zu spät in der Firma an, entschuldigte sich beim Chef und beruhigte die Sekretärin. Er schlief dann noch eine halbe Stunde am Schreibtisch.

§ 13 Переходный или непереходный глагол? Трудные случаи

I legen / liegen, stellen / stehen, и т. п.

transitive schwache Verben	intransitive starke Verben
hängen, hängte, hat gehängt Ich *habe* den Mantel in die Garderobe *gehängt*.	hängen, hing, hat gehangen Der Mantel *hat* in der Garderobe *gehangen*.
legen, legte, hat gelegt Ich *habe* das Buch auf den Schreibtisch *gelegt*.	liegen, lag, hat gelegen Das Buch *hat* auf dem Schreibtisch *gelegen*.
stellen, stellte, hat gestellt Ich *habe* das Buch ins Regal *gestellt*.	stehen, stand, hat gestanden Das Buch *hat* im Regal *gestanden*.
setzen, setzte, hat gesetzt Sie *hat* das Kind auf den Stuhl *gesetzt*.	sitzen, saß, hat gesessen Das Kind *hat* auf dem Stuhl *gesessen*.
stecken, steckte, hat gesteckt Er *hat* den Brief in die Tasche *gesteckt*.	stecken, steckte (stak), hat gesteckt Der Brief *hat* in der Tasche *gesteckt*.

1. Переходные глаголы, как правило, обозначают действие, осуществляемое лицом (глаголы, имеющие дополнение в винительном падеже) и направленное на предмет.
   Обстоятельство места содержит предлог, управляющий винительным падежом. Оно отвечает на вопрос *wohin?* (куда?). (см. § 57)

2. Непереходные глаголы обозначают результат действия (глаголы, не имеющие дополнения в винительном падеже).
   Обстоятельство места отвечает на вопрос *wo?* (где?) и употребляется с предлогом, управляющим дательным падежом. (см. § 57)

3. Как правило, дополнение в винительном падеже переходного глагола становится подлежащим непереходного глагола.

---

1 Употребите подходящий по смыслу глагол в форме причастия II.

1. Die Bilder haben lange Zeit im Keller (liegen / legen).
2. Jetzt habe ich sie in mein Zimmer (hängen st. / schw.).
3. Früher haben sie in der Wohnung meiner Eltern (hängen st. / schw.)
4. Das Buch hat auf dem Schreibtisch (liegen / legen).
5. Hast du es auf den Schreibtisch (liegen / legen)?
6. Ich habe die Gläser in den Schrank (stehen / stellen).

7. Die Gläser haben in der Küche (stehen / stellen).
8. Der Pfleger hat den Kranken auf einen Stuhl (sitzen / setzen).
9. Der Kranke hat ein wenig in der Sonne (setzen / sitzen).
10. Die Bücher haben im Bücherschrank (stehen / stellen).
11. Hast du sie in den Bücherschrank (stehen / stellen)?
12. Die Henne hat ein Ei (legen / liegen).
13. Hast du den Jungen schon ins Bett (legen / liegen)?
14. Die Familie hat sich vor den Fernseher (setzen / sitzen).
15. Dort hat sie den ganzen Abend (setzen / sitzen).
16. Im Zug hat er sich in ein Abteil 2. Klasse (setzen / sitzen).
17. Er hat den Mantel an den Haken (hängen st./schw.).
18. Vorhin hat der Mantel noch an dem Haken (hängen st./schw.).

2 Herr Müller macht die Hausarbeit – датив или аккузатив? Выполните упражнение письменно. В скобках указан род существительных.

1. Er stellt das Geschirr in (Schrank [m]) zurück.
2. Die Gläser stehen immer in (Wohnzimmerschrank [m]).
3. Die Tassen und Teller stellt er in (Küchenschrank [m]).
4. Die Tischtücher legt er in (Schränkchen [n]) in (Esszimmer [n]).
5. In (Schränkchen [n]) liegen auch die Servietten.
6. Ein Geschirrtuch hängt in (Badezimmer [n]).
7. Die Wäsche hängt noch auf (Wäscheleine [f]) hinter (Haus [n]).
8. Er nimmt sie ab und legt sie in (Wäscheschrank [m]).
9. Die schmutzige Wäsche steckt er in (Waschmaschine [f]).
10. Später hängt er sie auf (Wäscheleine [f]).

3 А теперь поставьте предложения упражнения 2 в перфект.

II Запомните также следующие глаголы

transitive schwache Verben	intransitive starke Verben
erschrecken (erschreckt), erschreckte, hat erschreckt Der Hund *hat* das Kind *erschreckt*.	erschrecken (erschrickt), erschrak, ist erschrocken Das Kind *ist* vor dem Hund *erschrocken*.
löschen, löschte, hat gelöscht Die Männer *haben* das Feuer *gelöscht*.	erlöschen (erlischt), erlosch, ist erloschen Das Feuer *ist erloschen*.
senken, senkte, hat gesenkt Der Händler *hat* die Preise *gesenkt*.	sinken, sank, ist gesunken Die Preise *sind gesunken*.
sprengen, sprengte, hat gesprengt Die Soldaten *haben* die Brücke *gesprengt*.	springen, sprang, ist gesprungen Das Glas *ist gesprungen*.

transitive schwache Verben	intransitive starke Verben
versenken, versenkte, hat versenkt Das U-Boot *hat* das Schiff *versenkt*.	versinken, versank, ist versunken Die Insel *ist* im Meer *versunken*.
verschwenden, verschwendete, hat verschwendet Der Sohn *hat* das Geld *verschwendet*.	verschwinden, verschwand, ist verschwunden Das Geld *ist verschwunden*.

1. Переходные глаголы обозначают процесс.

2. Непереходные глаголы показывают результат действия или состояние, в котором кто-то или что-то оказались благодаря этим действиям.
   Die Kinder versteckten sich hinter der Kellertür und erschrecken die alte Dame. – Die alte Dame erschrickt.
   Wütend griff er nach seinem Weinglas. Das Glas zersprang.

4 Вставьте подходящий по смыслу глагол во времени, указанном в скобках.

1. „löschen" oder „erlöschen"?
   a) Sie ... das Licht und ging schlafen. (Prät.)
   b) Meine Liebe zu Gisela ... (Perf.)
   c) Nach dem langen Marsch mussten alle ihren Durst ...
   d) Die Pfadfinder ... das Feuer, bevor sie das Lager verließen. (Prät.)
   e) Siehst du das Licht dort? Es geht immer an und ... wieder. (Präs.)
   f) Der Vulkan ..., jedenfalls ist er seit 200 Jahren nicht mehr tätig. (Perf.)

2. „(ver)senken" oder „(ver)sinken"?
   a) Der Angeklagte ... den Blick bei den strengen Fragen des Richters. (Prät.)
   b) Der Wert des Autos ... von Jahr zu Jahr. (Präs.)
   c) Schon nach dem dritten Jahr ... der Wert des Wagens auf die Hälfte ... (Perf.)
   d) Der Fallschirmspringer ... langsam zu Boden. (Präs.)
   e) Die Steuern werden hoffentlich bald ...
   f) Während der letzten 24 Stunden ... die Temperatur um 12 Grad ... (Perf.)
   g) Die „Titanic" stieß auf ihrer ersten Fahrt mit einem Eisberg zusammen und ... innerhalb von drei Stunden. (Prät.)
   h) Die Kinder ... bis zu den Knien im Schnee. (Prät.)
   i) 1960 ... die Stadt Agadir bei einem Erdbeben in Schutt und Asche ... (Perf.)
   j) Der Feind ... das Schiff mit einer Rakete. (Prät.)

3. „sprengen" oder „springen"?
   a) Man ... die alten Burgmauern ... (Perf.)
   b) Das Wasser gefriert und ... das Glas. (Präs.)
   c) Der Polizeihund ... über den Zaun ... (Perf.)
   d) Man muss die baufällige Brücke ...
   e) Die Feder der Uhr ...; sie muss repariert werden. (Perf.)
   f) Jede Minute ... der Zeiger der Uhr ein Stück vor. (Präs.)
   g) Der Sportler ... 7,10 Meter weit ... (Perf.)

4. „verschwenden" oder „verschwinden"?
   a) …, und lass dich hier nicht mehr sehen! (Imperativ)
   b) Die Donau … in ihrem Oberlauf plötzlich im Boden und kommt erst viele Kilometer weiter wieder aus der Erde. (Präs.)
   c) Die Sonne … hinter den Wolken. (Prät.)
   d) „Tu das Geld in die Sparbüchse und … es nicht wieder für Süßigkeiten!" (Imperativ)
   e) Mit diesem Mittel … jeder Fleck sofort. (Präs.)
   f) Er … sein ganzes Vermögen. (Prät.)
   g) Der Bankräuber … spurlos … (Perf.)
5. „erschrecken, erschreckt" oder „erschrecken, erschrickt"?
   a) … er dich mit seiner Maske sehr …? (Perf.)
   b) Ja, ich … furchtbar … (Perf.)
   c) Bei dem Unfall ist nichts passiert, aber alle … sehr … (Perf.)
   d) … bitte nicht! Gleich knallt es. (Imperativ)
   e) Der Schüler … den Lehrer mit seiner Spielzeugpistole. (Prät.)
   f) Sie … bei jedem Geräusch. (Präs.)
   g) „Wenn du mich nochmal so …, werde ich böse!" (Präs.)
   h) „Ich … dich bestimmt nicht mehr!" (Präs.)

§ 14   Управление глаголов

Общие сведения

Под управлением глаголов понимается такое отношение, когда глагол требует после себя определенного падежа дополнения. В немецком языке не существует твердых правил, объясняющих, каким падежом управляет тот или иной глагол. Особенно трудно различать глаголы, требующие дополнения в винительном или дателном падежах:

Ich frage *ihn.*   Er trifft *ihn.*
Ich antworte *ihm.*   Er begegnet *ihm.*

I Глаголы с дополнением в винительном падеже

1. Большая часть немецких глаголов управляет винительным падежом:
   Er baut *ein Haus.*   Wir bitten *unseren Nachbarn* …
   Er pflanzt *einen Baum.*   Ich liebe *meine Geschwister.*
   Der Bauer pflügt *den Acker.*   Der Professor lobt *den Studenten.*
   Ich erreiche *mein Ziel.*   Sie kennen *die Probleme.*

2. Некоторые безличные глаголы: Эти глаголы сочетаются с безличным подлежащим *es* и дополнением в винительном падеже, чаще всего местоимением. Данные глаголы вводят, как правило, придаточные предложения с союзом *daß* или инфинитивные группы (см. § 16 II 4):
   Es ärgert *mich,* dass …   Es langweilt *den Schüler,* dass …
   Es beleidigt *uns,* dass …   Es macht *mich* froh (traurig, fertig), dass …

Es beunruhigt *ihn*, dass …	Es stößt *mich* ab, dass …
Es erschreckt *mich*, dass …	Es wundert *mich*, dass …
Es freut *den Kunden*, dass …	usw.

3. Большая часть глаголов с неотделяемыми приставками, в частности *be-, ver-, zer-,* управляют винительным падежом:

Er *be*kommt *die Stellung* nicht.	Wir *ver*stehen *dich* nicht.
Wir *be*suchen *unsere Freunde*.	Er *zer*reißt *die Rechnung*.
Er *be*reiste *viele Länder*.	Der Sturm *zer*brach *die Fenster*.
Sie *ver*ließ *das Zimmer*.	и т. д.

4. Выражение *es gibt* и глагол *haben* в основном значении управляют винительным падежом:

Es gibt *keinen Beweis* dafür.	Wir haben *einen Garten*.
Es gibt heute *nichts* zu essen.	Er hatte *das beste Zeugnis*.

1 Назовите дополнение в винительном падеже единственного числа.

1. Auf einer Busreise besichtigen die Touristen Burgen (f), Schlösser (n), Dome (m), Klöster (n) und Denkmäler (n).
2. Die Ballonfahrer sehen von oben Wälder (m), Wiesen (f), Äcker (m), Dörfer (n), Städte (f) und Stauseen (m).
3. Der Student befragt nicht nur die Professoren und Kommilitonen, sondern auch die Professorinnen und Kommilitoninnen.
4. Neben Arbeitern braucht die Firma Fachleute für Computertechnik, Schreiner, Schlosser und LKW-Fahrer oder -Fahrerinnen.
5. Der Bastler bastelt nicht nur Drachen (m) und Flugzeuge (n), sondern auch Lampenschirme (m) und Möbelstücke (n).

II Глаголы с дополнением в дательном падеже

Глаголы, управляющие дательным падежом, немногочисленны и часто выражают личное отношение.

Как наиболее употребительным относятся следующие:

ähneln	Sie ähnelt *ihrer Mutter* sehr.
antworten	Antworte *mir* schnell!
befehlen	Der Zöllner befiehlt *dem Reisenden* den Koffer zu öffnen.
begegnen	Ich bin *ihm* zufällig begegnet.
beistehen	Meine Freunde stehen *mir* bestimmt bei.
danken	Ich danke *Ihnen* herzlich für die Einladung.
einfallen	Der Name fällt *mir* nicht ein.
entgegnen	Der Minister entgegnete *den Journalisten*, dass …
erwidern	Er erwiderte *dem Richter*, dass …
fehlen	Meine Geschwister fehlen *mir*.
folgen	Der Jäger folgt *dem Wildschwein*.
gefallen	Die Sache gefällt *mir* nicht.
gehören	Dieses Haus gehört *meinem Vater*.
gehorchen	Der Junge gehorcht *mir* nicht.
gelingen	Das Experiment ist *ihm* gelungen.

genügen	Zwei Wochen Urlaub genügen *mir* nicht.
glauben	Du kannst *ihm* glauben.
gratulieren	Ich gratuliere *Ihnen* herzlich zum Geburtstag.
helfen	Könnten Sie *mir* helfen?
missfallen	Der neue Film hat *den Kritikern* missfallen.
misslingen	Der Versuch ist *dem Chemiker* misslungen.
sich nähern	Der Wagen näherte sich *der Unfallstelle.*
nützen	Der Rat nützt *ihm* nicht viel.
raten	Ich habe *ihm* geraten gesünder zu essen.
schaden	Lärm schadet *dem Menschen.*
schmecken	Schokoladeneis schmeckt *allen Kindern.*
vertrauen	Der Chef vertraut *seiner Sekretärin.*
verzeihen	Ich verzeihe *dir.*
ausweichen	Der Radfahrer ist *dem Auto* ausgewichen.
widersprechen	Ich habe *ihm* sofort widersprochen.
zuhören	Bitte hör *mir* zu!
zureden	Wir haben *ihm* zugeredet die Arbeit anzunehmen.
zusehen	Wir haben *dem Meister* bei der Reparatur zugesehen.
zustimmen	Die Abgeordneten stimmten *dem neuen Gesetz* zu.
zuwenden	Der Verkäufer wendet sich *dem neuen Kunden* zu.

2 Найдите подходящие по смыслу существительные и употребите их в дательном падеже.

1. Das Gras schmeckt	a) der Jäger
2. Das Medikament nützt	b) die Blumen
3. Die Kinder vertrauen	c) der Hund
4. Der Sportplatz gehört	d) das Geburtstagskind
5. Wir gratulieren	e) der Gastgeber
6. Die Gäste danken	f) die Patientin
7. Der Jäger befiehlt	g) die Eltern
8. Der Hund gehorcht	h) der Ladendieb
9. Die Trockenheit schadet	i) die Gemeinde
10. Der Detektiv folgt	j) die Kühe

3 Образуйте предложения с глаголами, требующими дательного падежа. Подлежащее стоит на первом месте.

1. er / sein Vater / immer mehr ähneln (Präs.)
2. der Angeklagte / der Richter / nicht antworten (Prät.)
3. ich / gestern / mein Freund / begegnen (Perf.)
4. sein Vater / er / finanziell beistehen (Fut.)
5. meine Telefonnummer / mein Nachbar / nicht einfallen (Perf.)
6. das Geld für das Schwimmbad / die Gemeinde / leider fehlen (Präs.)
7. mein Hund / ich / aufs Wort folgen (= gehorchen) (Präs.)
8. das Wetter / die Wanderer / gar nicht gefallen (Prät.)
9. die Villa / ein Bankdirektor / gehören (Präs.)
10. die Lösung der Aufgabe / die Schüler / nicht gelingen (Perf.)

III Глаголы с дополнениями в дательном и винительном падежах

Как правило, дополнение в дательном падеже называет лицо, дополнение в винительном падеже – предмет. Глаголы этой группы могут употребляться как с обоими дополнениями, так и только с дополнением в аккузативе:

Er beantwortet dem Sohn die Frage.
Er beantwortet die Frage.

Наиболее употребительные глаголы представлены в следующем списке:

anvertrauen	Er hat dem Lehrling die Werkstattschlüssel anvertraut.
beantworten	Ich beantworte dir gern die Frage.
beweisen	Er bewies dem Schüler den mathematischen Lehrsatz.
borgen	Ich habe ihm das Buch nur geborgt, nicht geschenkt.
bringen	Er brachte mir einen Korb mit Äpfeln.
empfehlen	Ich habe dem Reisenden ein gutes Hotel empfohlen.
entwenden	Ein Unbekannter hat dem Gast die Brieftasche entwendet.
entziehen	Der Polizist entzog dem Fahrer den Führerschein.
erlauben	Wir erlauben den Schülern das Rauchen in den Pausen.
erzählen	Ich erzähle dir jetzt die ganze Geschichte.
geben	Er gab mir die Hand.
leihen	Er hat mir den Plattenspieler geliehen.
liefern	Die Fabrik liefert der Firma die Ware.
mitteilen	Er teilt mir die Geburt seines Sohnes mit.
rauben	Die Räuber raubten dem Boten das Geld.
reichen	Er reichte den Gästen die Hand.
sagen	Ich sagte ihm deutlich meine Meinung.
schenken	Ich schenke ihr ein paar Blumen.
schicken	Meine Eltern haben mir ein Paket geschickt.
schreiben	Er schrieb dem Chef einen unfreundlichen Brief.
senden	Wir senden Ihnen anliegend die Antragsformulare.
stehlen	Unbekannte Täter haben dem Bauern zwölf Schafe gestohlen.
überlassen	Er überließ mir während der Ferien seine Wohnung.
verbieten	Er hat seinem Sohn das Motorradfahren verboten.
verschweigen	Der Angeklagte verschwieg dem Verteidiger die Wahrheit.
versprechen	Ich habe ihm 100 Euro versprochen.
verweigern	Die Firma verweigert den Angestellten das Urlaubsgeld.
wegnehmen	Er hat mir die Schreibmaschine wieder weggenommen.
zeigen	Er zeigte dem Besucher seine Bildersammlung.

4 Выполните упражнение по следующему образцу:

Hast du deinem Freund das Auto geliehen?
Ja, ich hab' ihm das Auto geliehen.

Hast du
1. ... dem Chef die Frage beantwortet?
2. ... deinen Eltern deinen Entschluss mitgeteilt?
3. ... den Kindern das Fußballspielen verboten?
4. ... deiner Wirtin die Kündigung geschickt?

5. ... deinem Sohn das Rauchen gestattet?
6. ... deiner Freundin den Fernseher
   überlassen?
7. ... deinem Bruder die Wahrheit gesagt?
8. ... deinem Vater deine Schulden
   verschwiegen?

9. ... den Kindern den Ball weggenommen?
10. ... deinen Freunden die Urlaubsbilder
    schon gezeigt?
11. ... deiner Familie einen Ausflug ver-
    sprochen?
12. ... deinen Eltern einen Gruß geschickt?

5 Образуйте предложения в имперфекте и перфекте. Обратите внимание на
управление глаголов.

der Arzt / der Mann / das Medikament / verschreiben
Der Arzt verschrieb dem Mann das Medikament.
Der Arzt hat dem Mann das Medikament verschrieben.

1. die Hausfrau / der Nachbar / die Pflege der Blumen / anvertrauen
2. die Tochter / der Vater / die Frage / beantworten
3. der Angeklagte / der Richter / seine Unschuld / beweisen
4. Udo / mein Freund / das Moped / borgen
5. der Briefträger / die Einwohner / die Post / jeden Morgen gegen 9 Uhr /
   bringen
6. er / die Kinder / Märchen / erzählen
7. der Bürgermeister / das Brautpaar / die Urkunden / geben
8. Gisela / der Nachbar / das Fahrrad / gern leihen
9. das Versandhaus / die Kunden / die Ware / ins Haus liefern
10. sie / die Tante / das Geburtstagsgeschenk / schicken
11. Hans / der Chef / die Kündigung / aus Frankreich / schicken
12. das Warenhaus / der Kunde / der Kühlschrank / ins Haus senden
13. der Angestellte / der Chef / seine Kündigungsabsicht / verschweigen
14. die Zollbehörde / der Ausländer / die Einreise / verweigern
15. eine Diebesbande / die Fahrgäste im Schlafwagen / das Geld / entwenden
16. die Polizei / der Busfahrer / der Führerschein / entziehen
17. der Motorradfahrer / die Dame / die Tasche / im Vorbeifahren rauben
18. meine Freundin / die Eltern / dieses Teeservice / zu Weihnachten / schenken
19. ein Dieb / der Junggeselle / die ganze Wohnungseinrichtung / stehlen
20. der Vater / der Sohn / zum Abitur / das Geld für eine Italienreise / versprechen

6 Винительный и дательный падежи? Образуйте предложения в имперфекте.

1. der Pfleger / die Kranke / das Medikament / reichen
2. er / ihre Angehörigen / ein Brief / schreiben
3. die Verwandten / die Kranke / besuchen
4. die Angehörigen / die Patientin / bald wieder / verlassen müssen
5. der Arzt / die Dame / nicht erlauben aufzustehen
6. der Chefarzt / die Kranke / noch nicht entlassen wollen
7. die Frau / der Arzt / nicht widersprechen wollen
8. die Pfleger / die Frau / beistehen müssen
9. mein Bruder / die Touristen / in der Stadt / treffen

10. die Touristen / der Bus / verlassen
11. ich / die Touristen / begegnen
12. das Informationsbüro / die Touristen / das „Hotel Ritter" / empfehlen
13. die Touristen / der Vorschlag / zustimmen
14. die Leute / das Hotel / suchen
15. ein Fußgänger / die Reisenden / der Weg / zeigen
16. der Bus / das Hotel / sich nähern
17. das Musikstück / die Besucher / missfallen
18. der Vater / der Junge / eine Belohnung / versprechen
19. die Lügen / die Politiker / nicht helfen
20. das Parlament / ein Gesetz / beschließen

7 Выполните упражнение по следующему образцу. Используйте при этом предложения № 1–14 из упражнения 5.

> Der Arzt hat dem Mann das Medikament verschrieben.
> *Nein, das stimmt nicht, er hat ihm das Medikament nicht verschrieben!*

Вместо „Nein, das stimmt nicht" можно также сказать: Nein, ganz im Gegenteil, … ; Nein, das ist nicht wahr, … ; Nein, da irren Sie sich, … ; Nein, da sind Sie im Irrtum, …

IV Глаголы с двумя дополнениями в винительном падеже

Количество таких глаголов невелико. Наиболее важными являются: *kosten, lehren, nennen, schelten, schimpfen.*
Ich nenne ihn Fritz.
Das Essen kostet mich 50 Euro.
Er lehrt mich das Lesen.

V Глаголы с дополениями в винительном и родительном падежах

К ним относятся следующие глаголы, употребляемые преимущественно в судебном разбирательстве:

anklagen	Man klagt *ihn des Meineids* an.
bezichtigen	Er bezichtigt *ihn der Unehrlichkeit.*
überführen	Die Polizei überführte *den Autofahrer der Trunkenheit* am Steuer.
verdächtigen	Man verdächtigte *den Zeugen der Lüge.*

VI Глаголы с дополнением в родительном падеже

Глаголы данной группы малоупотребительны в современном языке:

sich erfreuen	Sie erfreute sich *bester Gesundheit.*
bedürfen	Der Krankenbesuch bedurfte *der Genehmigung* des Chefarztes.

VII Глаголы, сочетающиеся с двумя именительными падежами

К данной группе относятся глаголы *sein, werden, bleiben, heißen, scheinen*:
Die Biene ist *ein Insekt.*
Mein Sohn wird später *Arzt.*
Er blieb zeit seines Lebens *ein armer Schlucker.*
Der Händler scheint *ein Betrüger* zu sein.

Примечание

Глаголы *sein* и *werden* всегда требуют дополнения. Кроме в сочетании с двумя именительными падежами можно привести еще следующие примеры их употребления:
Bienen sind *fleißig.* Du bist *tapfer.* Der Musiker wurde *berühmt.* Er blieb immer *freundlich.*
    Er scheint *geizig* zu sein. (= Наречия, § 42)
Sein Geburtstag ist am 29. Februar. Wir bleiben in der Stadt. Er scheint zu Hause
    zu sein. (= обозначение места и времени)
Das sind meine Haustiere. Das wird eine schöne Party. Das bleibt Wiese,
    das wird kein Bauland. (см. § 36, III, 4 b)

VIII Глаголы, употребляемые в устойчивых словосочетаниях с дополнением в винительном падеже

Подобные словосочетания в немецком языке встречаются очень часто. Утратив начальное значение, они употребляются в устойчивых сочетаниях с дополнением в винительном падеже и вместе с ним составляет одну единицу. Такие глаголы называются функциональными глаголами.
die Flucht ergreifen
eine Erklärung abgeben
eine Entscheidung treffen
Списки с примерами и упражнениями Вы найдете в § 62.

§ 15   Глаголы с предложным дополнением

Общие сведения

1. Многие глаголы управляют дополнением с предлогом, который требует определенного падежа, например, дательного или винительного. Дополнение с предлогом составляет так называемое предложное дополнение.

2. В немецком языке не существует правил, определяющих, каким предлогом управляет глагол, и в каком падеже стоит предложное дополнение, поэтому необходимо заучивать глагол вместе с его управлением (см. таблицу под III).

I Примеры употребления глаголов с предложным дополнением

Die Nachtschwester sorgt für den Schwerkranken.
Wir haben an dem Ausflug nicht teilgenommen.
Предложное дополнение относится к глаголу.

Sie erinnert sich gern an die Schulzeit.
Wir beschäftigen uns schon lange mit der Grammatik.
Многие глаголы, употребляемые как возвратные, имеют предложное дополнение (см. § 10).

Der Reisende dankt dem Schaffner für seine Hilfe.
Der Einheimische warnt den Bergsteiger vor dem Unwetter.
Некоторые глаголы с предложным дополнением управляют также дополнением в дательном или винительном падеже, которое является обязательным и стоит перед предложным дополнением.

Er beschwert sich bei den Nachbarn über den Lärm.
Wir haben uns bei dem Beamten nach der Ankunft des Zuges erkundigt.
Ряд глаголов управляет одновременно двумя предложными дополнениями. Обычно дополнение в дательном падеже предшествует дополнению в винительном падеже.

II Предложное дополнение в вопросительных, придаточных предложениях с союзом „dass" и инфинитивные группы

Предлог тесно связан со сказуемым и дополнением; в той или иной форме он появляется в вопросах к предложному дополнению (a + b), при местоимении (c + d), перед придаточным предложением с союзом *dass* или инфинитивной группой (e + f).

a) Er denkt *an seine Freundin.*   Frage: *An wen* denkt er? (= Person)
b) Er denkt *an seine Arbeit.*   Frage: *Woran* denkt er? (= Sache)

Формулируя вопрос к предложному дополнению, необходимо обращать внимание на то, является ли оно обозначением лица или предмета.
Если речь идет о человеке, вопрос звучит следующим образом, например: *bei wem?*, *an wen?* и т. д.
Если в виду имеется предмет, вопрос образуется с помощью слова *wo,* например: *wofür?, wonach?*
В том случае, если предлог начинается с гласной, между ним и *wo* появляется *r,* например: *woran?*

c) Denkst du *an deine Freundin*?   Antwort: Ich denke immer *an sie.*
d) Denkst du *an deine Arbeit*?   Antwort: Ich denke immer *daran.*

Для личных местоимений в роли предложного дополнения действует аналогичное правило: Если речь идет о человеке, употребляется местоимение с предлогом, стоящим перед местоимением, например: *vor ihm, an ihn,* и т. д.
Местоимения, указывающие на предмет, соединяются с *da,* например: *damit, davon,* и т. д.
В том случае, если предлог начинается с гласной, между ним и *da* появляется *r,* например: *daran, darauf* и т. д.

e) Er denkt *daran*, dass seine Eltern bald zu Besuch kommen.
f) Er denkt *daran*, sich eine neue Stellung zu suchen.

Содержание предложного дополнения может более полно раскрываться в придаточном предложении с *dass* или инфинитивной группе (см. § 16, II, 2). Обычно форма с *da* или *dar* стоит в конце основного предложения, вводящего придаточное или инфинитивную группу.

1 Образуйте вопросительные предложения по данному образцу:

Ich freue mich auf die Ferien.   *Worauf freust du dich?*
Ich freue mich auf Tante Vera.   *Auf wen freust du dich?*

1. Der Diktator herrschte grausam über sein Volk.
2. Ich habe auf meinen Freund gewartet.
3. Er bereitet sich auf sein Examen vor.
4. Wir sprachen lange über die Politik des Landes.
5. Er schimpfte laut über den Finanzminister.
6. Alle beklagten sich über die hohen Steuern.
7. Bei dem Betrug geht es um 12 Millionen Dollar.
8. Er unterhielt sich lange mit seinem Professor.
9. Sie schützten sich mit einer Gasmaske vor dem Rauch. (2 вопроса!)
10. Heute sammeln sie wieder fürs Rote Kreuz.

III Список наиболее употребительных глаголов с предложным управлением

abhängen	von + D	den Eltern	
es hängt ab	von + D	den Umständen	davon, dass… / ob… / wie… / wann…
achten	auf + A	die Fehler	darauf, dass… / ob… / Inf.-K.
anfangen	mit + D	dem Essen	(damit), Inf.-K.
sich anpassen	an + A	die anderen	
sich ärgern	über + A	den Nachbarn	(darüber), dass… / Inf.-K.
jdn. ärgern	mit + D	dem Krach	damit, dass…
aufhören	mit + D	dem Unsinn	(damit), Inf.-K.
sich bedanken	für + A	das Geschenk	dafür, dass …
	bei + D	den Eltern	
sich / jdn. befreien	von + D	den Fesseln	
	aus + D	der Gefahr	
beginnen	mit + D	der Begrüßung	(damit), Inf.-K.
sich beklagen	bei + D	dem Chef	
	über + A	die Mitarbeiter	(darüber), dass… / Inf.-K.
sich bemühen	um + A	die Zulassung	(darum), dass… / Inf.-K.
sich / jdn. beschäftigen	mit + D	dem Problem	(damit), dass… / Inf.-K.

sich beschweren	bei + D	dem Direktor	
	über + A	den Kollegen	(darüber), dass... / Inf.-K.
sich bewerben	um + A	ein Stipendium	darum, dass... / Inf.-K.
jdn. bitten	um + A	einen Rat	(darum), dass... / Inf.-K.
bürgen	für + A	den Freund	dafür, dass...
		die Qualität	
jdm. danken	für + A	die Blumen	(dafür), dass...
denken	an + A	die Schulzeit	(daran), dass... / Inf.-K.
sich entschuldigen	bei + D	dem Kollegen	
	für + A	den Irrtum	(dafür), dass...
sich / jdn. erinnern	an + A	die Reise	(daran), dass... / Inf.-K.
jdn. erkennen	an + D	der Stimme	daran, dass...
sich erkundigen	bei + D	dem Beamten	
	nach + D	dem Pass	(danach), ob... / wann... / wie ... / wo ...
jdn. fragen	nach + D	dem Weg	(danach), ob... / wann... / wo...
sich freuen	auf + A	die Ferien	(darauf), dass... / Inf.-K.
	über + A	das Geschenk	(darüber), dass... / Inf.-K.
sich fürchten	vor + D	der Auseinandersetzung	(davor), dass... / Inf.-K.
jdm. garantieren	für + A	den Wert der Sache	(dafür), dass...
gehören	zu + D	einer Gruppe	es gehört dazu, dass...
es geht	um +A	die Sache	darum, dass ...
geraten	in + A	eine schwierige Lage; Wut	
	unter + A	die Räuber	
sich / jdn. gewöhnen	an + A	das Klima	daran, dass... / Inf.-K.
glauben	an + A	Gott; die Zukunft	daran, dass ...
jdn. halten	für + A	einen Betrüger	
etwas / nichts halten	von + D	dem Mann; dem Plan	davon, dass... / Inf.-K.
es handelt sich	um + A	das Kind; das Geld	darum, dass... / Inf.-K.
herrschen	über + A	ein Land	
hoffen	auf + A	die Geldsendung	(darauf), dass... / Inf.-K.
sich interessieren	für + A	das Buch	dafür, dass... / Inf.-K.
sich irren	in + D	dem Datum; dem Glauben, dass...	
kämpfen	mit + D	den Freunden	
	gegen + A	die Feinde	dagegen, dass...
	für + A	den Freund	dafür, dass... / Inf.-K.
	um + A	die Freiheit	darum, dass... / Inf.-K.
es kommt an	auf + A	die Entscheidung	darauf, dass... / ob... / wann... / Inf.-K.
es kommt jdm. an	auf + A	diesen Termin	
sich konzentrieren	auf + A	den Vortrag	darauf, dass... / Inf.-K.
sich kümmern	um + A	den Gast	darum, dass...
lachen	über + A	den Komiker	(darüber), dass...

leiden	an + D	einer Krankheit	daran, dass...
	unter + D	dem Lärm	darunter, dass... / Inf.-K.
jdm. liegt	an + D	seiner Familie	daran, dass... / Inf.-K.
es liegt	an + D	der Leitung	daran, dass...
nachdenken	über + A	den Plan	darüber, dass... / wie... / wann...
sich rächen	an + D	den Feinden	
	für + A	das Unrecht	dafür, dass...
jdm. raten	zu + D	diesem Studium	(dazu), dass... / Inf.-K.
rechnen	auf + A	dich	darauf, dass...
	mit + D	deiner Hilfe	damit, dass... / Inf.-K.
schreiben	an + A	den Vater	
	an + D	einem Roman	
	über + A	ein Thema	darüber, wie... / wann...
sich / jdn. schützen	vor + D	der Gefahr	davor, dass... / Inf.-K.
sich sehnen	nach + D	der Heimat	danach, dass... / Inf.-K.
sorgen	für + A	die Kinder	dafür, dass...
sich sorgen	um + A	die Familie	
sprechen	mit + D	der Freundin	
	über + A	ein Thema	darüber, dass... / ob... / wie... / was...
	von + D	einem Erlebnis	davon, dass... / wie... / was...
staunen	über + A	die Leistung	(darüber), dass... / wie... / was...
sterben	an + D	einer Krankheit	
	für + A	eine Idee	
sich streiten	mit + D	den Erben	
	um + A	das Vermögen	darum, wer... / wann... / ob...
teilnehmen	an + D	der Versammlung	
etwas zu tun haben	mit + D	dem Mann; dem Beruf	damit, dass... / wer... / was... / wann...
sich unterhalten	mit + D	dem Freund	
	über + A	ein Thema	darüber, dass... / ob... / wie ... / was...
sich verlassen	auf + A	dich; deine Zusage	darauf, dass... / Inf.-K.
sich verlieben	in + A	ein Mädchen	
sich vertiefen	in + A	ein Buch	
vertrauen	auf + A	die Freunde; die Zukunft	darauf, dass... / Inf.-K.
verzichten	auf + A	das Geld	darauf, dass... / Inf.-K.
sich / jdn. vorbereiten	auf + A	die Prüfung	darauf, dass... / Inf.-K.
jdn. warnen	vor + D	der Gefahr	(davor), dass... / Inf.-K.
warten	auf + A	den Brief	(darauf), dass... / Inf.-K.
sich wundern	über + A	die Technik	(darüber), dass... / Inf.-K.
zweifeln	an + D	der Aussage des Zeugen	(daran), dass... / Inf.-K.

Примечание

jd. = jemand (именительный падеж); jdm. = jemandem (дательный падеж);
jdn. = jemanden (винительный падеж), Inf.-K. = Infinitivkonstruktion (инфинитивная
группа)

В правой колонке указаны конструкции, которые могут присоединяться к данному
глаголу, например: *sich ärgern (darüber), dass ... / Inf.-K.:*
Ich ärgere mich darüber, dass ich nicht protestiert habe.
                    nicht protestiert zu haben.
Ich ärgere mich, dass ich nicht protestiert habe.
             nicht protestiert zu haben.

Если местоименное наречие (например *darüber*) не взято в скобки, его употребление
является обязательным.

sich erkundigen (danach), ob ... / wie ... / wann ... означает, что придаточное предложение может быть присоединено при помощи одного из перечисленных средств:
Ich erkundige mich (danach), ob sie noch im Krankenhaus ist.
                     wann sie entlassen wird.
                     wer sie operiert hat.
                     wie es ihr geht.

2 Вставьте предлоги и местоименные наречия (*darauf, davon* и т. д.).

Gespräch zwischen einem Chef (C) und seiner Sekretärin (S)

S: Abteilungsleiter Müller möchte ... Ihnen sprechen; es geht ... seine Gehaltserhöhung.

C: Im Augenblick habe ich keine Zeit mich ... diese Sorgen zu kümmern.

S: Wollen Sie ... dem Kongress der Textilfabrikanten teilnehmen?

C: Schreiben Sie, dass ich ... die Einladung danke, meine Teilnahme hängt aber
d... ab, wie ich mich gesundheitlich fühle.

S: Hier ist eine Dame, die sich ... die Stelle als Büroangestellte bewirbt.

C: Sagen Sie ihr, sie möchte sich schriftlich ... die Stelle bewerben. Ich kann ja
nicht ... alle Zeugnisse verzichten.

S: Vorhin hat sich Frau Lahner ... ihre Arbeitsbedingungen beklagt. Sie kann sich
nicht d... gewöhnen in einem Zimmer voller Zigarettenqualm zu arbeiten.

C: Sagen Sie ihr, sie kann sich d... verlassen, dass in den nächsten Tagen ein
Rauchverbot ausgesprochen wird.

S: Der Betriebsleiter hält nichts d..., dass die Arbeitszeiten geändert werden.

C: O.k.

S: Ich soll Sie d... erinnern, dass Sie Ihre Medizin einnehmen.

C: Ja, danke; man kann sich doch ... Sie verlassen.

S: Unsere Abteilungsleiterin entschuldigt sich ... Ihnen; sie kann ... der Besprechung nicht teilnehmen, sie leidet ... starken Kopfschmerzen.

C: Ich hoffe ... baldige Besserung!

S: Sie hatten die Auskunftei Detex ... Informationen über die Firma Schüssler
gebeten. Die Auskunftei warnt Sie d..., mit dieser fast bankrotten Firma Geschäfte zu machen.

C: Man muss sich doch d… wundern, wie gut die Auskunftei … die Firmen Bescheid weiß!

S: Die Frauen unseres Betriebes beschweren sich d…, dass die Gemeinde keinen Kindergarten einrichtet. Sie bitten Sie d…, einen betriebseigenen Kindergarten aufzumachen.

C: Das hängt natürlich d… ab, wie viele Kinder dafür in Frage kommen.

S: Ich habe mich d… erkundigt; es handelt sich … 26 Kinder.

C: D… muss ich noch nachdenken.

S: Ich möchte jetzt d… bitten, mich zu entschuldigen. Um 14 Uhr schließt die Kantine und ich möchte nicht gern … mein Mittagessen verzichten.

3 Вставьте пропущенные предлоги, местоименные наречия (*darum* и т. д.) и окончания.

1. Du kannst dich d… verlassen, dass ich … dies_ Kurs teilnehme, denn ich interessiere mich … dies_ Thema.
2. Wie kannst du dich nur … d_ Direktor fürchten? Ich halte ihn … ein_ sehr freundlichen Menschen.
3. Wenn ich mich d… erinnere, wie sehr er sich … meine Fehler (m) gefreut hat, gerate ich immer … Wut.
4. Hast du dich … _ Professor erkundigt, ob er … dir … dein_ Doktorarbeit sprechen will?
5. Er hatte d… gerechnet, dass sich seine Verwandten … d_ Kinder kümmern, weil er sich d… konzentrieren wollte, eine Rede zum Geburtstag seines Chefs zu schreiben.
6. Er kann sich nicht … unser_ Gewohnheiten anpassen; er gehört … d_ Menschen, die sich nie d… gewöhnen können, dass andere Menschen anders sind.
7. Seit Jahren beschäftigen sich die Wissenschaftler … dies_ Problem (n) und streiten sich d…, welches die richtige Lösung ist. Man kann ihnen nur d… raten, endlich … dies_ Diskussion (f) aufzuhören.
8. Die Angestellte beklagte sich … _ Personalchef d…, dass sie noch immer keine Lohnerhöhung bekommen hat.

4 Вставьте пропущенные предлоги или местоименные наречия (*darüber, darauf* и т. д.).

Eine Hausfrau redet … ihre Nachbarin: „Das ist eine schreckliche Person! Sie gehört … den Frauen, die erst saubermachen, wenn der Staub schon meterhoch liegt. Man kann sich … verlassen, dass sie den Keller noch nie geputzt hat, und dann wundert sie sich …, dass sie böse Briefe vom Hauswirt bekommt. Ich kann mich nicht … besinnen, dass sie ihre Kinder jemals rechtzeitig zur Schule geschickt hat. Jeden Abend zankt sie sich … ihrem Mann … das Wirtschaftsgeld. Sie denkt gar nicht …, sparsam zu sein. Ihre Kinder warten … eine Ferienreise und freuen sich …, aber sie hat ja immer alles Geld verschwendet. Sie sorgt nur … sich selbst und kümmert sich den ganzen Tag nur … ihre Schönheit. Ich habe meinen Sohn … ihr gewarnt. Er hatte sich auch schon … sie verliebt, aber jetzt ärgert er sich nur noch … ihren Hochmut. Neulich hat sie mich doch tatsächlich … etwas Zucker gebeten. Ich werde mich mal … der Polizei erkundigen, ob das nicht Bet-

25

telei ist. – Die dumme Gans leidet ja … Größenwahn!" – Gott schütze uns … solchen Nachbarinnen!

IV Устойчивые глагольные сочетания с предложным дополнением и дополнением в винительном падеже

Bezug nehmen auf
sich Hoffnung machen auf
Bescheid wissen über

Глагол вместе с дополнением в винительном падеже составляет одну единицу (см. § 62, 1). Это устойчивое словосочетание сочетается с предложным дополнением. Употребление артикля или его неупотребление в большинстве случаев строго установлены.

В остальных случаях применяются выше приведенные правила (см. § 15, II).

Списки с примерами и упражнениями Вы найдете в § 62.

§ 16   Глаголы, вводящие придаточные предложения с союзом „dass" или инфинитивные группы

I Общие правила

Определенные глаголы требуют придаточные предложения с союзом *dass* или инфинитивные группы. Такие глаголы могут быть сказуемым как главного, так и придаточного предложения.

Er glaubt, dass *er* sich richtig verhält.
Ich hoffe, dass *ich* dich bald wiedersehe.
Weil *wir* befürchten, dass *wir* Ärger bekommen, stellen wir das Radio leiser.

Предложения с союзом *dass* – придаточные предложения (см. § 25). Это означает, что спрягаемая часть сказуемого стоит на последнем месте. Употребление союза *dass* является обязательным. В придаточном предложении всегда имеется подлежащее.

Er glaubt sich richtig zu verhalten.
Ich hoffe dich bald wiederzusehen
Weil *wir* befürchten Ärger zu bekommen, stellen wir das Radio leiser.

В инфинитивных группах подлежащее отсутствует, поскольку оно уже названо в основном (главном) предложении.

В связи с тем, что инфинитивные группы не имеют подлежащего, глагол употребляется в неопределенной форме – инфинитиве – и занимает последнее место. Перед инфинитивом стоит частица *zu*. Если глагол имеет отделяемую приставку, частица *zu* стоит между приставкой и корнем:

Ich beabsichtige das Haus *zu kaufen*.
Ich beabsichtige das Haus *zu verkaufen*. (= inseparable verb)
Ich beabsichtige ihm das Haus *abzukaufen*. (= separable verb)

Частица *zu* употребляется с каждым из инфинитивов, встречающихся в предложении:
Ich hoffe ihn *zu* sehen, *zu* sprechen und mit ihm *zu* verhandeln.

II Глаголы, после которых употребляются придаточные предложения с союзом „dass" или инфинитивные группы

1-ая группа

Придаточные предложения с союзом *dass* и инфинитивные группы являются в данном случае развернутыми дополнениями.
Ich erwarte die Zusage. (= Akkusativobjekt)
Ich erwarte, dass *mein Bruder* die Zusage erhält.
Придаточное с союзом *dass* употребляется, если в главном и придаточном предложениях разные подлежащие.

Ich erwarte, dass *ich* die Zusage erhalte.
Ich erwarte,   die Zusage zu erhalten.
Если подлежащие совпадают, вместо придаточного предложения в большинстве случаев употребляют инфинитивную группу.

Первая группа глаголов включает в себя:

1. Глаголы, обозначающие чувства, желания, намерения и т.д.:

ablehnen (es)	hoffen	verlangen
annehmen = vermuten	meinen	versprechen (+D)
erwarten	unterlassen (es)	versuchen
befürchten	vergessen	sich weigern
glauben = annehmen	vermeiden (es)	wünschen и др.

2. Глаголы, обозначающие различные виды протекания действия. Эти глаголы употребляются только с инфинитивными группами:

anfangen	beabsichtigen	versäumen (es)
sich anstrengen	beginnen	wagen (es)
aufhören	fortfahren	и др.

Примечания

1. В ряде случаев в главном предложении может стоять *es*.

2. После глаголов *annehmen, fürchten, glauben, hoffen, meinen, wünschen* и др. вместо придаточного с союзом *dass* может употребляться обычное предложение:
   Ich nehme an, es gibt morgen Regen.
   Ich befürchte, er kommt nicht rechtzeitig.

3. В списке не представлены глаголы говорения: *sagen, antworten, fragen, berichten,* и др., также вводящие придаточные с союзом *dass*, однако после таких гаголов может стоятъ также простое предложение с прямым порядком слов.
   (см. Косвенная речь, § 56, I).
   Er berichtete, dass die Straße gesperrt sei.
   Er berichtete, die Straße sei gesperrt.

4. Глаголы *brauchen, drohen, pflegen, scheinen* могут употребляться и без придаточного предложения или инфинитивной группы:
   Ich *brauche* einen neuen Anzug.
   Er *drohte* seinem Nachbarn.
   Sie *pflegte* die kranken Kinder.
   Die Sonne *scheint*.

   В том случае, если эти глаголы употребляются в сочетании с инфинитивом +*zu*, их значение меняется:
   Er *braucht* nicht / nur wenig / kaum *zu arbeiten*.
   (= er muss nicht … ; всегда в форме отрицания или в сочетании с наречием, ограничивающим значение глагола в инфинитивной форме)
   Die schwefelhaltigen Abgase *drohen* die Steinfiguren an der alten Kirche *zu zerstören*. (= es besteht die Gefahr)
   Er *pflegt* jeden Tag einen Spaziergang *zu machen*. (= er hat die Gewohnheit)
   Der Kellner *scheint* uns nicht *zu sehen*. (= vielleicht ist es so; es sieht so aus)

1 Придаточное с *dass* или инфинитивная группа?

Haustiere müssen artgerecht gehalten werden. (Das Tierschutzgesetz verlangt,)
Das Tierschutzgesetz verlangt, dass Haustiere artgerecht gehalten werden.

Sie ziehen die Kälber *nicht* in dunklen Ställen groß. (Manche Bauern lehnen es ab,)
Manche Bauern lehnen es ab, die Kälber in dunklen Ställen großzuziehen.

Von der Tierhaltung

1. Die Kälber werden nicht von ihren Muttertieren getrennt.
   (Viele Menschen nehmen an,)
2. Die meisten Eier auf dem Markt stammen von Hühnern in Käfigen.
   (Ich befürchte,)
3. Die Hühner laufen wie früher auf Äckern und Wiesen frei herum.
   (Viele Menschen nehmen an,)
4. Die Eier von Hühnern in Käfighaltung werden *nicht* gekauft. (Immer mehr Menschen weigern sich,)
5. Fleisch von Tieren aus der Massentierhaltung esse ich *nicht*.
   (Ich vermeide es,)
6. Sie können langsam immer mehr landwirtschaftliche Erzeugnisse verkaufen. (Die Biobauern erwarten,)

7. Die Tierschutzgesetze sollen strenger angewendet werden. (Ich meine,)

8. Rindern werden Injektionen gegeben, damit sie schneller wachsen. (Es ist abzulehnen,)

2 Образуйте придаточные с союзом *dass* или без союза.

ich / annehmen / morgen / regnen
Ich nehme an, dass es morgen regnet.
Ich nehme an, es regnet morgen.

1. ich / fürchten / unsere Wanderung / ausfallen / dann
2. a) wir / glauben / die Theateraufführung / ein großer Erfolg / werden
   b) wir / annehmen / nicht alle Besucher / eine Karte / bekommen
3. a) ich / befürchten / der Bäcker an der Ecke / seinen Laden / bald aufgeben
   b) ich / glauben / wir / unser Brot dann / wohl oder übel im Supermarkt / kaufen müssen
4. a) wir fürchten / wir / nächste Woche / viel Arbeit / haben
   b) wir / annehmen / wir / zu nichts anderem / Zeit haben
5. a) ich / annehmen / das hier / ein sehr fruchtbarer Boden / sein
   b) ich / glauben / verschiedene Arten Gemüse / hier / gut / wachsen
6. a) du / glauben / der FC Bayern / das Fußballspiel / gewinnen
   b) ich / annehmen / die Chancen / eins zu eins / stehen
7. a) ihr / auch meinen / wir / den 30-Kilometer-Fußmarsch / an einem Tag / schaffen
   b) wir / fürchten / einige / dazu / nicht in der Lage sein

2-ая группа

Придаточные с союзом *dass* и инфинитивные группы являются в данном случае развернутыми предложными дополнениями.
Der Kollege hat nicht *an die Besprechung* gedacht. (= предложное дополнение)
Der Kollege hat nicht *daran* gedacht, dass *wir* eine Besprechung haben.
(*Der Kollege* hat nicht *daran* gedacht, dass *er* zur Besprechung kommt.)
Der Kollege hat nicht *daran* gedacht zur Besprechung zu kommen.

Местоименное наречие (*da(r)*- + предлог) стоит в главном предложении. В остальном действительны правила, применяемые к глаголам 1-ой группы.

Во 2-ую группу входят глаголы:

sich bemühen um + A   sich gewöhnen an + A
denken an + A   sich verlassen auf + A
sich fürchten vor + D   verzichten auf + A и др. (см. § 15, III)

3 Преобразуйте предложения в придаточные с *dass* или, если возможно, с инфинитивной группой.

Von der Arbeit einer Chefdolmetscherin

1. Die Chefdolmetscherin bemüht sich um eine möglichst genaue Wiedergabe der Rede des Außenministers. (die Rede … wiedergeben)
2. Die anwesenden Politiker müssen sich auf die Zuverlässigkeit und Vollständigkeit der Übersetzung verlassen können. (zuverlässig und vollständig sein)
3. Die Dolmetscherin denkt an die schlimmen Folgen eines Übersetzungsfehlers. (Folgen haben können)
4. Sie gewöhnt sich an das gleichzeitige Hören und Übersetzen einer Rede.
5. Der Politiker kann während seiner Rede auf Übersetzungspausen verzichten. (Übersetzungspausen machen)
6. Viele Zuhörer wundern sich über die Fähigkeit der Dolmetscherin, gleichzeitig zu hören und zu übersetzen. (hören und übersetzen können)
7. Niemand wundert sich über die notwendige Ablösung einer Dolmetscherin nach ein bis zwei Stunden. (abgelöst werden müssen)
8. Auch eine gute Dolmetscherin kann sich nie ganz an die ständige hohe Konzentration gewöhnen. (ständig hoch konzentriert sein müssen)
9. Sie fürchtet sich vor einer frühzeitigen Ablösung als Chefdolmetscherin. (abgelöst werden)
10. Wer wundert sich über das gute Gehalt einer Chefdolmetscherin? (ein gutes Gehalt bekommen)

3-ья группа

Er bat *die Sekretärin*, dass *der Chef* ihn rechtzeitig anruft.

Придаточное с союзом *dass* употребляется, если дополнение главного предложения не совпадает с подлежащим придаточного.

Er bat *die Sekretärin,* dass *sie* ihn rechtzeitig anruft.
Er bat *die Sekretärin*   ihn rechtzeitig anzurufen.

Если дополнение в главном предложении и подлежащее в придаточном идентичны, чаще употребляется инфинитивная группа.

К этой группе глаголов относятся следующие:

ich befehle ihm (D)	ich fordere ihn (A) … auf
ich bitte ihn (A)	ich rate ihm (D)
ich empfehle ihm (D)	ich überzeuge ihn (A)
ich erlaube ihm (D)	ich verbiete ihm (D)
ich ermahne ihn (A)	ich warne ihn (A)
ich ersuche ihn (A)	ich zwinge ihn (A) и др.

4-ая группа

Придаточные с союзом *dass* и инфинитивные группы могут рассматриваться в данном случае как развернутое подлежащее, относящееся к глаголу с местоимением *es*.

Die Zusammenarbeit freut mich. (= подлежащее)
Es freut *mich*, dass *du* mit mir zusammenarbeitest.
Es freut *mich*, dass *ich* mit dir zusammenarbeite.
Es freut *mich*,   mit dir zusammenzuarbeiten.

Если подлежащее придаточного с союзом *dass* не совпадает с дополнением главного предложения, употребляется придаточное предложение. Если они идентичны, обычно употребляется инфинитивная группа.

В эту группу глаголов входят следующие:

es ärgert mich (A)	es gelingt mir (D)
es ekelt mich (A)	es genügt mir (D)
es freut mich (A)	es scheint mir (D), dass …
es gefällt mir (D)	es wundert mich (A) и др.

Entwicklungshilfe ist notwendig. (= подлежащее)
Es ist notwendig, dass *wir* Ländern der Dritten Welt helfen.
Es ist notwendig, dass *man* Ländern der Dritten Welt hilft.
Es ist notwendig, Ländern der Dritten Welt zu helfen.

Придаточное с союзом *dass* употребляется, если в его состав входит личное подлежащее. Если в придаточном стоит неопределённо-личное местоимение *man*, как правило, употребляется инфинитивная группа.

К этой группе наречий с глаголом *sein* относятся следующие:

es ist angenehm	es ist unangenehm
es ist erfreulich	es ist unerfreulich
es ist erlaubt	es ist verboten
es ist möglich	es ist unmöglich
es ist nötig / notwendig	es ist unnötig / nicht notwendig
es ist verständlich	es ist unverständlich и др.

Примечания

1. Инфинитивные группы и придаточные с союзом *dass* могут стоять и перед главным предложением: В этой позиции на инфинитивную группу или придаточное предложение падает ударение.
   Dass du den Brief geöffnet hast, hoffe ich.
   Deinen Pass rechtzeitig abzuholen verspreche ich dir.

2. Инфинитивные группы и придаточные с союзом *dass* могут занимать начальную позицию также при безличных глаголах и наречиях с глаголом *sein*. Такие конструкции лучше в стилистическом отношении:
   Dass er mich nicht erkannt hat, ärgert mich.
   Den Abgeordneten anzurufen war leider unmöglich.

3. Если начальную позицию занимает другое придаточное (см. § 25), *es* в главном предложении сохраняется:
   Weil das Telefon des Abgeordneten immer besetzt war, war es unmöglich ihn anzurufen.

4 Образуйте предложения с инфинитивными группами.

Kauf dir bitte endlich einen neuen Anzug. (Frau Kunz bat ihren Mann sich …)
Frau Kunz bat ihren Mann sich endlich einen neuen Anzug zu kaufen.

1. Geh zum Bekleidungsgeschäft Müller und Co. (Sie empfahl ihm …)
2. Schauen Sie sich die Anzüge in Ruhe an. (Der Verkäufer schlug ihm vor sich …)
3. Probieren Sie an, was Ihnen gefällt. (Er riet ihm …)
4. Nehmen Sie keins der Billigangebote dort drüben. (Der Verkäufer warnte ihn davor … [без отрицания])
5. Kaufen Sie den Anzug mit dem Streifenmuster. (Er überzeugte den Käufer …)
6. Du musst dir auch bald ein Paar neue Schuhe kaufen. (Frau Kunz ermahnte ihren Mann sich … [без *müssen*])

III   Выражение временных отношений в инфинитивных группах

1. В активном залоге различают две формы инфинитива (о пассиве см. § 19, IV):
   a) Инфинитив настоящего времени = инфинитив I, выражает одновременность:
      zu machen, zu tragen, zu wachsen
   b) Инфинитив прошедшего времени = инфинитив II, выражает предшествование:
      gemacht zu haben, getragen zu haben, gewachsen zu sein

   Gleichzeitigkeit

   Der Schwimmer *versucht* das Ufer *zu erreichen*.
   Der Schwimmer *versuchte* das Ufer *zu erreichen*.
   Der Schwimmer *hat versucht* das Ufer *zu erreichen*.

   Если действия в обеих частях предложения происходят одновременно, инфинитивная группа образуется с помощью инфинитива I. Сказуемое основного предложения при этом может стоять в любой временной форме (презенс, перфект и т. д.)

   Vorzeitigkeit

   Der Angeklagte *leugnet* das Auto *gestohlen zu haben*.
   Der Angeklagte *leugnete* das Auto *gestohlen zu haben*.
   Der Angeklagte *hat geleugnet* das Auto *gestohlen zu haben*.

   Если действие, передаваемое инфинитивной группой, предшествует действию основного предложения, следует употреблять инфинитив II. В данном случае в основном предложении также может стоять любая временная форма; действие, обозначаемое инфинитивной группой, всегда будет предшествовать действию главного предложения.

2. Инфинитив II часто употребляется после следующих глаголов, например:
   Er behauptet das Geld verloren zu haben.

bedauern	bekennen	sich erinnern	gestehen	versichern
behaupten	bereuen	erklären	leugnen	и др.

5 Выполните упражнение на употребление придаточных предложений с союзом *dass*. Начинайте Ваши высказывания словами: „Wussten Sie schon …?"

Die am häufigsten gesprochene Sprache der Welt ist Chinesisch.
Wussten Sie schon, dass die am häufigsten gesprochene Sprache der Welt Chinesisch ist?

1. Über 90 Millionen Menschen auf der Welt sprechen Deutsch als Muttersprache.
2. Die deutsche Sprache steht an neunter Stelle in der Liste der am meisten gesprochenen Sprachen auf der Welt.

3. Saudi-Arabien, die Vereinigten Staaten und Russland zusammen fördern mehr als ein Drittel der gesamten Weltförderung an Erdöl.

4. Die größten Erdöllieferanten der Bundesrepublik Deutschland sind Russland (31,5 %), Norwegen (18,4 %), Großbritannien (15,6 %) und Libyen (11,1 %).

5. Der längste Eisenbahntunnel Europas ist der rund 50 Kilometer lange Eurotunnel unter dem Kanal zwischen Frankreich und Großbritannien.

6. Österreich ist seit Jahren das bevorzugte Reiseziel der deutschen Auslandsurlauber.

7. Nach Österreich sind Italien, die Schweiz, Spanien und Frankreich die beliebtesten Urlaubsländer der Deutschen.

8. Die meisten ausländischen Besucher der Bundesrepublik kommen aus den Niederlanden.

9. 65 Prozent der Schweizer sprechen Deutsch als Muttersprache.

10. Nur 18,4 Prozent der Schweizer sprechen Französisch und 9,8 Prozent Italienisch als Muttersprache.

6 Выполните упражнение на употребление инфинитивных групп.

Warum übernachtest du im „Hotel Stern"?
(meine Bekannten / jdm. empfehlen)
Meine Bekannten haben mir empfohlen im „Hotel Stern" zu übernachten.

Вопрос можно задавать в более доверительной, дружеской форме:
Sag mal, warum übernachtest du eigentlich im „Hotel Stern"?

1. Warum fährst du nach London? (mein Geschäftsfreund / jdn. bitten)
2. Warum fährst du mit seinem Wagen? (mein Freund / es jdm. erlauben)
3. Warum besuchst du ihn? (er / jdn. dazu auffordern)
4. Warum fährst du im Urlaub an die Nordsee? (das Reisebüro / jdm. dazu raten)
5. Warum zahlst du so viel Steuern? (das Finanzamt / jdn. dazu zwingen)
6. Warum stellst du das Radio leiser? (mein Nachbar / jdn. dazu auffordern)
7. Warum gehst du abends nicht durch den Park? (ein Bekannter / jdn. davor warnen) [без „nicht"!]
8. Warum fährst du nicht in die Berge? (meine Bekannten / jdm. davon abraten) [без „nicht"!]

7 Что к чему подходит? – Какие четыре предложения можно преобразовать в инфинитивные группы?

1. Ich kann mich nicht daran gewöhnen, …
2. Warum kümmert sich der Hausbesitzer nicht darum, …
3. Wie soll der Briefträger sich denn davor schützen, …
4. Kann ich mich auf Sie verlassen, …
5. Wie sehne ich mich danach, …

a) dass Sie mir den Teppich heute noch bringen?
b) dass ich jeden Morgen um fünf Uhr aufstehen muss.
c) dass ich euch eure Ferienreise finanzieren kann.
d) dass wir immer noch auf einen Telefonanschluss warten.
e) dass die Mieter das Treppenhaus reinigen?

6. Du musst bei der Telekom Bescheid geben, …

7. Denkt bitte im Lebensmittelgeschäft daran, …

8. Ich habe leider nicht so viel Geld, …

f) dass ihr euch eine Quittung über die Getränke geben lasst!

g) dass ich dich endlich wiedersehe!

h) dass ihn immer wieder Hunde der Hausbewohner anfallen?

8   Продолжите предложения.

1. Ich habe mich darüber geärgert, dass …
2. Meine Eltern fürchten, dass …
3. Wir alle hoffen, dass …
4. Meine Schwester glaubt, dass …
5. Ich kann nicht leugnen, dass …
6. Mein Bruder freut sich darüber, dass …
7. Ich freue mich darauf, dass …
8. Ich danke meiner Freundin dafür, dass …

9   Ein Interview mit dem Bürgermeister

Sprechen Sie auf der Versammlung über das geplante Gemeindehaus?
(Ja, ich habe vor / Inf.-K.)
*Ja, ich habe vor auf der Versammlung über das geplante
Gemeindehaus zu sprechen.*

Treten bei dem Bau finanzielle Schwierigkeiten auf?
(Nein, ich glaube nicht, dass …)
Nein, ich glaube nicht, dass bei dem Bau finanzielle Schwierigkeiten auftreten.

1. Kommen Sie heute Abend zu der Versammlung? (Ja, ich habe vor / Inf.-K.)
2. Sprechen Sie auch über den neuen Müllskandal?
   (Nein, vor Abschluss der Untersuchungen beabsichtige ich nicht / Inf.-K.)
3. Kommen weitere Firmen in das neue Industriegebiet?
   (Ja, ich habe Nachricht, dass …)
4. Hat sich die Stadt im vergangenen Jahr noch weiter verschuldet?
   (Nein, ich freue mich Ihnen mitteilen zu können, dass …)
5. Setzen Sie sich für den Bau eines Flughafens in Stadtnähe ein?
   (Nein, ich bin wegen des Lärms nicht bereit / Inf.-K.)
6. Berichten Sie heute Abend auch über Ihr Gespräch mit der Landesregierung?
   (Ja, ich habe die Absicht / Inf.-K.)
7. Bekommen die Stadtverordneten regelmäßig freie Eintrittskarten fürs Theater?
   (Es ist mir nichts davon bekannt, dass …)
8. Muss man die Eintrittspreise für das Hallenbad unbedingt erhöhen?
   (Ja, ich fürchte, dass …)

10 Преобразуйте предложения, приведенные в скобках, если возможно – в инфинитивную группу, если нет – в придаточное предложение с союзом *dass*.

Er unterließ es ... (Er sollte den Antrag rechtzeitig abgeben.)
Er unterließ es, den Antrag rechtzeitig abzugeben.

Das Kind hofft ... (Vielleicht bemerkt die Mutter den Fleck auf
der Decke nicht.)
Das Kind hofft, dass die Mutter den Fleck auf der Decke vielleicht nicht bemerkt.

Ich warne dich ... (Du sollst dich nicht unnötig aufregen.)
Ich warne dich, dich unnötig aufzuregen.

1. Er vergaß ... (Er sollte den Schlüssel mitnehmen.)
2. Wir lehnen es ab ... (Man soll Singvögel nicht fangen und essen.)
3. Ich habe ihn gebeten ... (Er soll uns sofort eine Antwort geben.)
4. Die Behörde ersucht die Antragsteller ...
   (Sie sollen die Formulare vollständig ausfüllen.)
5. Der Geschäftsmann befürchtet ... (Vielleicht betrügt ihn sein Partner.)
6. Jeder warnt die Autofahrer ... (Sie sollen nicht zu schnell fahren.)
7. Ich habe ihm versprochen ... (Ich will seine Doktorarbeit korrigieren.)
8. Er hat mich ermahnt ...
   (Ich soll Flaschen und Papier nicht in den Mülleimer werfen.)
9. Meinst du ... (Hat er wirklich im vorigen Jahr wieder geheiratet?)
10. Wir haben ihn überzeugt ... (Er soll sich einen kleinen Hund kaufen.)

11 Образуйте предложения с инфинитивом II.

nicht früher heiraten (Ich bedaure es, ...)
Ich bedaure es, nicht früher geheiratet zu haben.

aus dem Haus ausziehen (Fritz ist froh ...)
Fritz ist froh aus dem Haus ausgezogen zu sein.

1. von dir vorige Woche einen Brief erhalten (Ich habe mich gefreut ...)
2. dir nicht früher schreiben (Ich bedaure es, ...)
3. noch nie zu spät kommen (Ulrike behauptet ...)
4. dich nicht früher informieren (Es tut mir Leid, ...)
5. nicht früher zu einem Architekten gehen (Herr Häberle bereut ...)
6. mit diesem Brief endlich eine Anstellung finden (Es beruhigt mich, ...)
7. Sie mit meinem Vortrag gestern Abend nicht langweilen (Ich hoffe sehr ...)
8. Sie nicht vorher warnen (Es ist meine Schuld, ...)
9. aus dem Gefängnis entfliehen (Er gibt zu ...)
10. gestern verschlafen und zu spät kommen
    (Ich ärgere mich ... zu ... und ... zu ...)

§ 17   Вопросительное предложение

Общие сведения

В немецком языке различают два типа вопросительных предложений:

a) Вопросительное предложение без вопросительного слова (= общий вопрос).

b) Вопросительное предложение с вопросительным словом (= уточняющий вопрос)

I Вопросительные предложения без вопросительного слова

Простые общие вопросы

a) *Kennst* du den Mann?   Ja, ich kenne ihn.
                                          Nein, ich kenne ihn nicht.

b) *Habt* ihr mich *nicht* verstanden?   *Doch,* wir haben dich verstanden.
                                          Nein, wir haben dich nicht verstanden.

    Hast du *keine* Zeit?   *Doch,* ich habe Zeit.
                                          Nein, ich habe keine Zeit.

В вопросах без вопросительного слова спрягаемая часть сказуемого стоит на первом месте. В тех случаях, когда вопросительное предложение содержит отрицание, необходимо иметь в виду следующее различие между немецким и русским языками (см. b): Если отвечающий опровергает содержание вопроса, в немецком языке употребляется слово *doch.* Если отвечающий подтверждает содержание вопроса, употребляется вводное слово *Nein.*

1   Упражнение можно выполнять вдвоем, попеременно задавая вопросы и отвечая на них.

    A: *Seid ihr heute abend zu Hause?*
    B: Nein, wir sind heute abend nicht zu Hause; wir sind im Garten.

    A: *Geht ihr gern in den Garten?*
    B: Ja, wir gehen gern in den Garten.

1. Nein, wir haben den Garten nicht gekauft; wir haben ihn geerbt.
2. Nein, die Obstbäume haben wir nicht gepflanzt; sie waren schon da.
3. Ja, die Beete haben wir selbst angelegt.
4. Nein, die Beerensträucher waren noch nicht im Garten; die haben wir gesetzt.
5. Ja, das Gartenhaus ist ganz neu.
6. Ja, das haben wir selbst gebaut.
7. Nein, einen Bauplan haben wir nicht gehabt. (Habt ihr keinen Bauplan … ?)
8. Nein, so ein Gartenhäuschen ist nicht schwer zu bauen.
9. Nein, das Material dazu ist nicht billig.
10. Ja, so ein Garten macht viel Arbeit!

2 Поставьте вопросы к следующим повествовательным предложениям.

Haben Sie dem Finanzamt denn nicht geschrieben?
Doch, ich habe dem Finanzamt geschrieben.

1. Doch, ich habe mich beschwert.
2. Doch, ich habe meine Beschwerde schriftlich eingereicht.
3. Doch, ich habe meinen Brief sofort abgeschickt.
4. Doch, ich bin sofort zum Finanzamt gegangen.
5. Doch, ich habe Steuergeld zurückbekommen.
6. Doch, ich bin zufrieden.
7. Doch, ich bin etwas traurig über den Verlust.
8. Doch, ich baue weiter.

3 Дайте на следующие вопросы положительные и отрицательные ответы. Упражнение можно выполнять втроем.

Backt dieser Bäcker auch Kuchen?　　*Nein, er backt keinen Kuchen.*
　　　　　　　　　　　　　　　　　Doch, er backt auch Kuchen.

1. Verkauft der Metzger auch Hammelfleisch?
2. Macht dieser Schuster auch Spezialschuhe?
3. Ist Herr Hase auch Damenfrisör?
4. Arbeitet Frau Klein als Sekretärin?
5. Holt man sich in der Kantine das Essen selbst?
6. Bedient der Ober auch draußen im Garten?
7. Bringt der Briefträger auch am Samstag Post?
8. Ist die Bank am Freitag auch bis 17 Uhr geöffnet?
9. Hat der Busfahrer der Frau eine Fahrkarte gegeben?
10. Hat die Hauptpost auch einen Sonntagsdienst eingerichtet?
11. Ist der Kindergarten am Nachmittag geschlossen?
12. Gibt es in der Schule auch am Samstag Unterricht?

Распространенные общие вопросы

a)	Sind Sie *erst* heute angekommen?	Ja, wir sind *erst* heute angekommen.
		Nein, wir sind *schon* gestern angekommen.
b)	Hat er den Brief *schon* beantwortet?	Ja, er hat den Brief *schon* beantwortet.
		Nein, er hat den Brief *noch nicht* beantwortet.
c)	Hat er *schon* 3000 Briefmarken?	Ja, er hat *schon* 3000 Briefmarken.
		Nein, er hat *erst* etwa 2500 Briefmarken.
d)	Hat er *noch nichts* erzählt?	Doch, aber er hat *noch nicht alles* erzählt.
		Nein, er hat *noch nichts* erzählt.
e)	Lebt er *noch*?	Ja, er lebt *noch*.
		Nein, er lebt *nicht mehr*.
f)	Bleibst du *nur* drei Tage hier?	Ja, ich bleibe *nur* drei Tage hier.
		Nein, ich bleibe *noch länger* hier.
g)	Liebt er dich etwa *nicht mehr*?	Doch, er liebt mich *noch*.
		Nein, er liebt mich *nicht mehr*.

Вопрос и ответ становятся более выразительными и точными, если они включают в себя слова *schon, erst, noch* и др.

4 А задает вопросы, Б отвечает в соответствии с данными в скобках.

1. Geht Gustav noch in den Kindergarten? (nicht mehr)
2. Hat Dagmar schon eine Stelle? (noch kein_)
3. Hat Waltraut schon ihr Examen gemacht? (noch nicht)
4. Arbeitet Hilde noch in dem Anwaltsbüro? (nicht mehr)
5. Bleibt Ulli noch länger bei der Firma? (nicht mehr lange)
6. Hat er schon gekündigt? (noch nicht)
7. Hat Andreas immer noch keine Anstellung gefunden? (noch kein_)
8. Kommt dein Bruder denn nicht mehr von Amerika zurück? (nur noch im Urlaub)
9. Hat er dort eine gut bezahlte Stelle gefunden? (noch keine)
10. Bekommt er denn keine Aufenthaltsgenehmigung? (erst in vier Wochen)
11. Hat Ulrich noch keinen Bescheid über das Ergebnis seiner Bewerbung? (... kommt erst im nächsten Monat ...)
12. Hat sich Gisela denn noch nicht um die Stelle beworben? (schon seit langem)
13. Musst du schon wieder nach China reisen? (erst in zwei Wochen ...)
14. Sind wir bald in Hamburg? (erst in drei Stunden ...)
15. Ist Herr Müller schon gegangen? (schon vor zehn Minuten...)

5 ... schon ...? – ... erst ... / ... erst ...? – ... schon ... – Используйте в зависимости от смысла высказывания либо образец a), либо образец b).

a) Habt ihr die Wohnung schon renoviert? (anfangen)
   Nein, wir haben erst angefangen.

b) Habt ihr erst ein Zimmer tapeziert? (zwei Zimmer)
   Nein, wir haben schon zwei Zimmer tapeziert.

1. Habt ihr schon alle Fenster geputzt? (die Fenster im Wohnzimmer)
2. Habt ihr das Treppenhaus schon renoviert? (den Hausflur)
3. Habt ihr erst eine Tür gestrichen? (fast alle Türen)
4. Habt ihr die neuen Waschbecken schon installiert? (die Spüle in der Küche)
5. Habt ihr erst den Fußboden im Wohnzimmer erneuert? (alle Fußböden)
6. Habt ihr schon alle Lampen aufgehängt? (die Lampe im Treppenhaus)

6 ... schon ...? – noch nicht / noch nichts / noch kein ... – Используйте, где необходимо, либо образец a), либо образец b), либо образец c).

a) Waren Sie *schon* mal in Hamburg?   *Nein, ich war noch nicht dort.*
b) Haben Sie *schon etwas* von ihrem Freund gehört?   *Nein, ich habe noch nichts von ihm gehört.*
c) Haben Sie *schon eine* Fahrkarte?   *Nein, ich habe noch keine.*

1. Haben Sie schon eine Einladung?
2. Hat Horst das Fahrrad schon bezahlt?
3. Hast du ihm schon geschrieben?
4. Hast du schon eine Nachricht von ihm?

5. Hat er dir schon gedankt?

6. Bist du schon müde?

7. Habt ihr schon Hunger?

8. Hast du deinem Vater etwas von dem Unfall erzählt?

7 ... noch ... ? – nicht mehr / nichts mehr / kein ... mehr –
Задание см. в упражнении 9.

a) Erinnerst du dich *noch* an seinen Namen?   *Nein, ich erinnere mich nicht mehr daran.*

b) Hat Gisela *noch etwas* gesagt?   *Nein, sie hat nichts mehr gesagt.*

c) Haben Sie *noch* Zeit?   *Nein, ich habe keine Zeit mehr.*

1. Hast du noch Geld?

2. Hast du noch einen Bruder?

3. Hast du vom Nachtisch noch etwas übrig?

4. Habt ihr noch Fotos von euren Klassenkameraden?

5. Hast du heute noch Unterricht?

6. Haben Sie noch besondere Wünsche?

7. Bleiben Sie noch lange hier?

8. Möchten Sie noch etwas Wein?

II Вопросительные предложения с вопросительным словом

Вопросительные местоимения

temporal	*Wann* kommt ihr aus Kenia zurück?	Im November.
kausal	*Warum* schreibt ihr so selten?	Weil wir so wenig Zeit haben.
modal	*Wie* fühlt ihr euch dort?	Ausgezeichnet.
lokal	*Wo* habt ihr die Elefanten gesehen?	Im Nationalpark.
	Wohin reist ihr anschließend?	Nach Ägypten.
Subjekt	*Wer* hat euch das Hotel empfohlen?	Der Reiseleiter. (= Person)
	Was hat euch am besten gefallen?	Die Landschaft. (= Sache)
Akk.-Objekt	*Wen* habt ihr um Rat gebeten?	Einen Arzt. (= Person)
	Was hat er euch gegeben?	Tabletten. (= Sache)
Dat.-Objekt	*Wem* habt ihr 100 Euro borgen müssen?	Einer Zoologiestudentin.
Gen.-Attribut	*Wessen* Pass ist verloren gegangen?	Der Pass der Studentin.

На первом месте в данном вопросительном предложении стоит вопросительное слово, за ним, на втором месте, – спрягаемая часть сказуемого, и далее следует на третьей или четвертой позиции подлежащее (см. § 22 ff.).

Вопросительные местоимения в сочетании с существительными

Wie viele Stunden seid ihr gewandert?   Sieben Stunden.

Wie viel Geld habt ihr schon ausgegeben?   Erst 80 Dollar.

При помощи вопросительных слов *wie viele* и *wie viel* спрашивают о количестве. *Wie viele* сочетается с именем существительным во множественном числе, которое употребляется без артикля; после *wieviel* существительное стоит в единственном числе, артикль также отсутствует.

Welches Hotel hat euch am besten gefallen? Das „Hotel zum Stern".

Welcher, -e, -es; мн. ч. *-e* употребляется, когда речь идет о лицах или предметах, между которыми нужно выбирать.

Was für ein Zimmer habt ihr genommen?   Ein Doppelzimmer mit Bad.

При помощи *Was für ein, -e, -;* мн. ч *was für* задают вопрос, если хотят получить характеристику лица или предмета. Артикль перед существительным во множественном числе отсутствует.

Вопросительное слово „wie" + наречие

Wie lange seid ihr schon in Nairobi?   Einen Monat. (Akk.)
Wie oft hört ihr Vorträge?   Dreimal in der Woche.

При помощи *wie lange* спрашивают о продолжительности действия или состояния, при помощи *wie oft* о частоте, с которой наступает действие или состояние.

Wie lang war die Schlange?   Einen Meter. (Akk.)
Wie hoch war das Gebäude?   Fünf Stockwerke hoch. (Akk.)

После *wie* могут стоять прилагательные *alt, dick, groß, hoch, lang, schwer, tief, weit* и др. С помощью этих словосочетанний спрашивают о размере, весе, возрасте и т. д. Существительные, обозначающие размер, вес, возраст и т. п. в ответе употребляются в винительном падеже (см. § 43, II).

Вопросительные слова в сочетании с предлогами

Mit wem habt ihr euch angefreundet?   Mit einer dänischen Familie.
An wen erinnert ihr euch am liebsten?   An den witzigen Fremdenführer.
Womit habt ihr euch beschäftigt?   Mit Landeskunde.
Worüber habt ihr euch gewundert?   Über die Fortschritte des Landes.

При постановке вопросов к предложному дополнению необходимо помнить, что предлог стоит перед вопросительным словом, если речь идет о лице, или вопрос формулируется при помощи местоименного наречия *wo(r)-* + преддог, если речь идет о предмете (см. § 15, II).

In welche Länder fahrt ihr noch?   Nach Ägypten und Tunesien.
Bis wann wollt ihr dort bleiben?   Bis Ende März.

Предлоги употребляются также с вопросительными словами, обозначающими время, место и т. п.

8 Вопрос и ответ

   Wie ... ; – Ich heiße Franz Wehner.
   Wie heißen Sie? – Ich heiße Franz Wehner.

1. Wo ... ?   Ich wohne in Kassel, Reuterweg 17.
2. Wann ... ?   Ich bin am 13. 12. 1962 geboren.
3. Um wie viel Uhr ... ?   Gegen 20 Uhr bin ich durch den Park gegangen.
4. Wer ... ?   Ein junger Mann hat mich angefallen.

5. Was ... ?	Er hat mir die Brieftasche abgenommen.
6. Woher ... ?	Er kam aus einem Gebüsch rechts von mir.
7. Wohin ... ?	Er ist tiefer in den Park hineingelaufen.
8. Weshalb ... ?	Ich war so erschrocken; deshalb habe ich nicht um Hilfe gerufen.
9. Wie groß ... ?	Der Mann war ungefähr 1,80 Meter groß.
10. Wie ... ?	Er sah schlank aus, hatte dunkle Haare, aber keinen Bart.
11. Was ... ?	Er hatte eine blaue Hose und ein blaues Hemd an.
12. Was für ... ?	Er trug ein Paar alte Tennisschuhe.
13. Wie viel Geld ... ?	Ich hatte einen Hunderteuroschein in der Brieftasche.
14. Was ... ?	Außerdem hatte ich meinen Personalausweis, meinen Führerschein und ein paar Notizzettel in der Brieftasche.
15. Wie viele ... ?	Zwei Personen haben den Überfall gesehen.
16. Was für ... ?	Ich habe keine Verletzungen erlitten.

9 Еще одно упражнение:

1. An wen ... ?	Ich habe an meine Schwester geschrieben.
2. Von wem ... ?	Den Ring habe ich von meinem Freund.
3. Hinter welchem Baum ... ?	Der Junge hat sich hinter dem dritten Baum versteckt.
4. Was für ein ... ?	Mein Freund hat sich ein Fahrrad mit Drei-gangschaltung gekauft.
5. Wo ... ?	Der Radiergummi liegt in der zweiten Schublade.
6. Zum wie vielten Mal ... ?	Ich fahre dieses Jahr zum siebten Mal nach Österreich in Urlaub.
7. Wessen ... ?	Das ist das Motorrad meines Freundes.
8. In welchem Teil ... ?	Meine Großeltern liegen im unteren Teil des Friedhofs begraben.
9. Von welcher Seite ... ?	Die Bergsteiger haben den Mont Blanc von der Südseite bestiegen.
10. Am wie vielten April ... ?	Mutter hat am 17. April ihren sechzigsten Geburtstag.
11. Um wie viel Uhr ... ?	Der Schnellzug kommt um 17.19 Uhr hier an.
12. Wie viele ... ?	Wir sind vier Geschwister.
13. Welches Bein ... ?	Mir tut das linke Bein weh.
14. Von wem ... ?	Den Teppich habe ich von meinen Eltern.
15. Wie oft ... ?	Ich fahre dreimal in der Woche nach Marburg in die Klinik.

10 Поставьте вопрос к выделенным частям простого или сложного предложений.

Meine Schwester wohnt im *Stadtteil Bornheim.*
In welchem Stadtteil wohnt Ihre Schwester?

1. Sie wohnt *im 5. Stockwerk.*
2. Sie hat eine *Drei-Zimmer-*Wohnung mit *Balkon.*

3. Die Wohnung kostet *520 Euro*.
4. Die Wohnung darunter gehört *mir*.
5. Sie ist *genauso* groß.
6. Ich wohne hier schon *seit drei Jahren*.
7. Wir wohnen *mit drei Personen* in der Wohnung.
8. Unser Vorort hat *3000 Einwohner*.
9. Er ist *nur 5 Kilometer* von der Großstadt entfernt.
10. Ich brauche *eine halbe Stunde* bis zu meinem Dienstort.
11. Ich fahre *mit der Linie 7*.
12. *Um fünf Uhr abends* bin ich wieder zu Hause.

11 Поставьте по возможности много вопросов к предложениям, на которые
Ваш собеседник должен ответить.

In den Sommerferien fährt Familie Bug mit ihren zwei Söhnen und
einer Tochter für zwei Wochen zum Wandern und Bergsteigen in die Alpen.

Wer fährt in die Berge?	*Eine Familie.*
Wie heißt die Familie?	*Sie heißt Bug.*
Wann fährt die Familie in die Berge?	*In den Sommerferien.*
Fährt die Familie nicht in die Alpen?	*Doch, sie fährt in die Alpen.*
Aus wie viel Personen besteht die Familie?	*Aus den Eltern, zwei Söhnen und einer Tochter.*
Wie lange machen sie dort Urlaub?	*Zwei Wochen.*
Wollen die Bugs dort Städte besichtigen?	*Nein, sie wollen wandern und bergsteigen.*
Fährt die Familie nach Österreich?	*Das weiß ich nicht, auf jeden Fall in die Alpen.*

1. Die Familie fährt schon seit sieben Jahren jeden Sommer zur Familie Moosbichl in dieselbe Pension, wo sie schon so herzlich wie Familienmitglieder begrüßt wird.
2. Manchmal machen sie gemeinsam eine Wanderung von zwanzig bis dreißig Kilometern, manchmal geht Vater Bug mit den Kindern zum Bergsteigen in den Fels, während Frau Bug in der nahen Stadt Einkäufe tätigt oder sich in der Sonne ausruht.
3. Mutter Bug freut sich, wenn alle wieder heil nach Hause gekommen sind, denn Bergsteigen ist bekanntlich nicht ungefährlich.

§ 18   Модальные глаголы

Общие сведения

Модальные глаголы выражают отношение говорящего к действию, а именно: хочет ли он выполнять это действие *(wollen)*, может ли он выполнить это действие *(können)*, должен ли он выполнять это действие *(müssen)* и т. д.

Вследствие этого модальные глаголы требуют после себя полнозначного глагола, который стоит в инфинитиве без частицы *zu*:
Er *muss* heute länger *arbeiten.*

I Значение модальных глаголов

dürfen
a) иметь разрешение или право
   In diesem Park dürfen Kinder spielen.
b) запрещать (всегда в отрицательной форме)
   Bei Rot darf man die Straße nicht überqueren.
c) не рекомендовать
   Man darf Blumen in der Mittagshitze nicht gießen.

können
a) иметь возможность
   In einem Jahr können wir das Haus bestimmt teurer verkaufen.
b) иметь способность к чему-либо
   Er kann gut Tennis spielen.

mögen
a) иметь/не иметь склонности, расположения к чему-л.
   Ich mag mit dem neuen Kollegen nicht zusammenarbeiten.
b) то же значение, но глагол выступает как полнозначный
   Ich mag keine Schlagsahne!

ich möchte, du möchtest и т. д.
c) иметь желание
   Wir möchten ihn gern kennen lernen.
d) вежливо просить, побуждать к какому-либо действию
   Sie möchten nach fünf bitte noch einmal anrufen.

müssen
a) быть вынужденным выполнять действие под давлением внешних обстоятельств
   Mein Vater ist krank, ich muss nach Hause fahren.
b) быть вынужденным выполнять действие по необходимости
   Nach dem Unfall mussten wir zu Fuß nach Hause gehen.
c) признавать неизбежность происшедшего
   Das musste ja so kommen, wir haben es geahnt.

d) Вместо *müssen* с отрицанием стоит = *nicht brauchen* + *zu* + Infinitiv
  Mein Vater ist wieder gesund, ich brauche nicht nach Hause zu fahren.

sollen

a) требовать выполнения действия в соответствии с заповедями, законами
  Du sollst nicht töten.

b) требовать выполнения действия в соответствии с долгом, моралью
  Jeder soll die Lebensart des anderen anerkennen.

c) подчеркивать, что действие выполняется по чьему-либо приказу, поручению
  Ich soll nüchtern zur Untersuchung kommen. Das hat der Arzt gesagt.

wollen

a) выражать твердое желание
  Ich will dir die Wahrheit sagen.

b) сообщать о своем намерении сделать что-то, о планах на будущее
  Im Dezember wollen wir in das neue Haus einziehen.

О прочих значениях модальных глаголов см. § 20, § 54, VI.

Примечания

1. В ряде случаев основной глагол может опускаться:
  Ich muss nach Hause (gehen). Sie kann gut Englisch (sprechen).
  Er will in die Stadt (fahren).   Ich mag keine Schlagsahne (essen).

2. Модальный глагол может употребляться без основного, если основной глагол упомянут в предыдущем контексте:
  Ich *kann* nicht gut *kochen*.
  Meine Mutter *konnte* es auch nicht.
  Wir haben es beide nicht gut *gekonnt*.

II Спряжение и употребление

Презенс (особенности спряжения в единственном числе)

dürfen	können	mögen	müssen	sollen	wollen
ich **darf**	ich **kann**	ich **mag**	ich **muss**	ich **soll**	ich **will**
du **darfst**	du **kannst**	du **magst**	du **musst**	du **sollst**	du **willst**
er **darf**	er **kann**	er **mag**	er **muss**	er **soll**	er **will**
wir dürfen	wir können	wir mögen	wir müssen	wir sollen	wir wollen
ihr dürft	ihr könnt	ihr mögt	ihr müsst	ihr sollt	ihr wollt
sie dürfen	sie können	sie mögen	sie müssen	sie sollen	sie wollen

Место модального глагола в простом предложении

Präsens	Der Arbeiter *will*	den Meister *sprechen*.
Präteritum	Der Arbeiter *wollte*	den Meister *sprechen*.
Perfekt	Der Arbeiter *hat*	den Meister *sprechen wollen*.
Plusquamperfekt	Der Arbeiter *hatte*	den Meister *sprechen wollen*.

1. Модальный глагол в форме презенса или имперфекта стоит в простом предложении на втором месте.

2. Если модальный глагол употребляется в форме перфекта или плюсквамперфекта, второе место в предложении занимает спрягаемая часть сказуемого – вспомогательный глагол *haben*. Модальный глагол употребляется в инфинитиве и следует за полнозначным глаголом, занимая последнее место в предложении.

Место модального глагола в придаточном предложении

Präsens	Es ist schade, dass er uns nicht	*besuchen kann.*
Präteritum	Es ist schade, dass er uns nicht	*besuchen konnte.*
Perfekt	Es ist schade, dass er uns nicht *hat*	*besuchen können.*
Plusquamperfekt	Es ist schade, dass er uns nicht *hatte*	*besuchen können.*

1. Модальный глагол в форме презенса или имперфекта стоит в придаточном предложении на последнем месте.

2. Если модальный глагол употребляется в форме перфекта или плюсквамперфекта, то он также стоит в форме инфинитива на последнем месте. Спрягаемая часть сказуемого – вспомогательный глагол – стоит перед обоими инфинитивами. (об употреблении пассива с модальными глаголами см. § 19, III).

1 Вставьте подходящий по смыслу модальный глагол.

    A   In diese Straße dürfen keine Fahrzeuge hineinfahren.

    B   Hier müssen Sie halten.

    C   Achtung! Hier können Tiere über die Straße laufen.

1. Hier ... man auf Kinder aufpassen.

2. Hier ... Sie den Verkehr auf der Hauptstraße vorlassen.

3. Hier ... Wild (= Rehe, Wildschweine etc.) die Straße überqueren.

4. Diese Straße ... man nur in einer Richtung befahren.

5. In diese Straße ... keine Kraftfahrzeuge hineinfahren.

6. Von dieser Seite ... man nicht in die Straße hineinfahren.

7. Hier ... Sie links abbiegen.

8. In diese Straße ... keine Lastwagen hineinfahren.

9. Hier ... Sie geradeaus oder rechts fahren. Sie ... nicht links fahren.

10. In dieser Straße ... man nicht schneller als 30 km/h fahren.

11. Hier ... man nicht überholen.

2 Вставьте пропущенные модальные глаголы в нужной форме.

1. Leider ... ich nicht länger bei dir bleiben, denn ich ... um 17 Uhr mit dem Zug nach München fahren.
2. Eis oder Kaffee? Was ... du?
3. Ich ... keinen Kaffee trinken; der Arzt hat's mir verboten.
4. Ich ... täglich dreimal eine von diesen Tabletten nehmen.
5. Wo ... du denn hin? ... du nicht einen Moment warten, dann gehe ich gleich mit dir?
6. „Guten Tag! Wir ... ein Doppelzimmer mit Bad; aber nicht eins zur Straße. Es ... also ein ruhiges Zimmer sein." – „Ich ... Ihnen ein Zimmer zum Innenhof geben. ... Sie es sehen?" – „Ja, sehr gern." – „... wir Sie morgen früh wecken?" – „Nein, danke, wir ... ausschlafen."

3 Употребите в следующем тексте имперфект.

Herr Müller will ein Haus bauen. Er muss lange sparen. Auf den Kauf eines Grundstücks kann er verzichten, denn das hat er schon.
Er muss laut Vorschrift einstöckig bauen. Den Bauplan kann er nicht selbst machen. Deshalb beauftragt er einen Architekten; dieser soll ihm einen Plan für einen Bungalow machen. Der Architekt will nur 750 Euro dafür haben; ein „Freundschaftspreis", sagt er.
Einen Teil der Baukosten kann der Vater finanzieren. Trotzdem muss sich Herr Müller noch einen Kredit besorgen. Er muss zu den Banken, zu den Ämtern und zum Notar laufen. – Endlich kann er anfangen.

4 А теперь употребите перфект. Начните текст следующим образом:

Mein Freund erzählte mir: „Herr Müller hat ein Haus bauen wollen. Er hat ... "

5 a Выполните упражнение на модальные глаголы.

Gehst du morgen in deinen Sportklub?
Nein, morgen kann ich nicht in meinen Sportklub gehen.

1. Bezahlst du die Rechnung sofort?
2. Kommst du morgen Abend zu unserer Party?
3. Reparierst du dein Motorrad selbst?
4. Fährst du im Urlaub ins Ausland?
5. Kaufen Sie sich diesen Ledermantel?
6. Sprechen Sie Türkisch?

b Kannst du mich morgen besuchen? (in die Bibliothek gehen)
Nein, morgen muss ich in die Bibliothek gehen.

1. Hast du morgen Zeit für mich? (Wäsche waschen)
2. Fährst du nächste Woche nach Hamburg? (nach München fahren)
3. Machst du nächstes Jahr die Amerikareise? (mein Examen machen)
4. Kommst du heute Abend in die Disko? (meine Mutter besuchen)
5. Gehst du jetzt mit zum Sportplatz? (nach Hause gehen)
6. Machst du am Sonntag die Wanderung mit? (zu Hause bleiben und lernen)

c   Lösen Sie diese mathematische Aufgabe!
Ich soll diese mathematische Aufgabe lösen? Aber ich kann sie nicht lösen.

1. Schreiben Sie einen Aufsatz über die Lage der Behinderten in der Bundesrepublik!
2. Machen Sie eine Reise durch die griechische Inselwelt!
3. Verklagen Sie Ihren Nachbarn wegen nächtlicher Ruhestörung!
4. Geben Sie Ihre Reisepläne auf!
5. Lassen Sie Ihren Hund für die Dauer der Reise bei Ihrem Nachbarn!
6. Kaufen Sie sich einen schnellen Sportwagen!

6 Gartenarbeit

Wollten Sie nicht Rasen (m) säen?
Doch, aber ich konnte ihn noch nicht säen.

Wollten Sie nicht ...

1. Unkraut (n) ausreißen?
2. Salat (m) pflanzen?
3. Blumen (Pl.) gießen?
4. ein Beet umgraben?

5. ein Blumenbeet anlegen?
6. die Obstbäume beschneiden?
7. neue Beerensträucher setzen?
8. Kunstdünger (m) streuen?

7 Выполните упражнение по следующему образцу. Используйте предложения упражнения 6.

Wollten Sie nicht Rasen (m) säen?
Ja schon, aber ich habe ihn noch nicht säen können.

8 „müssen – nicht brauchen" – Сформулируйте отрицательный ответ с „nicht brauchen".

Musst du heute ins Büro *gehen?*   *Nein, ich brauche heute nicht ins Büro zu gehen.*

Musst du ...

1. ... aus der Wohnung ausziehen?
2. ... die Wohnung gleich räumen?
3. ... die Möbel verkaufen?
4. ... eine neue Wohnung suchen? (keine neue Wohnung)
5. ... die Wohnungseinrichtung bar bezahlen?

6. ... den Elektriker bestellen?
7. ... ein neues Schloss in die Tür einbauen lassen (kein)
8. ... einen Wohnungsmakler einschalten? (keinen)
9. ... eine Garage mieten? (keine)
10. ... den Hausbesitzer informieren?

III Глаголы, сходные по употреблению с модальными глаголами

hören, lassen, sehen, helfen

a) im Hauptsatz   Präsens   Er *hört* mich Klavier *spielen.*
                  Präteritum   Er *ließ* den Taxifahrer *warten.*
                  Perfekt   Du *hast* die Gefahr *kommen sehen.*

b) im Nebensatz   Präsens   Ich weiß, dass er mich Klavier *spielen hört.*
                   Präteritum   Ich weiß, dass er den Taxifahrer *warten ließ.*
                   Perfekt   Ich weiß, dass du die Gefahr *hast kommen sehen.*

Глаголы *hören, lassen, sehen, helfen* в сочетании с инфинитивом другого глагола употребляются в простом и придаточных предложениях по тем же правилам, что и модальные глаголы (см. II).

bleiben, gehen, lehren, lernen

a) im Hauptsatz   Präsens   Er *bleibt* bei der Begrüßung *sitzen.*
                Perfekt   Er *ist* bei der Begrüßung *sitzen geblieben.*
                Präsens   Sie *geht* jeden Abend *tanzen.*
                Perfekt   Sie *ist* jeden Abend *tanzen gegangen.*
                Präsens   Er *lehrt* seinen Sohn *lesen* und *schreiben.*
                Perfekt   Er *hat* seinen Sohn *lesen* und *schreiben gelehrt.*

b) im Nebensatz   Präsens   Ich weiß, dass sie nicht gern *einkaufen geht.*
                   Präteritum   Ich weiß, dass er noch mit 80 Rad *fahren lernte.*
                   Perfekt   Ich weiß, dass dein Mantel im Restaurant *hängen geblieben ist.*

Глаголы *bleiben, gehen, lehren, lernen* в сочетании с инфинитивом другого глагола в формах презенса и имперфекта употребляются в простом и придаточном предложениях по тем же правилам, что и модальные глаголы (см. II). В перфекте и плюсквамперфекте порядок слов обычный — вспомогательный глагол стоит на последнем месте, причастие II — на предпоследнем.

Примечание

Глагол *bleiben* сочетается с небольшой группой глаголов:
jemand / etwas bleibt ... liegen / hängen / sitzen / stehen / stecken / haften / kleben / wohnen

IV   Модальные глаголы в сочетании с двумя инфинитивами

a) im Hauptsatz   Präsens   Ich *kann* dich nicht *weinen sehen.*
                              Du *musst* jetzt *telefonieren gehen.*
                   Präteritum   Er *musste* nach seinem Unfall wieder *laufen lernen.*
                              Er *konnte* den Verletzten nicht *rufen hören.*
                   Perfekt*   Sie *hat* ihn nicht *weggehen lassen wollen.*
                              Der Wagen *hat* dort nicht *stehen bleiben dürfen.*

b) Nebensatz   Präsens   Ich weiß, dass er *sich scheiden lassen will.*
                Präteritum   Ich weiß, dass er das Tier nicht *leiden sehen konnte.*
                Perfekt*   Ich weiß, dass er mit uns *hat essen gehen wollen.*

*Употребление перфекта с тремя и больше глаголами в конце предложения представляет грамматическую и стилистическую трудность. Вместо перфекта употребляется претеритум.

1. Если модальный глагол и глагол, сходный по употреблению с модальными глаголами, встречаются в одном предложении, модальный глагол является более важным. В таких предложениях действуют правила по употреблению модальных глаголов. В качестве вспомогательного глагола всегда употребляется *haben*.

2. Глагол, сходный по употреблению с модальными глаголами, стоит сразу за полнозначным глаголом. Оба эти глагола стоят в инфинитиве.

Примечания

1. Обычно глаголы *helfen, lehren, lernen* употребляются как модальные только в том случае, если они сочетаются с инфинитивом без сопроводительных слов или с небольшим количеством сопроводительных слов:
   Wir helfen euch die Koffer packen.
   Er lehrte seinen Enkel schwimmen.

2. Если инфинитив стоит в сопровождении целого ряда слов, употребляется инфинитивная группа с частицей *zu*, которая отделяется запятой:
   Ich *habe* **ihm** *geholfen* **ein Haus für seine fünfköpfige Familie und seine Anwaltspraxis** *zu finden*.
   Endlich *haben* **wir es** *gelernt*, **die Erläuterungen zur Lohnsteuer** *zu verstehen*.

3. Глаголы *fühlen* и *spüren* также могут употребляться с инфинитивом другого глагола:
   Ich spüre den Schmerz wiederkommen.
   Er fühlt das Gift wirken.

   Однако чаще говорят:
   Ich spüre, wie der Schmerz wiederkommt.
   Er fühlt, wie das Gift wirkt.

4. Глагол *brauchen* требует после себя инфинитива с частицей *zu*. Вместо глагола *müssen* с отрицанием, употребляется *nicht brauchen* (см. § 16, II, 4):
   Musst du heute kochen? – Nein, heute brauche ich nicht zu kochen.

9 Два модальных глагола в одном предложении – Выполните упражнение по следующему образцу:

> **Der Hausbesitzer lässt das Dach nicht reparieren. (müssen)**
> A: *Muss der Hausbesitzer das Dach nicht reparieren lassen?*
> B: *Doch, er muss es reparieren lassen.*

1. Die Autofahrer sehen die Kinder dort nicht spielen. (können)
2. Müllers gehen heute nicht auswärts essen. (wollen)
3. Der kleine Junge lernt jetzt nicht lesen. (wollen)
4. Herr Gruber lässt sich keinen neuen Anzug machen. (wollen)
5. Man hört die Kinder auf dem Hof nicht rufen und schreien. (können)
6. Die Studenten bleiben in dem Haus nicht länger wohnen. (dürfen)
7. Sie lässt sich nach 35-jähriger Ehe nicht plötzlich scheiden. (wollen) (Nein, …)
8. Die Krankenschwestern lassen die Patienten nicht gern warten. (wollen) (Nein, …)
9. Der Autofahrer bleibt nicht am Straßenrand stehen. (dürfen)
10. Er hilft ihm nicht suchen. (wollen)

10 А теперь употребите вопросы и ответы из упражнения 9 в перфекте.

A: Hat der Hausbesitzer das Dach nicht reparieren lassen müssen?
B: Nein, er hat es nicht reparieren lassen müssen.

11 Сформулируйте ответы из упражнения 10 в виде придаточных предложений. В качестве главного предложения можно употребить, например: *Es ist (mir) klar, dass …; Ich weiß, dass …; Es ist verständlich, dass …; Es ist (mir) bekannt, dass …*

Ich weiß, dass er es nicht hat reparieren lassen müssen.

12 Выполните упражнение по следующему образцу: Feuer! – hören / sehen.

Die Sirenen heulen.   *Hörst du die Sirenen heulen?*
Die Feuerwehrleute springen zu den Wagen.   *Siehst du die Feuerwehrleute zu den Wagen springen?*

1. Das Haus brennt.
2. Rauch quillt aus dem Dach.
3. Die Feuerwehr eilt herbei.
4. Die Leute rufen um Hilfe.
5. Das Vieh brüllt in den Ställen.
6. Ein Mann steigt auf die Leiter.
7. Die Kinder springen aus dem Fenster.

13 In der Jugendherberge helfen

Ich packe jetzt den Rucksack!   *Ich helfe dir den Rucksack packen.*
Wir tragen die Rucksäcke jetzt zum Bus!   *Wir helfen euch die Rucksäcke zum Bus tragen.*

1. Wir machen jetzt die Betten!
2. Wir decken jetzt den Tisch!
3. Wir kochen jetzt den Kaffee!
4. Ich teile jetzt das Essen aus!
5. Ich spüle jetzt das Geschirr!
6. Wir räumen jetzt das Zimmer auf!

14 Beim Hausbau – lassen

das Dach decken   *Deckst du das Dach selbst?*
Nein, ich lasse es decken.

1. die Elektroleitungen verlegen
2. die Heizung installieren
3. die Fenster streichen
4. die Schränke einbauen
5. die Wohnung mit Teppichen auslegen
6. die Möbel aufstellen

15 Поставьте предложения из упражнения 12 в перфекте.

Ich habe die Sirenen heulen hören.
Ich habe die Feuerwehrleute zu den Wagen springen sehen.

16 То же задание с упражнением 13.

Ich habe den Rucksack packen helfen.

17 То же задание с упражнением 14.

> *Ich habe das Dach decken lassen.*

18 bleiben, gehen, lehren, lernen

> schwimmen gehen   *Gehst du schwimmen?*
> *Nein, aber die anderen sind schwimmen gegangen.*

1. Maschine schreiben lernen
2. hier wohnen bleiben
3. Tennis spielen gehen
4. Gitarre spielen lernen
5. tanzen gehen
6. hier sitzen bleiben

§ 19   Пассив

I   Спряжение

	Präsens			Präteritum		
Singular	ich	werde	gefragt	ich	wurde	gefragt
	du	wirst	gefragt	du	wurdest	gefragt
	er	wird	gefragt	er	wurde	gefragt
Plural	wir	werden	gefragt	wir	wurden	gefragt
	ihr	werdet	gefragt	ihr	wurdet	gefragt
	sie	werden	gefragt	sie	wurden	gefragt

	Perfekt			Plusquamperfekt		
Singular	ich	bin	gefragt worden	ich	war	gefragt worden
	du	bist	gefragt worden	du	warst	gefragt worden
	er	ist	gefragt worden	er	war	gefragt worden
Plural	wir	sind	gefragt worden	wir	waren	gefragt worden
	ihr	seid	gefragt worden	ihr	wart	gefragt worden
	sie	sind	gefragt worden	sie	waren	gefragt worden

1. Пассив образуется из вспомогательного глагола *werden* и причастия II основного глагола.
2. Перфект и плюсквамперфект имеют в качестве вспомогательного глагола *sein*; после причастия II основного глагола стоит *worden*.

Примечание

Основные формы глагола *werden* звучат следующим образом: *werden – wurde – geworden*. Только в перфекте и плюсквамперфекте пассива употребляется укороченная форма *worden*.

1a Образуйте предложения в презенсе пассива.

Von den Aufgaben des Kochs: Was ist los in der Küche?
Kartoffeln schälen   *Kartoffeln werden geschält.*

1. Kartoffeln reiben
2. Salz hinzufügen
3. Fleisch braten
4. Reis kochen
5. Salat waschen
6. Gemüse schneiden
7. Würstchen (Pl.) grillen
8. Milch, Mehl und Eier mischen
9. Teig rühren
10. Kuchen backen
11. Sahne schlagen
12. Brötchen (Pl.) belegen

b Die Küchenarbeit ist beendet. Was wurde gemacht? Образуйте по образцу предложения с выражениями из упражнения 1 а.

Kartoffeln schälen   *Kartoffeln wurden geschält.*

2a Was ist alles im Büro los? Используйте для упражнения материал упражнения 1 из § 7. Поставьте предложения в презенс пассива.

Telefonate weiterleiten *Telefonate werden weitergeleitet.*

b Was war los im Büro? Используйте для упражнения материал упражнения 1 из § 7. Поставьте предложения в имперфект пассива.

Telefonate weiterleiten *Telefonate wurden weitergeleitet.*

3 Образуйте пассив, используя в том числе глаголы, приведенные в конце упражнения.

In der Fabrik wird gearbeitet.

Was geschieht …
1. in der Kirche?
2. in der Schule?
3. an der Kasse?
4. auf dem Sportplatz?
5. im Gesangverein?
6. in der Küche?
7. in der Bäckerei?
8. auf der Jagd?
9. beim Frisör?
10. im Schwimmbad?
11. auf dem Feld?
12. beim Schuster?
13. auf dem Eis?
14. in der Wäscherei?

Глаголы: schießen, säen und ernten, Haare schneiden, kochen, schwimmen, singen, Fußball spielen, lernen, beten, zahlen, Schuhe reparieren, Wäsche waschen, Schlittschuh laufen, Brot backen.

II Употребление

Общие сведения

1. В активной форме предложения важно подлежащее, действующее лицо:
Der Hausmeister schließt abends um 9 Uhr die Tür ab.

В пассивном предложении на переднем плане находится действие; действующее лицо (= подлежащее активного предложения) часто неважно или не представляет интереса для говорящего и поэтому не упоминается:
Abends um 9 Uhr wird die Tür abgeschlossen.

2. Часто действующее лицо неизвестно; в таких случаях возможны либо активное предложение с безличным местоимением *man,* либо пассивное предложение, в котором *man* никогда не употребляют:
Man baut hier eine neue Straße.
Hier *wird* eine neue Straße *gebaut.*

Пассивные предложения с личным подлежащим

Präsens Aktiv	Die Ärztin untersucht *den Patienten* vor der Operation.
Präsens Passiv	*Der Patient* wird vor der Operation untersucht.
Perfekt Aktiv	Die Ärztin hat *den Patienten* vor der Operation untersucht.
Perfekt Passiv	*Der Patient* ist vor der Operation untersucht worden.

Дополнение в винительном падеже, стоящее в активном предложении, становится подлежащим (= именительный падеж) пассивного предложения.
Подлежащее активного предложения, за исключением местоимения *man,* может выражаться в пассивном предложении дополнением с предлогом *von:*
Die Ärztin untersucht den Patienten vor der Operation.

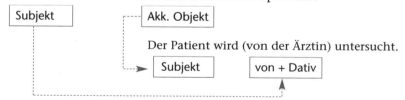

Но в этом, как правило, нет необходимости. Если говорящему упоминание действующего лица представляется важным, предпочтение отдается активному предложению:
Die berühmte Ärztin Frau Professor Müller untersuchte den Patienten vor der Operation.

Aktiv	Man renoviert jetzt endlich die alten Häuser am Marktplatz.
Passiv	Die alten Häuser am Marktplatz werden jetzt endlich renoviert.

Обратите внимание: Все распространители, относящиеся к дополнению в винительном падеже в активном предложении (дополнения в родительном падеже, обстоятельства времени, места), относятся к нему и в роли подлежащего пассивного предложения.

Безличные пассивные предложения (простые предложения)

Aktiv   Man arbeitet sonntags nicht.
Passiv   *Es wird sonntags nicht gearbeitet.*
Aktiv   Man half den Verunglückten erst nach zwei Tagen.
Passiv   *Es wurde den Verunglückten erst nach zwei Tagen geholfen.*

Если активное предложение не содержит дополнения в винительном падеже, то и в пассивном предложении может не быть личного подлежащего. Тогда на помощь приходит безличное местоимение *es.* Это *es* может стоять только на первом месте.

Sonntags *wird* nicht *gearbeitet.*
Den Verunglückten *wurde* erst nach zwei Tagen *geholfen.*
Erst nach zwei Tagen *wurde* den Verunglückten *geholfen.*

Если на первом месте стоит другой член предложения, что в стилистическом отношении, как правило, предпочтительнее, если *es* выпадает.
Безличные пассивные предложения всегда стоят в единственном числе, даже если *es* выпадает, а другие члены предложения стоят во множественном числе.

Примечания

1. В немецком языке возможно начать пассивное предложение с *es,* даже если в нем имеется подлежащее:
   Es wurden in diesem Jahr viele Äpfel geerntet.
   einfacher: In diesem Jahr wurden viele Äpfel geerntet.

2. Такой пассив охотно употребляется как стилистическое средство в том случае, когда подлежащее с неопределенным артиклем необходимо поставить как можно дальше от начала предложения.
   Warum sind Sie so aufgeregt? *Es wird ein neues Atomkraftwerk gebaut!*
   Es wurde ein anderer Termin für die Abstimmung festgelegt!
   Es sind Geheimdokumente veröffentlicht worden!

Безличные пассивные предложения (придаточные предложения)

Aktiv   Er wird immer böse, wenn man ihm sagt, dass er unordentlich ist.
Passiv   Er wird immer böse, *wenn ihm gesagt wird,* dass er unordentlich ist.
Aktiv   Ich war ratlos, als mir der Arzt von einer Impfung abriet.
Passiv   Ich war ratlos, *als mir von einer Impfung abgeraten wurde.*

В пассивных придаточных безличных предложениях *es* всегда выпадает, поскольку на первом месте стоят союзы *weil, als, nachdem, wenn, dass* и т. д.

4   Выполните упражнение на употребление пассива.

Beim Fernsehhändler
Wir beraten die Kunden   *Die Kunden werden beraten.*

1. Wir holen den Fernseher ab und reparieren ihn.
2. Wir bringen die Geräte ins Haus.
3. Wir installieren Antennen.
4. Wir führen die neuesten Apparate vor.
5. Wir bedienen die Kunden höflich.
6. Wir machen günstige Angebote.

5 Was in einem Unrechtsstaat geschieht

Man belügt das Volk.   *Das Volk wird belogen.*

1. Man bedroht Parteigegner.
2. Man enteignet Leute.
3. Man verurteilt Unschuldige.
4. Man verteufelt die Andersdenkenden.
5. Man schreibt alles vor.
6. Man zensiert die Zeitungen.
7. Man beherrscht Rundfunk und Fernsehen.
8. Man steckt Unschuldige ins Gefängnis.
9. Man misshandelt die Gefangenen.
10. Man unterdrückt die freie Meinungsäußerung.

6a Was war in letzter Zeit los in der Stadt?

Wiedereröffnung des Opernhauses   *Das Opernhaus wurde wiedereröffnet.*

1. Ausstellung von Gemälden von Picasso
2. Aufführung zweier Mozartopern
3. Eröffnung der Landesgartenschau
4. Ehrung eines Komponisten und zweier Dichter
5. Ernennung des Altbürgermeisters zum Ehrenbürger der Stadt
6. Errichtung eines Denkmals zur Erinnerung an einen Erfinder
7. Einweihung des neuen Hallenbades
8. Veranstaltung eines Sängerwettstreits
9. Vorführung von Kulturfilmen
10. Start eines Rennens über 50 Jahre alter Automobile

b А теперь выполните упражнение 6 a), употребляя перфект.

Wiedereröffnung des Opernhauses   *Das Opernhaus ist wiedereröffnet worden.*

7 Was stand gestern in der Zeitung? Переформулируйте главные предложения по следующему образцу и дополните их.

Man gab bekannt, ...
Es wurde bekannt gegeben, dass die Tiefgarage nun doch gebaut wird.

1. Man berichtete, ...
2. Man gab bekannt, ...
3. Man behauptete, ...
4. Man befürchtete, ...
5. Man stellte die Theorie auf, ...
6. Man nahm an, ...
7. Man äußerte die Absicht, ...
8. Man stellte die Behauptung auf, ...

8 Используйте для упражнения по следующему образцу материал упражнения 5.

Man belügt das Volk.
Warum ist das Volk belogen worden?

9 Ответьте на вопросы по следующему образцу:

Warum sagst du nichts? (fragen)   *Ich bin nicht gefragt worden.*

1. Warum gehst du nicht mit? (bitten)
2. Warum singst du nicht mit? (auffordern)
3. Warum wehrst du dich nicht? (bedrohen)
4. Warum kommst du nicht zur Party? (einladen)
5. Warum verklagst du ihn nicht vor Gericht? (schädigen)
6. Warum gehst du nicht zu dem Vortrag? (informieren)
7. Warum sitzt du immer noch hier? (abholen)
8. Wie kommst du denn hier herein? (kontrollieren)
9. Warum hast du das kaputte Auto gekauft? (warnen)
10. Warum bist du so enttäuscht? (befördern)

10 Backen Sie Ihren Obstkuchen selbst! Продолжите описание рецепта в пассиве по данному образцу:

Mehl mit Backpulver mischen und auf ein Brett schütten.
Mehl wird mit Backpulver gemischt und auf ein Brett geschüttet.

Mehl mit Backpulver mischen und auf ein Brett schütten. In der Mitte des Mehls eine Vertiefung machen. Zucker und Eier mit einem Teil des Mehls schnell zu einem Brei verarbeiten. Auf diesen Brei die kalte Butter in kleinen Stücken geben und etwas Mehl darüber streuen. Alles mit der Hand zusammendrücken und möglichst schnell zu einem glatten Teig verarbeiten. Den Teig vorläufig kalt stellen. Dann etwas Mehl auf das Brett geben, den Teig ausrollen und in die Form legen.

Auf dem Teigboden viel Semmelmehl ausstreuen und das Obst darauf legen. Im Backofen bei 175–200 Grad den Kuchen etwa 30 bis 35 Minuten backen.

III Пассив с модальными глаголами

В простом предложении

Präsens	Aktiv	Man muss den Verletzten sofort operieren.
	Passiv	Der Verletzte *muss* sofort *operiert werden.*
Präteritum	Aktiv	Man musste den Verletzten sofort operieren.
	Passiv	Der Verletzte *musste* sofort *operiert werden.*
Perfekt	Aktiv	Man hat den Verletzten sofort operieren müssen.
	Passiv	Der Verletzte *hat* sofort *operiert werden müssen.*

В придаточном предложении

Präsens	Passiv	Es ist klar, dass der Verletzte sofort *operiert werden muss.*
Präteritum	Passiv	Es ist klar, dass der Verletzte sofort *operiert werden musste.*
Perfekt	Passiv	Es ist klar, dass der Verletzte sofort *hat operiert werden müssen.*

1. В пассивных предложениях модальные глаголы употребляются по общим правилам (см. § 18, II).

2. Вместо инфинитива в активной форме в пассивном предложении употребляется инфинитив в пассивной форме (= причастие II + *werden*), например:

Infinitiv Aktiv: operieren   anklagen   zerstören
Infinitiv Passiv: operiert werden angeklagt werden zerstört werden

Примечания

1. Вместо пассива в данном случае могут употребляться следующие сочетания:
Die Schuld des Angeklagten *kann* nicht *bestritten werden.*
   a)   Die Schuld des Angeklagten *ist* nicht *zu bestreiten.* (см. § 48)
   b)   Die Schuld des Angeklagten *ist unbestreitbar.*
   c)   Die Schuld des Angeklagten *lässt sich* nicht *bestreiten.* (см. § 10, § 48)

2. В пассивном предложении вместо модального глагола *wollen* употребляется глагол *sollen.*
Man *will* am Stadtrand eine neue Siedlung errichten.
Am Stadtrand *soll* eine neue Siedlung errichtet werden.

11a Пассив с модальными глаголами

Umweltschützer stellen fest:	Umweltschützer fordern:
Die Menschen verschmutzen die Flüsse.	*Die Flüsse dürfen nicht länger verschmutzt werden!*

Если Вы хотите подчеркнуть, что данное положение дел существует давно, можно употребить выражения „nach wie vor" или „immer noch": *Die Menschen verschmutzen nach wie vor die Flüsse.* Для того чтобы усилить категоричность требования, следует вместо „nicht" употребить выражения „auf keinen Fall", „unter (gar)keinen Umständen": *Die Flüsse dürfen auf keinen Fall länger verschmutzt werden.*

1. Sie verunreinigen die Seen.
2. Sie verpesten die Luft.
3. Sie verseuchen die Erde.
4. Sie vergiften Pflanzen und Tiere.
5. Sie vernichten bestimmte Vogelarten.
6. Sie werfen Atommüll ins Meer.
7. Sie vergraben radioaktiven Müll in der Erde.
8. Sie ruinieren die Gesundheit der Mitmenschen durch Lärm.

b

Der Landwirt berichtet von der Tagesarbeit:	Von der Tagesarbeit auf dem Bauernhof:
Ich muss das Vieh füttern.	*Das Vieh muss gefüttert werden.*

Ich muss
1. die Felder pflügen
2. die Saat aussäen
3. die Äcker düngen
4. die Ställe säubern
5. die Melkmaschine reinigen
6. Bäume fällen
7. Holz sägen
8. ein Schwein schlachten

9. Gras schneiden
10. Heu wenden

11. Äpfel und Birnen pflücken

c

| Eine Krankenschwester erzählt von ihren Aufgaben: Ich muss einige Patienten waschen und füttern. | Von den Aufgaben einer Krankenschwester: *Einige Patienten müssen gewaschen und gefüttert werden.* |

1. Ich muss die Patienten wiegen.
2. Ich muss die Größe der Patienten feststellen.
3. Ich muss den Puls der Kranken zählen und das Fieber messen.
4. Ich muss beides auf einer Karte einzeichnen.
5. Ich muss Spritzen geben und Medikamente austeilen.
6. Ich muss Blut abnehmen und ins Labor schicken.
7. Ich muss Karteikarten ausfüllen.
8. Ich muss die Kranken trösten und beruhigen.

12 Von den Plänen der Stadtverwaltung. Используйте для данного упражнения материал упражнения 3 из § 8.

Man will den Park erweitern.   Der Park soll erweitert werden.

IV Пассив в инфинитивных группах

Инфинитивные группы употребляются с пассивным инфинитивом только в том случае, если подлежащие главного и придаточного предложений обозначают одно и то же лицо или предмет.

Ich fürchte, dass ich	bald entlassen werde.
Ich fürchte,	bald *entlassen zu werden.*
Sie hofft, dass sie	vom Bahnhof abgeholt wird.
Sie hofft	vom Bahnhof *abgeholt zu werden.*

В случае одновременности действий в инфинитивной группе стоит инфинитив I пассив с частицей *zu: gezwungen zu werden, erkannt zu werden, angestellt zu werden.*

| Er behauptet, dass er | niemals vorher gefragt worden ist. |
| Er behauptet, | niemals vorher *gefragt worden zu sein.* |

Если действие, называемое в инфинитивной группе, предшествует действию основного предложения, употребляется инфинитив II пассив с частицей *zu: gelobt worden zu sein, verstanden worden zu sein, überzeugt worden zu sein.*

Примечание

После новой реформы правописания запятая перед инфинитивной группой не обяза-тельна, однако она может употребляться для более четкого разделения предложения или для избежания недоразумения. Запятая должна употребляться, если инфинитив-ная группа стоит в середине предложения или если в главном предложении на нее указывает специальное слово.

Упражнения

13 Brand in der Großmarkthalle – Поставьте нижеприведенный текст в пассив. Если наименование действующего лица (предмета) выделено курсивом, в пассиве его следует опустить. Обратите внимание на употребление временных форм.

Gestern Abend meldete man der Feuer-wehr einen leichten Brandgeruch in der Nähe der Großmarkthalle. Sofort schick-te man drei Feuerwehrwagen an den Ort, aber man konnte zunächst den Brandherd nicht feststellen, weil *die Ge-schäftsleute* den Eingang zur Großmarkt-halle mit zahllosen Kisten und Hand-wagen versperrt hatten. Als man die Sachen endlich weggeräumt hatte, musste man noch das eiserne Gitter vor dem Hallentor aufsägen, denn man hat-te in der Eile vergessen die Schlüssel rechtzeitig zu besorgen. Immer wieder mussten *die Polizeibeamten* die neugieri-gen Zuschauer zurückdrängen. Nach-dem man endlich die Türen aufgebro-chen hatte, richteten *die Feuerwehrleute* die Löschschläuche in das Innere der Halle. Erst nach etwa zwei Stunden konnten *die Männer* das Feuer unter Kontrolle bringen. *Die Polizei* gab be-kannt, dass *das Feuer* etwa die Hälfte al-ler Waren in der Markthalle vernichtet hat. Erst spät in der Nacht rief man die letzten Brandwachen vom Unglücksort ab.

14 Jugendliche aus Seenot gerettet – Поставьте нижеприведенный текст в пассив.

Gestern Morgen alarmierte man den Seenotrettungsdienst in Cuxhaven, weil man ein steuerlos treibendes Boot in der Nähe des Leuchtturms Elbe I gesehen hatte. Wegen des heftigen Sturms konn-te man die Rettungsboote nur unter großen Schwierigkeiten zu Wasser brin-gen. Über Funk gab man den Männern vom Rettungsdienst den genauen Kurs bekannt. Mit Hilfe von starken Seilen konnte man die drei Jugendlichen aus dem treibenden Boot an Bord ziehen, wo man sie sofort in warme Decken wickelte und mit heißem Tee stärkte. Vorgestern Nachmittag hatte der scharfe Ostwind die drei Jungen in ihrem Segel-boot auf die Elbe hinausgetrieben, wo sie bald die Kontrolle über ihr Fahrzeug verloren (Aktiv). Erst bei Anbruch der Dämmerung konnte man sie sichten. Niemand hatte ihre Hilferufe gehört. Wegen Verdachts einer Lungenentzün-dung musste man den Jüngsten der drei in ein Krankenhaus einliefern; die ande-ren beiden brachte man auf einem Poli-zeischnellboot nach Hamburg zurück, wo ihre Eltern sie schon erwarteten.

§ 20   Модальные глаголы в значении субъективной оценки

Общие сведения

1. С помощью модальных глаголов в их основном значении говорящий дает объективную характеристику действия:
    „Wie geht es dem alten Herrn?" – „Er war schwerkrank, aber er *kann* sich wieder erholen."
    > = Er ist dazu fähig, er ist kräftig genug, die Krankheit zu überstehen.

    Ein Professor *soll* alles verständlich *erklären*.
    > = Das ist seine Pflicht.

2. Эти же предложения могут выражать и субъективное отношение говорящего к данным действиям:
    Der alte Herr ist schwerkrank, aber er kann sich (vermutlich) wieder erholen.
    > = Das hoffe / vermute ich.

    „Zu welchem Professor gehst du?" – „Zu Professor M., er *soll* alles verständlich *erklären*."
    > = Das haben mir andere Studenten gesagt, das habe ich gehört.

3. В высказываниях, относящихся к настоящему времени, различие между объективным и субъективным значениями модальных глаголов можно установить только из полного контекста или из ударения в речи.

4. Если высказывания относятся к прошедшему времении, между ними имеются формальные различия.

I Формы и их употребление

1. a) Модальные глаголы в значении субъективной оценки стоят в презенсе. В имперфекте они встречаются только всвязи повествовании о прошедшем времени. В основном предложении они занимают второе место, в придаточном стоят на последнем месте:
    Er *kann* mich gesehen haben.
    Ich bin beunruhigt, weil er mich gesehen haben *kann*.

    b) Если говорящий выражает отношение к событию прошлого, употребляется инфинитив II, например:
    Infinitiv Perfekt Aktiv: *gemacht haben, gekommen sein*
    Infinitiv Perfekt Passiv: *gemacht worden sein*
    Vor 300 Jahren *sollen* Soldaten das Schloss völlig *zerstört haben*.
    Vor 300 Jahren *soll* das Schloss völlig *zerstört worden sein*.

    Подруга спрашивает: *Warum ist deine Schwiegermutter nicht zu deinem Geburtstag gekommen?* На этот вопрос возможны следующие ответы:
    a) Du weißt doch, wie beschäftigt sie ist. Sie *muss* einen dringenden Termin in ihrem Betrieb *gehabt haben*. = Это очень вероятно.

Du weißt doch, dass sie kein Zeitgefühl hat. Sie *kann* wieder mal den Zug *verpasst haben.* = Это возможно.

Du weißt doch, dass sie Familienfeiern nicht schätzt. Wir verstehen uns gut, aber sie *mag* einfach keine Lust *gehabt haben.* = Может это и так, но это не важно.

b) Du weißt doch, dass jetzt weniger gebaut wird, aber sie *soll* einen wichtigen Auftrag *bekommen haben.* = Где-то я это слышал, может от знакомых, но я точно не знаю.

c) Du weißt doch, wie empfindlich sie ist. Ich habe ihr die Einladung ein bisschen zu spät geschickt, aber sie *will* sie erst nach meinem Geburtstag *erhalten haben.* = Это она утверждает, но я не верю.

2. к a) *mögen, können, müssen* в субъективном высказывании выражают предположение.

Помощь для понимания субъективного значения модальных глаголов:
Субъективный модальный глагол *müssen* показывает высокую степень вероятности (около 90 %).
Субъективный модальный глагол *können* показывает уверенность или неуверенность в отношении 50 % на 50 %.
Субъективный модальный глагол *mögen* выражает ту же степень уверенности / неуверенности, причем говорящему безразлично, так ли это или нет.

к b) *sollen* означает в данном случае, что речь идет о непроверенном утверждении: об этом говорят, сообщают, рассказывают, но достоверная информация отсутствует. Эта форма часто встречается в газетных сообщениях:
In Italien *sollen* die Temperaturen auf minus 20 Grad *gesunken sein.*

к c) *wollen* означает, что речь идет о непроверенном высказывании лица о самом себе: кто-то утверждает что-то о самом себе, но ни он не может подтвердить свои слова, ни другие не могут его опровергнуть:
Der Angeklagte *will* die Zeugin nie *gesehen haben.*

II Употребление модальных глаголов в значении субъективной оценки в конъюнктиве

Для лучшего различения субъективной оценки высказывания в настоящем времени (см. пункт 3) модальные глаголы часто употребляются в сослагательном наклонении (конъюнктив II) (см. § 54, VI).

Кто-то спрашивает: *Wo ist Frau M.? In ihrem Büro ist sie nicht.*
Здесь возможны следующие ответы:
a) Sie *müsste* beim Chef sein, denn dort ist eine wichtige Besprechung.
   = Это очень вероятно.
   Sie *könnte* auch in der Kantine sein, denn dort ist sie meistens um die Mittagszeit.
   = Это возможно.
b) Sie *sollte* (eigentlich) an ihrem Arbeitsplatz sein, denn die Mittagszeit ist schon vorbei.
   = В общем это является правилом, но, кажется, этому правилу не придерживаются.
c) Sie arbeitet nicht mehr bei uns; sie *dürfte* schon über 65 sein.

к a) Употребление глаголов *können* и *müssen* в конъюнктив II в субъективном значении соответствует правилам § 20, I, a).

к b) *sollte/sollen* стоит часто со словом „eigentlich", которым говорящий сообщает, что другое положение дел, по его мнению, лучше.

к c) *dürfte* часто употребляется при указании на данные (числа), которые точно неизвестны. Он может стоять и в следующем значении:
Das *dürfte* ihn interessieren. = Wahrscheinlich interessiert es ihn.
Der Witz *dürfte* schon bekannt sein. = Wahrscheinlich ist er schon bekannt.

1 Преобразуйте предложения таким образом, чтобы употребление выражений „wohl", „sicher(lich)", „angeblich", „er behauptet", „so wird gesagt", и т. д. стало излишним. Используйте для этого модальные глаголы, заключенные в скобки.

Ich habe gehört, dass der Schriftsteller sich zur Zeit in Südamerika aufhält. (sollen)
Der Schriftsteller soll sich zur Zeit in Südamerika aufhalten.

1. Man hat den Mann verurteilt; aber er war unschuldig, so wird gesagt. (sollen)
2. Sie hat vielleicht Recht. (mögen)
3. Er hat angeblich sein ganzes Vermögen an eine Hilfsorganisation verschenkt. (sollen)
4. Der Zeuge behauptet, dass er den Unfall genau gesehen hat. (wollen)
5. Wie war das nur möglich? Es war doch 22 Uhr und wahrscheinlich stockdunkel. (müssen)
6. Er behauptet, dass er die 20 Kilometer lange Strecke in zweieinhalb Stunden gelaufen ist. (wollen)
7. Der Angeklagte behauptet, von zwei betrunkenen Gästen in der Wirtschaft angegriffen worden zu sein. (wollen)
8. Man ist überzeugt, dass der Angeklagte sich in großer Angst und Aufregung befunden hat. (müssen)
9. Ich frage mich, wie dem Angeklagten wohl zumute war. (mögen)
10. Sicherlich hat der Angeklagte die Tat nur im ersten Schrecken begangen. (können)

2 Aus der Zeitung – Объясните употребление глаголов, выделенных курсивом.

Wieder ist der Polizei ein Raubüberfall gemeldet worden. Drei Unbekannte *sollen* in der Zuckschwerdtstraße einen 26 Jahre alten Brückenbauer aus Frankfurt überfallen und niedergeschlagen haben. Nach Angaben der Polizei *soll* einer der Täter dem Brückenbauer in die Jackentasche gegriffen und Ausweispapiere sowie Schlüssel entwendet haben. Vorher *will* der Überfallene in einer Gaststätte in der Bolongarostraße gewesen sein, in der sich auch die Täter befunden haben *sollen*. Beim Bezahlen *können* die Täter gesehen haben, dass er einen größeren Geldbetrag – es *soll* sich um etwa 500 Euro gehandelt haben – bei sich führte. „Das *muss* der Anlass gewesen sein, dass die Kerle mir folgten und mich dann überfielen", meinte der Brückenbauer.

3 Вставьте подходящий модальнй глагол в субъективной оценке и объясните
его выбор.

1. Der Mann hat doch eine Verletzung! Wer das nicht sieht, … blind
sein.
2. Du … Recht haben; aber es klingt
sehr merkwürdig.
3. Diese Schauspielerin … 80 Jahre alt
sein, so steht es in der Zeitung. Sie
sieht doch aus wie fünfzig!
4. Der Junge … die Geldbörse gefunden haben; dabei habe ich gesehen, wie er sie einer Frau aus der
Einkaufstasche nahm.
5. „Er … ein Vermögen von zwei bis
drei Millionen besitzen, glaubst du
das?“ – „Also das … übertrieben
sein. Es … sein, dass er sehr reich
ist, aber so reich sicher nicht!“
6. In Griechenland … gestern wieder
ein starkes Erdbeben gewesen sein.
7. Es ist schon zehn Uhr. Der Briefträger … eigentlich schon da gewesen
sein.

8. Eben haben sie einen Fernsehbe-
richt über Persien angekündigt,
jetzt zeigen sie Bilder über Polen.
Da … doch wieder ein Irrtum passiert sein!
9. Wir haben dein Portmonee in der
Wohnung nicht gefunden. Du … es
nur unterwegs verloren haben.
Wenn du es nicht verloren hast, …
es dir gestohlen worden sein.
10. Den Ring … sie geschenkt bekommen haben, aber das glaube ich
nicht.
11. Er ist erst vor zehn Minuten wegge-
gangen. Er … eigentlich noch nicht
im Büro sein.
12. Es … heute Nacht sehr kalt gewesen sein, die Straßen sind ganz ver-
eist.

4 Замените модальный глагол словами или выражениями в скобках.

1. Der Vater mag 72 Jahre alt gewesen
sein, als er starb. (vielleicht)
2. Der Sohn soll das Millionenerbe
seines Vaters, Häuser und Grund-
stücke, verkauft haben. (wie man
sich erzählt)
3. Sein Onkel will davon nichts gewusst haben. (sagt er selbst)
4. Es mag sein, dass der Sohn alles
verkauft hat; aber warum bezieht
er jetzt Sozialhilfe? (möglicherweise)

5. Er soll Spieler gewesen sein. (habe
ich gehört)
6. Er muss das ganze Geld in der
Spielbank verjubelt (= leichtsinnig
ausgegeben) haben. (mit großer
Wahrscheinlichkeit)
7. Ein Bekannter will ihn als Straßen-
musikanten gesehen haben.
(Ein Bekannter glaubt …)
8. Er soll ungepflegt ausgesehen
haben. (angeblich)

5 Выполните упражнение по образцу упражнения 3. Вставте подходящие
модальные глаголы в значении субъективной оценки.

1. Man sagt, dass im Krankenhaus der
Stadt B. im letzten Jahr viele Millionen Euro veruntreut worden sind.

2. Ein junger Arzt sagt, dass er gehört
habe, dass die Medikamente für das
Krankenhaus gleich wieder verkauft worden seien.

3. Die Krankenschwestern und Pfleger haben davon vielleicht gar nichts gewusst.
4. Die Leute erzählen, dass der Chefarzt vor kurzem die hässliche Tochter des Gesundheitsministers geheiratet hat.
5. Sehr wahrscheinlich waren die Beamten des Gesundheitsministeriums über die Unterschlagungen im Krankenhaus schon seit langem informiert.
6. Vielleicht sind einige Beamte sogar bestochen worden.
7. Außerdem wird berichtet, dass alle Akten aus den Geschäftsräumen des Krankenhauses verschwunden sind.
8. Vielleicht waren unter den verschwundenen Medikamenten auch Drogen.
9. Ein verhafteter Drogenhändler sagt, dass er seinen „Stoff" immer an der Hintertür des Krankenhauses abgeholt habe.
10. Möglicherweise sind auch Verbandszeug und Kopfschmerztabletten verschoben worden.
11. In einem Zeitungsartikel wird berichtet, dass der Chefarzt in der vorigen Woche 450 000 Euro von seinem Konto abgehoben hat.
12. Sehr wahrscheinlich haben die Patienten unter den ungeordneten Zuständen in diesem Krankenhaus sehr gelitten.
13. Vielleicht wird der Prozess gegen den Chefarzt und den Gesundheitsminister noch in diesem Jahr eröffnet.

6 Замените модальные глаголы словами, выражающими сомнение, предположение и уверенность.

1. a) Äsop, bekannt durch seine Fabeln, *soll* ein Sklave gewesen sein.
   b) Er *dürfte* im 6. Jahrhundert vor unserer Zeitrechnung in Kleinasien gelebt haben.
2. a) Der Graf von Sandwich *soll* das nach ihm benannte Sandwich 1762 erfunden haben.
   b) Er *soll* auf die Idee gekommen sein, weil er wegen des Essens nicht vom Spieltisch aufstehen wollte.
3. Der Hund *kann* schon vor 10 000 Jahren dem Menschen zur Jagd gedient haben.
4. Die fruchtbare Lösserde in Norddeutschland *kann* vom Wind von China nach Europa herübergetragen worden sein, sagen Wissenschaftler.
5. a) Der Vogel Strauß *soll* in Angstsituationen seinen Kopf in den Sand stecken
   b) Das *muss* aber ein Märchen sein.
6. Um ein Straußenei essen zu können, *soll* man es 40 Minuten kochen müssen.
7. a) Der Wanderfalke, ein Raubvogel, *soll* etwa 320 km/h schnell fliegen können.
   b) Das *mag* stimmen, aber sicher nur über sehr kurze Zeit.
8. Die Seeschwalbe, ein Meeresvogel, *soll* jahrelang pausenlos übers Meer fliegen.
9. a) Über Robin Hood, den Helfer der Armen, gibt es viele Geschichten.
   b) Es *kann* ihn tatsächlich gegeben haben; bewiesen ist es nicht.

§ 21 Футурум I и футурум II в значении предположения

Общие сведения

1. В отличие от других европейских языков, в которых будущее должно быть выражено временной глагольной формой футурум, в немецком языке для выражения будущего действия и состояния, наступление которых не вызывают сомнения, употребляется форма презенса + показатель будущности.
Ich *komme morgen früh* zu dir und *bringe* dir die Fotos *mit*.
Heute Abend gibt es bestimmt noch ein Gewitter.

2. Если подобное действие, относящееся к будущему времени, уже завершено, употребляется форма перфекта в сочетании с обстоятельствами:
Wenn ihr morgen erst um 10 Uhr kommt, *haben* wir schon *gefrühstückt*.

3. Если для выражения будущего все же употребляется футурум, тогда говорящий хочет выразить свою уверенность, что что-то произойдет. Поэтому такое употребление называют иногда „предсказывающий футурум".
Ist es schon entschieden, dass man alle Bäume dieser Allee fällt? –
Ja, kein einziger Baum *wird stehen bleiben*.

4. Если наступление будущего действия, процесса или состояния еще неопределенно, употребляется *werden* с инфинитивом. Глагол *werden* не является, по существу, частью временной формы, а передает, подобно модальному глаголу, субъективную оценку вероятности будущего события. Значение предположительности может подчеркиваться добавлением *wohl, vielleicht, wahrscheinlich*, в футуруме I можно только с помощью этих слов или контекста определить, употреблен футурум I для выражения предположения или нет. Футурум II выражает неуверенность в действиях и состояниях, относящихся к прошлому.

❙ Простые предложения

Futur I Aktiv	Er *wird* die neue Stellung wahrscheinlich *annehmen*.
Futur II Aktiv	Er *wird* bei seiner Suche nach einer besseren Stellung (wohl) keinen Erfolg *gehabt haben*.
Futur I Passiv	Das Gesetz *wird* wohl bald *geändert werden*.
Futur II Passiv	Das Gesetz *wird* (wohl) inzwischen *geändert worden sein*.

werden употребляется в активе и пассиве как модальный глагол в значении субъективной оценки.

Futur I Aktiv mit Modalverb	Meine Freunde *werden* das Auto wohl *reparieren können*.
Futur II Aktiv mit Modalverb	In der kurzen Zeit *werden* die Gäste (wohl) nicht alles *gesehen haben können*.

Futur I Passiv mit Modalverb	Das Auto *wird* (wohl) nicht mehr *repariert werden können.*

Если футурум I или футурум II сочетаются с модальным глаголом, то модальный глагол стоит на последнем месте. Сложная форма футурума II пассив с модальным глаголом в настоящее время вышла из употребления.

II Придаточные предложения

Futur I Aktiv	Es ist ärgerlich, dass das Flugzeug wohl nicht planmäßig *landen wird.*
Futur II Aktiv	Ich mache mir Sorgen, obwohl das Flugzeug inzwischen in Rom *gelandet sein wird.* (oder: ... inzwischen wahrscheinlich in Rom gelandet ist.)
Futur I Aktiv mit Modalverb	Der Geschäftsmann regt sich auf, weil er sein Reiseziel wohl nicht rechtzeitig *wird erreichen können.* (oder: ... rechtzeitig erreichen kann.)

1. В придаточном предложении *werden* стоит в спрягаемой форме в конце предложения. Вместо футурума I и футурума II пассива предпочтительнее тогда употреблять, соответственно, презенс или перфект пассива.

2. Если в предложении имеется модальный глагол, он стоит на последнем месте. Глагол *werden* в спрягаемой форме стоит перед основным глаголом (см. § 18, II).

3. В придаточных предложениях в пассиве, выражающих предположение, лучше использовать форму презенса или перфекта. Слова *wohl* или *wahrscheinlich* подчеркивают взаимосвязь по времени.

    Презенс пассив:
    Die alten Formulare gelten noch, obwohl das Gesetz wohl bald *geändert wird.* (вместо: ..., obwohl das Gesetz wohl bald *geändert werden wird.*)

    Перфект пассив:
    Die alten Formulare gelten noch bis zum 1. Januar, obwohl das Gesetz wohl inzwischen schon *geändert worden ist.* (вместо: ..., obwohl das Gesetz wohl inzwischen schon *geändert worden sein wird.*)

4. Также и в придаточных предложениях с модальным глаголом, выражающих предположение действия в будущем, лучше употреблять форму презенса или перфекта.

    Презенс актив с модальным глаголом:
    Es ist beruhigend, dass der Meister das Auto vielleicht schon bis übermorgen *reparieren kann.* (вместо: ..., dass der Meister das Auto vielleicht schon bis übermorgen *wird reparieren können.*)

    Перфект актив с модальным глаголом:
    Am 1. Mai wollen wir nach Spanien fahren. Es ist beruhigend, dass der Meister das Auto wohl schon vorher *hat reparieren können.* (вместо: ..., dass der Meister das Auto wohl schon vorher *wird repariert haben können.*)

Презенс пассив с модальным глаголом:
Es ist beruhigend, dass unser Auto vielleicht schon übermorgen *repariert werden kann.* (вместо: …, dass unser Auto vielleicht schon übermorgen *wird repariert werden können.*)

Перфект пассив с модальным глаголом:
Am 1. Mai wollen wir nach Spanien fahren. Es ist beruhigend, dass unser Auto schon vorher *hat repariert werden können.* (Форма с глаголом *werden* больше не употребляется.)

Примечание

werden + инфинитив употребляется в значении угрозы или строгого приказания:
Du *wirst* jetzt zu Hause *bleiben* und nicht in den Club *gehen.*
Wirst du endlich deine Hausaufgaben *machen*?

1 Покажите вашим ответом, что вы не можете дать его с полной уверенностью.

Kommt Ludwig auch zu der Besprechung?
Ja, er wird wahrscheinlich auch zu der Besprechung kommen.

Вместо „wahrscheinlich" можно также употребить „wohl" или „vielleicht".

1. Gibt Hans seine Stellung als Ingenieur auf?
2. Geht er ins Ausland?
3. Will er in Brasilien bleiben?
4. Fliegt er noch in diesem Jahr rüber?
5. Nimmt er seine Familie gleich mit?
6. Besorgt ihm seine Firma dort eine Wohnung?

2 Hans und Inge haben einen langen Weg von Andreas Party nach Hause. Bis sie zu Hause sind, wird Andrea schon viel erledigt haben.

schon alle Gläser in die Küche bringen
Sie wird schon alle Gläser in die Küche gebracht haben.

1. die Schallplatten wieder einordnen
2. die Wohnung aufräumen
3. die Möbel an den alten Platz stellen
4. das Geschirr spülen und in den Schrank räumen
5. den Teppich absaugen
6. sich ins Bett legen
7. einschlafen

3 Müllers waren lange von zu Hause weg. Wie wird es wohl aussehen, wenn sie zurückkommen?

der Gummibaum / vertrocknen   *Wird der Gummibaum vertrocknet sein?*

1. die Zimmerpflanzen / eingehen (= sterben)
2. die Möbel / sehr verstauben
3. die Teppiche / nicht gestohlen werden
4. die Blumen im Garten / verblühen
5. die Pflanzen auf dem Balkon / vertrocknen
6. die Nachbarin / die Post aufheben

4 Выразите в ответе предположение. Употребите футурум II.

Hat er noch Geld? (sicher alles ausgeben)   *Er wird sicher alles ausgegeben haben.*

1. Sind die Gäste noch da? (wahrscheinlich schon nach Hause gehen)
2. Geht es ihm noch schlecht? (sich sicher inzwischen erholen)
3. Hat sie ihre Bücher mitgenommen? (ganz sicher mitnehmen)
4. Haben sie den letzten Bus noch gekriegt? (wahrscheinlich noch bekommen)
5. Ist Heinrich noch zum Zug gekommen? (sich bestimmt ein Taxi zum Bahnhof nehmen)

5 Выразите предположение, употребив футурум II.

Ich vermute, dass der Weg inzwischen gesperrt worden ist.
Der Weg wird inzwischen gesperrt worden sein.

1. Ich nehme an, dass der Lastwagen inzwischen aus dem Graben gezogen worden ist.
2. Ich vermute, dass die Polizei sofort benachrichtigt worden ist.
3. Ich glaube, dass niemand ernstlich verletzt worden ist.
4. Es ist anzunehmen, dass dem betrunkenen Fahrer der Führerschein entzogen worden ist.
5. Ich nehme an, dass die Ladung inzwischen von einem anderen Lastwagen übernommen worden ist.

Часть II

§ 22 Порядок слов простого предложения

I Общие правила

1. Предложение состоит из определенных членов предложения, а именно: подлежащего, сказуемого, дополнений, обстоятельств и т. д.

2. В каждом языке существует определенный порядок следования членов предложения относительно друг друга.

3. Особым признаком порядка слов немецкого предложения является место спрягаемой части сказуемого, например: ich geh*e*, du geh*st*.

4. Место спрягаемой части сказуемого в простом и придаточном предложениях в корне различно.

5. Простое предложение – полное, независимое предложение. Спрягаемая часть сказуемого всегда стоит на втором месте. (Под местом понимается не слово, а член предложения!)

6. Подлежащее простого предложения может стоять либо на первом, либо на третьем или четвертом месте относительно спрягаемой части сказуемого – своеобразной, оси предложения.

Примечания

1. В последующем изложении цифры I, II, III, (IV) употребляются как обозначение места, занимаемого членом предложения.

2. Переход подлежащего с первого на третье место обозначается термином инверсия (= перестановка). См. русские термины „прямой порядок слов“ (подлежащее стоит перед сказуемым) – „обратный порядок слов“ (подлежащее стоит после сказуемого).

3. Порядок следования остальных членов предложения зависит от смысла предложения или контекста, поэтому он не является фиксированным и не получает в последующем изложении цифрового обозначения.

4. Об отрицании: Если отрицается все предложение, то отрицание *nicht* стоит по возможности в конце предложения или перед второй частью глагольного сказуемого. При отрицании только одного члена предложения отрицание *nicht* стоит перед этим членом предложения.
   Der Postbote kommt heute *nicht*. (= отрицается все предложение)
   Der Postbote ist heute *nicht* gekommen. (= отрицается все предложение)
   Der Postbote kommt *nicht* heute, sondern morgen. (= отрицается обстоятельство)
   Nicht der Postbote kommt heute, sondern die Postbotin. (= отрицается подлежащее)

II Порядок слов распространенного простого предложения с дополнениями

	I	II		Dativ-objekt	Akkusativ-objekt		Partizip
a)	Die Firma	liefert	heute			nicht.	
b)	Die Firma	lieferte	gestern			nicht.	
c)	Die Firma	liefert	morgen			nicht.	
d)	Die Firma	hat	gestern			nicht	geliefert.
e)	Die Firma	liefert		dem Kunden	die Ware	nicht.	
f)	Die Firma	hat		dem Kunden	die Ware	nicht	geliefert.

Подлежащее стоит на I месте, на II – спрягаемая часть сказуемого.

a+b+c) В презенсе, имперфекте и футуруме (= презенс в сочетании с обстоятельствами, см. § 25, Общие сведения) сказуемое стоит на II месте.

d) В перфекте и плюсквамперфекте на II месте стоит спрягаемая часть сказуемого – вспомогательный глагол. Причастие II стоит в конце предложения.

e) Ряд глаголов требует после себя либо дополнения в дательном или винительном, либо двух дополнении – в дательном и винительном падежах (см. § 14, I–III). Если в предложении имеются дополнения в дательном и винительном падежах, обычно дополнение в дательном падеже стоит перед дополнением в винительном падеже (см. раздел IV).

III Инверсия

	I	II	III	Dativ-objekt	Akkusativ-objekt		Partizip
a)	*Der Postbote*	kommt	*heute*			nicht.	
	Heute	kommt	*der Postbote*			nicht.	
b)	*Der Postbote*	ist	*heute*			nicht	ge-kommen.
	Heute	ist	*der Postbote*			nicht	ge-kommen.
c)	*Die Firma*	liefert	*wahr-scheinlich*	dem Kunden	die Ware	nicht.	
	Wahr-scheinlich	liefert	*die Firma*	dem Kunden	die Ware	nicht.	
	Die Firma	hat	*wahr-scheinlich*	dem Kunden	die Ware	nicht	geliefert.
	Wahr-scheinlich	hat	*die Firma*	dem Kunden	die Ware	nicht	geliefert.

1. При инверсии на I месте стоит второстепенный член предложения, затем на II месте – спрягаемая часть сказуемого, подлежащее следует на III месте. В данном случае на I месте может стоять почти любой второстепенный член предложения.

2. Смысл предложения в результате инверсии практически не меняется, при этом I место связывает предложение по смыслу с предыдущим высказыванием и подчеркивает продолжение действия:
   Wir frühstücken immer um 8 Uhr. Heute haben wir verschlafen.
   Einstein emigrierte nach Amerika. Dort konnte er weiterarbeiten.
   Man stellte den Zeugen einige Männer vor. Den Täter erkannte niemand.
   Mein Fotoapparat ist nicht in Ordnung. Damit kannst du nichts anfangen.

a+b+c) При инверсии меняются местами только I и III позиции, в остальном порядок слов остается прежним.

IV Порядок следования дополнений в винительном и дательном падежах, выраженных местоимениями

	I		II	
a)	Der Lehrer	gab	*dem Schüler*	das Buch vor dem Unterricht.
b)	Der Lehrer	gab	*ihm*	das Buch vor dem Unterricht.
	Der Lehrer	gab	*es*	dem Schüler vor dem Unterricht.
	Der Lehrer	gab	*es*	ihm vor dem Unterricht.

a) Дополнение в дательном падеже предшествует дополнению в винительном падеже (см. II).

b) Местоимения стоят непосредственно после спрягаемого глагола. Местоимение в винительном падеже стоит перед местоимением или существительным в дательном падеже.

V Инверсия

a) I	II	Pronomen (III)	Subjekt (Substantiv) IV	
Um 7 Uhr	bringt	*mir*	*der Briefträger*	die Post.
Aus Kairo	ruft	*mich*	*der Chef*	bestimmt nicht an.
Zum Glück	hat	*es ihm*	*der Professor*	noch mal erklärt.

b) I	II	Subjekt (Pron.) III	Akk./Dat. (Pronomen)	
Vorgestern	hat	*er*	mir	das Buch geliehen.
Vorgestern	hat	*er*	es	dem Schüler geliehen.
Vorgestern	hat	*er*	es ihm	geliehen.

a) И при инверсии действует правило, согласно которому местоимения в винительном и дательном падежах следуют сразу за спрягаемой частью сказуемого. В этом случае подлежащее, выражаемое существительным, может переместиться на IV место.

b) Если же подлежащее выражено местоимением, оно всегда остается на III месте.

VI Место возвратных местоимений

I	II			
Ich	habe	mich		gewaschen.
Ich	habe	*mir*	*die Hände*	gewaschen.
Ich	habe	*sie*	*mir*	gewaschen.

Инверсия

I	II	III	Pronomen		
Sofort	hat	*er*	sich	die Hände	gewaschen.
Sofort	hat	*er*	sie sich		gewaschen.

Порядок слов в предложении с возвратными местоимениями подчиняется вышеприведенным правилам.

1 Выполните упражнение на порядок слов.

Hat der Hotelgast der Schauspielerin den Pelzmantel gestohlen?
Ja, er hat ihn ihr gestohlen.

1. Hast du deiner Freundin dein Geheimnis verraten? (Ja, ich …).
2. Hat Maria dir deine Frage beantwortet?
3. Hat der Reiseleiter Ihnen das Hotel Ritter empfohlen?
4. Hat die Gemeindeverwaltung deinen Freundinnen die Pensionsadressen zugeschickt?
5. Hat der Chef den Bewerbern schon eine Nachricht zugesandt?
6. Hat Ursula der Hauswirtin einen Blumenstock zum Geburtstag geschenkt?
7. Hat der Verlag dem Verfasser das Manuskript zurückgesandt?
8. Hat Angela dir ihre Ankunft verschwiegen?
9. Hat dir der Kaufmann die Lieferung versprochen?
10. Liefert diese Firma den Kunden die Ware kostenlos ins Haus?
11. Leihst du deinem Freund dein Auto?
12. Hat der Postbeamte dem Kunden den Scheck zurückgegeben?
13. Haben die Jungen den Eltern das Abenteuer erzählt?
14. Borgst du der Familie Schulz das Auto?
15. Hat der Taxifahrer den Beamten seine Unschuld bewiesen?
16. Teilst du deinen Verwandten deine Ankunft mit?
17. Hat der Mann den Kindern den Fußball weggenommen?
18. Verbietet der Landtag den Studenten die Demonstration?

2 Выполните упражнение по следующему образцу. Используйте материал упражнения 5, § 14.

> der Arzt / der Mann / das Medikament / verschreiben
> *Hat der Arzt dem Mann das Medikament verschrieben?*
> *Ja, er hat es ihm verschrieben.*

3 Выполните упражнение по следующему образцу. Используйте вопросы из упражнения 4, § 14.

> Hast du deinem Freund das Auto geliehen?
> *Ja, ich hab' es ihm geliehen.*

4 Поставьте члены предложения, выделенные курсивом на I место. Обратите внимание на порядок следования местоимений.

1. Er hat mich *heute* wieder furchtbar geärgert.
2. Dein Vater hat es dir *gestern* doch ganz anders dargestellt.
3. Wir haben ihn *zufällig* auf dem Weg nach Hause getroffen.
4. Er hat mir *die Frage* leider immer noch nicht beantwortet.
5. Der Koffer steht *seit zehn Jahren* bei uns im Keller.
6. Ihr habt *mich* überhaupt nicht beachtet.
7. Der Zeuge hat ihn *trotz der Sonnenbrille* sofort erkannt.
8. Sie hat ihm *wütend* die Tür vor der Nase zugeschlagen.
9. Es hat *in der Nacht* stark geregnet.
10. Sie hat es mir *bis heute* verschwiegen.
11. Er hat *den Jugendlichen* mit seinem Zeitungsartikel nur geschadet.
12. Der Bäcker bringt mir *seit drei Monaten* die Brötchen ins Haus.
13. Sie ist *natürlich* immer vorsichtig gefahren.
14. Der Bauer schlug *vor Ärger* mit der Faust auf den Tisch.
15. Er gibt mir die Papiere *übermorgen* zurück.
16. Sie erklärte uns *vorsichtshalber* die ganze Sache noch einmal.
17. Der Nachbar hat ihnen *schon seit langem* misstraut.
18. Es geht *mir* eigentlich gut.
19. Das Gold liegt *aus Sicherheitsgründen* im Keller der Bank.
20. Der Beamte hat es euch *bestimmt* gesagt.

5 Вставьте местоимения.

1. Der Museumsdirektor zeigte den Gästen die Ausstellung. In einem zweistündigen Vortrag führte … … jedes einzelne Bild vor.
2. Der Vater hatte dem Sohn nach dem Abitur eine Skandinavienreise versprochen. … wollte … … voll finanzieren.
3. Der Landwirt musste das Gebäude wieder abreißen. Das Bauamt hatte … … nicht genehmigt.
4. Die Studentin hatte sich von ihrem Freund ein Armband gewünscht. … schenkte … … zu ihrem Geburtstag.
5. Der Gefangene bat um seine Uhr, aber man gab … … nicht.
6. Ein Dieb hatte einer Rentnerin die Handtasche gestohlen. Nach einer Stunde konnte man … …, allerdings ohne Geld und Papiere, zurückgeben.
7. Ein Bauer hatte den Wanderern den Weg zur Berghütte erklärt. Sie fanden ihr Ziel leicht, denn … hatte … … sehr gut beschrieben.
8. In ihrem Testament vermachte (= schenkte) die alte Dame ihren Nichten und Neffen ihr ganzes

Vermögen. Der Notar ließ ... ...
durch die Bank überweisen.

9. Die Polizei hatte dem Kaufmann
den Führerschein entzogen. Nach
einem Jahr gab ... ... zurück.

10. Der Gast hatte bei der Kellnerin noch
ein Bier bestellt, aber ... brachte ...
... nicht.

11. Alle Kinder hören gern Märchen
und Großmütter erzählen ... ...
gern.

12. Sie bat die Ärztin um den Termin
für die Operation, aber ... teilte ...
... nicht mit.

VII Порядок слов распространенного простого предложения с обстоятельствами

Subjekt	II	wann? (temporal)	warum? (kausal)	wie? (modal)	wo? wohin? (lokal)
Ich	komme	morgen		mit Vergnügen	zu eurer Party.
Sie	schlief	gestern	vor Ärger	sehr schlecht.	
Sie	ging	heute früh	wegen der Prüfung	voller Furcht	zur Schule.

Несмотря на то, что твердых правил о месте обстоятельств в предложении не существует, они обычно располагаются относительно друг друга в следующем порядке: **Т К М Л** (**Т** = темпоральные, или временные обстоятельства; **К** = каузальные, или обстоятельства причины; **М** = модальные, или обстоятельства образа действия; **Л** = локальные, или обстоятельства места).

VIII Порядок слов распространенного простого предложения с дополнениями и обстоятельствами

I	II	Spalte A wann?	Dat.-objekt	Spalte B warum?	wie?	Spalte C Akk.-obj.	wo? wohin?
Er	hilft	abends	seinem Vater		gerne		im Büro.
Ich	schreibe	morgen	meinem Mann	wegen der Sache		einen Brief	nach Italien.
Sie	riss		dem Kind		voller Angst	das Messer	aus der Hand.

Твердых правил о месте второстепенных членов предложения не существует. В общем виде типичен следующий порядок следования второстепенных членов предложения относительно друг друга:

a) За спрягаемой частью сказуемого стоят темпоральное обстоятельство = обстоятельство времени и дополнение в винительном падеже, которые могут меняться местами (колонка А).

b) В середине предложения – колонка В – стоят аузальное обстоятельство = обстоятельство причины и модальное обстоятельство = обстоятельство образа действия.

c) На последней позиции – колонка С – стоят дополнение в винительном падеже и локальное обстоятельство = обстоятельство места, особенно часто – отвечающее на вопрос: *wohin?* (куда?)

IX Инверсия

	I	II	III	
a) temporale Angabe	*Heute*	fährt	mein Vetter	nach Köln.
b) kausale Angabe	*Wegen der Hitze*	arbeiteten	die Angestellten	nur bis 14 Uhr.
c) konzessive Angabe	*Trotz des Verbots*	rauchte	der Kranke	zwanzig Zigaretten pro Tag.
d) modale Angabe	*Höflich*	öffnete	der Herr	der Dame die Tür.
e) lokale Angabe (wo?)	*Im Garten*	fand	der Junge	sein Taschenmesser wieder.
f) Akkusativobjekt	*Den Lehrer*	kennen	alle Bauern	seit ihrer Kindheit.
g) Dativobjekt	*Dem Gast*	hat	das Essen	leider nicht geschmeckt.
h) Akkusativpronomen	*Mich*	sieht	die Schwiegermutter	niemals wieder.
i) Dativpronomen	*Mir*	tut	das Missverständnis	noch immer Leid.

a–e) 1. В любом предложении одно из обстоятельств времени, причины, уступки, образа действия может стоять на I месте.

Wann? Am Sonntag, dem 22. Juli, einem Sommertag, verließ er sein Elternhaus.

Wo?   Auf dem Busbahnhof, direkt vor der Sparkasse, treffen wir uns morgen um 7 Uhr.
(Falsch ist: Auf dem Busbahnhof, um 7 Uhr treffen wir uns.)

2. Обстоятельство места, отвечающее на вопрос *wo?* (где?), чаще стоит на первом месте, а отвечающее на вопрос *wohin?* (куда?) – на последнем месте в предложении.

f–i)   Существительные и местоимения в роли дополнений в винительном и дательном падежах могут занимать I место. В этом случае они особо выделяются при говорении. Часто такой порядок слов необходим для обеспечения преемственности высказываний.

Примечания

1. Обстоятельства, отвечающие на вопросы *wann? wo?* (когда? где?)
В газетных сообщениях информация о времени и месте действия помещается преимущественно в начале предложения:
Im Frankfurter Hauptbahnhof fuhr *gestern Nachmittag* eine Lokomotive auf einen voll besetzten Zug.
Am Ostersonntag fand *in Rom* ein feierlicher Gottesdienst statt.

2. Обстоятельство места, отвечающее на вопрос *woher?* (откуда?), так же, как и обстоятельство, отвечающее на вопрос *wohin?* (куда?), стоит в большинстве случаев в самом конце предложения. При этом, если употреблены оба, сначала стоит обстоятельство, отвечающее на вопрос *woher?* (откуда?)

Er kam gestern mit einer Reisegesellschaft *aus Polen* zurück.
Die Angestellten strömten *aus den Büros* (woher?) *auf die Straße* (wohin?).

X Порядок слов распространенного простого предложения с предложными дополнениями

Er schrieb seit Jahren zum ersten Mal wieder einen Brief *an seinen Vater.*
Die alte Dame dachte später oft mit freundlichen Gefühlen *an ihn.*
Natürlich ärgert er sich schon lange *darüber.*
Der Wissenschaftler beschäftigt sich seit langem intensiv *mit diesem Problem.*

1. Предложное дополнение стоит, как правило, в самом конце предложения.

2. В зависимости от контекста и ударения местоименное наречие с *da(r)-* часто стоит на I месте.
    Darüber haben wir uns schon lange gewundert.
    Damit habe ich mich leider niemals beschäftigt.

6 Дополните предложения, расставив по смыслу слова, стоящие в скобках.

> Sie teilte … mit. (ihre Kündigung / zum 31. Mai / ihrem Arbeitgeber)
> *Sie teilte ihrem Arbeitgeber ihre Kündigung zum 31. Mai mit.*

1. Ich habe … geliehen. (leider / mein neues Auto / meinem Freund)
2. Der Unglückliche hat … gefahren. (gestern / gegen einen Baum / es)
3. Er teilte … mit. (seine Ankunft / mir / in New York / mit einem Fax / gestern)
4. Die Firma wird … liefern. (den neuen Kühlschrank / mir / erst am kommenden Montag / wahrscheinlich)
5. Die Lehrer sprachen … (über die neuen Bestimmungen / heute / mit den Schülern)
6. Der Hausherr hat … gekündigt. (die Wohnung / zum 31.12. / mir)
7. Die Eltern bezahlten … (in England / einen Studienaufenthalt / ihrer Tochter)
8. Die Firma hat … geschenkt. (zum 70. Geburtstag / ihrem Angestellten / eine Kiste Sekt)
9. Er hat … mitgegeben. (mir / für seine Schwester / ein Paket)
10. Meine Kollegen haben … geschickt. (aus Rom / eine Ansichtskarte / dem Chef)

7 Начните предложения из упражнения 6 с нижеследующих слов:

1. Leider
2. Gestern
3. Mit einem Fax
4. Den neuen Kühlschrank
5. Heute
6. Die Wohnung
7. Ihrer Tochter
8. Zum 70. Geburtstag
9. Für seine Schwester
10. Aus Rom

Упражнения

8 Расположите члены предложения в нужном порядке.

1. Er kam …
   a) ins Büro
   b) aufgeregt
   c) gegen 9 Uhr
2. Sie hat … geantwortet.
   a) wegen ihrer Krankheit
   b) bis jetzt noch nicht
   c) uns
3. Er teilt … mit.
   a) das Ergebnis der Be-
      sprechung
   b) erst morgen
   c) mir
4. Sie steigt … ein.
   a) jetzt immer langsam
      und vorsichtig
   b) wegen ihrer Verletzung
   c) in die Straßenbahn
5. Der Bus fährt … vorbei.
   a) an unserem Haus
   b) ab heute
   c) wegen der Umleitung
6. Er hat … gelegt.
   a) voller Wut
   b) den Brief
   c) auf den Schreibtisch
   d) ihr

7. Sie hat … vergessen.
   a) im Zug   c) ihre Tasche
   b) gestern   d) dummerweise
8. Er hat … vorgestellt.
   a) immer   c) es
   b) genau so   d) sich
9. Er gab … zurück.
   a) das falsche Buch
   b) mit Absicht
   c) dem Professor
   d) nach dem Examen
10. Sie hat … verlassen.
    a) die Wohnung
    b) wegen der bösen Bemerkungen
       ihres Mannes
    c) heute Morgen
    d) wütend
11. Er brachte …
    a) mit einer Entschuldigung
    b) ins Hotel
    c) mir
    d) den geliehenen Mantel
    e) erst gegen Mitternacht

9 Еще одно упражнение. Одни из членов предложения могут стоять на I месте.

1. Ein Bauer hat … getreten.
   a) bei einer Jagdgesellschaft
   b) aus Versehen
   c) auf den Fuß
   d) seinem Fürsten
2. Der Gast überreichte …
   a) einen Blumenstrauß
   b) an der Wohnungstür
   c) mit freundlichen Worten
   d) der Dame des Hauses
   e) zu ihrem 75. Geburtstag
3. Die junge Frau gab …
   a) zum Abschied
   b) an der Autotür

   c) einen Kuss
   d) ihrem Mann
4. Der Arzt legte …
   a) prüfend
   b) auf die Stirn
   c) dem Fieberkranken
   d) vor der Untersuchung
   e) die Hand
5. Die Versammelten verurteilten …
   a) in ein unabhängiges Land
   b) einstimmig
   c) den Einmarsch fremder Truppen
   d) Anfang Februar

6. Der Verfolgte sprang …
   a) mit letzter Kraft
   b) über den Gebirgsbach
   c) kurz vor seiner Verhaftung
7. Der Motorradfahrer riss …
   a) die Einkaufstasche
   b) aus der Hand
   c) einer alten Dame
   d) gestern gegen 17 Uhr
8. Der Vater zog … weg.
   a) die Bettdecke
   b) wütend
   c) um 11 Uhr
   d) dem schlafenden Sohn

9. Du hast … erzählt.
   a) schon gestern
   b) mir
   c) in der Mensa
   d) diese Geschichte
10. Er bot … an.
   a) mit freundlichen Worten
   b) ihm
   c) es
   d) zum zweiten Mal
11. Ich habe … vorgestellt.
   a) auf der Party
   b) ihm
   c) selbstverständlich
   d) mich

10 Выполните упражнение на инверсию.

Используйте материал упражнения 1 следующим образом: предложение 1 начните с b;
2 c a); 3 c a); 4 c b); 5 c c); 6 c a); 7 c d); 8 c b); 9 c d); 10 c b); 11 c e).

§ 23   Сложносочиненные предложения: сочинительные союзы, не влияющие на порядок слов

Hauptsatz			Konjunktion	Hauptsatz		
I	II	III	0	I	II	
…	Verb	…	…	…	Verb	…

I Порядок слов

	0	I	II	
Die Eltern fahren nach Italien	und	die Tante	sorgt	für die Kinder.
Die Eltern fahren nach Italien,	aber	die Kinder	bleiben	zu Hause.
Die Eltern fahren unbeschwert ab,	denn	die Tante	sorgt	für die Kinder.
Entweder fahren die Eltern allein	oder	sie	nehmen	die Kinder mit.
Die Eltern fahren nicht weg,	sondern	sie	bleiben	bei den Kindern.

Союзы *und, aber, denn, oder, sondern* не занимают места в предложении. За ними следует обычное самостоятельное предложение: подлежащее стоит на I месте, спрягаемая часть сказуемого, как обычно – на II месте. (К *aber* см. еще раздел V.) По новому правописанию перед *vor* и *aber* запятая не стоит.

II Инверсия

	0	I	II	III	
Ich habe heute die Prüfung bestanden	und	morgen	bekom-me	ich	das Zeugnis.
Ich habe das Zeugnis abgeholt,	aber	*leider*	war	*mein Name*	falsch ge-schrieben.
Ich habe das Zeugnis zurückgegeben,	denn	*so*	ist	*es*	nicht brauch-bar.
Entweder hat sich die Sekretärin verschrie-ben	oder	*in mei-nem Pass*	steht	*der Name*	falsch.
So habe ich nicht nur Ärger,	sondern	*bestimmt*	gibt	*es*	auch Streit mit der Sekretärin.

После союзов *und, aber, oder, denn, sondern* как и в любом простом предложении, может наблюдаться инверсия: на I месте стоит второстепенный член предложения, за ним следует спрягаемая часть сказуемого на II месте и на III месте – подлежащее.

III Инверсия с местоимениями

	0	I	II	III Prono-men	IV Subjekt (Substantiv)
Er hatte gut ge-schlafen	und	am Mor-gen	weck-ten	ihn	die Vögel.
Er wollte aus dem Zug springen,	aber	im letzten Augen-blick	hielt	ihn	ein Reisender zurück.

Если в предложении имеется местоимение, оно стоит за спрягаемой частью сказуемого, подлежащее перемещается на IV место.

IV Опущение подлежащего после „und"

	0	I	II
Ich ließ ihn stehen und	ich	rannte	davon.
besser: Ich ließ ihn stehen und		rannte	davon.
Der Verkäufer irrte sich und	er	schrieb	eine zu hohe Rechnung aus.
besser: Der Verkäufer irrte sich und		schrieb	eine zu hohe Rechnung aus.

1. Если два предложения, входящие в состав сложносочиненного предложения с союзом *und*, имеют одно и то же подлежащее, в стилистическом отношении предпочтительнее опустить подлежащее после und. Таким образом возникает распространенное самостоятельное предложение с двумя однородными сказуемыми. Запятая в этом случае не ставится.

2. Говорящий может связывать в сложносочиненном предложении целый ряд высказываний. И если подлежащее этих предложений совпадает, оно может не повторяться:
   Er kam nach Hause, *sagte* kein Wort, *holte* eine Flasche Bier aus dem Kühlschrank und *setzte sich* vor den Fernsehapparat.

3. Если подлежащее стоит в высказывании не на II месте, что бывает при инверсии, его повторное называние является необходимым:

	0	I	II	III
Er hörte nur kurz zu	und	sofort	war	*er*	dagegen.
Heute packe ich	und	morgen	fahre	*ich*	fort.

4. После *aber, oder, sondern* следует повторно называть подлежащее, даже если оно совпадает:
   Er verlor sein Vermögen, aber *er* war nicht unglücklich.
   Entweder helft *ihr* ihm oder *ihr* lasst ihn in Ruhe.
   Sie beklagten sich nicht, sondern *sie* begannen von vorn.

5. После *denn* всегда употребляется подлежащее:
   Er ist nicht mehr ausgegangen, denn *er* war müde.

1 Соедините предложения при помощи союза *und*. Не повторите подлежащее, если в этом нет необходимости. Выполните упражнение письменно, обращая внимание на пунктуацию.

> *Ich* bleibe hier. *Du* gehst fort. *Ich bleibe hier und du gehst fort.*
> *Ich* bleibe hier. *Ich* erledige meine Arbeit. *Ich bleibe hier und erledige meine Arbeit.*
> *Wir* bleiben hier. Abends machen *wir* noch einen Besuch.
> *Wir bleiben hier und abends machen wir noch einen Besuch.*
> *Wir bleiben hier und machen abends noch einen Besuch.*

Aus der Zeitung

a) *Nachtwächter zerstört drei*
   Wohnungen

1. Ein Nachtwächter übte Pistolenschießen. Er zerstörte mit einem Schuss drei Wohnungen.
2. Der Mann hatte Dosen auf die Gasuhr seiner Wohnung gestellt. Er versuchte sie zu treffen.

b) *Frau jagt Haus in die Luft*

1. Eine Frau wollte ihre Kleidung in der Waschmaschine reinigen. Sie zerstörte dabei ihr Haus.
2. Sie war sehr sparsam. Sie wollte das Geld für die Reinigung sparen.
3. Sie schüttete Benzin in die Waschmaschine. Sie stellte den Schalter auf 60 Grad.
4. Schließlich schaltete sie die Maschine an. Dann ging sie aus dem Zimmer.

c) *Hund erschießt Hund*

1. Die Jäger hatten ihre Jagd beendet. Nun saßen sie an einer Waldecke am Feuer.
2. Es war schon kalt. Die Jäger waren halb erfroren.
3. Jetzt freuten sie sich über die Wärme. Sie legten immer wieder Holz auf das Feuer.
4. Natürlich erzählten sie ganz unglaubliche Jagdgeschichten. Niemand achtete auf die Hunde.

d) *Dackel frisst Haschisch*
   (der Dackel = kleine Hunderasse)

1. Spaziergänger gingen durch einen Frankfurter Park. Sie beobachteten einen lustigen, kleinen Dackel, der auf einer Wiese herumsprang.
2. Der Hund hatte die Nase immer dicht am Boden. Er schnüffelte. Er suchte anscheinend etwas. Er begann plötzlich zu graben.
3. Auf einmal hatte der Dackel ein weißes Päckchen zwischen den

3. Dabei traf er die Gasuhr. Gas strömte in großen Mengen aus.
4. Das Gas entzündete sich an einer Zigarette. Es entstand eine furchtbare Explosion.
5. Drei Wohnungen wurden zerstört. Der Nachtwächter musste mit schweren Verbrennungen ins Krankenhaus gebracht werden.

5. Plötzlich gab es eine starke Explosion. Ein Teil des Hauses brach zusammen und brannte.
6. Die Feuerwehr wurde gerufen. Die Löscharbeiten begannen.
7. Die Frau war gerade in den Keller gegangen. Dort wurde sie von der Explosion überrascht.
8. Sie erlitt einen schweren Schock. Deshalb musste sie sofort ins Krankenhaus gebracht werden.

5. Die Gewehre hatten sie an einen Baum gestellt. Die Hunde waren angebunden.
6. Aber plötzlich kamen die Tiere in Streit. Ein Gewehr fiel um.
7. Dabei löste sich ein Schuss. Er traf einen der Hunde tödlich.
8. Nun standen die Jäger um den toten Hund. Sie waren sehr erschrocken.
9. Nachdenklich packten sie zusammen. Sie fuhren nach Hause.

Zähnen. Er spielte damit. Er biss darauf herum.
4. Da kam ein Mann angelaufen. Er jagte den Hund. Er packte und schüttelte ihn. Er riss ihm das Päckchen aus den Zähnen.
5. Die Besitzerin des Dackels, eine ältere Dame, lief sofort aufgeregt auf die Wiese. Die Spaziergänger folgten ihr.
6. Der Mann ließ den Dackel los. Er lief mit dem Päckchen ins Gebüsch.

7. Die Dame nahm den Hund auf den Arm. Sie tröstete und beruhigte ihn. Sie brachte ihn nach Hause.

8. Dort benahm sich der Dackel wie ein Betrunkener. Er lief von einer Ecke des Zimmers zur anderen. Er schlief plötzlich mitten im Zimmer auf dem Teppich ein.

9. Die Dame war beunruhigt. Sie telefonierte nach einem Taxi. Sie fuhr mit dem Hund zum Tierarzt.

10. Der Tierarzt untersuchte das kranke Tier. Er stellte eine Haschischvergif-tung fest. Er gab der Dame den Rat, den Dackel ausschlafen zu lassen.

11. Die Dame rief bei der Polizei an. Sie erzählte ihr Erlebnis. Sie erhielt die Auskunft, dass man schon lange einen Haschischhändler in dem Park vermutete.

12. Die Dame beschrieb den Mann. Sie gab den Ort und die Uhrzeit genau an. Vier Polizisten machten sich auf die Suche nach dem Rauschgift-händler.

V Значение союзов „aber, oder, denn, sondern"

1. *aber* связывает противопоставленные члены предложения или предложения. *Aber erst, aber doch* могут выражать также и ограничение, уступку (см. § 24, II, 3 c):

Er bot mir Kekse und Schokolade an, *aber* keinen Kaffee.
Sie kamen endlich an, *aber erst* nach langem Suchen.
Gewiss, er hat sein Ziel erreicht, *aber doch* nicht ohne unsere Hilfe.

Союз *aber* может в зависимости от ударения свободно перемещаться в предложении:

	0	I	II	III	
Du kannst zu uns kommen, *aber*		du	kannst	hier	nicht übernachten.
Du kannst zu uns kommen,		du	kannst	*aber* hier	nicht übernachten.
Du kannst zu uns kommen,		hier *aber*	kannst	du	nicht übernachten.
Du kannst zu uns kommen,		du	kannst	hier *aber*	nicht übernachten.

2. В том же значении, что и *aber*, употребляются также *allein, doch, jedoch*. При этом *allein* стоит вначале предложения, не влияя на порядок слов. Союзы *doch* и *jedoch* допускают после себя два вида порядка слов – прямой и обратный:

Er versuchte, den Gipfel des Berges zu erreichen, *allein* er schaffte es nicht.
   (устарелый, литературный вариант)
Er beeilte sich sehr, *doch* er kam trotzdem zu spät.
Er beeilte sich sehr, *doch* kam er trotzdem zu spät.
Er wollte gern Maler werden, *jedoch* er hatte zu wenig Talent.
Er wollte gern Maler werden, *jedoch* hatte er zu wenig Talent.

3. *oder* соединяет альтернативные члены предложения или предложения. В этом виду имеется отношение типа „или . . . или":
Er bringt immer Blumen *oder* Süßigkeiten mit.
Ist er wirklich krank *oder* tut er nur so?

4. *denn* – причинный союз, вводит предложение, называющее причину действия в первом предложении:
Ich konnte nicht mit ihm sprechen, *denn* er war verreist.

5. *sondern* вносит поправку в предшествующее отрицательное высказывание. В предложениях такого типа часто употребляются для большей полноты высказывания *nicht nur ..., sondern auch*:
Ich habe *nicht* dich gefragt, *sondern* ihn.
Sein Verhalten ist *keine* Hilfe, *sondern* es bringt nur zusätzlichen Ärger.
Er war *nicht nur* arm, *sondern* (er war) *auch* krank und einsam.

2 Место союза *aber* в предложении.

Seine Frau hatte zu ihm gesagt:
Fahr nicht so schnell!   *Aber er ist doch zu schnell gefahren.*
                           Er ist aber doch zu schnell gefahren.

1. Gib nicht so viel Geld aus!
2. Schreib nicht so undeutlich!
3. Komm nicht zu spät!
4. Lauf nicht so schnell!
5. Lass dir nicht so viel gefallen!
6. Iss nicht so hastig!
7. Zieh dich nicht zu leicht an!
8. Fotografier nicht so viel!

3 Выполните упражнение по следующему образцу:

(n) Stahlmesser / Brotmesser (zum B.)
Das Stahlmesser ist ein Messer aus Stahl, das Brotmesser aber ist ein Messer zum Brotschneiden.

1. (m) Eisenofen / Holzofen (für H.)
2. (m) Porzellanteller / Suppenteller (für S.)
3. (m) Holzkasten / Kohlenkasten (für K.)
4. (f) Ledertasche / Schultasche (für die S.)
5. (n) Papiertaschentuch / Herrentaschentuch (für H.)
6. (n) Baumwollhemd / Sporthemd (für den S.)
7. (Pl.) Lederschuhe / Wanderschuhe (zum W.)
8. (m) Plastikbeutel / Einkaufsbeutel (zum E.)

4 Соедините предложения по смыслу союзами *denn, aber* и *sondern*.

In einer Großgärtnerei können die Kunden ihre Erdbeeren selber pflücken. Folgende Anzeige steht in der Zeitung:

Erdbeeren vom Feld!
1. Sie kaufen die Erdbeeren nicht fertig im Korb. Sie pflücken sie selbst!
2. Sie haben nur erstklassige Beeren. Was Ihnen nicht gefällt, pflücken Sie nicht.

3. Wir können Sie billig bedienen. Wir zahlen keine Ladenmiete!
4. Besuchen Sie uns bald! Wir sind am Ende der Saison.
5. Viele kommen nicht allein. Sie bringen ihre Familie mit.
6. Bringen Sie auch die Kleinen mit. Sie sind in unserem Kindergarten gut aufgehoben.
7. Sie sparen nicht nur Geld. Sie machen beim Sammeln gleich ein bisschen Gymnastik.
8. Sie sind nicht einsam. Die Sammler haben sich immer etwas zu erzählen.
9. Erdbeermarmelade kann man jeden Tag essen. Auch Erdbeersaft ist erfrischend zu jeder Jahreszeit!
10. Essen Sie mal ein paar Tage nur Erdbeeren! Das ist gesund.

5 Urlaubssorgen – Соедините предложения по смыслу союзами *denn, aber, oder, sondern, und.*

1. Ilse möchte im Urlaub in den Süden fahren. Sie liebt die Sonne und das Meer.
2. Willi und Helga möchten auch in Urlaub fahren. Sie müssen dieses Jahr zu Hause bleiben. Ihr Junge ist krank.
3. Ich verbringe dieses Jahr meinen Urlaub nicht auf einem Bauernhof. Ich bleibe zu Hause. Ich muss sparen.
4. Fritz macht keinen Urlaub auf dem Bauernhof. Er arbeitet lieber in seinem eigenen Garten.
5. Ruth bleibt dieses Jahr zu Hause. Sie will im nächsten Jahr zu ihrer Schwester nach Kanada fliegen. Dafür muss sie fleißig sparen.
6. Wolfgang und Heidi fliegen nicht nach Spanien. Sie fahren mit ihren Kindern an die Nordsee. Für die Kinder ist ein raues Klima besser, sagt der Arzt.
7. Eberhard will ins Hochgebirge. Er klettert gern. Seine Mutter ist davon nicht begeistert.
8. Rosemarie fährt zu ihrem Bruder nach Wien. Sie besucht ihre Verwandten in Leipzig.

§ 24   Сложносочиненные предложения: сочинительные союзы, влияющие на порядок слов

Общие сведения

Большинство сочинительных союзов в немецком языке не оказывают влияние на порядок слов (см. § 23). Существуют также союзы, занимающие место в предложении и влияющие на порядок слов. Эти союзы определяют в значительной степени содержание предложения, в котором они стоят.

I Порядок слов

Союзы в позиции I (= a) и при инверсии (= b)

	I	II	III	IV	
Er will abrei-sen,	a) *darum* b) er	hat hat	er *darum*		sein Zimmer gekündigt.
Er hatte sich sehr beeilt,	a) *trotzdem* b) er	kam kam	er *trotzdem*		zu spät.
Du schuldest mir noch 20 Mark,	a) *folglich* b) ich	gebe gebe	ich dir	dir *folglich*	nur 10 Mark zurück.
Wir mussten ihn anrufen,	a) *dann* b) er	kam kam	er *dann*		endlich.
Einerseits wollte er mit-kommen,	a) *anderer-seits* b) er	fürchtete fürchtete	er sich	sich *andererseits*	vor den Unkos-ten.
Er hat be-stimmt viel Arbeit,	a) *sonst* b) er	wäre wäre	er *sonst*		gekommen.

a) Как правило, союзы располагаются между предложениями в позиции I, за ними следуют спрягаемая часть сказуемого на II месте и подлежащее на III месте.

b) Большинство данных союзов может по правилам инверсии занимать в предложении III или IV место, если в предложении есть местоимение.

II Значение союзов

1. Союзы со значением причины – *darum, deshalb, deswegen, daher* и т. д.
   Предложения, вводимые этими союзами, следуют за предложением, называющим причину действия:
   Warum ging er zur Polizei? *Er hatte seinen Pass verloren, darum* ging er zur Polizei.
   Weshalb musst du jetzt gehen? *Wir erwarten Gäste, deshalb* muss ich jetzt gehen.
   Weswegen zog er sich zurück? *Man hatte ihn belogen, deswegen* zog er sich zurück.
   Aus welchem Grund interessiert er sich für griechische Kultur? *Seine Mutter stammt aus Griechenland, daher* interessiert er sich für griechische Kultur.

2. Союзы со значением следствия – *also, so, folglich, infolgedessen, demnach, insofern* и т.д. Предложения, вводимые этими союзами, называют следствие предшествующего высказывания:

Die alte Dame war erblindet, *also (so)* war sie gezwungen in ein Heim zu gehen.
In dem Geschäft hat man mich betrogen, *folglich* kaufe ich dort nicht mehr.
Der Kassierer hatte Geld aus der Kasse genommen, *infolgedessen* wurde er entlassen.
Er fuhr bei Rot über die Kreuzung, *demnach* handelte er verkehrswidrig.
Er war immer pünktlich und fleißig, *insofern* ist die Kündigung nicht gerechtfertigt.

3. a) Союзы со значением уступки – *trotzdem, dennoch, allerdings, indessen* и т. д. Предложения, вводимые данными союзами, выражают ограничение предыдущего высказывания или содержат информацию, противоположную ожидаемой:

Sie war ein freundliches und hübsches Mädchen, *trotzdem* liebte er sie nicht.
Er hatte die besten Zeugnisse, *dennoch* bekam er die Stelle nicht.
Er ist ein großartiger Mathematiker, *allerdings* verrechnet er sich immer wieder.
Er spielte leidenschaftlich gern, er hatte *indessen* nur selten Glück.

b) В первой части этого сложносочиненного предложения с целью усиления противопоставления может употребляться *zwar*. *Zwar* занимает либо I, либо III (или IV):

Zwar war das Zimmer ungeheizt, *trotzdem* liefen die Kinder barfuß umher.
Er kennt mich *zwar* vom Sehen, *allerdings* grüßt er mich nicht.

c) К союзам со значением уступки относится также *aber doch*. При этом *aber* стоит либо в начальной позиции и не влияет на порядок слов, либо вместе с *doch* занимает III место (или IV):

Zwar hatte er seit langem Kopfschmerzen, *aber* er wollte *doch* keinen Arzt aufsuchen.
Er hatte *zwar* seit langem Kopfschmerzen, er wollte *aber doch* keinen Arzt aufsuchen.

4. Временные союзы – *dann, da, danach, daraufhin, inzwischen* и др. Предложения, вводимые этими союзами, характеризуют протекание действия во времени:

Er begrüßte sie zuerst sehr feierlich, *dann* lachte er und umarmte sie.
Ich kam zuerst an, *danach* kam mein Bruder.
Wir waren kaum zehn Schritte aus dem Haus, *da* begann es plötzlich heftig zu regnen.
Sie hatte nur eine unbedeutende Bemerkung gemacht, *daraufhin* rannte er aus dem Zimmer.
Die Touristen füllten die Formulare aus, *inzwischen* brachte der Hoteldiener die Koffer in die Zimmer.

Примечания

Временные союзы имеют различные значения:
1. С помощью *dann* соединяются обозначения одинаковозначимых действий в их протекании во времени.
2. *da* вводит обозначение внезапно наступающего действия.

3. *daraufhin* указывает на последующие действия.

4. *inzwischen* или *unterdessen* вводят обозначения действий, происходящих или происходивших одновременно с другими.

5. Альтернативные союзы являются двучленными: *entweder – oder, nicht nur – sondern … auch, weder – noch, einerseits – andererseits, mal – mal, bald – bald* и др. Одна из возможностей называется в первом предложении, вторая – в последующем.

a) entweder – oder

I	II	III		0	I	II
Entweder	kommt	er	noch heute	*oder*	er	kommt	überhaupt nicht mehr.

entweder стоит либо на I, либо на III месте, *oder* всегда стоит между двумя предложениями, не входя ни в одно из них (позиция 0).

b) nicht nur – sondern … auch

I	II	III		0	I	II
Er	hatte	*nicht nur* private Sorgen,		*sondern*	er	war	*auch*	finanziell am Ende.

nicht nur почти всегда стоит на III месте, *sondern* стоит между двумя предложениями, не влияя на порядок слов. После спрягаемой части сказуемого, как правило, стоит *auch*.

c) weder – noch

I	II	III		I	II	III
Er	war	*weder*	zu Hause	*noch*	konnten	wir	ihn in seinem Büro erreichen.

Союз *weder – noch* выражает двойное отрицание – как действия первого, так и действия второго предложения. Обычно *weder* стоит в позиции III. Обратите внимание: Сам союз уже содержит в себе отрицание. Это важно помнить, поскольку в немецком предложении возможно только одно отрицание.

d) einerseits – andererseits, mal – mal, bald – bald

Einerseits ist er geizig und rechnet mit jedem Pfennig, *andererseits* gibt er das Geld mit vollen Händen aus.

Mal putzt sie das Treppenhaus, *mal* tut er es.

Bald ist die Patientin optimistisch, *bald* ist sie verzweifelt.

1 Вставьте подходящий по смыслу союз. Вы можете выбирать между I: *darum, deshalb, deswegen, daher;* II: *trotzdem, dennoch, allerdings.*

1. Mein Bruder hat tausend Hobbys, … hat er nur selten Zeit dafür.

2. Herr M. geht nicht gern ins Theater, … tut er es seiner Frau zuliebe.

3. Herr K. macht nicht gern große Reisen, … hat er sich jetzt einen Garten gekauft.
4. Ich habe ihm erst kürzlich wieder 50 Euro gegeben, … soll er mich jetzt mal in Ruhe lassen.
5. Frau H. hat sich so viel Mühe mit dem Essen gegeben, es schmeckte … nicht besonders gut.
6. Gisela hat heute Nacht bis drei Uhr gearbeitet, … braucht sie jetzt Zeit zum Schlafen.
7. Die Ärzte haben alles versucht, … konnten sie den Patienten nicht retten.
8. Dem Professor hört kein Mensch mehr zu, er spricht … ruhig weiter.
9. Der Vortrag war schrecklich langweilig, … schliefen die Zuhörer langsam ein.
10. Mein Freund hatte sich das Bein gebrochen, … hat ihm der Arzt das Tennisspielen verboten, … spielt er natürlich längst wieder mit.
11. Herr Z. ist Diabetiker, … darf er bestimmte Speisen nicht essen.
12. Die Kinder sollen nicht an dem gefährlichen Fluss spielen, sie tun es … immer wieder.
13. Das ganze Haus schläft, … stellt Herr N. das Radio auf volle Lautstärke.
14. Mein Schreibpapier ist zu Ende, … höre ich jetzt auf zu schreiben.

2 Соедините предложения подходящими по смыслу союзами. Используйте союзы либо первой, либо второй группы из упражнения 1.

Er läuft gern Ski.   a) Er fährt diesen Winter nicht in Urlaub.
                     b) Er legt seinen Urlaub in den Winter.

Er läuft gern Ski, allerdings fährt er diesen Winter nicht in Urlaub.
Er läuft gern Ski, darum legt er seinen Urlaub in den Winter.

1. Die Kartoffeln sind noch nicht gar. a) Wir essen sie jetzt. b) Sie müssen noch fünf Minuten kochen.
2. Das Eis auf dem See ist noch nicht fest. a) Der Junge läuft darauf Schlittschuh. b) Das Betreten der Eisfläche ist gefährlich.
3. Die Familie kennt die Pilze nicht. a) Sie lässt sie stehen. b) Sie nimmt sie mit nach Hause.
4. Der kleine Kerl friert sehr. a) Er geht jetzt raus aus dem Wasser. b) Er bleibt stundenlang im Wasser.
5. Die Wanderer sind längst müde vom Laufen. a) Sie wollen die restliche Strecke noch schaffen. b) Sie machen erst einmal Pause.
6. Rauchen ist in diesem Gebäude verboten. a) Einige Leute rauchen ruhig weiter. b) Die meisten Leute machen ihre Zigarette aus.
7. Benzin wird immer teurer. a) Die meisten Autobesitzer wollen nicht auf ihr Fahrzeug verzichten. b) Immer mehr Personen fahren mit dem Zug.
8. Sie hat hohes Fieber. a) Sie bleibt im Bett liegen. b) Sie geht in den Dienst.
9. Er kann nicht schwimmen. a) Er geht gern segeln. b) Er hat immer Angst auf dem Wasser.
10. Er verdient sehr viel. a) Er kann sich die Villa kaufen. b) Er ist immer unzufrieden.
11. Kein Mensch will dick sein. a) Viele Menschen essen zu viel. b) Viele Leute sind vorsichtig mit dem Essen.
12. Sie isst sehr wenig. a) Sie wiegt noch zu viel. b) Sie ist immer müde.

3 Дополните предложения.

1. Die Kellner in dem Restaurant waren recht unhöflich; infolgedessen ...
2. Die Kinder bekamen auf der Geburtstagsfeier von jedem Kuchen ein Stück; so ...
3. Die Autobahn war zwischen Kassel und Göttingen gesperrt; folglich ...
4. In der Studentengruppe waren Anhänger der verschiedensten politischen Parteien; infolgedessen ...
5. Der Redner beschimpfte die Anwesenden immer von neuem; insofern ...
6. Nach kurzer Zeit sahen die Wanderer wieder ein Wanderzeichen; also ...
7. Das Wasser war eiskalt; insofern ...
8. Die Zahl der Brände in Hochhäusern nimmt zu; infolgedessen ...
9. Die Kinokarten waren ausverkauft; folglich ...
10. Die Strecke a ist so lang wie die Strecke c, die Strecke b ist ebenfalls so lang wie c; demnach ...

4 Соедините предложения при помощи *zwar ... aber (doch).*

Das Heizen mit Strom ist bequem. Es ist teuer.
Zwar ist das Heizen mit Strom bequem, aber es ist (doch) teuer.
Das Heizen mit Strom ist zwar bequem, es ist aber (doch) teuer.

1. Das Wasser ist kalt. Wir gehen schwimmen.
2. Das Bild ist teuer. Das Museum kauft es.
3. Ich wollte jetzt schlafen. Ich helfe dir erst.
4. Genf ist 600 Kilometer von Frankfurt entfernt. Wir schaffen die Strecke in fünf bis sechs Stunden.
5. Der Patient ist sehr schwach. Er muss sofort operiert werden.
6. Ich habe dir meinen Plan neulich erklärt. Ich erkläre dir jetzt alles noch einmal.
7. Du bist ein kluger Kopf. Alles verstehst du auch nicht.
8. Meine Eltern tun alles für mich. Meinen Studienaufenthalt können sie nicht bezahlen.
9. Deutschland gefällt mir ganz gut. Die Schweiz gefällt mir besser.
10. Die Schweiz ist schön. In Österreich lebt man billiger.

5 *da, dann* или *daraufhin*?

1. Zunächst gab es eine Wirtschaftskrise, ... kam die Geldentwertung; ... verlor die Regierungspartei die nächste Wahl.
2. Ich beende erst mein Studium, ... muss ich zum Militärdienst.
3. Wir waren gerade beim Essen, ... klingelte das Telefon.
4. Die Vorstellung war zu Ende, ... schrie plötzlich jemand „Feuer!"
5. Er wollte bezahlen, ... merkte er, dass er sein Geld vergessen hatte.
6. Er musste sich nun erst Geld besorgen, ... konnte er weiterreisen.
7. Alles war still, ... fiel plötzlich ein Schuss.
8. Erst waren alle ganz erschrocken, ... redeten alle durcheinander.
9. Die beiden Alten gingen durch den Wald, ... trat plötzlich ein Mann mit einer Pistole in der Hand hinter einem Baum hervor und sagte: „Erst das Geld, ... können Sie weitergehen." ... gaben ihm die beiden ihr gesamtes Geld. ... zog der Alte, ein pensionierter Polizeibeamter, seine Pistole und sagte: „Erst die Pistole und ... kommen Sie mit!"

6 Вставьте по смыслу *da, dann, daraufhin, also, darum, trotzdem*.

Es war nachts gegen halb vier. Der Wächter im Kaufhaus war beinahe eingeschlafen, ... hörte er ein verdächtiges Geräusch. Er lauschte einige Zeit, ...
5 schlich er sich vorsichtig in die Lebensmittelabteilung hinunter. Die Nachtbeleuchtung war merkwürdigerweise ausgeschaltet, ... knipste er seine Taschenlampe an und bemerkte sofort, dass die
10 Bürotür nicht geschlossen war. Er wusste genau, dass die Tür vorher verschlossen war, ... war ein Fremder in das Haus eingedrungen. Der Wächter zog seinen Revolver und atmete einmal tief durch, ... riss er die Tür auf und schrie: „Hän- 15 de hoch!" Die beiden Männer im Büro waren schwer bewaffnet, ... verlor der Wächter keinen Augenblick die Ruhe und es gelang ihm, den Alarmknopf neben dem Schreibtisch zu erreichen. 20 Seine Tat wurde in der Presse groß herausgebracht, ... erhöhte die Geschäftsleitung sein Gehalt.

7 Ausbildungs- und Berufsfragen – Образуйте с нижеприведенными словами предложения с союзом *entweder ... oder*.

der Student / jetzt / die Prüfung / bestehen // er / in sein Heimatland / zurückkehren müssen
Entweder besteht der Student jetzt die Prüfung oder er muss in sein Heimatland zurückkehren.

1. Helga / Medizin / studieren // sie / die Musikhochschule / besuchen
2. er / jetzt / die Stelle als Ingenieur in Stuttgart / erhalten // er / eine Stelle in der Schweiz / annehmen
3. mein Bruder / den Facharzt / machen // er / praktischer Arzt / werden
4. der Arbeitslose / die angebotene Stelle / annehmen // er / die Arbeitslosenunterstützung / verlieren
5. Fritz / jetzt / das Abitur / bestehen // er / die Schule / verlassen müssen
6. meine Mutter / jetzt / eine Stelle als Sekretärin / erhalten // sie / eine neue Stellenanzeige in der Zeitung / aufgeben
7. ich / ab Januar / eine Gehaltserhöhung / bekommen // ich / meine Stellung kündigen
8. der Schüler / einen Notendurchschnitt von 1,7 / erhalten // er / keine Zulassung zur Universität / bekommen

8 „Jedes Ding hat seine zwei Seiten" – Образуйте с нижеприведенными словами предложения с союзом *einerseits ... andererseits*.

Felix / ein sehr guter Schüler / sein // er / überhaupt kein Selbstvertrauen / besitzen
Felix ist einerseits (oder: Einerseits ist Felix) ein sehr guter Schüler, andererseits besitzt er (oder: ... , er besitzt andererseits) überhaupt kein Selbstvertrauen.

1. Klaus / ein sehr langsamer Schüler / sein // er / immer / gute Noten / nach Hause bringen
2. das Institut / genug Lehrer für 200 Schüler / haben // nicht genügend Räume / für den Unterricht / vorhanden sein

3. der Mann / ein Vermögen / verdienen // er / keine Zeit haben / das Leben
zu genießen
4. das Land / sehr gute Möglichkeiten zur Förderung des Tourismus / haben //
dazu / das Geld / fehlen
5. man / immer mehr elektrischen Strom / benötigen // die Leute / keine Kraft-
werke / in ihrer Nähe / haben wollen
6. jeder / mehr Geld / haben wollen // alle / weniger arbeiten wollen
7. er möchte ein Haus bauen // er / Angst vor den hohen Kosten / haben
8. sie / möchten / heiraten und Kinder haben // sie / ihre Freiheit / nicht
verlieren wollen

9 Beim Radiohändler – Образуйте с нижеприведенными словами предложения с
союзом *nicht nur …, sondern … auch.*

> an diesem Fernseher / der Lautsprecher / kaputt sein // er / schwer
> zu bedienen sein
> *An diesem Fernseher ist nicht nur der Lautsprecher kaputt, sondern er*
> *ist auch schwer zu bedienen.*

1. diese Musik / viel zu laut sein // sie / ganz verzerrt / klingen
2. mit diesem Radiogerät / Sie / Mittelwelle und UKW / empfangen können //
Sie / die Kurzwellensender im 41- und 49-Meter-Band hören können
3. dieser Apparat / Ihnen / Stereoempfang / bieten // er / einen eingebauten
Kassettenrekorder / enthalten
4. wir / Ihnen / ein Fernsehgerät / zu einem günstigen Preis / verkaufen // wir /
es / ins Haus bringen und / es einstellen
5. dieser Videorekorder / jedes Fernsehprogramm / aufzeichnen // er / in Ihrer
Abwesenheit / sich automatisch an- und abstellen
6. der Kassettenrekorder / viel zu teuer sein // er / einen schlechten Klang /
haben
7. der Apparat / mit 220 Volt arbeiten // er / mit eingebauter Batterie oder
mit den 12 Volt aus dem Auto / funktionieren
8. ich / einen Fernseher / kaufen // ich / eine neue Dachantenne / brauchen

10 Gesundheit und Krankheit – *entweder … oder, nicht nur … , sondern … auch, einerseits … , andererseits?* Соедините предложения подходящими по смыслу союзами.
(Иногда имеются два варианта.)

1. Ich muss ständig Tabletten nehmen. Ich muss mich operieren lassen.
2. Ich fühle mich müde. Ich kann nicht schlafen.
3. Sie brauchen viel Schlaf. Sie müssen viel an die frische Luft.
4. Sie nehmen Ihre Medizin jetzt regelmäßig. Ich kann Ihnen auch nicht helfen.
5. Sie haben Übergewicht. Sie sind zuckerkrank.
6. Sie wollen gesund werden. Sie leben sehr ungesund.
7. Sie sind stark erkältet. Sie haben hohes Fieber.
8. Dieses Medikament gibt es in Tropfenform. Sie können es auch als Tabletten
bekommen.
9. Es wird Ihnen Ihre Schmerzen nehmen. Sie werden auch wieder
Appetit bekommen.

10. Ihnen fehlt Schlaf. Sie brauchen unbedingt Erholung.
11. Sie hören sofort auf zu rauchen. Ich behandle Sie nicht mehr.
12. Ihr Kind leidet an Blutarmut. Es ist sehr nervös.
13. Sie müssen sich natürlich viel bewegen. Sie dürfen den Sport nicht übertreiben.
14. Sie trinken keinen Alkohol mehr. Sie werden nie gesund.

§ 25   Придаточные предложения

Общие правила

1. В смысловом отношении придаточные предложения являются незаконченными. Образуя единое целое с главным предложением, они, как правило, отдельно от него не употребляются.

2. В грамматическом отношении придаточные предложения являются завершенными предложениями, это означает, что в их составе всегда наличествует подлежащее и сказуемое. Даже если в главном и придаточном предложениях подлежащее одно и то же, оно обязательно повторяется в придаточном предложении:
Er sprang in den Fluss, als *er* Hilferufe hörte.

3. Придаточные предложения присоединяются к главному при помощи подчинительных союзов, которые придают предложению определенное значение:
… , *als* er nach Hause kam.
… , *obwohl* er nicht schwimmen konnte.

4. В придаточных предложениях подлежащее обычно стоит сразу за союзом. Спрягаемая часть сказуемого стоит в конце предложения (исключения см. § 18 II–IV, § 19, III).

5. Придаточные предложения могут стоять перед главным или после главного предложения.
   a) Придаточное предложение стоит после главного предложения:
   Er schrieb an seine Tante, *als er Geld brauchte.*

   b) Если придаточное предшествует главному предложению, то спрягаемая часть сказуемого стоит непосредственно после запятой; затем на III (IV) месте – подлежащее:

I	II	III
Als er Geld brauchte,	schrieb	er an seine Tante.

6. В придаточном предложении местоимения стоят так же, по возможности, в начале предложения, обычно сразу после союза.
Nachdem *sich* meine Freundin die Wohnung angesehen hatte, machte sie ein unzufriedenes Gesicht.
„Wenn *dir* die Wohnung nicht gefällt, brauchst du sie nicht zu nehmen."

Если подлежащее выражено местоимением, то остальные местоимения в дательном и винительном падежах стоят после него.
„Wenn *du dich* für eine andere Wohnung entscheidest, bin ich dir nicht böse."
„Bevor *ich es dir* endgültig sage, muss ich es mir genau überlegen."

7. Придаточные предложения могут относиться к другому придаточному, к инфинитивной группе или к относительному придаточному предложению:
Er ärgerte sich, *weil sie ihn nicht begrüßte, als er ankam.*
Der Besucher fürchtet, *die Gastgeber zu kränken, wenn er das Hammelfleisch zurückweist.*
Es gibt Medikamente, *die frei verkäuflich sind, obwohl sie schädliche Stoffe enthalten.*
Обратите внимание: В последующем изложении с целью упрощения рассматриваются только придаточные, относящиеся к главному предложению.

§ 26   Придаточные предложения времени

I wenn, als

Wenn der Wecker klingelt, stehe ich sofort auf.

Союз *wenn* употребляется в настоящем и будущем времени для выражения однократного действия (см. также Условные придаточные предложения, § 28).

Jedesmal (Immer) wenn es an der Tür läutete, erschrak er furchtbar.

В настоящем и прошедшем времени союз *wenn* выражает многократное (повторное) действие. Если придаточное времени предшествует главному, для подчеркивания многократности действия можно употреблять *jedesmal* или *immer.*
Повторяемость действия можно передать также при помощи подчинительного союза *sooft*: *Sooft* es an der Tür läutete ...

Als er das Feuer bemerkte, rannte er sofort zur Tür.
Als ich jung war, gab es noch keine Videogeräte.

Союз *als* стоит при однократном действии в прошедшем времени:

	Gegenwart	*Vergangenheit*
einmalige Handlung	wenn	als
wiederholte Handlung	wenn	wenn

1 An der Grenze – *wenn* или *als*? Вставьте подходящий по смыслу союз.

1. Haben dich die Zollbeamten auch so gründlich untersucht, … du nach Tirol gefahren bist?
2. Ja, sie sind immer besonders genau, … junge Leute im Auto sitzen.
3. … ich neulich über den Brenner-Pass fuhr, musste ich jeden Koffer aufmachen.
4. … ich früher nach Tirol fuhr, habe ich nie ein Gepäckstück öffnen müssen.
5. Ja, … du damals nach Italien gefahren bist, gab's noch keine Terroristen!
6. … ich neulich in Basel über die Grenze fuhr, haben sie einem Studenten das halbe Auto auseinander genommen!
7. Im vorigen Jahr haben sie immer besonders genau geprüft, … ein Auto aus dem Orient kam.
8. Ich glaube, sie haben immer nach Rauschgift gesucht, … sie diese Wagen so genau untersucht haben.
9. Hast du auch jedesmal ein bisschen Angst, … du an die Grenze kommst?
10. Ja, … mich neulich der deutsche Zollbeamte nach Zigaretten fragte, fing ich gleich an zu stottern.
11. Aber jetzt nehme ich keine Zigaretten mehr mit, … ich über die Grenze fahre.
12. Und ich habe es den Zollbeamten immer lieber gleich gesagt, … ich etwas zu verzollen hatte.

2 Преобразуйте первые предложения в придаточные с союзами *wenn* или *als*.

1. Ich war im vorigen Sommer in Wien. Ich besuchte meine Schwester.
2. Der Junge war sechs Jahre alt. Da starben seine Eltern.
3. Die Menschen waren früher unterwegs. Sie reisten immer mit einem Pferdewagen.
4. Man senkte den Vorhang. Ich verließ das Theater.
5. Ich hatte in den Semesterferien Zeit. Ich ging immer Geld verdienen.
6. Er hatte ein paar Glas Bier getrunken. Er wurde immer sehr laut.
7. Sie dachte an ihre Seereise. Es wurde ihr jedes Mal beinahe schlecht.
8. Ich traf gestern meinen Freund auf der Straße. Ich freute mich sehr.
9. Der Redner schlug mit der Faust auf den Tisch. Alle Zuhörer wachten wieder auf.
10. Er kam aus dem Urlaub zurück. Er brachte immer Räucherfisch mit.

3 *wenn* или *als*? Ответьте на вопросы по следующему образцу:

Wann wurde J. F. Kennedy ermordet? (1963 / im offenen Auto durch die Stadt Dallas fahren)
J. F. Kennedy wurde ermordet, als er 1963 im offenen Auto durch die Stadt Dallas fuhr.

1. Wann verschloss man früher die Stadttore? (es / abends dunkel werden)
2. Wann brachen früher oft furchtbare Seuchen aus? (Krieg / herrschen und Dörfer und Städte / zerstört sein)

3. Wann mussten sogar Kinder 10 bis 15 Stunden täglich arbeiten? (in Deutschland / die Industrialisierung beginnen)
4. Wann fand Robert Koch den Tuberkulosebazillus? (er / 39 Jahre alt sein)
5. Wann wurden früher oft Soldaten in fremde Länder verkauft? (die Fürsten / Geld brauchen)
6. Wann mussten die Kaufleute jedesmal unzählige Zollgrenzen passieren? (sie / vor 200 Jahren z. B. von Hamburg nach München fahren)
7. Wann wanderten früher oft viele Menschen nach Amerika aus? (sie / in Europa / aus religiösen oder politischen Gründen / verfolgt werden)
8. Wann kam es zum Zweiten Weltkrieg? (die deutschen Truppen unter Hitler im August 1939 in Polen einmarschieren)

II während, solange, bevor

Während er am Schreibtisch arbeitete, sah sie fern.
Solange er studierte, war sie berufstätig.

Союзы *während* или *solange* употребляются при одновременности действий в главном и придаточном предложениях. В них всегда стоят одинаковые временные формы.

Bevor er studieren konnte, musste er eine Prüfung machen.

Союз *bevor* вводит придаточные предложения, действие которых происходит после действия главного. Несмотря на это в немецком языке в обоих частях сложноподчиненного предложения употребляются одинаковые временные формы.
Обратите внимание: В немецком языке союз *bevor* (ср. русское „прежде чем“) вводит придаточное предложение. Это означает, что глагол стоит в спрягаемой форме.
Ehe er studieren konnte…

Примечания

1. *während* может употребляться также в противительном значении:
   Ich habe mich sehr gut unterhalten, *während* er sich gelangweilt hat.
   Sie schickte ihm seine Briefe zurück, *während* sie die Geschenke behielt.

2. *solange* употребляют только тогда, когда в виду имеют конец действия или состояния, или это очевидно из контекста:
   Solange er studierte, war sie berufstätig. (Aber nur bis er fertig war, dann gab sie ihren Beruf auf.)
   Solange der Schriftsteller in Brasilien lebte, war er unglücklich. (Aber nur bis er wieder nach Frankreich übersiedelte.)

4 Im Restaurant – Соедините предложения при помощи союзов *während* или *bevor*.

Ich betrete das Lokal. Ich schaue mir die Preise auf der Speisekarte vor der Tür an.
Bevor ich das Lokal betrete, schaue ich mir die Preise auf der Speisekarte vor der Tür an.

1. Ich bestelle mein Essen. Ich studiere die Speisekarte.
2. Ich warte auf das Essen. Ich lese die Zeitung.

3. Ich esse. Ich wasche mir die Hände.
4. Ich warte auf den zweiten Gang. Ich betrachte die Gäste und suche nach Bekannten.
5. Ich esse. Ich unterhalte mich mit den Gästen an meinem Tisch.
6. Ich bezahle. Ich bestelle mir noch einen Kaffee.
7. Ich trinke meinen Kaffee. Ich werfe noch einen Blick in die Tageszeitung.
8. Ich gehe. Ich zahle.

5 Преобразуйте выделенные курсивом члены предложения в придаточные предложения с союзами *bevor* или *während*. Используйте образец к упражнению 4.

Vor den Semesterferien muss sie eine Klausur schreiben.
Bevor die Semesterferien beginnen, muss sie eine Klausur schreiben.

1. *Während des Studiums* arbeitet sie bereits an ihrer Doktorarbeit.
2. Sie hatte *vor dem Studium* eine Krankenschwesternausbildung mitgemacht.
3. *Vor ihrem Examen* will sie ein Semester in die USA gehen. (Examen machen)
4. *Während ihres Aufenthalts in den USA* kann sie bei ihrer Schwester wohnen. (sich aufhalten)
5. Ihren Mann kannte sie schon *vor dem Studium*.
6. *Vor ihrer Heirat* wohnte sie in einem möblierten Zimmer.
7. *Vor Verlassen der Universität* will sie promovieren.
8. *Während ihrer Arbeit fürs Examen* findet sie wenig Zeit für ihre Familie.
9. *Während ihrer Hausarbeit* denkt sie immer an ihre wissenschaftliche Tätigkeit. (Hausarbeit machen)
10. *Vor Sonnenaufgang* steht sie schon auf und setzt sich an ihren Schreibtisch.
11. *Während ihres Examens* muss ihr Mann für die Kinder sorgen.
12. *Vor Eintritt in die Firma ihres Mannes* will sie ein Jahr Pause machen.

6 Какое значение имеет союз *während* в следующих предложениях – временное или противительное? – Преобразуйте предложения с противительным значением, употребляя союзы *dagegen* или *aber*.

Während er sich über die Einladung nach Australien freute, brach sie in Tränen aus.
Er freute sich über die Einladung nach Australien, dagegen brach sie in Tränen aus.

1. Während die öffentlichen Verkehrsmittel, Busse und Bahnen oft nur zu zwei Dritteln besetzt sind, staut sich der private Verkehr auf Straßen und Autobahnen.
2. Der Forscher entdeckte, während er sein letztes Experiment prüfte, dass seine gesamte Versuchsreihe auf einem Irrtum beruhte.
3. Obwohl er sich sehr anstrengte, schaffte er es kaum, 20 Kilometer pro Tag zu wandern, während trainierte Sportler mühelos 60 bis 80 Kilometer täglich laufen.
4. Die Mieter der Häuser in der Altstadt hoffen immer noch auf eine gründliche Renovierung, während der Abriss des gesamten Stadtviertels schon längst beschlossen ist.

5. Während ich anerkennen muss, dass deine Argumente richtig sind, ärgere ich mich darüber, dass du mich immerzu persönlich beleidigst.
6. Während er in seine Arbeit vertieft ist, hört er weder die Klingel noch das Telefon.
7. In dem Scheidungsurteil bestimmte der Richter, dass die Frau das Haus und das Grundstück behalten sollte, während der Ehemann leer ausging.
8. Während früher die Post zweimal am Tag ausgetragen wurde, kommt der Briefträger jetzt nur noch einmal und samstags bald überhaupt nicht mehr.
9. Ich habe genau gesehen, dass er, während wir spielten, eine Karte in seinen Ärmel gesteckt hat.

III   nachdem, sobald

Nachdem er gefrühstückt hat, beginnt er zu arbeiten.
Nachdem er gefrühstückt hatte, begann er zu arbeiten.
Sobald er eine Flasche ausgetrunken hat, öffnet er gleich eine neue.
Sobald er eine Flasche ausgetrunken hatte, öffnete er gleich eine neue.

Действие придаточных предложений с союзами *nachdem* и *sobald* предшествует действию главного предложения. В сложноподчиненных предложениях с союзом *nachdem* обязательно следующее согласование времен:

Nebensatz	Hauptsatz
Perfekt	→ Präsens
Plusquamperfekt	→ Präteritum

Если употребляется союз *nachdem,* между действиями главного и придаточного предложения может быть определенный временной промежуток; если союз *sobald* – действие главного предложения следует непосредственно за действием придаточного.

В сложных предложениях с союзом *sobald* возможна и одновременность:
Sobald ein Streit *ausbricht, zieht* er sich *zurück.*
Sobald ein Streit *ausbrach, zog* er sich *zurück.*

7 Auf dem Kongress – Раскройте скобки, употребив глагол в нужной форме.

1. Nachdem der Präsident die Gäste (begrüßen), begeben sich alle in den Speiseraum.
2. Alle Teilnehmer der Konferenz begaben sich in den Versammlungsraum, nachdem sie (essen).
3. Nachdem alle Gäste Platz genommen haben, (beginnen) der erste Redner seinen Vortrag.
4. Nachdem der Redner seinen Vortrag (beenden), setzte eine lebhafte Diskussion ein.
5. Nachdem man dann eine kurze Pause gemacht hatte, (halten) ein Teilnehmer einen Lichtbildervortrag.
6. Nachdem alle Gäste zu Abend gegessen hatten, (sitzen) sie noch eine Zeit lang zusammen und (sich unterhalten).
7. Nachdem man so drei Tage (zuhören, lernen und diskutieren), fuhren alle Teilnehmer wieder nach Hause.

8   Der Briefmarkensammler – Преобразуйте члены предложения, выделенные курсивом, в придаточное предложение с союзом *nachdem*.

> Nach dem Kauf der Briefmarken beim Briefmarkenhändler steckt sie der Sammler in sein Album.
> *Nachdem der Sammler die Briefmarken beim Briefmarkenhändler gekauft hat, steckt er sie in sein Album.*

1. *Nach einer halben Stunde in einem Wasserbad* kann man die Briefmarken leicht vom Papier ablösen. (in einem Wasserbad liegen)
2. *Nach dem Ablösen der Briefmarken von dem Brief* legt sie der Sammler auf ein Tuch und lässt sie trocknen.
3. *Nach dem Trocknen der Briefmarken* prüft er jede Marke genau auf Beschädigungen.
4. *Nach dem Aussortieren der schon vorhandenen Briefmarken* steckt er die anderen in sein Briefmarkenalbum.
5. *Nach dem Einsortieren jeder einzelnen Briefmarke* stellt er ihren Wert in einem Katalog fest.
6. *Nach der Beendigung dieser Arbeit* sortiert er die doppelten in Tüten, die nach Ländern geordnet sind, um sie mit seinen Freunden zu tauschen.

9   См. задание к упражнению 8. Обратите внимание на согласование времен.

1. *Nach dem Ende der Demonstration* wurde es still in den Straßen.
2. *Nach der gründlichen Untersuchung des Patienten* schickte der Arzt ihn ins Krankenhaus.
3. *Nach einem dreistündigen Aufenthalt in Zürich* reisten die Touristen nach Genua weiter. (sich aufhalten)
4. *Nach der Lösung aller Probleme* konnten die Architekten mit dem Bau des Hochhauses beginnen.
5. *Nach dem Bestehen des Staatsexamens* tritt Herr M. eine Stelle als Assistenzarzt in einem Krankenhaus an.
6. *Nach der Auflösung der verschiedenen Mineralien* wurde die Säure auf ihre Bestandteile untersucht. (sich auflösen)
7. *Nach dem Ende des Unterrichts* geht er in die Mensa.
8. *Nach dem Beginn der Vorstellung* wird kein Besucher mehr eingelassen.
9. *Nach der Entdeckung Amerikas* kehrte Columbus nach Europa zurück.
10. *Nach dem Regen* steigt Nebel aus dem Wald. (… es hat geregnet …)

IV   bis, seit, (seitdem)

Bis er aus Amsterdam anruft, bleibe ich im Büro.
Er *war* immer vergnügt und lustig, *bis er heiratete.*

Союз *bis* употребляется, если действие относится к предстоящему времени. Действие главного предложения заканчивается, если действие придаточного начинается.

Bis unsere Tochter heiratet, haben wir etwa 10 000 Euro gespart.

Если действие главного предложения явно предшествует действию придаточного, в главном предложении может употребляться перфект (футурум II) и в придаточном презенс (футурум I).

Seitdem ich in Hamburg bin, habe ich eine Erkältung.

Союзы *seit* или *seitdem* употребляются при одновременности действий, начавшихся в прошлом и продолжениях до сих пор.

Seit man das Verkehrsschild hier aufgestellt hat, passieren weniger Unfälle.

Если в виду имеется однократное завершенное действие в прошедшем, последствия которого ощущаются по настоящее время, необходимо согласование времен (см. III).

10 *bis* или *seit*? Вставьте подходящий по смыслу союз.

... seine Eltern gestorben waren, lebte der Junge bei seiner Tante. Dort blieb er, ... er 14 Jahre alt war. ... er die Hauptschule verlassen hatte, trieb er sich in verschiedenen Städten herum. Er lebte von Gelegenheitsarbeiten, ... er in die Hände einiger Gangster fiel. ... er bei diesen Leuten lebte, verübte er nur noch Einbrüche, überfiel Banken und stahl Autos, ... er dann schließlich von der Polizei festgenommen wurde. ... er nun im Gefängnis sitzt, schreibt er an seiner Lebensgeschichte. ... er in drei Jahren entlassen wird, will er damit fertig sein.

11 Преобразуйте части предложения, выделенные курсивом, в придаточные предложения с союзом *seit, (seitdem)* или *bis.*

Seit der Fertigstellung der Bahnstrecke zwischen Stuttgart und Mannheim können die Züge hier viel schneller fahren.
Seitdem die Bahnstrecke zwischen Stuttgart und Mannheim fertig gestellt (worden) ist, können die Züge hier viel schneller fahren.

1. *Seit der Einführung der 5-Tage-Woche* ist die Freizeitindustrie stark angewachsen.
2. *Seit der Erfindung des Buchdrucks* sind über 500 Jahre vergangen.
3. *Seit dem Bau des Panamakanals* brauchen die Schiffe nicht mehr um Kap Horn zu fahren.
4. *Seit der Verlegung des ersten Telefonkabels von Europa nach Nordamerika im Jahr 1956* ist der Telefonverkehr sicherer und störungsfreier geworden.
5. *Bis zum Bau des Tunnels* ging der ganze Verkehr über den 2500 m hohen Pass.
6. *Bis zur Entdeckung des ersten Betäubungsmittels* mussten die Menschen bei Operationen große Schmerzen aushalten.
7. *Bis zur Einrichtung von sogenannten Frauenhäusern* wussten manche Frauen nicht, wo sie Schutz vor ihren aggressiven Männern finden konnten.
8. *Bis zur Einführung der 25-Stunden-Woche* werden wohl noch viele Jahre vergehen.

2 Nach einem Unfall – Преобразуйте предложные словосочетания в придаточные предложения.

Vor dem Eintreffen des Krankenwagens …
Bevor der Krankenwagen eintraf, …

Während des Transports des Patienten ins Krankenhaus …
Während der Patient ins Krankenhaus transportiert wurde, …

Nach der Ankunft des Verletzten im Krankenhaus …
Nachdem der Verletzte im Krankenhaus angekommen war, …

Sofort nach der Untersuchung …
Sobald man den Patienten untersucht hatte, …

Bei der Untersuchung des Patienten …
Als der Patient untersucht wurde, …

Seit der Operation des Patienten …
Seitdem man den Patienten operiert hat, …

1. Vor der Ankunft des Krankenwagens an der Unfallstelle wurde der Verletzte von einem Medizinstudenten versorgt.
2. Während des Transports des Verletzten in ein Krankenhaus wurde er bereits von einem Notarzt behandelt.
3. Sofort nach der Ankunft des Verletzten im Krankenhaus haben Fachärzte ihn untersucht.
4. Bei der Untersuchung des Verletzten stellte man innere Verletzungen fest.
5. Vor der Operation des Patienten gab man ihm eine Bluttransfusion.
6. Vor dem Beginn der Operation legte man alle Instrumente bereit.
7. Nach der Operation brachte man den Patienten auf die Intensivstation. (die Operation beenden)
8. Nach einigen Tagen brachte man den Patienten in ein gewöhnliches Krankenzimmer. (Tage vergehen)
9. Vor seiner Entlassung hat man ihn noch einmal gründlich untersucht.
10. Nach seiner Rückkehr in seine Wohnung musste der Patient noch vierzehn Tage im Bett liegen bleiben.
11. Seit seinem Unfall kann der Verletzte nicht mehr Tennis spielen. (einen Unfall haben)

13 Еще одно упражнение:

Ein Fußballspiel

1. *Vor dem Beginn des Fußballspiels* loste der Schiedsrichter die Spielfeldseiten aus.
2. *Während des Spiels* feuerten die Zuschauer die Spieler durch laute Rufe an.
3. *Bei einem Tor* gab es jedesmal großen Jubel.
4. *Sofort nach einem Foul* zeigte der Schiedsrichter einem Spieler die gelbe Karte.
5. *Seit dem Austausch eines verletzten Spielers* wurde das Spiel deutlich schneller.
6. *Nach der Beendigung des Spiels* tauschten die Spieler ihre Trikots.

§ 27   Придаточные предложения причины

weil, da, zumal

Weil man starke Schneefälle vorausgesagt hatte, mussten wir unseren Ausflug verschieben.
Da eine Bergwanderung im Schnee gefährlich ist, hat man uns geraten, darauf zu verzichten.

1. Причинные союзы *weil* и *da* часто употребляются в одинаковом значении. В ответе на прямой вопрос следует употреблять *weil*:
    Warum fährst du nicht mit uns? – Weil ich keine Zeit habe.

2. Согласование времен в сложноподчиненных предложениях с союзами *weil* и *da* определяется смыслом высказывания. Возможна как одновременность действий, так и их разновременность. В последнем случае необходимо согласование времен.

Bei solchem Wetter bleiben wir lieber im Hotel, *zumal* unsere Ausrüstung nicht gut ist.
Придаточные с союзом *zumal* обозначают дополнительную вескую причину. *zumal* выделяется при говорении.

1   Die Gruppe feiert abends. Alle sind froh, aber jeder hat einen anderen Grund. – Образуйте придаточные предложения с союзом *weil*.

A.: Ich habe eine gute Arbeit geschrieben; deshalb bin ich froh.
   A. ist froh, weil er eine gute Arbeit geschrieben hat.

B.:   Ich habe eine nette Freundin gefunden. (B. ist froh, weil...)
C.:   Hier kann ich mal richtig tanzen.
D.:   Ich kann mich mal mit meinen Freunden aussprechen.
E.:   Ich kann mich hier mal in meiner Muttersprache unterhalten.
F.:   Ich brauche mal keine Rücksicht zu nehmen.
G.:   Ich habe mal Gelegenheit meine Sorgen zu vergessen.
H.:   Ich bin so verliebt.

2   Am nächsten Tag ist die Gruppe nicht rechtzeitig zum Unterricht gekommen. Jeder hatte eine andere Ausrede. – Образуйте придаточные предложения с союзом *weil*.

A. ist nicht gekommen, weil er Kopfschmerzen hat.

B.:   Der Autobus hatte eine Panne.
C.:   Der Wecker hat nicht geklingelt.
D.:   Die Straßenbahn war stehen geblieben.
E.:   Der Zug hatte Verspätung.
F.:   Die Mutter hat verschlafen.
G.:   Das Motorrad ist nicht angesprungen.

H.: Die Straße war wegen eines Verkehrsunfalls gesperrt.
I.: Er musste seinen Bruder ins Krankenhaus fahren.
J.: Sie ist in den falschen Bus gestiegen.

3 Einige konnten beim Fußballspiel nicht mitspielen.

Ich konnte nicht mitspielen, weil…
A.: Ich hatte keine Zeit.
B.: Ich habe mir den Fuß verletzt.
C.: Ich habe zum Arzt gehen müssen.
D.: Ich habe mir einen Zahn ziehen lassen müssen.
E.: Ich habe das Auto in die Werkstatt bringen müssen.
F.: Ich bin entlassen worden und habe mir einen neuen Job suchen müssen.
G.: Ich habe mich bei meiner neuen Firma vorstellen müssen.
H.: Ich habe zu einer Geburtstagsparty gehen müssen.
I.: Ich habe auf die Kinder meiner Wirtin aufpassen müssen.

4 Преобразуйте второе предложение в придаточное с союзом *weil*.

Frau Müller hat wieder als Sekretärin gearbeitet. Die Familie hat
mehr Geld für den Hausbau sparen wollen.
*Frau Müller hat wieder als Sekretärin gearbeitet, weil die Familie mehr
Geld für den Hausbau hat sparen wollen.*

1. Herr Müller hat mit dem Bauen lange warten müssen. Er hat das notwendige Geld nicht so schnell zusammensparen können.
2. Er und seine Familie haben fünf Jahre auf alle Urlaubsreisen verzichtet. Sie haben mit dem Bau nicht so lange warten wollen.
3. Herr Müller hatte das Haus zweistöckig geplant. Er hat durch Vermietung einer Wohnung schneller von seinen Schulden herunterkommen wollen.
4. Er hat dann aber doch einstöckig gebaut. Das Bauamt hat ihm eine andere Bauart nicht erlauben wollen.
5. Herr Müller war zunächst ziemlich verärgert. Er hat einstöckig bauen müssen.
6. Später war er sehr froh. Sie haben alle Kellerräume für sich benutzen können.

5 In einem Möbelhaus – Выполните упражнение по следующему образцу.

einen Schrank zum Kunden bringen
*Unser Kundendienst ist nicht da, weil ein Schrank zu einem Kunden
gebracht werden muss.*

Unser Kundendienst ist nicht da, weil…

1. neue Möbel abholen
2. bei einem Kunden einen Schrank aufbauen
3. bei einer Kundin die Esszimmermöbel austauschen
4. in einem Vorort ein komplettes Schlafzimmer ausliefern
5. in der Innenstadt eine Küche einrichten
6. einer Firma sechs Ledersessel liefern
7. in einem Hotel einen Elektroherd installieren
8. in einer Neubauwohnung Teppiche verlegen

6 Arbeit bei der Stadtverwaltung – Выполните упражнение по следующему образцу. Используйте материал упражнения 6 из § 19.

> **Wiedereröffnung des Opernhauses**
> Ich habe noch viel zu tun, *weil das Opernhaus wieder eröffnet wird.*
> Ich habe noch viel zu tun, *weil das Opernhaus wieder eröffnet werden soll.*

7 Образуйте предложения по следующему образцу. Используйте материал упражнения 9 из § 19.

> *Sagst du nichts, weil du nicht gefragt worden bist?*

§ 28   Условные придаточные предложения

I wenn, falls

Wenn ich das Stipendium bekomme, kaufe ich mir als erstes ein Fahrrad.

1. Условные сложноподчиненные предложения выражают условие, выполние которого делает возможным совершение действия главного предложения.

2. Условные сложноподчиненные предложения могут относиться к настоящему и будущему времени. В немецком языке временные и условные предложения с союзом *wenn* трудно различны.

Bekomme ich das Stipendium, kaufe ich mir als Erstes ein Fahrrad.

Условные придаточные предложения могут также употребляться без союза *wenn*. В этом случае спрягаемая часть сказуемого стоит в предложении на первом месте.

Falls ich ihn noch treffe, was ich aber nicht glaube, will ich ihm das Päckchen gern geben.
Treffe ich ihn noch, was ich aber nicht glaube, will ich ihm das Päckchen gern geben.

В условных придаточных может употребляться союз *falls*. *Falls* также может опускаться, при этом спрягаемая часть сказуемого переходит на первое место.

Du kannst dir eine Decke aus dem Schrank nehmen, *wenn* du frierst.

Если условное придаточное следует за главным предложением, употребление союзов *wenn* и *falls* обязательно.

Примечания

1. В прошедшем времени возможны только нереальные условные придаточные. Сказуемое стоит в этом случае в конъюнктиве II (см. § 54, II).

2. В отличие от принятого порядка слов в условных придаточных, стоящих перед главным предложением, в начале главного предложения для усиления высказывания могут стоять *dann* или *so*, после которых идет глагол.
   Wenn deine Katze Junge kriegt, *dann* ertränke ich sie im Teich.
   Wenn du meine Kätzchen ertränkst, *dann* verlasse ich dich.

II Особые типы условных придаточных

Для выражения условия можно употреблять следующие выражения:
angenommen
   a) *Angenommen, dass* der Angeklagte die Wahrheit sagt, *so* muss er freigesprochen werden.
   b) *Angenommen*, der Angeklagte sagt die Wahrheit, *so* muss er freigesprochen werden.

vorausgesetzt
   a) *Vorausgesetzt, dass* ich den Zug erreiche, *(so)* komme ich morgen.
   b) *Vorausgesetzt*, ich erreiche den Zug, *so* komme ich morgen.

gesetzt den Fall
   a) *Gesetzt den Fall, dass* Herr H. unser Chef wird, *so / dann* gibt es viel Ärger im Büro.
   b) *Gesetzt den Fall*, Herr H. wird unser Chef, *so / dann* gibt es viel Ärger im Büro.

es sei denn
   a) Ich gehe nicht zu ihm, *es sei denn, dass* er mich um Verzeihung bittet.
   b) Ich gehe nicht zu ihm, *es sei denn*, er bittet mich um Verzeihung.

unter der Bedingung
   a) *Unter der Bedingung, dass* dein Onkel für den Kredit bürgt, können wir bauen, sonst nicht.
   b) (главное предложение стоит здесь редко)

im Fall
   a) *Im Fall, dass* die elektrischen Leitungen nicht erneuert werden, miete ich diese Wohnung nicht.
   b) (главное предложение не употребительно)

Эти сочетания *so* значением условия могут довольно свободно стоять в предложении. Вместо предложения с *dass* могут стоять главные предложения. Обычно в главном предложении употребляют *so*, реже *dann*.

1 Postangelegenheiten – Соедините предложения между собой.

Der Brief ist unterfrankiert. Der Empfänger zahlt eine „Einziehungsgebühr".
Wenn der Brief unterfrankiert ist, zahlt der Empfänger eine Einziehungsgebühr.
Der Empfänger zahlt eine Einziehungsgebühr, wenn der Brief unterfrankiert ist.

1. Der Empfänger nimmt den Brief nicht an. Der Brief geht an den Absender zurück.
2. Der Brief soll den Empfänger möglichst schnell erreichen. Man kann ihn als Eilbrief schicken.
3. Es handelt sich um sehr wichtige Mitteilungen oder Dokumente. Sie schicken den Brief am besten per Einschreiben.
4. Ein Brief oder eine Postkarte ist größer oder kleiner als das Normalformat. Die Sendung kostet mehr Porto.
5. Eine Warensendung ist über zwei Kilogramm schwer. Man kann sie nicht als Päckchen verschicken.
6. Nutzen Sie die verkehrsschwachen Stunden im Postamt. Sie sparen Zeit.
7. Sie telefonieren in der Zeit von 18 Uhr bis 8 Uhr. Sie zahlen wesentlich weniger für das Gespräch.
8. Sie wollen die Uhrzeit, das Neueste vom Sport oder etwas über das Wetter vom nächsten Tag erfahren. Sie können den Telefonansagedienst benutzen.
9. Sie wollen ein Glückwunschtelegramm versenden. Die Postämter halten besondere Schmuckblätter für Sie bereit.
10. Sie haben ein Postsparbuch. Sie können in verschiedenen europäischen Ländern Geld davon abheben.

2 Образуйте условные придаточные предложения с союзом *wenn*. Используйте материал упражнения 1.

Ist der Brief unterfrankiert, so zahlt der Empfänger eine „Einziehungsgebühr".

Вместо *so* можно употребить *dann*. Возможно также опустить и *so* и *dann*.

3 Преобразуйте части предложения, выделенные курсивом, в условные придаточные с союзом *wenn*.

Bei der Reparatur einer Waschmaschine muss man vorsichtig sein.
Wenn man eine Waschmaschine repariert, muss man vorsichtig sein.

1. *Beim Motorradfahren* muss man einen Sturzhelm aufsetzen. (Wenn man ...)
2. *Bei Einnahme des Medikaments* muss man sich genau an die Vorschriften halten.
3. *Beim Besuch des Parks* muss man ein Eintrittsgeld bezahlen. (... besuchen will ...)
4. *Bei großer Hitze* fällt der Unterricht in der 5. und 6. Stunde aus. (es / sehr heiß sein)
5. *Bei einigen Französischkenntnissen* kann man an dem Sprachkurs teilnehmen. (Wenn man ... hat)
6. *Bei achtstündigem Schlaf* ist ein Erwachsener im Allgemeinen ausgeschlafen.
7. *Bei entsprechender Eile* kannst du den Zug noch bekommen. (sich entsprechend beeilen)
8. *Bei Nichtgefallen* kann die Ware innerhalb von drei Tagen zurückgegeben werden. (Wenn ... einem nicht gefällt)

9. *Bei unvorsichtigem Umgang mit dem Pulver* kann es explodieren.

10. *Bei sorgfältiger Pflege* werden Ihnen die Pflanzen jahrelang Freude bereiten. (Wenn Sie … pflegen)

11. *Bei unerlaubtem Betreten des Geländes* erfolgt Strafanzeige. (Passiv)

12. *Beim Ertönen der Feuerglocke* müssen alle Personen sofort das Gebäude verlassen.

---

4 Образуйте условные придаточные предложения.

(Sie / die Reise nicht antreten können) … , so müssen Sie 80 Prozent der Fahrt- und Hotelkosten bezahlen. (gesetzt den Fall)
Gesetzt den Fall, Sie können die Reise nicht antreten, so müssen Sie 80 Prozent der Fahrt- und Hotelkosten bezahlen.

1. (ich / krank werden) … , so muss ich von der Reise zurücktreten. (angenommen)

2. (der Hausbesitzer / mir die Wohnung kündigen) … , so habe ich immer noch ein Jahr Zeit, um mir eine andere Wohnung zu suchen. (angenommen)

3. Ich gehe nicht zu ihm, … (er mich rufen) (es sei denn)

4. (ihr alle / den Protestbrief auch unterschreiben) … , so bin ich bereit ebenfalls zu unterschreiben. (vorausgesetzt)

5. (das Telefon / klingeln) … , so bin ich jetzt nicht zu sprechen. (gesetzt den Fall)

6. (er / den Unfall verursacht haben) … , so wird man ihm eine Blutprobe entnehmen. (gesetzt den Fall)

7. (Sie / den Leihwagen eine Woche vorher bestellen) … , so können Sie sicher sein, dass Sie einen bekommen. (unter der Voraussetzung)

8. (Sie / den Leihwagen zu Bruch fahren) … , so zahlt die Versicherung den Schaden. (gesetzt den Fall)

9. Wir fahren auf jeden Fall in die Berge, … (es / in Strömen regnen) (es sei denn)

10. (ich / gleich im Krankenhaus bleiben sollen) … , so muss ich dich bitten, mir Verschiedenes herzubringen. (angenommen)

---

5 Выполните упражнение по следующему образцу. Используйте материал упражнения 4.

Gesetzt den Fall, dass Sie die Reise nicht antreten können, so müssen Sie 80 Prozent der Fahrt- und Hotelkosten bezahlen.

---

6 Продолжите предложения.

1. Angenommen, dass er mir das Geld nicht zurückgibt, …
2. Gesetzt den Fall, dass ich das gesamte Erbe meiner Tante bekomme, …
3. Im Fall, dass es Krieg gibt, …
4. Unter der Bedingung, dass du mich begleitest, …
5. Vorausgesetzt, dass ich bald eine Anstellung erhalte, …
6. … , es sei denn, dass ich wieder diese starken Rückenschmerzen bekomme.

§ 29   Придаточные предложения следствия

so dass; so ..., dass

Der Gast stieß die Kellnerin an, *so dass* sie die Suppe verschüttete.

Придаточные предложения с союзом *so dass* выражают следствие, проистекающее из предшествующего действия, поэтому предложение с союзом *so dass* всегда стоит за главным предложением.

Er fuhr *so* rücksichtslos durch die Pfütze, *dass* er alle Umstehenden bespritzte.

1. Если в главном предложении есть наречие, то *so* помещается перед ним. Оба эти слова при говорении выделяются. Вместо *so* могут стоять *derart/dermaßen*, выделение этой части высказывания при этом усиливается.
   Sie war *derart* aufgeregt, dass sie nicht mehr wusste, was sie tat.
   Die Maus hat sie *dermaßen* erschreckt, dass sie in Ohnmacht fiel.

2. Если говорящий желает выделить следствие, предложение может звучать следующим образом:
   Er fuhr rücksichtslos durch die Pfütze, *so dass* er alle Umstehenden bespritzte.

3. Иногда *so* может стоять без наречия, потому что наречие можно легко дополнить.
   Sein Bart wächst *so, dass* er sich zweimal am Tag rasieren muss.
   Sein Bart wächst *so* (schnell), *dass* ...

Er war ein *so erfolgreicher* Geschäftsmann, *dass* er in kurzer Zeit ein internationales Unternehmen aufbaute.

1. Если в предложении встречается прилагательное в роли определения, то *so* также стоит перед ним. Тем самым происходит выделение прилагательного:
   Er war ein *so erfolgreicher* Geschäftsmann, dass... (= един. ч.)
   Sie waren *so erfolgreiche* Geschäftsleute, dass... (= множ. ч.)

2. Для выделения следствия, предложение можно построить следующим образом:
   Er war ein erfolgreicher Geschäftsmann, *so dass* er in kurzer Zeit ...

Примечания

1. *solch-* (см. § 39, I и V)
   Es herrschte *solche* Kälte / *solch eine* Kälte, dass die Tiere im Wald erfroren.

2. Придаточные следствия с *zu* ..., *als dass* употребляются с нереальным конъюнктивом (см. § 54, V).

1 Соедините предложения при помощи союзов *so dass* или *so ..., dass*.

Das Haus fiel zusammen. Die Familie war plötzlich ohne Unterkunft.
Das Haus fiel zusammen, so dass die Familie plötzlich ohne Unterkunft war.

Das Erdbeben war stark. Es wurde noch in 300 Kilometer Entfernung registriert.
Das Erdbeben war so stark, dass es noch in 300 Kilometer Entfernung registriert wurde.

Erdbeben

1. Die Erde bebte plötzlich stark. Die Menschen erschraken zu Tode und rannten aus ihren Häusern.
2. Immer wieder kamen neue Erdbebenwellen. Die Menschen wollten nicht in ihre Häuser zurückkehren.
3. Viele Häuser wurden durch das Erdbeben zerstört. Die Familien mussten bei Freunden und Bekannten Unterkunft suchen.
4. Die Zerstörungen waren groß. Das Land bat andere Nationen um Hilfe.
5. Das Militär brachte Zelte und Decken. Die Menschen konnten notdürftig untergebracht werden.
6. Es wurden auch Feldküchen vom Roten Kreuz aufgestellt. Die Menschen konnten mit Essen versorgt werden.
7. Die Menschen in den benachbarten Ländern waren von den Bildern erschüttert. Sie halfen mit Geld, Kleidung und Decken.
8. Bald war genug Geld zusammen. Es konnten zahlreiche Holzhäuser gebaut werden.

2 Соедините предложения при помощи союза *so ..., dass*.

1. Der Clown machte komische Bewegungen. Wir mussten alle lachen.
2. Die Seiltänzerin machte einen gefährlichen Sprung. Die Zuschauer hielten den Atem an.
3. Der Jongleur zeigte schwierige Kunststücke. Die Zuschauer klatschten begeistert Beifall.
4. Ein Löwe brüllte laut und böse. Einige Kinder fingen an zu weinen.
5. Ein Zauberkünstler zog viele Blumen aus seinem Mantel. Die Manege (= der Platz in der Mitte des Zirkus) sah aus wie eine Blumenwiese.
6. Die Musikkapelle spielte laut. Einige Leute hielten sich die Ohren zu.
7. Man hatte viele Scheinwerfer installiert. Die Manege war taghell beleuchtet.
8. Einige Hunde spielten geschickt Fußball. Die Zuschauer waren ganz erstaunt.

3 Преувеличьте высказывание с помощью *so ... dass*.

Das Schiff war sehr lang. Der Kapitän fuhr mit dem Motorrad darauf herum.
Das Schiff war so lang, dass der Kapitän mit dem Motorrad darauf herumfuhr.

1. Der Tisch war sehr breit. Man konnte die Gegenübersitzenden kaum erkennen.
2. Er war sehr groß. Man musste eine Leiter anstellen, wenn man seine Nasenspitze sehen wollte.

3. Er war sehr fett. Man brauchte einen Schnaps, wenn man ihn gesehen hatte.
4. Sie war sehr hässlich. Das Feuer im Ofen ging aus, wenn sie hineinsah.
5. Es war sehr heiß und trocken. Die Bäume liefen den Hunden nach.
6. Das Schiff war riesig. Der Koch musste zum Umrühren mit einem Motorboot durch den Suppenkessel fahren.
7. Die Gassen in Venedig sind sehr eng. Die Hunde können nur senkrecht mit dem Schwanz wedeln.

Придумайте аналогичные примеры с *so ... dass.*

§ 30   Уступительные придаточные предложения

I obwohl, obgleich, obschon

Obwohl wir uns ständig streiten, sind wir doch gute Freunde.
Obgleich wir uns schon seit zwanzig Jahren kennen, hast du mich noch niemals besucht.
Obschon der Professor nur Altgriechisch gelernt hatte, verstanden ihn die griechischen Bauern.

1. Союзы *obwohl, obgleich, obschon* употребляются в одинаковом значении.

2. Данные союзы передают противопоставление действия придаточного предложения действию главного или выражают ограничение действия в сравнении с главным предложением.

3. Согласование времен в уступительных придаточных предложениях определяется смыслом сложноподчиненного предложения.

Примечание

Союз *obwohl* вводит придаточное, союз *trotzdem* – простое предложение. Не следует смешивать эти союзы. (В литературе прежних лет встречается иногда употребление союза *trotzdem* вместо *obwohl*):
Obwohl wir uns ständig *streiten,* sind wir doch gute Freunde.
Wir sind gute Freunde; *trotzdem streiten wir uns* ständig.

1 Соедините предложения при помощи союзов *obwohl, obgleich* или *obschon.*

1. Er ist nicht gekommen, ...
   a) Ich hatte ihn eingeladen.
   b) Er hatte fest zugesagt.
   c) Er wollte kommen.
   d) Ich benötige seine Hilfe.
   e) Er wollte uns schon seit langem besuchen.
   f) Er wusste, dass ich auf ihn warte.

2. Sie kam zu spät, …
   a) Sie hatte ein Taxi genommen.
   b) Sie hatte sich drei Wecker ans Bett gestellt.
   c) Sie hatte sich übers Telefon wecken lassen.
   d) Die Straße war frei.
   e) Sie hatte pünktlich kommen wollen.
   f) Sie hatte einen wichtigen Termin.
   g) Sie hatte mir versprochen rechtzeitig zu kommen.
3. Ich konnte nicht schlafen, …
   a) Ich hatte ein Schlafmittel genommen.
   b) Ich war nicht aufgeregt.
   c) Niemand hatte mich geärgert.
   d) Ich hatte bis spät abends gearbeitet.
   e) Ich war sehr müde.

   f) Das Hotelzimmer hatte eine ruhige Lage.
   g) Kein Verkehrslärm war zu hören.
   h) Ich hatte eigentlich gar keine Sorgen.
4. Das Hallenbad wurde nicht gebaut, …
   a) Es war für dieses Jahr geplant.
   b) Die Finanzierung war gesichert.
   c) Der Bauplatz war vorhanden.
   d) Der Bauauftrag war bereits vergeben worden.
   e) Die Bürger der Stadt hatten es seit Jahren gefordert.
   f) Auch die Schulen benötigen es dringend.
   g) Auch die Randgemeinden waren daran interessiert.
   h) Man hatte es schon längst bauen wollen.

2 Соедините предложения упражнения 1 при помощи союзов *zwar …, aber, zwar …, aber doch, zwar … allerdings, dennoch* или *trotzdem.*

3 Уступительные и условные придаточные предложения – Используйте материал упражнения 2 из § 24.

> *Obwohl er gern Ski läuft, fährt er diesen Winter nicht in Urlaub.*
> *Weil er gern Ski läuft, legt er seinen Urlaub in den Winter.*

4 Соедините предложения при помощи союзов, указанных в скобках.

1. Er war unschuldig. Er wurde bestraft. (dennoch; obwohl)
2. Die Familie wohnte weit von uns entfernt. Wir besuchten uns häufig. (zwar… , aber doch; obgleich)
3. Wir mussten beide am nächsten Tag früh zur Arbeit. Wir unterhielten uns bis spät in die Nacht. (trotzdem; dennoch; obwohl)
4. Wir stritten uns häufig. Wir verstanden uns sehr gut. (allerdings; obschon)
5. Die Gastgeber waren sehr freundlich. Die Gäste brachen frühzeitig auf und gingen nach Hause. (zwar… , dennoch; obwohl)
6. Die Arbeiter streikten lange Zeit. Sie konnten die geforderte Lohnerhöhung nicht durchsetzen. (obwohl; trotzdem)
7. Er hatte anfangs überhaupt kein Geld. Er brachte es durch seine kaufmännische Geschicklichkeit zu einem großen Vermögen. (indessen; obgleich)
8. Die Jungen waren von allen Seiten gewarnt worden. Sie badeten im stürmischen Meer. (dennoch; obwohl)

II wenn ... auch noch so

Wenn er *auch noch so* schlecht schlief, so weigerte er sich eine Tablette zu nehmen.

1. Это сложносочиненное предложение передает противопоставление действий еще более ярко, чем предложение с союзом *obwohl*.

2. Предложение начинается с союзом *wenn*, однако после подлежащего стоит, *auch noch so*, что придает придаточному предложению уступительное значение. Главное предложение обычно начинается словом *so*, отсылающим к содержанию предыдущего предложения.

   Wenn er *auch noch so* schlecht schlief, *er weigerte sich* eine Tablette zu nehmen.

   После уступительных придаточных предложений может не наблюдаться инверсия в главном предложении – подлежащее стоит на I месте, спрягаемая часть сказуемого – на II, что в других типах сложноподчиненного предложения не возможно.

   Schlief er *auch noch so* schlecht, *er weigerte sich* eine Tablette zu nehmen.

   В уступительных придаточных предложениях союз *wenn* также может опускаться. В этом случае спрягаемая часть сказуемого перемещается на его место.

5 Соедините предложения с помощью союза *wenn ... auch noch so.*

Die Bergsteiger strengten sich an. Sie konnten den Gipfel nicht erreichen.
Wenn die Bergsteiger sich auch noch so anstrengten, sie konnten den Gipfel nicht erreichen. **oder:** *Die Bergsteiger strengten sich noch so an, sie ...*

1. Der Junge bat seine Eltern darum. Er bekam das Fahrrad doch nicht.
2. Der Student wurde von allen Seiten gewarnt. Er reiste doch in das Krisengebiet.
3. Die Eltern sparten eisern. Das Geld reichte hinten und vorne nicht.
4. Der Reisende hatte das Haschisch gut versteckt. Die Spürhunde fanden es aber sofort.
5. Du kannst dich beeilen. Du wirst den Zug nicht mehr erreichen. (können entfällt)

§ 31 Придаточные предложения образа действия

I wie, als (придаточные сравнительные)

В придаточных сравнительных с союзом *wie* и *als* необходимо учитывать согласование времен, поскольку речь идет о сравнении имевшегося ожидания или предположения с реальным положением вещей.

Er ist *so reich, wie* ich vermutet habe.
Er machte *einen so hohen Gewinn* bei seinen Geschäften, *wie* er gehofft hatte.

Если реальное положение вещей и предположение о нем совпадают, придаточное предложение присоединяется к главному при помощи *wie*. В главном предложении перед наречием или прилагательным в роли определения, стоящими в положительной степени, употребляется *so (genauso, ebenso, geradeso)*.

Er verhielt sich *(genau)so, wie* wir gedacht hatten.

Иногда *so (genauso, ebenso, geradeso)* может стоять в главном предложении без наречия. В этом случае оно выделяется ударением.

Er ist noch *reicher, als* ich erwartet habe.
Er machte *einen höheren Gewinn, als* er angenommen hatte.

Если реальное положение вещей и предположение о нем не совпадают, употребляется придаточное сравнительное с союзом *als*. В главном предложении наречие или прилагательное стоят в сравнительной степени.

Er verhielt sich ganz *anders, als* wir uns vorgestellt hatten.

После *anders, ander-* (например: Er hat gewiss *andere* Pläne, *als* ...) употребляются придаточные сравнительные с союзом *als*.

1 *als* или *wie*? Соедините по смыслу предложения, стоящие в колонке I и колонке III.

I	II	III
1. Es bleibt uns nichts anderes übrig,		a) im Allgemeinen angenommen wird.
2. Der Bauer erntete mehr,		b) der Busfahrer geplant hatte.
3. Er erntete so dicke Äpfel,		c) wieder von vorn anzufangen.
4. Der Patient erholte sich schneller,		d) die Ärzte angenommen hatten.
5. Die Steuernachzahlung war nicht so hoch,	als	e) er sie in den Wintern zuvor gehabt hatte.
6. Im letzten Jahr hatte er eine höhere Heizölrechnung,	wie	f) er sie noch nie geerntet hatte.
7. Das Haus ist nicht so alt,		g) der Kaufmann befürchtet hatte.
8. Die Reise verlief anders,		h) er je zuvor geerntet hatte.

2 Выполните упражнение на придаточные сравнительные.

War das Konzert gut?
Ja, es war besser, als ich erwartet hatte.
Es war nicht so gut, wie ich angenommen hatte.

Употребите в зависимости от смысла высказывания als ich gedacht / erwartet / angenommen / gehofft / befürchtet / vermutet / geglaubt hatte.

1. Waren die Eintrittskarten teuer?
2. War der Andrang groß?
3. Waren die Karten schnell verkauft?
4. Spielten die Künstler gut?
5. Dauerte das Konzert lange?
6. War der Beifall groß?
7. Hast du viele Bekannte getroffen?
8. Bist du spät nach Hause gekommen?

3 Еще одно упражнение:

1. War die Tagung lohnend?
2. War das Hotel gut eingerichtet?
3. War euer Zimmer ruhig?
4. War das Essen reichhaltig?
5. Waren die Vorträge interessant?
6. Wurde lebhaft diskutiert?
7. Habt ihr viel gestritten?
8. Habt ihr viele Kollegen getroffen?

II je …, desto (придаточные сравнительные)

Nebensatz	Hauptsatz I	II	III	
a) Je schlechter die Wirtschaftslage ist,	desto schneller	steigen	die Preise.	
b)	umso schneller desto höhere Steuern	steigen müssen	die Preise.	gezahlt werden.
c)	desto mehr Geld desto mehr Menschen	fließt werden		ins Ausland. arbeitslos.
d)	eine desto höhere Inflationsrate	ist		die Folge.

1. Придаточные сравнительные с союзом *je* … , *desto* или *je* … , *umso* включают в себя две формы сравнительной степени – наречия или прилагательного, стоящие в главном и придаточном предложениях и находящиеся в пропорциональной зависимости друг от друга.

2. Порядок слов: В придаточном предложении на первом месте стоит союз *je* в сочетании с наречием или прилагательным в сравнительной степени; спрягаемая часть сказуемого стоит в конце предложения. Затем следует главное предложение, первое место в котором занимает союз *desto* + вторая форма сравнительной степени. Спрягаемая часть сказуемого стоит на II месте, подлежащее на III (IV) месте.
   a) В этом типе предложений наиболее употребительными являются наречия в сравнительной степени.
   b) В сравнении могут участвовать также формы сравнительной степени прилагательных в роли определения. Существительное в данном случае употребляется без артикля.
   c) Если определение отсутствует, употребляются неизменяемые формы сравнительной степени от *viel* и *wenig*: *mehr* и *weniger*.
   d) Форма является малоупотребительной: при существительных, требующих неопределенного артикля, артикль стоит перед союзами *je* или *desto*.

3. Синтаксическая роль форм сравнительной степени в сочетании с существительными может меняться. Они могут быть подлежащим, дополнением, предложным дополнением:
   Je schlechter die Wirtschaftslage ist, *mit desto höheren Steuern* muss man rechnen.

4 Соедините предложения при помощи союза „je ..., desto".

> Wir stiegen hoch; wir kamen langsam vorwärts.
> *Je höher wir stiegen, desto langsamer kamen wir vorwärts.*

1. Er trank viel; er wurde laut.
2. Er isst wenig; er ist schlecht gelaunt.
3. Du arbeitest gründlich; dein Erfolg wird groß sein.
4. Das Hotel ist teuer; der Komfort ist zufriedenstellend.
5. Der Ausländer sprach schnell; wir konnten wenig verstehen.
6. Die Sekretärin spricht viele Fremdsprachen; sie findet leicht eine gute Stellung.
7. Das Herz ist schwach; eine Operation ist schwierig.
8. Du sprichst deutlich; ich kann dich gut verstehen.
9. Es ist dunkel; die Angst der Kleinen ist groß.
10. Das Essen ist gut gewürzt; es schmeckt gut.

5 Еще одно упражнение:

1. Es wurde spät; die Gäste wurden fröhlich.
2. Du arbeitest sorgfältig; du bekommst viele Aufträge.
3. Die Musik ist traurig; ich werde melancholisch.
4. Ich bekomme wenig Geld; ich muss sparsam sein.
5. Der Vertreter muss beruflich weit fahren; er kann viel von der Steuer absetzen.
6. Ihre Schüler waren klug und fleißig; die Arbeit machte ihr viel Spaß.
7. Hans wurde wütend; Gisela musste laut lachen.
8. Die Künstler, die im Theater auftraten, waren berühmt; viele Zuschauer kamen, aber die Plätze wurden teuer. (desto... , aber desto)
9. Er hält sich lange in Italien auf; er spricht gut Italienisch.
10. Du fährst schnell; die Unfallgefahr ist groß.

6 Продолжите предложения.

1. Je leiser du sprichst, ...
2. Je stärker der Kaffee ist, ...
3. Je schlechter die Wirtschaftslage des Landes wird, ...
4. Je größer ein Krankenhaus ist, ...
5. Je mehr sie über ihn lachten, ...
6. Je länger ich sie kannte, ...
7. Je öfter wir uns schrieben, ...
8. Je frecher du wirst, ...
9. Je mehr du angibst, ...
10. Je strenger die Grenzkontrollen werden, ...

7 Соедините предложения между собой по следующему образцу:

> Seine Ausbildung ist *gut;* er bekommt ein hohes Gehalt.
> *Je besser seine Ausbildung ist, ein desto höheres Gehalt bekommt er.*

1. Du schreibst höflich; du erhältst eine höfliche Antwort.
2. Du triffst ihn oft; du wirst zu ihm ein gutes Verhältnis haben.
3. Du willst schnell fahren; du musst einen teuren Wagen kaufen.
4. Das Geld ist knapp; du musst einen hohen Zinssatz zahlen.
5. Wir kamen dem Ziel nah; ein starkes Hungergefühl quälte mich.

III wie (придаточные предложения образа действия)

Wie es mir geht, weißt du ja.
Du weißt ja, *wie* es mir geht.
Wie ich ihn kennen gelernt habe, habe ich dir schon geschrieben.
Ich habe dir schon geschrieben, *wie* ich ihn kennen gelernt habe.

Придаточные предложения образа действия могут представлять собой ответ на вопрос:
Wie geht es dir? Wie es mir geht, weißt du ja.

Wie gut er sich verteidigt hat, haben wir alle gehört.
Wir haben alle gehört, *wie gut* er sich verteidigt hat.

Сравнительный союз *wie* может сочетаться с наречием.

Wie ich annehme, wird er trotzdem verurteilt.
Wie ich gehört habe, hat er sein gesamtes Vermögen verloren.

Придаточные предложения с союзом *wie* могут передавать также отношение говорящего к действию:
Wie ich annehme, kommt er morgen.
Wie ich glaube, …
Wie er sagte,…
Wie ich erfahren habe,…

Иногда это придаточное может стоять за главным предложением:
Meine Verwandten sind schon lange umgezogen, *wie ich annehme.*

8 Выполните упражнение на придаточные с союзом *wie* по следующему образцу:

Ich werde morgen nach München fahren.
Wie ich Ihnen schon sagte, werde ich morgen nach München fahren.

Употребите в зависимости от смысла высказывания: Wie ich schon erwähnte … ;
Wie ich hoffe / geplant habe … ; Wie Sie wissen …

1. Ich werde dort mit Geschäftsfreunden zusammentreffen.
2. Wir werden uns sicher einig werden.
3. Ich werde interessante Aufträge für die Firma erhalten.
4. Von München aus werde ich meinen Urlaub antreten.
5. Ich werde zwei Wochen wegbleiben.
6. Die Ruhe wird mir gut tun.

IV indem (придаточные предложения образа действия)

Sie gewöhnte ihm das Rauchen ab, *indem* sie seine Zigaretten versteckte.
Er kann den Motor leicht reparieren, *indem* er die Zündkerzen auswechselt.

Придаточные предложения с союзом *indem* называют образ действия или средство, при помощи которого осуществляется действие. Они отвечают на вопрос: Каким образом осуществляется действие?

9 Соедините предложения при помощи союза „indem" по следующему образцу:

Wie kann man Heizkosten sparen? – Man ersetzt die alten Fenster durch Doppelglasfenster.

Man kann Heizkosten sparen, indem man die alten Fenster durch Doppelglasfenster ersetzt.

1. Wie kann man die Heizkosten auch noch senken? – Man lässt die Temperaturen abends nicht über 20 Grad steigen und senkt die Zimmertemperatur in der Nacht auf etwa 15 Grad.
2. Wie kann man ferner die Wohnung vor Kälte schützen? – Man bringt Isoliermaterial an Decke, Fußboden und Wänden an.
3. Wie können wir Rohstoffe sparen? – Im sogenannten Recycling verwendet man bereits gebrauchte Materialien wieder.
4. Wie kann man Benzin sparen? – Man fährt kleinere, sparsamere Autos und geht öfter mal zu Fuß.
5. Wie kann die Regierung die Luft vor industrieller Verschmutzung schützen? – Sie schreibt Rauch- und Abgasfilter gesetzlich vor.
6. Wie kann man die Stadtbewohner vor Lärm schützen? – Man richtet mehr Fußgängerzonen ein und baut leisere Motorräder und Autos.

10 Используйте вместо выделенных курсивом оборотов с союзом *durch* придаточные предложения с союзом *indem*.

Die Bauern zeigten *durch Demonstrationen mit Traktoren und schwarzen Fahnen* ihren Protest gegen die neuen Gesetze.

Die Bauern zeigten ihren Protest gegen die neuen Gesetze, indem sie mit Traktoren und schwarzen Fahnen demonstrierten.

1. Die ständigen Überschwemmungen an der Küste können *durch den Bau eines Deiches* verhindert werden. (indem man...)
2. Die Ärzte konnten das Leben des Politikers *durch eine sofortige Operation nach dem Attentat* retten. (indem sie ihn...)
3. Als ich meinen Schlüssel verloren hatte, half mir ein junger Mann, *durch die Verwendung eines gebogenen Drahts* die Wohnungstür zu öffnen.
4. Manche Wissenschaftler werden *durch die Veröffentlichung falscher oder ungenauer Forschungsergebnisse* berühmt.
5. Der Chef einer Rauschgiftbande konnte *durch die rechtzeitige Information aller Zollstellen* an der Grenze verhaftet werden.
6. *Durch die Weitergabe wichtiger Informationen an das feindliche Ausland* hat der Spion seinem Land sehr geschadet. (Indem der Spion...)
7. Als die Räuber mit Masken und Waffen in die Bank eindrangen, konnte der Kassierer *durch den Druck auf den Alarmknopf* die Polizei alarmieren.
8. Kopernikus hat *durch die Beobachtung der Sterne* erkannt, dass die Erde eine Kugel ist, die sich um die Sonne dreht.

9. Es hat sich gezeigt, dass man *durch das Verbot der Werbung für Zigaretten im Fernsehen* den Tabakkonsum tatsächlich verringern kann.

10. Viele Menschen können *durch den Verzicht auf Bier und fette Speisen* sehr schnell abnehmen.

11. Die Menschen in den Industrieländern schaden der Umwelt *durch den Kauf von modischen, aber unbrauchbaren Dingen,* die bald wieder weggeworfen werden.

§ 32   Придаточные предложения цели

damit; um ... zu (см. § 33)

Damit der Arzt nichts merkte, versteckte *der Kranke* die Zigaretten.

Придаточные предложения с союзом *damit* называют цель, с которой осуществляется действие. Придаточное предложение цели употребляется, если подлежащее главного и придаточного предложений различны.
В предложениях с союзом *damit* модальные глаголы *sollen* и *wollen* никогда не употребляются, поскольку сам союз *damit* уже передает значение намерения или желания.

Er nahm eine Schlaftablette, *damit er* leichter einschlafen kann.
Er nahm eine Schlaftablette *um* leichter einschlafen *zu* können.
Er nahm eine Schlaftablette *um* leichter ein*zu*schlafen.

Если в главном и придаточном предложениях одно и то же подлежащее, более предпочтительно употребление инфинитивного оборота с *um ... zu*. Употребление модального глагола *können* допустимо, но в этом часто нет необходимости.

1   Соедините предложения между собой. В тех случаях, где это возможно, употребите инфинитивный оборот с *um ... zu*. Обратите внимание на выпадение глаголов *sollen* и *wollen*.

Ich habe sofort telefoniert. Ich wollte die Wohnung bekommen.
Ich habe sofort telefoniert um die Wohnung zu bekommen.

Ich habe sofort telefoniert. Mein Bruder soll die Wohnung bekommen.
Ich habe sofort telefoniert, *damit* mein Bruder die Wohnung bekommt.

1. Ich habe die Anzeigen in der Zeitung studiert. Ich wollte eine schöne Wohnung finden.
2. Ich bin in die Stadt gefahren. Ich wollte eine Adresse erfragen.
3. Ich beeilte mich. Niemand sollte mir zuvorkommen.
4. Viele Vermieter geben aber eine Anzeige unter Chiffre auf. Die Leute sollen ihnen nicht das Haus einrennen.
5. Wir haben die Wohnung genau vermessen. Die Möbel sollen später auch hineinpassen.

6. Ich habe viele kleine Sachen mit dem eigenen Wagen transportiert. Ich wollte Umzugskosten sparen.

7. Wir haben das Geschirr von der Transportfirma packen lassen. Die Versicherung bezahlt dann auch, wenn ein Bruchschaden entsteht.

8. Wir haben den Umzug an den Anfang des Urlaubs gelegt. Wir wollen die neue Wohnung in aller Ruhe einrichten (… zu können).

9. Schließlich haben wir noch eine Woche Urlaub gemacht. Wir wollten uns ein bisschen erholen.

2 Преобразуйте части предложения, выделенные курсивом, в инфинитивный оборот с *um … zu*, а если это не возможно, в придаточное с союзом *damit*. Обратите внимание на выпадение глаголов *sollen* и *wollen*.

1. Franz Häuser war von Wien nach Steyr gezogen. *Er sollte dort eine Stelle in einer Papierfabrik annehmen.*

2. Eines Tages beschloss Franz, im alten Fabrikschornstein hochzusteigen. *Er wollte sich seine neue Heimat einmal von oben anschauen.* Natürlich war der Schornstein schon lange außer Betrieb.

3. Franz nahm eine Leiter. *Er wollte den Einstieg im Schornstein erreichen.* Dann kroch er hindurch und stieg langsam hinauf.

4. Das war nicht schwer, denn innen hatte man eiserne Bügel angebracht; *die Schornsteinfeger sollten daran hochklettern können.*

5. Fast oben angekommen, brach ein Bügel aus der Mauer. Schnell ergriff er den nächsten Bügel. *Er wollte nicht in die Tiefe stürzen.*

6. Aber auch dieser brach aus und Franz fiel plötzlich mit dem Eisen in seiner Hand 35 Meter tief hinunter. Dennoch geschah ihm nichts weiter, nur der Ruß, der sich unten im Schornstein etwa einen Meter hoch angesammelt hatte, drang ihm in Mund, Nase und Augen. Er schrie und brüllte, so laut er konnte. *Seine Kameraden sollten ihn hören.*

7. Aber es war erfolglos, er musste einen anderen Ausweg finden. *Er wollte nicht verhungern.*

8. Er begann, mit der Spitze des Eisenbügels, den er immer noch in der Hand hielt, den Zement aus den Fugen zwischen den Backsteinen herauszukratzen. *Er wollte die Steine herauslösen.*

9. In der Zwischenzeit hatten seine Kameraden sich aufgemacht. *Sie wollten ihn suchen.*

10. Aber sie fanden ihn nicht. Nach ein paar Stunden hatte Franz eine Öffnung geschaffen, die groß genug war. *Er konnte hindurchkriechen.*

11. Man brachte ihn in ein Krankenhaus. *Er sollte sich von dem Schock und den Anstrengungen erholen.*

12. Dort steckte man ihn zuerst in eine Badewanne. *Man wollte ihn dort vom Ruß befreien.*

der Bügel = u-förmig gebogenes Eisen
die Fuge = schmaler Raum, z. B. zwischen zwei Backsteinen
der Ruß = schwarzes Zeug, das sich bei der Verbrennung niederschlägt

3 Ответьте на вопросы, где это возможно, при помощи инфинитивного оборота с *um … zu*, в других случаях – при помощи придаточного цели.

Wozu braucht der Bauer einen Traktor? – Zur Bearbeitung der Felder.
Der Bauer braucht einen Traktor um die Felder bearbeiten zu können.

1. Wozu düngt er im Frühjahr die Felder? – Zum besseren Wachstum der Pflanzen.
2. Wozu hält er Kühe? – Zur Gewinnung von Milch.
3. Wozu braucht er eine Leiter? – Zum Ernten der Äpfel und Birnen.
4. Wozu nimmt er einen Kredit von der Bank auf? – Zur Einrichtung einer Hühnerfarm.
5. Wozu annonciert er in der Zeitung? – Zur Vermietung der Fremdenzimmer in seinem Haus.
6. Wozu kauft er eine Kutsche und zwei Pferde? – Zur Freude der Gäste. (sich daran freuen)
7. Wozu richtet er unter dem Dach noch Zimmer ein? – Zur Unterbringung der Gäste. (dort unterbringen)
8. Wozu baut er ein kleines Schwimmbecken? – Zur Erfrischung der Gäste und zu ihrem Wohlbefinden. (sich erfrischen, sich wohl fühlen)

§ 33 Инфинитивные обороты c „um … zu, „ohne … zu", „anstatt … zu"

В отличие от инфинитивных групп, относящихся к глаголу основного предложения, инфинитивные обороты *um … zu, ohne … zu, anstatt … zu* являются независимыми и в значительной степени определяют значение вводимого ими инфинитивного оборота.

a) Инфинитивный оборот с *um … zu* называет цель, намерение, желание (см. § 32): Ich gehe zum Meldeamt *um* meinen Pass ab*zu*holen.

b) Инфинитивный оборот с *ohne … zu* означает, что ожидаемое действие не происходит или не произошло: Er ging einfach weg *ohne* meine Frage *zu* beantworten.

c) Инфинитивный оборот с *anstatt… zu* означает, что некто ведет себя иначе, чем это обычно бывает: Die Gastgeberin unterhielt sich weiter mit ihrer Freundin *anstatt* die Gäste *zu* begrüßen.

Er ging ins Ausland *um* dort *zu* studieren.
ohne lange *zu* überlegen.
anstatt das Geschäft des Vaters weiter*zu*führen.

Инфинитивные обороты с *um … zu, ohne … zu, anstatt … zu* не имеют собственного подлежащего. Они относятся к обозначению лица или предмета в главном предложении, выполняющему роль подлежащего. Данные инфинитивные обороты могут стоять как перед главным, так и после главного предложения.
Um im Ausland zu studieren verließ er seine Heimat.
Ohne lange zu überlegen begann er sein Studium.
Anstatt das Geschäft seines Vaters weiterzuführen ging er ins Ausland.

Если подлежащие главного и придаточного предложений различны, употребляются придаточные предложения с союзами *damit, ohne ... dass* и *anstatt dass*.

Примечание

После *nicht/etwas anderes* или *alles andere* часто употребляется сравнительный инфинитивный оборот с *als*:

Der Junge hatte *nichts anderes* im Kopf *als* mit dem Motorrad *herumzufahren*.
Er tut alles andere als sich auf die Prüfung vorzubereiten.

1 Преобразуйте предложения, выделенные курсивом, в инфинитивные обороты. Употребите в зависимости от смысла a) *um ... zu,* b) *ohne ... zu* или c) *(an)statt ... zu.*

Sie haben den Wagen heimlich geöffnet. *Sie wollten ihn stehlen.*
Sie haben den Wagen heimlich geöffnet um ihn zu stehlen.

Er hat den Wagen gefahren. *Er besaß keinen Führerschein.*
Er hat den Wagen gefahren ohne einen Führerschein zu besitzen.

Sie hat den Unfall nicht gemeldet. Sie ist einfach weitergefahren.
Anstatt den Unfall zu melden ist sie einfach weitergefahren.

1. Drei Bankräuber überfielen eine Bank. *Sie wollten schnell reich werden.*
2. *Sie zählten das Geld nicht.* Sie packten es in zwei Aktentaschen.
3. Die Bankräuber wechselten zweimal das Auto. *Sie wollten schnell unerkannt verschwinden.*
4. *Sie nahmen nicht die beiden Taschen mit.* Sie ließen eine Tasche im ersten Wagen liegen.
5. *Sie kamen nicht noch einmal zurück.* Die vergesslichen Gangster rasten mit dem zweiten Auto davon.
6. Sie fuhren zum Flughafen. *Sie wollten nach Amerika entkommen.*
7. *Sie zahlten nicht mit einem Scheck.* Sie kauften die Flugtickets mit dem gestohlenen Geld.
8. *Sie wollten in der Großstadt untertauchen.* Sie verließen in Buenos Aires das Flugzeug, wurden aber sofort verhaftet.
9. Sie ließen sich festnehmen. *Sie leisteten keinen Widerstand.*
10. Sie wurden nach Deutschland zurückgeflogen. *Sie sollten vor Gericht gestellt werden.*
11. Sie nahmen das Urteil entgegen. *Sie zeigten keinerlei Gemütsbewegung.* (ohne irgendeine...)

2 Преобразуйте, где это возможно, предложения, выделенные курсивом, в инфинитивные обороты с *um ... zu, ohne ... zu, anstatt ... zu.* В других случаях образуйте придаточные предложения с союзом *damit, ohne dass* или *anstatt dass*.

1. Herr Huber hatte in einem Versandhaus ein Armband bestellt. *Er wollte es seiner Frau zum Geburtstag schenken.*
2. Er schickte die Bestellung ab. *Er schrieb aber den Absender nicht darauf.*

3. Er wartete vier Wochen. *Das Armband kam nicht.*
4. *Er rief nicht an.* Er schimpfte auf die langsame Firma.
5. Dann feierte Frau Huber Geburtstag. *Ihr Mann konnte ihr das Armband nicht schenken.*
6. Schließlich schrieb er an das Versandhaus. *Sie sollten ihm das Armband endlich zuschicken.*

7. Herr Huber erhielt das erwartete Päckchen wenige Tage später. *Das Versandhaus gab keine Erklärung für die Verspätung ab.*
8. *Frau Huber wusste nichts von dem Geschenk ihres Mannes.* Am Tag der Zustellung des Päckchens kam Frau Huber aus der Stadt zurück: Sie hatte sich das gleiche Armband gekauft! (Ohne etwas … kam Frau Huber …)

3 Соедините главное предложение сначала с предложением (a), затем с предложением (b). Образуйте в зависимости от смысла инфинитивные обороты или придаточные с союзами *dass* или *damit*.

1. Der Schriftsteller schrieb seinen Roman, ohne …
a) Er gönnte sich keine Pause.
b) Kein Verlag hatte ihm die Abnahme garantiert.
2. An der Grenze zeigte der Reisende seinen Pass, ohne …
a) Der Beamte warf keinen Blick hinein.
b) Er war gar nicht darum gebeten worden.
3. Er machte die Taschenlampe an, *(damit* oder *um … zu)* …
a) Sein Freund konnte ihn sehen.
b) Er konnte von seinem Freund gesehen werden.
4. Er trug das gesamte Gepäck fünf Stockwerke hoch, statt …
a) Seine Kinder halfen ihm nicht dabei.
b) Er benutzte den Aufzug nicht.
5. Die beiden hatten sich etliche Bücher mit auf die Reise genommen, *(damit* oder *um … zu)* …
a) Die Bahnfahrt sollte nicht zu langweilig werden. (langweilig würde)
b) Sie wollten sich damit die Langeweile vertreiben.
6. Die Arbeiter forderten mehr Lohn, *(damit* oder *um … zu)* …
a) Sie wollten bei sinkender Kaufkraft der Mark wenigstens keinen Einkommensverlust haben.

b) Ihr Einkommen sollte wenigstens die alte Kaufkraft behalten.
7. Eine Gruppe Arbeiter streikte, ohne …
a) Sie hatte sich nicht mit der Gewerkschaftsleitung abgesprochen.
b) Die Gewerkschaftsleitung war davon nicht informiert worden.
8. Die Unternehmensleitung erlaubte sich teure private Ausgaben, anstatt …
a) Sie dachte nicht an das Wohl der Firma.
b) Wichtige Investitionen wurden nicht gemacht. (worden wären)
9. Die Eigentümer verkauften die Firma, ohne …
a) Der Betriebsrat wurde nicht informiert.
b) Sie informierten den Betriebsrat nicht davon.
10. Die Arbeiter besetzten ihre bankrotte Firma, *(damit* oder *um … zu)* …
a) Die Maschinen sollten nicht heimlich verkauft werden können.
b) Sie wollten vom Verkauf der Maschinen den Arbeitslohn finanzieren, den sie noch zu bekommen hatten.

§ 34   Вопросительные предложения в роли придаточных

Если вопросительное предложение выступает в роли придаточного предложения, то оно присоединяется к главному при помощи соединительного слова.

Niemand weiß, *ob* wir sie jemals wiedersehen.

Вопросы с вопросительного слова вводятся при помощи союза *ob*.

temporal	... , *wann* sie weggegangen ist.
kausal	... , *warum* sie sich verstecken muss.
	... , *weswegen* sie uns verlassen hat.
modal	... , *wie* es ihr geht.
	... , *wie* einsam sie jetzt ist.
lokal	... , *wo* sie jetzt ist.
	... , *wohin* sie geflohen ist.

... , *wer* ihr bei der Flucht geholfen hat.
... , *was* sie denkt und macht.
... , *wessen Befehle* sie ausführt.
... , *wem* sie gehorcht.
... , *wen* sie kennt.

... , *an wen* sie sich gewendet hat.
... , *vor wem* sie sich fürchtet.

... , *worauf* sie wartet.
... , *womit* sie sich beschäftigt.
... , *worunter* sie leidet.

Вопросы с вопросительным словом присоединяются к главному предложению при помощи соответствующего вопросительного слова или словосочетания с предлогом.

1 Употребите вопросы из упражнения 3 § 17 в роли придаточных предложений. В качестве главных предложений используйте: „Wissen Sie vielleicht, ...?" „Können Sie mir sagen, ...?" „Ist Ihnen vielleicht bekannt, ...?" и т. д.

Backt dieser Bäcker auch Kuchen?
Haben Sie eine Ahnung, ob dieser Bäcker auch Kuchen backt?

2 Образуйте вопросительные придаточные предложения по следующему образцу, используя материал упражнения 5 из § 17:

A: *Sag mir bitte, an wen du geschrieben hast!*
B: An wen...? Ich habe an meine Schwester geschrieben.

Упражнение можно выполнять вдвоем. А обращается к В: *Verrat mir doch, ... ; Erzähl mir mal, ... ; Ich möchte wirklich gern wissen, ...* , и т. д. Лицо В отвечает.

3 Выполните упражнение по следующему образцу. Используйте выражения:
„Ich weiß leider auch nicht, …;" „Ich kann Ihnen auch nicht sagen, …;"
„Mir ist leider auch nicht bekannt, …"

> Wo kann ich hier eine Auskunft bekommen?
> *Ich kann Ihnen auch nicht sagen, wo Sie hier eine Auskunft bekommen können.*

1. Wo kann ich hier ein Flugticket bekommen?
2. Warum können die Flugzeuge heute von hier nicht starten?
3. Wann soll das Flugzeug aus Kairo ankommen?
4. Um wieviel Uhr muss ich wieder hier sein?
5. Wo kann ich mein Gepäck abgeben?
6. Wieviel türkische Pfund darf ich in die Türkei mitnehmen?

4 Образуйте зависимое вопросительное предложение, присоединив его к существительному с символом. ❧.

> Mietest du ein Zimmer oder eine Wohnung?
> Die Frage ❧ ist noch nicht geklärt.
> *Die Frage, ob ich ein Zimmer oder eine Wohnung miete, ist noch nicht geklärt.*

1. Ist der Fahrer unaufmerksam gewesen und deshalb gegen einen Baum gefahren? – Das Rätsel ❧ ist noch nicht aufgeklärt.
2. Ist er zu schnell gefahren? – Die Frage ❧ wollte er nicht beantworten.
3. Hat der Verletzte etwas gebrochen? – Von der Feststellung ❧ hängt seine weitere Behandlung ab.
4. Hat der Fahrer Alkohol im Blut gehabt? – Die Frage ❧ wird die Blutuntersuchung beantworten.
5. Verliert der Autofahrer seinen Führerschein? – Die Entscheidung ❧ muss der Richter treffen.
6. Bekommt der Fahrer eine Gefängnisstrafe? – Die Ungewissheit ❧ macht ihn ganz krank.
7. Hat der Angeklagte sich verfolgt gefühlt? – Von der Feststellung des Richters ❧ hängt sehr viel ab.
8. Wird der Mann seine Stelle als Fernfahrer behalten? – Die Entscheidung ❧ hängt ganz vom Ergebnis der Blutuntersuchung ab.

5 Выполните упражнение по следующему образцу:

> Kommt er mit uns? – Er hat sich noch nicht geäußert.
> *Er hat sich noch nicht geäußert, ob er mitkommt.*

> Wohin fahren wir? – Ich erzähle (es) dir nachher.
> *Ich erzähle dir nachher, wohin wir fahren.*

1. Wer fährt sonst noch mit? – Wir werden (es) sehen.
2. Wann kommen wir zurück? – Ich weiß (es) selbst nicht.
3. Müssen wir einen Pass mitnehmen? – Kannst du mir (das) sagen?
4. Was kostet die Fahrt? – Ich möchte (es) gern wissen.
5. Kann ich vorne beim Fahrer sitzen? – Sag mir (das) bitte.
6. Fahren die Frauen auch mit? – Hans möchte (es) gern wissen.

7. Gehen wir zum Mittagessen in ein Restaurant oder müssen wir das Essen mitnehmen? – Es muss uns doch gesagt werden. (... oder ob)
8. Soll ich mein Fernglas mitnehmen? – Ich weiß (es) nicht.
9. Warum soll er seine Kamera nicht mitnehmen? – Hans will (es) wissen.
10. Hat der Bus eine Klimaanlage? – Kannst du mal nachfragen?

§ 35   Относительные придаточные предложения

Общие сведения

1. Относительные придаточные предложения являются предложениями, относящимися к существительному и поясняющими это существительное. Без информации, содержащейся в придаточном предложении, предложение может оказаться не вполне понятным:
Jugendliche, *die einen guten Schulabschluss haben,* finden leichter eine Lehrstelle.

2. Относительные придаточные предложения стоят сразу за существительным, к которому они относятся, независимо от места последнего в предложении. При этом порядок слов главного предложения не меняется.
Относительные придаточные предложения могут включаться в состав главных и придаточных предложений, инфинитивных групп или других относительных придаточных.
a) Главное предложение: Der Polizist fragt den Passanten, *der den Unfall gesehen hat,* nach seiner Meinung.
b) Придаточное предложение: Der Polizist vermutet, dass der Passant, *der den Unfall gesehen hat,* vor Gericht nicht aussagen will.
c) Инфинитивная группа: Der Polizist hofft den Passanten, *der den Unfall gesehen hat,* wiederzuerkennen.
d) Относительное придаточное предложение: Der Polizist verfolgt den Mann, *der* den Unfall, *bei dem* ein Kind *verletzt worden ist, gesehen hat.*
Или проще: Der Polizist verfolgt den Mann, *der* den Unfall *gesehen hat, bei dem* ein Kind *verletzt worden ist.*

Примечания

1. Между существительным и относительным придаточным могут вклиниваться глаголы, отделяемые приставки, наречия и т. п.:
Wir müssen noch den Artikel *durchlesen,* der heute gedruckt werden soll.
Sie rannte dem Kind *hinterher,* das auf die Straße laufen wollte.

2. Союзы *welcher, welche, welches* употребляются редко.

I Относительные придаточные с относительными местоимениями в именительном, винительном и дательном падежах

Nom.	Sg.	m	Der Mann,	*der* dort steht,	kennt den Weg nicht.
		f	Die Frau,	*die* dort steht,	
		n	Das Kind,	*das* dort steht,	
	Pl.		Die Leute,	*die* dort stehen,	kennen den Weg nicht.
Akk.	Sg.	m	Der Mann,	*den* ich gefragt habe,	ist nicht von hier.
		f	Die Frau,	*die* ich gefragt habe,	
		n	Das Kind,	*das* ich gefragt habe,	
	Pl.		Die Leute,	*die* ich gefragt habe,	sind nicht von hier.
Dat.	Sg.	m	Der Mann,	*dem* ich geantwortet habe,	versteht mich nicht.
		f	Die Frau,	*der* ich geantwortet habe,	
		n	Das Kind,	*dem* ich geantwortet habe,	
	Pl.		Die Leute,	*denen* ich geantwortet habe,	verstehen mich nicht.

1. Род и число относительного местоимения, вводящего придаточное предложение, зависит от существительного, к которому оно относится.

2. Падеж относительного местоимения зависит от его роли в структуре придаточного.

               Akk. Sg. m.   *Nom.* Sg. m

Die Anwohner können *den Verkehrslärm,* *der* ihren Schlaf stört, kaum noch aushalten.

       Nom. Sg. f   *Akk.* Sg. f

Heute hat *die alte Hausmeisterin,* *die* alle sehr schätzen, gekündigt.

Nom. Sg. m   *Dat.* Sg. m

Der Verteidiger, *dem* das Urteil ungerecht schien, protestierte heftig.

Nom. Pl.   *Dat.* Pl.

Die Zuschauer, *denen* die Aufführung nicht gefiel, verließen das Theater.

1 Kunden im Warenhaus – Вставьте относительные местоимения в именительном и винительном падежах.

1. Ist das der Taschenrechner, ... Sie in der Zeitung annonciert haben?
2. Was kosten die Hosen, ... hier hängen?
3. Haben Sie auch Wanduhren, ... mit einer Batterie betrieben werden?
4. Kann ich das Kleid, ... im Schaufenster ausgestellt ist, mal anprobieren?

5. Ich suche einen Elektrokocher, … man auf verschiedene Temperaturen einstellen kann.
6. Haben Sie Bürolampen, … man am Schreibtisch anschrauben kann?
7. Wo haben Sie die Kaffeemaschine, … kürzlich im Test so gut beurteilt wurde?
8. Was kostet der Lautsprecher, … hier in der Ecke steht?
9. Ich suche ein Kofferradio, … man sowohl mit Batterie als auch mit Netzstrom betreiben kann.
10. Haben Sie auch Armbanduhren, … sich automatisch durch die Armbewegung aufziehen?
11. Das ist das Kästchen mit Spieluhr, … ein Lied spielt, wenn man den Deckel öffnet.
12. Hier sind die Kerzen, … nicht nur leuchten, sondern auch Insekten vertreiben.
13. Haben Sie auch einen Kühlschrank, … man im Campingwagen mitnehmen kann?
14. Haben Sie Batterien, … wieder aufgeladen werden können?

2 Охарактеризуйте существительные с помощью относительного придаточного предложения.

ein Segelflugzeug (ohne Motor durch die Luft fliegen)
Ein Segelflugzeug ist ein Flugzeug, das ohne Motor durch die Luft fliegt.

1. ein Flussschiff (auf Flüssen verkehren)
2. ein Holzhaus (aus Holz gebaut sein)
3. eine Wochenzeitung (jede Woche einmal erscheinen)
4. eine Monatszeitschrift (?)
5. ein Elektromotor (von elektrischem Strom getrieben werden)
6. ein Motorboot (?)
7. eine Mehlspeise (aus Mehl zubereitet werden)
8. ein Kartoffelsalat (?)
9. eine Orgelmusik (mit einer Orgel ausgeführt werden)
10. eine Blasmusik (mit Blasinstrumenten …)
11. ein Holzwurm (im Holz leben)
12. ein Süßwasserfisch (?)

3 Именительный или винительный падеж относительного местоимения? – Поставьте вопросы к существительным, выделенным курсивом, начинайте вопрос словами: „Was machst du mit …?"

Mein Onkel hat mir ein *Haus* vererbt.
Was machst du mit dem Haus, das dir dein Onkel vererbt hat?

1. Ich habe *500 Euro* im Lotto gewonnen.
2. Mein *Hund* bellt von morgens bis abends.
3. Meine Freundin hat das *Bügeleisen* kaputtgemacht.
4. Meine Eltern haben mir eine *Kiste Wein* zum Examen geschickt.
5. Meine Freunde haben mir eine *Palme* gekauft.
6. Mein *Papagei* (m) ruft immer „Faulpelz".
7. Meine Verwandten haben mir ein *Klavier* geschenkt.
8. Meine *Katze* stiehlt mir das Fleisch aus der Küche.

4 Еще одно упражнение. Начинайте предложения словами: „Was hat er denn mit … gemacht?"

Er hat sich *Nägel* gekauft.
Was hat er denn mit den Nägeln gemacht, die er sich gekauft hat?

1. Er hat sich *Farbe* (f) gekauft.
2. Sie hat sich *Topfpflanzen* besorgt.
3. Der Schriftsteller hat einen *Roman* geschrieben.
4. Die Kinder haben *Kreide* (f) aus der Schule mitgenommen.
5. Die Katze hat eine *Maus* gefangen.
6. Der junge Mann hat das *Auto* kaputtgefahren.
7. Die Nachbarin hat sich *Kleiderstoffe* (Pl.) gekauft.
8. Fritz hat eine *Brieftasche* gefunden.

5 Образуйте самостоятельно предложения на основе повествовательных и вопросительных предложений, содержащихся в упражнениях 4 и 5, например: „Das Haus, das mir mein Onkel vererbt hat, werde ich wahrscheinlich verkaufen.“

6 Вставьте относительное местоимение в именительном, дательном или винительном падежах.

1. Wer ist die Frau, … ?
   a) … immer so laut lacht
   b) … du eben begrüßt hast
   c) … du gestern angerufen hast
2. Kennst du die Leute, … ?
   a) … diese Autos gehören
   b) … da vor der Tür stehen
   c) … der Bürgermeister so freundlich begrüßt
3. Frau Huber, … , ist unsere Nachbarin.
   a) … du ja kennst
   b) … auch dieses Haus gehört
   c) … schon fünfzehn Jahre Witwe ist
4. Ich fahre morgen zu meinem Bruder,… .
   a) … schon seit zehn Jahren in Stuttgart wohnt
   b) … ich beim Hausbau helfen will
   c) … ich schon lange nicht mehr gesehen habe
5. Die Fußballspieler, … , gaben ihr Letztes.
   a) … ein Tor nicht genügte
   b) … von der Menge angefeuert wurden
   c) … aus Belgien kamen

II Относительные придаточные с относительным местоимением в родительном падеже

Sg.	m	Der Turm, ***dessen*** Fundamente morsch sind, soll abgerissen werden.
	f	Die Bibliothek, ***deren*** Räume renoviert werden, ist zur Zeit geschlossen.
	n	Das Gebäude, ***dessen*** Dach schadhaft ist, soll renoviert werden.
Pl.		Die Busse, ***deren*** Motoren zu alt sind, müssen verkauft werden.

1. Относительное местоимение в родительном падеже замещает определение в родительном падеже:

Die Fundamente des Turmes	=	dessen Fundamente
die Räume der Bibliothek	=	deren Räume
die Motoren der Busse	=	deren Motoren

2. После относительного местоимения в родительном падеже существительное употребляется без артикля. Прилагательные соответственно изменяются по безартиклевому склонению:

   Der Turm, dessen feucht*es* Fundament …
   Die Busse, deren alt*e* Motoren …

3. Род и число относительного местоимения в родительном падеже зависит от рода и числа существительного, к которому оно относится. Падеж существительного, стоящего после относительного местоимения, зависит от структуры придаточного предложения.

Nom. Sg. n   Akk. Sg. m

Das Gebäude, dessen Keller man renovieren will, …
(= Man will *den Keller des Gebäudes* renovieren.)

Akk. Sg. n   Dat. Pl.

Wir lieben *das alte Haus, dessen Bewohnern* eine Räumungsklage droht.
(= *Den Bewohnern des alten Hauses* droht eine Räumungsklage.)

7   Вставьте относительное местоимение в родительном падеже.

1. a) Der Baum b) Die Pflanze c) Die Sträucher (Pl.)
   … , … Wurzeln krank waren, musste(n) ersetzt werden.
2. a) Der Reisende b) Die Touristin c) Das Kind
   … , … Ausweis nicht zu finden war, konnte die Grenze nicht passieren.
3. a) Der Student b) Die Studentin c) Die Studenten
   … , … Doktorarbeit in der Fachwelt großes Interesse fand, wurde(n) von der Universität ausgezeichnet.
4. a) Der Architekt b) Die Architektin c) Das Architektenteam
   … , … Brückenkonstruktion plötzlich zusammengebrochen war, wurde vor Gericht gestellt.
5. a) Der Junge b) Das Mädchen c) Die Kinder
   … , … Mutter im Krankenhaus lag, wurde(n) von einer Verwandten versorgt.
6. a) Der Arbeiter b) Die Arbeiterin c) Die Arbeiter
   … , … Betrieb schließen musste, war(en) plötzlich arbeitslos.
7. a) Die jungen Leute b) Die Dame c) Der Herr
   … , … Auto in einen Graben geraten war, bat(en) den Automobilclub telefonisch um Hilfe.
8. a) Der Sportverein b) Die Kleingärtner (Pl.) c) Der Tennisclub
   … , … Gemeinschaftsräume zu klein geworden waren, beschloss(en) den Bau eines neuen Hauses.

8   Соедините предложения между собой. Относительное местоимение должно всегда употребляться в родительном падеже.

Wir beruhigten die Ausländerin. Ihr Sohn war bei einem Unfall leicht verletzt worden.
Wir beruhigten die Ausländerin, deren Sohn bei einem Unfall leicht verletzt worden war.

1. Der Geiger musste das Konzert absagen. Sein Instrument war gestohlen worden.
2. Der Dichter lebt jetzt in der Schweiz. Seine Romane waren immer große Erfolge.
3. Man hat das Rathaus abreißen wollen. Seine Räume sind dunkel und schlecht zu heizen.
4. Die Bürger jubelten. Ihre Proteste hatten schließlich zum Erfolg geführt.

5. Der Chirurg wurde von Patienten aus aller Welt angeschrieben. Seine Herzoperationen waren fast immer erfolgreich verlaufen.
6. Der Pilot hatte sich mit dem Fallschirm gerettet. Sein Flugzeug hatte zu brennen begonnen.
7. Der Autofahrer hatte sich verfahren. Seine Straßenkarten waren zu ungenau.
8. Die Reisenden wollten mit dem Bus nicht weiterfahren. Sein Fahrer war betrunken.
9. Wir konnten das Auto nicht selbst reparieren. Sein Motor war defekt.
10. Sie versuchten die arme Frau zu beruhigen. Ihr Sohn war mit dem Motorrad verunglückt.
11. Kurz nach 17 Uhr kam ich zur Post. Ihre Schalter waren aber inzwischen geschlossen.
12. Der Richter ließ sich von den Zeugen nicht täuschen. Ihre Aussagen waren widersprüchlich.
13. Die Angeklagte wurde zu zwei Jahren Gefängnis verurteilt. Ihre Schuld war erwiesen.
14. Verärgert stand er vor den verschlossenen Türen der Bank. Ihre Öffnungszeiten hatten sich geändert.
15. Für den Deutschen war es schwer, sich in dem fremden Land zurechtzufinden. Seine Fremdsprachenkenntnisse waren sehr gering.

III   Относительные придаточные предложения с предлогами

Einige Häuser, *für die* die Nachbarn gekämpft haben, sollen erhalten bleiben.
(Die Nachbarn haben für die Häuser gekämpft.)

Man will das Schloss, *in dessen* Park jetzt Festspiele stattfinden, renovieren.
(In dem Park des Schlosses finden jetzt Festspiele statt.)

Если в придаточном предложении должен употребляться предлог, он всегда стоит перед относительным местоимением.

IV   Относительные придаточные предложения, начинающиеся с „wo(-)

Man hat das Haus, *in dem* wir zwanzig Jahre gewohnt haben, jetzt abgerissen.
Man hat das Haus, *wo* wir zwanzig Jahre gewohnt haben, jetzt abgerissen.
Die Kleinstadt, *in die* ich umgezogen bin, gefällt mir sehr gut.
Die Kleinstadt, *wohin* ich umgezogen bin, gefällt mir sehr gut.

Если речь идет об обстоятельствах места, сочетание „предлог *in* + существительное" может быть заменено на *wo* (= *in* + дательный падеж) или *wohin* (= *in* + винительный падеж).

In der Innenstadt von Hamburg, *wo* der Lärm unerträglich ist, möchte ich nicht wohnen.

После наименований стран и городов употребляются относительные местоимения *wo* или *wohin* (см. *Примечание*).

Man hat den alten Marktplatz umgebaut, *worüber* sich die Bürger sehr aufgeregt haben.
In der Stadt bleibt nur noch wenig übrig, *woran* sich die Bürger erinnern.

Если употребление предлога обязательно и относительное придаточное относится ко всему главному предложению, оно присоединяется к главному предложению при помощи местоименного наречия: *wo(r)-* + предлог.

Примечания

1. После наименований стран и городов без артикля (см. § 3, III), в именительном, винительном или дательном падежах употребляется относительное местоимение среднего рода:
   Hamburg, *das* 100 Kilometer entfernt liegt, ist meine Heimatstadt.
   Russland, *das* er über 50 Jahre nicht mehr gesehen hatte, blieb ihm unvergesslich.

2. Относительное местоимение *wo* может употребляться и как обозначение времени:
   In den letzten Jahren, *wo* es der Wirtschaft gut ging, hat man die Renten weiter erhöht. (stilistisch besser: ... , *als* es der Wirtschaft gut ging, ...)

V Относительные придаточные предложения с „wer, wessen ,wem, wen"

Wer die Ehrlichkeit des Kaufmanns kennt, (der) wird ihm auch glauben.
Wen die Götter verderben wollen, (den) schlagen sie mit Blindheit.
Wessen Herz für die Freiheit schlägt, den nenne ich einen edlen Mann.
Wem die Bergwanderung zu anstrengend wird, der soll jetzt zurückbleiben.

1. Эти относительные придаточные предложения могут рассматриваться как укороченные варианты относительных предложений, присоединяющихся к обозначениям неопределенных лиц:
   Jeder, der die Ehrlichkeit des Kaufmanns kennt, wird ihm auch glauben.
   Denjenigen, den die Götter verderben wollen, schlagen sie mit Blindheit.
   Alle, denen die Bergwanderung zu anstrengend ist, sollen jetzt zurückbleiben.

2. В начале главного предложения часто стоит указательное местоимение *der, den, die* и т. д., прежде всего в том случае, если относительное и указательное местоимения в придаточном и главном предложениях стоят в разных падежах (*wessen ..., den ...; wem ..., der ...*).

VI Относительные придаточные предложения с „was"

Alles, was du mir erzählt hast, habe ich schon gehört.
Nichts, was du mir mitgeteilt hast, ist mir neu.
Das, was mich ärgert, ist der Inhalt deines letzten Briefes.
Das Schönste, was du geschrieben hast, ist die Nachricht von deiner Verlobung.

После указательного местоимения *das*, после *alles, nichts, etwas, einiges, weniges* и т. д., после форм превосходной степени *das Schönste, das Letzte* и т. д., относительное придаточное вводится местоимением *was*.

Er rief gestern plötzlich an, *was* wir nicht erwartet hatten.
Er sagt, dass er Geldschwierigkeiten habe, *was* ich nicht glauben kann.

В том случае, если относительное придаточное относится к содержанию всего главного предложения, оно также вводится при помощи местоимения *was*.

Er hat niemals *davon* gesprochen, *was* bei dem Unfall geschehen ist.
Er kann sich nicht mehr *daran* erinnern, *was* er alles erlebt hat.

В том случае, если относительное придаточное предложение с местоимением *was* относится к предложному дополнению (напр. *о причине*), то в главном предложении обязательно стоит *da(r)-* + предлог (см. § 15, II; § 16, II 2).

Was sich damals ereignet hat, (das) bleibt unerklärlich.
Was wir an diesem Tag erlebt haben, (das) können wir nie vergessen.
Was die Ursache des Unglücks war, *darüber* wollen wir schweigen.

В том случае, если относительное придаточное с местоимением *was* стоит перед главным предложением, оно замещает, например, или подлежащее, или дополнение в винительном падеже или предложное дополнение:

Das damalige Ereignis bleibt unerklärlich. (подлежащее)
Das Erlebnis an diesem Tag können wir nie vergessen. (дополнение в винительном падеже)
Über die Ursache des Unglücks wollen wir schweigen. (предложное дополнение)

Указательное местоимение *das* употребляется в начале главного предложения с целью усиления. В том случае, если предложение с местоимением *was* относится к предложному дополнению, *da(r)-* + предлог обязательно должны стоять на позиции I главного предложения.

Так как относительное местоимение *was* всегда употребляется в единственном числе, только из общего содержания всего предложения можно заключить, указывает ли оно на единственное число или на множественное. Выше приведенные примеры можно сформулировать и следующим образом:

Die damaligen Ereignisse bleiben unerklärlich. – *Unsere Erlebnisse* können wir nie vergessen.

9   Einige Fragen über die deutschsprachigen Länder – Употребите относительные местоимения с предлогами или *wo*.

In welcher Stadt ist Wolfgang Amadeus Mozart geboren?
Salzburg ist die Stadt, in der Wolfgang Amadeus Mozart geboren ist. (... , wo ...)

1. In welcher Gegend gibt es die meisten Industrieanlagen?
2. An welchem Fluss steht der Lorelei-Felsen?
3. In welchem Wald steht das Hermanns-Denkmal?
4. In welchem Gebirge gibt es die höchsten Berge?
5. Auf welchem Berg wurde der Segelflug zum ersten Mal erprobt?
6. In welcher Stadt ist Ludwig van Beethoven geboren und in welcher Stadt ist er gestorben?
7. In welchem Staat gibt es drei Amtssprachen, aber vier Landessprachen?
8. An welchem See haben drei Staaten einen Anteil?
9. Über welche Leute werden die meisten Witze erzählt?

10. In welcher Stadt standen früher die schönsten Barockbauten Europas?
11. Vor den Mündungen welcher großen Flüsse liegt die Insel Helgoland? (Es sind die Mündungen der … und der …)
12. In welchen zwei Städten am Rhein liegen viele deutsche Kaiser und Könige begraben?
13. In der Nähe welcher Stadt wurden die Olympischen Winterspiele 1976 ausgetragen? (… ist die Stadt, in + Genitiv)
14. Durch welchen Berg führt die Straße von Basel nach Mailand?
15. Nach welchem Berg ist die Hochalpenstraße in Österreich benannt?

10 Образуйте предложения по следующему образцу. Употребите перед относительными местоимениями предлоги.

Was ist ein Pass? (Ausweis (m) / mit / in andere Staaten reisen können)
Ein Pass ist ein Ausweis, mit dem man in andere Staaten reisen kann.

1. Was ist ein Holzfass? (Behälter (m) / in / z.B. Wein lagern können)
2. Was ist ein Fahrrad? (Verkehrsmittel (n) / mit / sich mit eigener Kraft fortbewegen können)
3. Was ist eine Dachrinne? (Rohr (n) / durch / das Regenwasser vom Dach leiten)
4. Was ist ein Staubsauger? (Maschine (f) / mit / Teppiche säubern)
5. Was ist ein Videorecorder? (Gerät (n) / mit / Fernsehsendungen aufnehmen und wiedergeben können)
6. Was ist eine Lupe? (Glas (n) / mit / kleine Dinge groß sehen können)
7. Was ist ein Tresor? (Schrank (m) aus Stahl / in / das Geld vor Dieben oder Feuer schützen können)
8. Was ist ein Herd? (Kücheneinrichtung (f) / auf / warme Speisen zubereiten können)

11 Образуйте предложения по следующему образцу. Присоединяйте придаточные предложения при помощи *wer, wessen, wem* или *wen*.

Hat noch jemand etwas zu diesem Thema zu sagen? – Melden Sie sich bitte!
Wer noch etwas zu diesem Thema zu sagen hat, (der) soll sich bitte melden!

1. Gefällt jemandem die Lösung nicht? – Sagen Sie es bitte!
2. Steht jemandem noch Geld zu? – Stellen Sie schnell einen Antrag!
3. Ist jemandes Antrag noch nicht abgegeben? – Geben Sie ihn jetzt gleich im Sekretariat ab! (Wessen Antrag …)
4. Interessiert das jemanden nicht? – Gehen Sie ruhig schon weg!
5. Ist jemand an der Bildung einer Fußballmannschaft interessiert? – Kommen Sie bitte um 17 Uhr hierher!
6. Hat jemand noch Fragen? – Bringen Sie sie jetzt vor!
7. Versteht jemand die Aufgabe nicht? – Kommen Sie bitte zu mir!
8. Ist jemandem noch etwas Wichtiges eingefallen? – Schreiben Sie es auf einen Zettel und geben Sie ihn mir!
9. Ist jemandes Arbeit noch nicht fertig? – Geben Sie sie nächste Woche ab!
10. Braucht jemand noch Hilfe? – Wenden Sie sich bitte an den Assistenten!

12 Заполните пропуски. Каждое слово, кроме *was* и *wo*, может употребляться только один раз. Выбирайте из: *was, wo, wobei, wodurch, wofür, wogegen, womit, woraus, worüber, worunter, wovon, wovor, wozu.*

1. Tu das, … der Arzt gesagt hat! Schlafen ist das Beste, … du jetzt machen kannst.
2. Der Schlosser öffnete die Tür mit einem Dietrich, … man einen hakenförmig gebogenen Draht versteht. Die Frau gab dem Schlosser zehn Euro, … dieser sich sehr freute.
3. Die Jungen gingen auf eine zweiwöchige Wanderung, … sie sich ein Zelt ausgeliehen hatten. Sie kamen in schlechtes Wetter, … sie schon gewarnt worden waren. So saßen sie mit ihrem Zelt eine Woche im Regen, … natürlich nicht so angenehm war.
4. Frau Krüger sammelte Erdbeeren, … ihr Mann einen sehr guten Wein bereitete. Aber im letzten Jahr hatte er etwas falsch gemacht, … der Wein zu Essig geworden war.
5. Die Regierung hatte die BAFöG-Gelder heruntergesetzt, … Studenten und Schüler protestierten. Sie veranstalteten einen Demonstrationsmarsch, … sie große Protestschilder vor sich hertrugen.
6. Er bastelte ein Bücherregal, … er Holz im Wert von 250 Euro kaufte. Es war eine Menge Material, … aber zum Schluss nichts übrig blieb.
7. Herr Spätle hatte eine Alarmanlage gekauft, … er sein Haus gegen Einbrecher schützen wollte.
8. Bei den Erdbeben verloren die Menschen fast alles, … sie besaßen. Sie zogen mit dem, … sie noch retten konnten, zu Verwandten.
9. Rothenburg ob der Tauber, das war das Schönste, … ich an alten Städten je gesehen habe!
10. … wir als Kinder Fußball gespielt haben, da steht jetzt ein Hochhaus.

13 Zum Thema Umweltschutz – Образуйте предложения, используя слова, заключенные в скобки.

Die Autoabgase enthalten Giftstoffe. Das ist schon lange bekannt. (was)
Die Autoabgase enthalten Giftstoffe, was schon lange bekannt ist.

1. Tanker (= Ölschiffe) lassen jährlich mehrere Millionen Liter Ölreste ins Meer ab. Dort bilden sich riesige Ölfelder. (wo)
2. Auch mit den Flüssen wird sehr viel Öl ins Meer transportiert. Darauf machen Umweltschützer immer wieder warnend aufmerksam. (worauf)
3. Die Umweltverschmutzung verursacht immer größere Schäden. Darüber machen sich Fachleute große Sorgen. (worüber)
4. Es müssen strenge Gesetze zum Schutz der Umwelt aufgestellt werden. Darüber müssen die Fachleute aller Länder beraten. (worüber)
5. Das Plankton (= Kleinstlebewesen im Meer) wird mit Krebs erregenden Stoffen angereichert. Dies bedeutet indirekt eine Gefahr für die Ernährung der Menschen. (was)
6. Jährlich verschwindet ein gewisser Prozentsatz Wälder des tropischen Urwaldgürtels. Dadurch wird möglicherweise der Sauerstoffgehalt unserer Luft abnehmen. (wodurch)

7. Immer wieder werden schöne alte Häuser in den Zentren unserer Städte abgerissen. Dagegen protestieren die Bürger der Städte oft heftig. Das hat aber leider nicht immer den gewünschten Erfolg. (wogegen / was)

8. Naturschützer versuchen auch Wale und Robben vor der Ausrottung (= Vernichtung der Art) zu retten. Dabei setzen sie oft ihr Leben aufs Spiel. (wobei)

14 Ein Brief – Образуйте придаточные предложения с местоимением *was* по следующему образцу:

Ich muss dir etwas Wichtiges mitteilen. – Das ist eine schlimme Nachricht für dich.
Was ich dir jetzt mitteilen muss, ist eine schlimme Nachricht für dich.

Vorgestern ist etwas passiert. – Und zwar Folgendes: Unser Vater hat einen Schlaganfall gehabt.
Was vorgestern passiert ist, ist, dass unser Vater einen Schlaganfall gehabt hat.

1. Etwas macht mir Hoffnung. – Und zwar Folgendes: Er steht auf und läuft schon wieder normal.
2. Nach dem Schlaganfall ist leider etwas zurückgeblieben. – Das ist ein leichtes Zittern seiner linken Hand.
3. Sein Arzt hat ihm etwas geraten. – Und zwar Folgendes: Er soll das Rauchen aufgeben.
4. Etwas beunruhigt mich. – Das sind seine kleinen Gedächtnislücken.
5. Während seiner Krankheit muss er etwas vergessen haben. – Und zwar,

dass er einige Jahre in Berlin gelebt hat.
6. Mir fiel etwas auf. – Und zwar Folgendes: Er konnte auf alten Fotos seine ehemaligen Nachbarn nicht wiedererkennen.
7. Etwas tröstet mich. – Und zwar, dass er diesen Gedächtnisverlust gar nicht bemerkt.
8. Trotz seiner 89 Jahre hat er etwas behalten. – Das ist seine positive Lebenseinstellung.

Упражнения к разделу „Относительные придаточные предложения"

15 a Образуйте предложения по следующим образцам:

Ist das der Herr, … ? (*Er* wollte mich sprechen.)
Ist das der Herr, der mich sprechen wollte?

1. Du hast gestern *mit ihm* gesprochen.
2. Du hast *ihn* eben gegrüßt.
3. *Seine* Tochter ist eine Freundin von dir.
4. *Er* ist Journalist bei der Norddeutschen Zeitung.
5. *Seine* Bücher habe ich auf deinem Schreibtisch liegen sehen.
6. Du hast mir neulich schon mal *von ihm* erzählt.

b   Hier ist die Uhr, ... !

1. Ich habe *sie* so lange gesucht.
2. Du hast *sie* mir geschenkt.
3. Ich bin *damit* versehentlich ins Wasser gegangen.
4. Ich habe das Glas *der Uhr* verloren.
5. Du hast so *davon* geschwärmt.
6. Ich bin *damit* beim Uhrmacher gewesen.

c   Das Buch, ... , gehört mir!

1. *Es* hat einen blauen Einband.
2. Du liest *darin*.
3. Du hast *davon* gesprochen.
4. Du hast *es* in deine Mappe gesteckt.
5. Ich habe *es* dir vor einem Jahr geliehen.
6. Du kannst die betreffenden Seiten *daraus* fotokopieren.

d   Das Stipendium, ... , ist nicht leicht zu bekommen.

1. Man muss *es* bis Ende dieses Monats beantragen.
2. Man muss bestimmte Voraussetzungen *dafür* mitbringen.
3. Ich habe mich *darum* beworben.
4. *Um seinen* Erwerb bemühen sich viele Studenten.
5. *Es* wird von einer privaten Gesellschaft vergeben.
6. Du hast *davon* gehört.

e   Den Test, ... , habe ich sicher ganz gut bestanden.

1. *Dabei* können auch mehrere Lösungen richtig sein.
2. Einige Assistenten haben *ihn* zusammengestellt.
3. *Er* prüft ein sehr weites Wissensgebiet.
4. Ich habe *ihn* gestern machen müssen.
5. Ich war *von seinem* Schwierigkeitsgrad überrascht.
6. *Von seinem* Ergebnis hängt für mich eine ganze Menge ab.

Упражнения к разделу „Союзы в придаточных предложениях"

16 Свяжите простые предложения, находящиеся в пространстве между наклонными штрихами, в сложное предложение. Употребите причинные, уступительные и относительные придаточные предложения.

Ein alter Mann konnte nicht einschlafen. Sein Haus lag in der Nähe einer Eisenbahnstrecke. Das Geräusch des vorbeifahrenden Zuges klang anders als
5 gewöhnlich. / Er stand auf und zog seinen Wintermantel über seinen Schlafanzug. Er wollte nachsehen. Was hatte dieses seltsame Geräusch hervorgerufen? / Er nahm einen Stock. Sein rechtes
10 Bein war im Krieg verletzt worden und es war Winter. / Der Schnee lag hoch und sein Bein begann schon nach wenigen Schritten zu schmerzen. Er kehrte nicht um, sondern kletterte mit vielen Mühen auf den Eisenbahndamm. / Seine kleine Taschenlampe war gut zu gebrauchen. Er hatte sie vorsichtshalber mitgenommen. Das Licht der Laternen reichte nicht weit. / Nach längerem Suchen fand er endlich die Stelle. Dort war

die Schiene gerissen. / Es war spät in der Nacht und der Wind pfiff. Er gab nicht auf und lief den langen Weg bis zur nächsten Bahnstation. Er wollte unbedingt die Menschen retten. Sie saßen ahnungslos im nächsten Schnellzug. Der Schnellzug kam aus München. / Der Bahnhofsvorsteher hielt den alten Mann zunächst für verrückt. Der alte Mann brachte ihm die Nachricht von

einer zerrissenen Schiene. Der Beamte kam endlich mit um den Schaden selbst anzusehen. / Der Schnellzug näherte sich mit großer Geschwindigkeit der gefährlichen Stelle. Es gelang dem Beamten im letzten Augenblick dem Zugführer ein Zeichen zu geben. Der Beamte schwenkte eine weithin sichtbare rote Lampe.

17 Еще одно упражнение:

Ein junger Mann stand vor Gericht. Er hatte einige Zeit in einer Druckerei gearbeitet. Dort hatte er sich seine Kenntnisse angeeignet. Er hatte falsche Fünfzigeuroscheine hergestellt. / Er war sehr vorsichtig gewesen und hatte nur nachts gearbeitet. Man hatte ihn erwischt. / Der Hausmeister war aufmerksam geworden und hatte ihn bei der Polizei angezeigt. Er hatte ihn einige Male nachts in den Keller schleichen sehen. / Der Richter war dem Angeklagten freundlich gesinnt. Der junge Mann war arbeitslos und hatte sofort alles gestanden. Eine Gefängnisstrafe von zwei bis drei Jahren war ihm sicher. Geldfälschen muss hart bestraft werden. / Zu Beginn der Verhandlung las der Richter die Anklageschrift vor. Darin waren alle

Beweisstücke aufgezählt: der nachgemachte Kellerschlüssel, die Druckplatten und die falschen Fünfzigeuroscheine. / Der Gerichtsdiener war gebeten worden diese Sachen auf den Richtertisch zu legen. Der Gerichtsdiener war ein ordentlicher Mensch. Man musste den Geschworenen* die Sachen einzeln zeigen. Zum großen Erstaunen des Richters fehlte das Falschgeld. / Man konnte das fehlende Beweisstück nicht finden. Es wurde bei der Polizei angerufen. Die Polizei hatte den Fall bearbeitet und das Beweismaterial gesammelt. / Die Antwort war kurz: „Die Fünfzigeuroscheine haben wir Ihnen am 3. dieses Monats durch die Post überweisen lassen."

* der Geschworene = Hilfsrichter, Laienrichter

Ключи к упражнению 10:

1. das Ruhrgebiet
2. der Rhein
3. der Teutoburger Wald
4. die Alpen (Pl.)
5. die Wasserkuppe
6. Bonn, Wien
7. die Schweiz
8. der Bodensee
9. die Ostfriesen
10. Dresden
11. die Elbe, die Weser
12. Worms und Speyer
13. Innsbruck
14. der St. Gotthard
15. der Großglockner

Часть III

§ 36 Указательные местоимения

Общие сведения

Указательные местоимения более точно указывают на лицо или предмет, чем определенный артикль, и употребляются вместо определенного артикля.

I Склонение „dieser, -e, -es"; „jener, -e, -es"; „solcher, -e, -es"

	Singular maskulin	feminin	neutral	Plural m + f + n
Nom.	dieser Mann	diese Frau	dieses Kind	diese Männer/ Frauen /Kinder
Akk.	diesen Mann	diese Frau	dieses Kind	diese Männer / Frauen/Kinder
Dat.	diesem Mann	dieser Frau	diesem Kind	diesen Männern / Frauen /Kindern
Gen.	dieses Mannes	dieser Frau	dieses Kindes	dieser Männer / Frauen /Kinder

1. Данные указательные местоимения склоняются как определенный артикль.

2. *dieser, -e, -es* указывает на определенные, уже известные лица или предмет; *jener, -e, -es* содержит указание на противопоставление, необходимость различать лица или предметы:
   Ich habe *diesen* Roman noch nicht gelesen.
   Wir haben von *diesem und jenem* Problem gesprochen.
   Diesen Herrn kenne ich nicht, aber *jenem* (Herrn) bin ich schon oft begegnet.

3. *solcher, -e, -es* содержит в общем виде указание на особенности лица или предмета:
   Er hatte *solchen* Hunger, dass ihm fast schlecht wurde.

Примечания

1. *solch* (в несклоняемой форме) обычно стоит перед неопределенным артиклем. В этом случае оно может быть заменено на *so*:
   solch ein Mann (= so ein Mann)   solch eine Frau (= so eine Frau)

2. Если *solch-* стоит в позиции определения после неопределенного артикля, оно склоняется как прилагательное (см. § 39, II):
   ein solch*er* Mann   eine solch*e* Frau

II Склонение „derselbe, dieselbe, dasselbe"; „derjenige, diejenige, dasjenige"

	Singular maskulin	feminin	neutral	Plural m + f + n
Nom.	derselbe Mann	dieselbe Frau	dasselbe Kind	dieselben Männer, ...
Akk.	denselben Mann	dieselbe Frau	dasselbe Kind	dieselben Männer, ...
Dat.	demselben Mann	derselben Frau	demselben Kind	denselben Männern, ...
Gen.	desselben Mannes	derselben Frau	desselben Kindes	derselben Männer, ...

1. Данные указательные местоимения склоняются особо: их первая часть (der-, die-, das-) изменяется по образцу определенного артикля, вторая часть склоняется как прилагательное (см. § 39, I).

2. *derselbe, dieselbe, dasselbe* указывают на лицо или предмет, идентичные ранее названным:
Heute hast du schon wieder *dasselbe* Kleid an wie gestern und vorgestern.

3. *derjenige, diejenige, dasjenige* указывают на лицо или предмет, о которых пойдет речь в последующем относительном придаточном предложении. Указательное местоимение может стоять без существительного, если относительное придаточное содержит достаточно полную информацию:
Man hatte *denjenigen* Bewerber ausgewählt, der ausreichend Fremdsprachenkenntnisse besaß. – *Diejenigen, die* zuviel rauchen und trinken, schaden sich selbst.

Примечание

der gleiche, die gleiche, das gleiche (в раздельном написании) указывают на лицо или предмет аналогичного свойства, не идентичные ранее названным:
Meine Freundin hat sich zufällig *das gleiche* Kleid gekauft wie ich.

III Склонение „der, die, das" в качестве указательных местоимений

	Singular maskulin	feminin	neutral	Plural m + f + n
Nom.	der	die	das	die
Akk.	den	die	das	die
Dat.	dem	der	dem	denen
Gen.	dessen	deren	dessen	deren (derer)

1. Указательные местоимения *der, die, das* в именительном, дательном и винительном падежах употребляются как самостоятельное подлежащее или дополнение. Они относятся к уже названному члену предложения или к последующему относительному придаточному предложению:
Sind Ihre Fenster bei der Explosion kaputtgegangen?
Ja, *die* müssen erneuert werden.

Haben Ihre Nachbarn wieder so viel Krach gemacht?
Ja, *denen* werde ich bald mal meine Meinung sagen.
Den, der mich gerade so beschimpft hat, kenne ich gar nicht.
Mit *denen,* die Physik studieren wollen, muss ich noch sprechen.

2. Указательные местоимения *der, die, das* склоняются так же, как относительные местоимения, однако их не следует смешивать:
Kennst du den Film? – Nein, *den kenne* ich nicht.
Über einen Film, *den* ich nicht *kenne,* kann ich nichts sagen.

3. *der, die, das* употребляются вместо существительного, если его повторение является излишним, поскольку в последующем предложении меняется только определение, относящееся к существительному:
Die Sprechweise des jungen Schauspielers ähnelt *der* seines Lehrers.
Die Treppe in eurem Haus erinnert mich an *die* in Goethes Geburtshaus.

4. a) *das* может относиться ко всему предыдущему предложению; иногда оно с целью усиления употребляется с *alles* или *all:*
Habt ihr von seinem Erfolg gehört? – Ja, *das* hat uns sehr erstaunt.
Er hat zwei Stunden lang geredet, aber *all das* wissen wir doch längst.
Sieh dir das dicke Buch an. Als Pharmaziestudent muss ich *das alles*
(oder: *alles das*) auswendig lernen.

b) В предложениях с глаголами *sein* и *werden* всегда стоит указательное место-имение *das,* даже если оно указывает на существительное мужского или женского рода или существительное во множественном числе, так как это местоимение указывает на содержание всего предыдущего предложения. (Существительное после *sein* и *werden* называется именной частью сказуемого. Когда именная часть стоит во множественном числе, то спрягаемый глагол тоже стоит во множественном числе.) (См. § 14, VII + Примеч.):
Da geht eine Dame in einem blauen Pelzmantel. *Das* ist meine Chefin.
Öffentliche Telefonzellen werden häufig demoliert. *Das* ist eine Schande.
Hier darf man nicht nach links abbiegen, dort nicht nach rechts.
Das sind unnötige Vorschriften.
Es regnet schon seit drei Wochen. *Das* wird ein nasser Urlaub.

c) Различайте между *das* и *es:*
das указывает на содержание предыдущего высказывания; *es* указывает на последующее объяснение или высказывание.
Kannst du diese acht Kisten allein in den 5. Stock hochtragen? – Nein, *das*
ist unmöglich.
Es ist unmöglich, dass ich diese acht Kisten allein in den 5. Stock hochtrage.

5. a) Родительный падеж указательного местоимения – *dessen* и *deren* – малоупот-ребителен. Обычно вместо него употребляется притяжательное местоимение:
Hast du mit dem Professor selbst gesprochen? –
Nein, nur mit *dessen (seinem)* Assistenten.
Kommen Herr und Frau Sommer heute Abend auch? –
Ja, und *deren (ihre)* älteste Tochter.

b) Употребление форм родительного падежа *dessen* и *deren* необходимо, если с тем же притяжательным местоимением непонятно, о чем речь и могут возникнуть недоразумения.

Heute besuchte uns der Direktor mit seinem Sohn und *dessen* Freund.
(= der Freund des Sohnes; „... und *seinem* Freund" könnte heißen: der Freund
des Direktors)

c) Особая форма родительного падежа множественного числа *derer* стоит только
в главном предложении и указывает на последующее относительное придаточное предложение. Форма *derer* соответствует указательному местоимению
derjenigen (= род. п., мн. ч.):

Die Kenntnisse *derer (derjenigen),* die Physik studieren wollen, sind
ausreichend.

Примечания

1. *selbst* относится к предшествующему члену предложения и указывает на их иден-
тичность. Местоимение *selbst* не склоняется.

2. *selbst* (разговорная форма – *selber*) может стоять
   a) сразу за словом, к которому оно относится:
      Ich selbst habe keine weiteren Fragen.
      Die Sache selbst interessiert mich.
      In der Stadt selbst hat sich wenig verändert.

   b) или свободно перемещаться в предложении:
      Die Arbeiter können *selbst* entscheiden.
      Er kam dann endlich *selbst* um nachzusehen.

3. Если *selbst* стоит перед членом предложения, оно имеет значение *sogar* (см. § 51):
   Selbst der Dümmste muss das doch einsehen.
   Er war *selbst* dann vergnügt, wenn es ihm schlecht ging.
   Sie hat immer gearbeitet, *selbst* wenn sie sich krank fühlte.

---

1 Назовите следующие словосочетания в форме женского рода и в форме
множественного числа обоих родов: женского и мужского.

   dieser Student: *diese Studentin, diese Studenten, diese Studentinnen*

1. derjenige Schüler
2. mit diesem Schweizer
3. von jenem Österreicher
4. wegen jenes Zollbeamten
5. durch denjenigen Polen
6. ein solcher Student
7. trotz dieses Richters
8. solch ein Schauspieler
   (Pl.: solche Schauspieler)

2a Im Warenhaus

   Kühlschrank (m) / klein
   Was halten Sie von diesem Kühlschrank hier?
   Also diesen Kühlschrank nehme ich nicht, der ist mir zu klein.

1. Waschmaschine (f) / teuer
2. Küchenmöbel (Pl.) / bunt
3. Nähmaschine (f) / unpraktisch
4. Elektroherd (m) / unmodern
5. Dampfbügeleisen (n) / kompliziert
6. Spülbecken (Pl.) / empfindlich

b Schrank (m) / neben / Bett (n) / Bruder
Wie gefällt Ihnen der Schrank neben diesem Bett?
Der gefällt mir recht gut; denselben hat mein Bruder.

1. Einrichtung (f) / in / Küche (f) / Schwester
2. Sessel (m) / an / Kamin (m) / Eltern
3. Bücherregal (n) / in / Flur (m) / Freundin
4. Stehlampe (f) / neben / Sitzecke (f) / Freund
5. Stuhl (m) / vor / Schreibtisch (m) / Nachbar
6. Rauchtischchen (n) / in / Ecke (f) / Untermieter

c Fernseher (m) / sehr zuverlässig
Welchen Fernseher können Sie mir empfehlen?
Ich empfehle Ihnen diesen Fernseher, der ist sehr zuverlässig.

1. Kofferradio (n) / angenehm leicht
2. Kassettenrekorder (m) / sehr gut
3. Lautsprecher (Pl.) / sehr preiswert
4. Videorekorder (m) / wirklich sehr zuverlässig
5. Taschenrechner (m) / unglaublich preiswert
6. Schreibmaschine (f) / zur Zeit im Sonderangebot

3 Вставьте, где необходимо, окончания.

1. Kauf dir doch auch solch_ ein_ Schal (m)! Dann haben wir beide d_ gleich_ Schals.
2. Bist du auch mit dies_ Zug (m) gekommen? Dann haben wir ja in d_selb_ Zug gesessen!
3. Was machst du eigentlich zur Zeit? – D_ möchtest du wohl gern wissen? Ich treibe mal dies_, mal jen_, mal lebe ich in dies_ Stadt, mal in jen_.
4. Sie sprachen von dies_ und jen_, aber d_ hat mich alles nicht interessiert.
5. Wird Ladendiebstahl schwer bestraft? – D_ weiß ich nicht; frag doch mal Gisela, d_ Mutter (Giselas Mutter!) ist doch Rechtsanwältin, d_ muss es wissen.
6. Niemand kennt die Namen d_ (Gen.), die hier begraben liegen.
7. Die Angst d_jenig_ (Gen.), die auf dem brennenden Schiff waren, war unbeschreiblich.
8. Von dies_ Bekannten habe ich noch d_ 100 Mark zurückzubekommen, die ich ihm Ostern geliehen habe.
9. Ich spreche von d_jenig_, die immer das letzte Wort haben. Dies_ Leute sind mir nicht sympathisch.
10. D_jenig_, der meine Brieftasche findet, wird gebeten, dies_ gegen Belohnung bei mir abzugeben.
11. Wir sind beide in d_selb_ Ort (m) geboren und auf d_selb_ Schule gegangen.
12. Solch_ ein_ Teppich (m) möchte ich haben! Ein_ solch_ Stück (n) besitzt meine Schwiegermutter; d_ ist ganz stolz darauf.
13. Ich wundere mich, dass er von solch_ ein_ Hungerlohn (m) leben kann und dass er dann ein_ solch_ Wagen fährt.
14. Dies_ Zug fährt abends wieder zurück; wir treffen uns dann wieder in d_selb_ Abteil (n).
15. Es herrscht wieder dies_ Novemberstimmung (f); d_ macht mich ganz krank. An ein_ solch_ Tag möchte ich am liebsten im Bett liegen bleiben.

4 Вставьте, „das" или „es".

1. Ein betrunkener Autofahrer ist direkt auf mich zugefahren. … ist der Grund, weswegen ich jetzt im Krankenhaus liege.
2. Wenn Kinder krank sind, soll man ihnen spannende Geschichten erzählen, … hilft oft mehr als die beste Medizin.
3. Natürlich war … traurig, dass der begabte Künstler nie Erfolg gehabt hatte.
4. Ich war gestern im Moskauer Staatszirkus. … war erstaunlich zu sehen, wie exakt die Artisten arbeiten.
5. Glaubt ihr, dass ihr in München so einfach eine Wohnung bekommen könnt? … müsste schon ein Glücksfall sein.
6. Du musst endlich deine Steuererklärung machen. … ist unverantwortlich, dass du die Sache noch weiter hinausschiebst.
7. Dass ein 18-jähriger Schüler den Nobelpreis bekommen hat, kann ich nicht glauben. … ist doch unmöglich.
8. Ich habe viermal angerufen, aber die alte Dame hat sich nicht gemeldet. … hat mich misstrauisch gemacht und ich bin zur Polizei gegangen.
9. Bitte schreib mir öfters. … macht mich froh, wenn ich von dir höre.
10. Aber ein Glas Rotwein wirst du doch trinken dürfen. … macht doch nichts. Du fährst doch erst in zwei Stunden nach Hause.
11. Er war bereits morgens betrunken, wenn er zur Arbeit kam. Deshalb war … nicht verwunderlich, dass er entlassen wurde.

§ 37   Неопределенные местоимения

Общие сведения

Неопределенные местоимения указывают на неопределенные, неизвестные или малоизвестные лица или предметы. Эти местоимения пишутся с маленькой буквы.

Неопределенные местоимения, употребляющиеся самостоятельно в качестве подлежащего или дополнения

Nom.	man	jemand	einer, -e, -(e)s	irgendwer	etwas / nichts
Akk.	einen	jemand(en)	einen, -e, -(e)s	irgendwen	etwas / nichts
Dat.	einem	jemand(em)	einem, -er, -em	irgendwem	–
Gen.	–	jemandes	–	–	–

1. Местоимение *man* относится к нескольким неизвестным лицам или к неопределенной общности людей. Местоимение *man* стоит в единственном числе. (Сравните: *Man liest.* – Читают.)...
   In der Tagesschau kann *man* sich über die Ereignisse des Tages informieren.
   Die Tagesschau gibt *einem* nicht genügend Informationen.
   Das Fernsehprogramm kann *einen* schon manchmal ärgern!

2. *jemand* и *niemand* указывают на одно или на несколько незнакомых лиц. Оба местоимения употребляются только в единственном числе. В дательном и винительном падежах возможны неизменяемые формы *jemand* и *niemand*:
   Zum Glück hat mir *jemand* beim Einsteigen geholfen.
   Ich wollte, ich wäre auf *niemandes* Hilfe angewiesen.
   Während der Fahrt habe ich mit *niemand(em)* gesprochen.
   Beim Aussteigen habe ich *jemand(en)* um Hilfe gebeten.

3. *einer, eine, eins* (мн. ч. *welche*) указывают на одно лицо из группы лиц или на один предмет из нескольких; отрицательные формы – *keiner, keine, keines* (мн. ч. *keine*):
   Zehn Leute haben am Seminar teilgenommen, *einer* hat Protokoll geführt.
   Hier soll es günstige Anzüge geben, aber ich habe noch *keinen* gesehen. Hast du *welche* entdeckt?

   Форма *einander* стоит в дательном и винительном падежах:
   Zu Neujahr wünscht man *einander* viel Glück. (= einer *dem* anderen)
   Sie kannten *einander* gut. (= einer *den* anderen)

   einander может стоять также вместе с предлогом и пишется с ним слитно.
   Wir haben *beieinander* gesessen, *miteinander* gesprochen und *voneinander* gelernt.

4. *irgendwer* и *irgend jemand* указывают на любое лицо или группу лиц:
   Hast du noch *irgendwen* in der Firma erreichen können?
   Das hat *irgendjemand* erzählt, ich weiß nicht mehr, wer.

5. *etwas* и *nichts* употребляются как указание на предметы, понятия, положение вещей, обстоятельства:
   Ich habe dich *etwas* gefragt!
   Er hat bei dem Geschäft *nichts* verdient.

1 Вставьте по смыслу местоимения, „jemand" или „niemand". Употребите склоняемую форму этих местоимений.

   1. Er war enttäuscht, denn seine Arbeit wurde von ... anerkannt.
   2. Ich kenne ..., der die Reparatur ausführen kann; aber er ist ziemlich teuer!
   3. Wenn du ...(Gen.) Rat annehmen willst, ist dir nicht zu helfen.
   4. Er langweilte sich auf der Party, denn er kannte ...
   5. Wenn ich ... wirklich gern helfen würde, dann bist du es.
   6. Ich musste alles allein machen; ... hat mir geholfen.
   7. Alte Leute sind oft allein stehend und haben ..., der sich um sie kümmert.

2 Выполните упражнение на употребление местоимений „einer" – „keiner".

Hat jemand ein Taschenmesser? *Ja, ich habe eins.*
  Nein, ich habe keins.

1. Möchte jemand ein Butterbrot?
2. Möchte jemand einen Aperitif?
3. Hat jemand ein Lexikon?
4. Hat jemand vielleicht ein Fünf-markstück?

5. Backt jemand wieder einen Kuchen?
6. Braucht jemand einen Kalender?
7. Hat jemand einen Fahrplan?

II Неопределенные местоимения в сочетании с существительным или без него

Склонение „jeder, -e, -es", мн. ч.: „alle"; „sämtliche" – „mancher, -e, -es", мн. ч.: „manche"

	Singular maskulin	feminin	neutral	Plural m + f + n
Nom.	jeder Mann	jede Frau	jedes Kind	alle Männer…
Akk.	jeden Mann	jede Frau	jedes Kind	alle Männer…
Dat.	jedem Mann	jeder Frau	jedem Kind	allen Männern…
Gen.	jedes Mannes	jeder Frau	jedes Kindes	aller Männer …

Данные неопределенные местоимения склоняются как определенный артикль и могут замещать его.

1. *jeder, -e, -es* употребляется только в единственном числе; во множественном числе употребляется *alle* или – в целях усиления – *sämtliche*:
   Zu dem Gartenfest soll *jeder Hausbewohner* etwas mitbringen.
   Jeder muss helfen.
   Alle Hausbewohner feierten bis zum späten Abend. *Alle* waren sehr vergnügt.
   Ich habe bei dieser Gelegenheit *sämtliche Hausbewohner* kennen gelernt.

2. *mancher, -e, -es*, мн. ч.: *manche* указывает на одно или несколько недостаточно определенных лиц:
   Die Sozialhelferin hat schon *manchem einsamen Menschen* geholfen.
   Manche (Menschen) wollen sich nicht helfen lassen.
   Wir haben schon so *manches* erlebt.

3. а) Форма единственного числа *alles* (им., вин. п.) *allem* (дат. п.) употребляется следующим образом, например:
   Jetzt war *alles* wieder genauso wie vorher.
   Man kann mit *allem* fertig werden, wenn man Mut hat.

b) Форма единственного числа *all-* стоит перед субстантивированными прилага-
   тельными. Эта форма может стоять также при существительных, употреб-
   ляющихся без артикля (см. § 39 Примеч.). Местоимение *all-* склоняется в
   единственном числе как определенный артикль:
   Ich wünsche Ihnen *alles Gute.* (вин. п., ед. ч., ср. р.)
   Zu *allem Unglück* ist er auch noch krank geworden. (дат. п., ед. ч., ср. р.)
   Sie trennten sich in *aller Freundschaft.* (дат. п., ед. ч., жен. р.)
   Sie hat sich *alle Mühe* gegeben. (вин. п., ед. ч., жен. р.)

c) Краткая форма множественного числа *all* стоит перед определенным
   артиклем, указательным или притяжательным местоимением:
   Die Kinder freuten sich über *all die vielen Geschenke.*
   Wer kann sich schon *all diese Sachen* leisten?
   Er hat *all seine Kinder und Enkelkinder* um sich versammelt.

3 Вставьте местоимения *jed-* или *all-* в нужной форме.

… Gäste waren pünktlich eingetroffen. Fast … Gast hatte einen Blumenstrauß mitgebracht. … einzelne wurde gebeten sich in das Gästebuch einzutragen, aber nicht … taten es. Das Büfett war schon vorbereitet und … nahm sich, was er wollte. … mussten sich selbst bedienen, aber bei … den guten Sachen wusste mancher nicht, was er zuerst nehmen sollte. Natürlich gab es für … Geschmack etwas zu trinken: Sekt, Wein, Bier, aber auch verschiedene Säfte, denn nicht … mochte oder durfte Alkohol trinken. Die Hausfrau hatte sich wirklich … Mühe gegeben. … schmeckte es offenbar großartig, denn nach zwei Stunden war so gut wie … aufgegessen.

Склонение местоимений „andere", „einige", „einzelne", „mehrere", „viele", „wenige"

	Plural
Nom.	viele Leute
Akk.	viele Leute
Dat.	vielen Leuten
Gen.	vieler Leute

1. Данные неопределенные местоимения склоняются как прилагательные без
   артикля во множественном числе (см. § 39, II). Обычно они употребляются
   во множественном числе:
   Es gibt *viele Probleme* in der Landwirtschaft.
   Vor *einigen chemischen Substanzen* muss gewarnt werden.
   Andere Mittel können ohne Schaden für die menschliche Gesundheit
   verwendet werden.
   Nach dem Streit verließen *einige* den Raum, *andere* diskutierten weiter.
   Einzelne teilten die Ansicht des Redners, *mehrere* waren dagegen.
   Das Urteil *einiger* wiegt oft schwerer als die Einwände *vieler*.

2. a) *ander-, einzeln-* и *folgend-* могут употребляться как прилагательные в единственном числе.
   Ich habe einen *anderen* Film gesehen.
   Er erzählte den *folgenden* Witz
   Wir müssen jeden *einzelnen* Fall diskutieren.

   b) Формы единственного числа *anderes* (им., вин. п.), *anderem* (дат. п.), *einiges, einigem, vieles, vielem, weniges, wenigem* употребляются, например, следующим образом:
   Vieles war noch zu besprechen.
   Sie war nur mit *wenigem* einverstanden.

3. Неизменяемые формы *mehr, viel, wenig* употребляются при существительных без артикля, стоящих в единственном числе (см. § 3 III, § 39, IV):
   Er hatte nur sehr *wenig Geld.*
   Kinder sollten *mehr Obst* essen.

4. Неизменяемая форма *mehr* может стоять также перед существительными во множественном числе. Обычно в таких случаях речь идет о сравнении (см. § 31 II, § 40, III):
   Es werden *mehr Ärzte* ausgebildet, als gebraucht werden.

Примечания

1. Наречие *anders* отвечает на вопрос: *wie?* (как?)
   Sie kleidet sich jetzt *anders* als früher.

2. Обратите внимание на разницу между *anders* и *anderes:*
   Was meinst du eigentlich? Neulich hast du die Sache *anders* erklärt. (= Wie?)
   Tatsächlich ist aber etwas *anderes* geschehen. (= Was?)

4 Вставьте местоимения в скобках в правильной форме.

1. a) Er hatte sich mit ... ... zusammengetan und Lotto gespielt. (einige andere)   b) Die Gruppe hat gewonnen; was machen sie jetzt mit dem ... Geld? (viel)

2. a) Er hat eine Briefmarkensammlung mit sehr ... Marken. (viel)
   b) ... Stücke sind ... als 500 Euro wert. (einige / mehr)

3. a) Sie hat ... exotische Pflanzen in ihren Garten eingepflanzt. (viel)
   b) Mit ... hat sie Glück gehabt, sie sind gut angewachsen; mit ... ... hat sie weniger Glück, sie wollen nicht recht wachsen. (einige / einige andere)

4. a) Die Zollbeamten untersuchten jeden ... Koffer der Schauspielerin. (einzeln) b) Bei ... Leuten waren sie wieder nicht so genau. (andere)

5. a) Die Einwohnerzahlen ... Bundesländer in Deutschland sind in letzter Zeit gestiegen. (viel) b) Die Einwohnerzahlen ... ... Länder sind jedoch gefallen. (einige wenige)

§ 38   Числительные

I Количественные числительные

1. Как числительное может употребляться неопределенный артикль. В этом случае он стоит под ударением:
   Hinter dem Sportplatz steht nur noch *ein* Haus.
   Ich habe *einen* Zentner Kartoffeln gekauft, nicht zwei.

2. Числительное *eins* в качестве самостоятельного слова имеет окончания определенного артикля:
   Nur *einer* von zehn Schülern war anwesend.
   Mit nur *einem* allein kann man keinen Unterricht machen.

3. Если числительное *eins* употребляется с определенным артиклем, оно склоняется как прилагательное после определенного артикля:
   Nach dem Streit sprach *der eine* nicht mehr mit *dem anderen.*
   Im Gegensatz zu *dem einen* wird oft *der andere* genannt.
   (Пишется с маленькой буквой!)

4. a) Количественные числительные *zwei* и *drei* имеют формы родительного и дательного падежей:
   Wir begrüßen die Anwesenheit *zweier / dreier* Präsidenten.
   Sie hatte viele Enkel: mit *zweien / dreien* hatte sie ständig Kontakt.

   b) Остальные количественные числительные от 4 до 999 999 не склоняются.

5. Количественные числительные могут выступать в роли существительных. В этом случае они пишутся с большой буквы:
   ***Eine Null* hinter einer Ziffer bedeutet einen Zehnerabstand.**
   Der Schüler bekam *eine Eins* für seine Arbeit.
   ***Die Zehn* hält da hinten. (Straßenbahn)**

6. Также с большой буквой пишутся числительные *eine Million, zwei Millionen; eine Milliarde, -n; eine Billion, -en*:
   Bei dem Geschäft hat er *eine Million* verdient.

Примечания

1. Местоимения *beide* и *beides* соответствуют числу „два", однако в отличие от него указывают на уже упомянутые лица или предметы *(beide)*, а также обстоятельства *(beides)*. Эти местоимения имеют окончания определенного артикля:
   Ich habe mit dem Personalchef und dem Abteilungsleiter gesprochen; *beide* haben mir die Stellung zugesagt.
   Die Politik unserer Partei war schwankend, das Wahlergebnis war schlecht; *beides* enttäuschte mich sehr.

2. *ein Paar* (с большой буквой) обозначает два лица или предметов:
   Die beiden heiraten heute; sie sind *ein hübsches Paar.*

   ein paar (с маленькой быквой) обозначает несколько лиц или предметов:
   Ich habe für den Balkon *ein paar* Blumen gekauft.

3. 12 одинаковых лиц или предметов называются по-немецки e*in Dutzend:*
   Ein Dutzend Eier sind zwölf Eier.

4. Слова *Hunderte, Tausende* и т. п. могут употребляться в роли подлежащего или дополнения и склоняются как существительные:
   Seit dem Erdbeben leben noch *Hunderte* in Baracken.
   Zum Oktoberfest kommen *Tausende* nach München.
   Bei der nächsten Demonstration rechnet die Polizei mit *Zehntausenden.*

5. Количественные числительные, оканчивающиеся на *-er* склоняются:
   Für den Automaten fehlt mir *ein Zehner.* (= 10 Cent oder 10 Euro)
   Man spricht oft von dem raschen Wirtschaftswachstum *in den Fünfzigern.*
   (in den fünfziger / 50er Jahren / Fünfzigerjahren)
   Bewundernswert war die sportliche Leistung eines *Achtzigers.* (= eines Mannes zwischen 80 und 90 Jahren)

6. Число людей можно определить с помощью конструкции *zu ... -t*:
   Gestern waren wir *zu viert* im Kino.
   Meiers fahren dieses Jahr nicht mit der ganzen Familie, sondern nur *zu zweit* in Urlaub.

Количественные числительные произносятся следующим образом:

1. При обозначении времени:

9.00	читается:	neun Uhr
8.45		acht Uhr fünfundvierzig
		oder: Viertel vor neun
13.30		dreizehn Uhr dreißig
		oder: halb zwei (= nachmittags)
14.50		vierzehn Uhr fünfzig
		oder: zehn (Minuten) vor drei (= nachmittags)

2. Обозначение денежных средств в немецкоязычных странах:
   der Euro (€)
   der Cent, -s
   17,11 € = siebzehn Euro elf
   der Schweizer Franken, – (SF)   der Rappen, –
   6,10 SF = sechs Franken zehn

   При обозначении цены:

200,— €	читается:	zweihundert Euro
2,98 €		zwei Euro achtundneunzig
—,55 €		fünfundfünfzig Cent(s)

3. При обозначении температуры:

14 °C	читается:	vierzehn Grad Celsius
0 °		null Grad
2 °–		zwei Grad minus
2 °+		zwei Grad plus
29,9 °C		neunundzwanzig Komma neun Grad Celsius

4. В четырех действиях арифметики:

2 + 2 = 4	читается:	zwei plus / und zwei ist / gleich vier
3 – 2 = 1		drei minus / weniger zwei ist / gleich eins
3 x 3 = 9		drei mal drei ist / gleich neun
21 : 7 = 3		einundzwanzig dividiert / geteilt durch sieben ist / gleich drei

5. При указании дат:

im Jahr(e) 33 v. Chr.	читается:	dreiunddreißig vor Christus
im Jahr 1024 n. Chr.		(ein)tausendvierundzwanzig nach Christus
1492		vierzehnhundertzweiundneunzig
1800		achtzehnhundert
1984		neunzehnhundertvierundachtzig
2000		zweitausend

Примечание

Указание дат дается в немецком языке либо при помощи числительного без сопроводительных слов, либо перед числительным стоит *im Jahr(e)*. *-e* – окончание старой формы дательного падежа, которое можно опускать.

II Порядковые числительные

1. При письме порядковые числительные обозначаются либо цифрами с точкой (der 2.), либо буквами *(der zweite)*. При произнесении они употребляются в склоняемой форме (см. § 39, I).

2. Порядковые числительные отвечают на вопрос: *der wievielte?* (который?)

3. Порядковые числительные от 2 до 19 образуются при помощи *-t* (аналогично от 102 до 119 и от 1002 до 1019). Порядковые числительные от 20 и выше при помощи *-st.* Особые формы имеют *der, die, das erste; der, die, das dritte; der, die, das achte:*

der, die, das	*erste*	der, die, das	zwanzigste
	zweite		einundzwanzigste
	dritte		…
	vierte		hundertste
	…		hundert*erste*
	siebente (oder: siebte)		hundert*zweite*
	achte (nur ein *t*)		…
	…		hundertdreißigste
	neunzehnte		tausendste
			tausend*erste*
			…
			tausenddreißigste

4. Порядковые числительные склоняются как прилагательные (см. § 39).

   a) В сочетании с существительным:
      Ich habe heute *mein zweites Examen* bestanden.
      Sie arbeitet mit *ihrem dritten Chef* genauso gut zusammen wie mit *ihrem ersten* und *zweiten* (Chef).

   b) В самостоятельном употреблении:
      Beim Pferderennen wurde er *Erster*.
      Sein Konkurrent kam erst als *Dritter* durchs Ziel.

   c) В указании дат:
      Der 2. Mai (= der zweite Mai) ist kein Feiertag.
      Er kommt *am Freitag, dem 13.* (= dem Dreizehnten)
      Wir haben heute *den 7. Juli* (= den siebten Juli)
      заголовок письма: Frankfurt am Main, den 20.8.1984
      (= den Zwanzigsten Achten…)
      Heute habe ich Ihren Brief vom 28.8. (= vom Achtundzwanzigsten Achten)
      dankend erhalten.

   d) В римских цифрах:
      Karl I. (= Karl der Erste) wurde im Jahr 800 zum Kaiser gekrönt.
      Unter Kaiser *Karl V.* (= Karl dem Fünften) waren Deutschland und Spanien vereint.

5. После *zu* для указания количества людей (ср. I, 6)
   Zu meinem Geburtstag waren wir nur *zu dritt*.
   Er brachte seine gesamte Familie mit; sie waren *zu sechst*.

6. Форма порядкового числительного без окончания стоит также в составе сложных слов, вторым компонентом которых является прилагательное в превосходной степени:
   Der *zweitschnellste* Läufer kam aus Argentinien.
   Die besten Skiläufer kamen aus Österreich, die *drittbesten* aus Schweden.

Примечания

1. Перечисление начинается с *der erste* и заканчивается словом *der letzte* :
   Die ersten Besucher bekamen gute Plätze, *die letzten* mussten stehen.

2. Если в предыдущем изложении упоминались два лица или предмета одного и того же рода, в дальнейшем их можно различать при помощи слов *der erstere* и *der letztere* (так же и во множественном числе):
   Der Geselle und der Meister stritten sich. *Der erstere* fühlte sich unterdrückt, *der letztere* (fühlte sich) ausgenutzt.

III Прочие виды числительных

1. **Дробные числительные** обозначают часть целого:

   a) Половина обозначается при помощи числительного *ein halb*:
      $\frac{1}{2} \cdot \frac{1}{2} = \frac{1}{4}$ (ein halb mal ein halb ist ein viertel)
      ein halb в роли прилагательного: Ein *halbes* Kilo Kirschen, bitte.
      числительное +   Wir müssen noch ca. *viereinhalb* Kilometer laufen.
      дробное числительное:

Er war *anderthalb* Jahre in Persien.
(= *ein und ein halbes Jahr*)

b) Остальные дробные числительные образуются из порядковых числительных с помощью *-el*. Данные дробные числительные не склоняются.

в качестве существительного:	Ich gebe *ein Drittel* meines Gehalts für Miete aus. *Ein Fünftel* der Einwohner sind Bauern.
дробное числительное + существительное	Sie bearbeitet ein Maschinenteil in einer *achtel* Minute. Die letzte *viertel* Stunde (oder: Viertelstunde) war quälend.
числительное + дробное числительное:	Er lernte die Sprache in einem *dreiviertel* Jahr. Er siegte mit einem Vorsprung von *fünf achtel* Sekunden.

2. **Распределительные числительные** обозначают порядок следования при перечислении. Они образуются из порядковых числительных при помощи *-ens*. Данные числительные не склоняются.

Перечисление обозначается цифрами:	Bei uns herrscht Chaos: 1. Die Waschmaschine ist ausgelaufen. 2. Ich habe meinen Autoschlüssel verloren. 3. Morgen kommt Tante Emma!
Перечисление обозначается словами:	Bei uns herrscht Chaos. Erstens ist die Waschmaschine ausgelaufen, zweitens habe ich meine Autoschlüssel verloren und zu allem Unglück kommt drittens morgen Tante Emma!

О порядке слов в предложении: 1., 2., 3. и т. д. при написании цифрами стоят обычно перед предложением. При написании словами, т. е. *erstens, zweitens ...* они являются членами предложения и стоят обычно на первом месте.

3. **Кратностные числительные** обозначают повторяемость. Они отвечают на вопрос *wie oft?, wievielmal?* (как часто?). В качестве наречий они образуются при помощи *-mal,* в качестве прилагательных – при помощи *-malig.* Данные числительные не склоняются в роли обстоятельства и склоняются в роли определения:

обстоятельство:	Ich bin ihm nur *einmal* begegnet. Wir haben bei euch schon *fünfmal* angerufen.
определение:	Das war eine *einmalige* Gelegenheit. Nach *viermaliger* Behandlung war der Patient geheilt.

Примечания

a) После *einmal* при счете употребляется сочетание порядкового числительного с *-mal* и *Mal*:
Wir klingelten einmal, dann zum zweiten Mal, aber erst beim dritten Mal machte jemand die Tür auf.

b) К неопределенным кратностным числительным относятся *vielmals, mehrmals, oftmals*:
Ich bitte *vielmals* um Entschuldigung.
Im Kaufhof ist schon *mehrmals* eingebrochen worden.

4. **Числительные со значением многократного умножения** образуются из количественных числительных при помощи *-fach*. Они могут употребляться как обстоятельства в несклоняемой и как определения – в склоняемой форме.

обстоятельство: Die Tür ist *dreifach* gesichert.

определение: Man muss den Antrag in *fünffacher* Ausfertigung vorlegen.

Примечания

a) После *zweimal* может употребляться *doppelt*:
   Wir müssen *doppelt* so viel arbeiten wie die anderen.
   Das nützt nichts, das bringt nur *doppelten* Ärger.

b) К неопределенным числительным со значением многократного умножения относятся *mehrfach, vielfach*:
   Man kann Kohlepapier *mehrfach* benutzen.

c) Образ действия передает числительное *vielfältig*:
   Er erhielt eine *vielfältige* Ausbildung.

5. **Числительные со значением типа, вида, рода** образуются из количественных числительных при помощи *-erlei*. Они употребляются в несклоняемой форме:

Der Schrank ist aus *zweierlei* Holz gebaut.

Es gibt *hunderterlei* Möglichkeiten eine Lösung zu finden.

Примечание

einerlei имеет два значения:

Das ist mir *einerlei*. (= egal, gleichgültig)

Hier gilt *einerlei* Recht. (= das gleiche, nur eins)

1 Zahlenvergleiche

Es stehen D für Deutschland, A für Österreich und Ch für die Schweiz. Alle Zahlen sind auf- oder abgerundet. (km² = Quadratkilometer)

	D	A	CH
Fläche in 1000 km²	357	84	39,9
Einwohner in Mill.	81	8	6,9
Einwohner pro km²	228	95	174
Ausländer in Mill.	6,9	0,7	1,3
Ausländer im Verhältnis zur Gesamtbevölkerung	8,5 %	8,9 %	18,8 %

Прочитайте вслух данные, приведенные в таблице, в следующем порядке:

Deutschland hat eine Fläche von dreihundertsiebenundfünfzigtausend Quadratkilometern und ... Millionen Einwohner, das sind ... pro ...; es leben sechs Komma neun Millionen Ausländer in Deutschland, d. h. auf hundert Einwohner kommen mehr als acht Ausländer.

2 Flächen

(D) ist fast (9) … wie die Schweiz.
Deutschland ist fast neunmal so groß wie die Schweiz.

1. (CH) ist rund (1/9) … (D).
2. (A) ist rund (1/4) … (D).
3. (A) ist mehr als (2) … (CH).

4. (CH) ist weniger als (1/2) … (A).
5. (D) ist etwa (4) wie (A).

3 Einwohnerzahlen

Verglichen mit (CH) hat (D) fast die (12) … Einwohnerzahl.
Verglichen mit der Schweiz hat Deutschland fast die zwölffache Einwohnerzahl.

1. … (A) … (D) … (10). 2. … (A) … (CH) … (1) (fast die gleiche).

4 Bevölkerungsdichte

Die Bevölkerungsdichte in (D) ist etwa (2,5) … (A).
Die Bevölkerungsdichte in Deutschland ist etwa zwei Komma fünf mal so groß wie in Österreich.

1. … (CH) … (1,8) … (A). 2. … (D) … (über 1,3) … (CH).

5 Zahl der Ausländer im Verhältnis zur Gesamteinwohnerzahl

In (D) ist jeder (11) ein Ausländer.
In Deutschland ist jeder Elfte ein Ausländer.

1. (A) (11)   2. (CH) (5)

6 Zahl der Ausländer im Vergleich

Wie viel mehr Ausländer gibt es in Deutschland,
a) verglichen mit Österreich, b) verglichen mit der Schweiz?

7 Große Städte im deutschsprachigen Raum (in Tausend)

Bundesrepublik Deutschland		*Schweiz*	
Berlin	3475	Zürich	343
Hamburg	1702	Basel	175
München	1255	(Genf*)	173
Köln	962	Bern	128
Frankfurt am Main	660		
Essen	622		
Dortmund	602		
Stuttgart	594	*Österreich*	
Düsseldorf	575	Wien	1539
Bremen	552	Graz	238
Duisburg	537	Linz	203

Hannover	525	Salzburg	144
Nürnberg	499	Innsbruck	118
Leipzig	491		
Dresden	479		

(* im französischen Sprachgebiet)

Прочитайте вслух вышеприведенную таблицу. На забудьте: данные приведены в тысячах. Например:

Zürich hat dreihundertdreiundvierzigtausend Einwohner.

8 Wie heißen die drei größten Städte der angeführten drei Staaten?

Die größte Stadt Österreichs ist Wien, die zweitgrößte ist ..., и т. д.

9 An wievielter Stelle der Städte des Landes stehen:

München und Köln?
München und Köln stehen an der dritten und vierten Stelle der Städte in der Bundesrepublik.

1. Dortmund und Düsseldorf?
2. Bern?
3. Salzburg und Innsbruck?
4. Wien und Graz?
5. Leipzig und Dresden?

10 Basel ist die zweitgrößte Stadt der Schweiz.

Und Bern? Stuttgart? Leipzig? Salzburg? Innsbruck? Dresden? Essen? Graz?

11 Сравните нижеприведенные города по их величине.

Hamburg – Stuttgart
Hamburg ist ungefähr dreimal so groß wie Stuttgart.

1. Zürich – Basel
2. Köln – Nürnberg
3. Frankfurt – Zürich
4. Berlin – Dortmund
5. Köln – Graz
6. Wien – Innsbruck

12 Вставьте числительные в нужной форме.

Die Einwohnerzahlen (2) ... Städte in der Bundesrepublik sind ungefähr gleich groß: Frankfurt und Essen. Erst_ hat ..., Letzt_ ... Einwohner.
Nennen Sie die Einwohnerzahlen (3) ... Städte in Österreich. Stuttgart und München sind Großstädte in Süddeutschland; Erst_ ist die Hauptstadt des Landes Baden-Württemberg, Letzt_ ist die Hauptstadt des Landes Bayern.

13 Выполните упражнение по следующему образцу. Обратите внимание: Слова, выделенные курсивом, опускаются.

eine Briefmarke *für* 80 *Pfennig*   eine achtziger Briefmarke
eine *Frau von* neunzig *Jahren*   eine Neunzigerin

1. eine 40-*Watt*-Birne
2. eine 100-*Watt*-Birne
3. ein Wein *aus dem Jahr* 82
4. ein rüstiger *Mann von* 80 *Jahren*
5. eine freundliche *Dame von* 70 *Jahren*
6. eine Buskarte, *mit der man* sechs*mal fahren kann*
7. ein Fünf-*Pfennig-Stück*
8. ein Zwanzig-*Mark-Schein*
9. die Jahre *von* 70 *bis* 79
10. ein *Tennisspiel zu* viert
11. ein *Kanu für* zwei *Personen*

---

14 Вставьте по смыслу -*erlei* (например, dreierlei), -*fach* (например: sechsfach), -*mal* (например: zigmal).

1. Bei Ihrer Reise gibt es (viel) ... zu bedenken: Sie benötigen einen Impfschein in (3) ... Ausfertigung. (3) ... müssen Sie bedenken: 1. Die Reise birgt (1000) ... Gefahren. 2. Das Benzin ist dort (1 ½) ... so teuer wie bei uns. 3. Sie bekommen (kein) ... Ersatzteile.
2. In diesem vornehmen Hotel zahlst du bestimmt das (3) ... für die Übernachtung. (10) ... Menüs stehen auf der Speisekarte.
3. Wenn du mich besuchen willst, musst du (2) ... an der Haustür klingeln. Das erzähle ich dir jetzt schon zum (3) ... .

4. Der Trapezkünstler im Zirkus machte einen (3) ... Salto. Nach (all-) ... Kunststücken ließ er sich ins Netz fallen.
5. Auf (viel) ... Wunsch wiederholen wir heute das Konzert vom Sonntag.
6. Ich habe nun schon (zig) ... versucht dich zu erreichen; wo warst du bloß so lange?
7. Wenn du so umständlich arbeitest, brauchst du die (3) ... Zeit.
8. Die Bluse gibt es in (2) ... Ausführung: mit kurzem und mit langem Arm.

---

15 Прочитайте следующее упражнение вслух, вставьте недостающие окончания.

1. Bitte schicken Sie mir die Unterlagen bis spätestens Donnerstag, d_ 8.4.
2. Ostern ist ein beweglicher Feiertag. 1983 fiel Ostern auf d_ 11./12.4.
3. Weihnachten hingegen ist immer a_ 25./26.12.
4. Hamburg, d_ 28.2.1996

5. Vielen Dank für Ihren Brief v_ 28.2.!
6. Heute ist d_ 1. Mai!
7. Auf d_ 1. Mai haben wir uns schon gefreut.
8. In der Zeit v_ 27.12. bis 2.1. bleibt unser Geschäft geschlossen.

---

16 Прочитайте вслух.

1. Karl V., ein Enkel Maximilians I., wurde 1520 in Aachen zum Kaiser gekrönt.
2. Ludwig XIV. ließ das Schloss von Versailles bauen. Viele deutsche Fürsten richteten sich in ihrem verschwenderischen Lebensstil nach Ludwig XIV.

3. Der Preußenkönig Friedrich II., ein Sohn Friedrich Wilhelms I. und Enkel Friedrichs I., erhielt später den Beinamen „der Große".
4. Mit 361 gegen 360 Stimmen des Konvents verurteilte man Ludwig XVI. 1793 zum Tode.

17 Прочитайте вслух следующие обозначения времени. Дайте варианты произношения:

17.30   12.20   9.15   11.50   23.57   19.45   14.40
0.03   0.45

18 Прочитайте вслух следующие обозначения цен:

17,20   9,75   376,88   1 022,07   536 307,–   1 054 940,–

19 Прочитайте вслух следующие арифметические примеры:

$4 + 7 = \ldots$ $17 - 8 = \ldots$ $9 \times 17 = \ldots$ $67 \cdot 44 = \ldots$
$9 - 5 = \ldots$ $86 + 14 = \ldots$ $84 : 12 = \ldots$ $99 : 11 = \ldots$

20 Прочитайте вслух следующий текст. Употребите при этом распределительные числительные. А теперь напишите этот же текст. Начните его следующим образом:

... entzogen, weil er erstens zu ..., (er) zweitens ...

Ihm wurde der Führerschein entzogen. Gründe:
1. Er war zu schnell gefahren.
2. Er hatte 0,4 Promille Alkohol im Blut.
3. Er hatte die Kreuzung bei Rot überfahren.
4. Er hatte sechs andere Fahrzeuge beschädigt.

§ 39   Склонение прилагательных

I Склонение прилагательных после определенного артикля

	maskulin	feminin	neutral
Sg. Nom.	der *junge* Mann	die *junge* Frau	das *kleine* Kind
Akk.	den jungen Mann	die *junge* Frau	das *kleine* Kind
Dat.	dem jungen Mann	der jungen Frau	dem kleinen Kind
Gen.	des jungen Mannes	der jungen Frau	des kleinen Kindes
Pl. Nom.	die jungen Männer	die jungen Frauen	die kleinen Kinder
Akk.	die jungen Männer	die jungen Frauen	die kleinen Kinder
Dat.	den jungen Männern	den jungen Frauen	den kleinen Kindern
Gen.	der jungen Männer	der jungen Frauen	der kleinen Kinder

1. В единственном числе 5 форм, выделенные жирным шрифтом, имеют окончание -*e*, все остальные формы имеют окончание -*en*.
   Во множественном числе все формы оканчиваются на -*en*.

2. По этому образцу склоняются также прилагательные после следующих местоимений (см. §§ 36–7):
dieser, diese, dieses; Plural: diese
Dieses schöne Haus wurde um 1900 gebaut.

jener, jene, jenes; мн. ч.: jene
Jene wirtschaftlichen Probleme, die wir diskutiert haben, sind noch ungelöst.

jeder, jede, jedes; мн. ч.: alle
Jeder dritte Teilnehmer musste wegen Grippe zu Hause bleiben.
Alle abwesenden Teilnehmer erhalten das Protokoll per Post.

mancher, manche, manches; мн. ч.: manche
Mancher alte Rentner bekommt zu wenig Geld.

solcher, solche, solches; мн. ч.: solche
Mit solchem alten Werkzeug kann man nicht arbeiten.

welcher, welche, welches; мн. ч.: welche
Welches englische Wörterbuch möchtest du dir kaufen?

derjenige, diejenige, dasjenige; мн. ч.: diejenigen
Diejenigen ausländischen Studenten, die eingeschrieben sind, möchten sich bitte im Zimmer 6 melden.

derselbe, dieselbe, dasselbe; мн. ч.: dieselben
Jeden Morgen steht derselbe rothaarige Polizist an der Ecke.

beide может замещать определенный артикль или употребляться как самостоятельное прилагательное с определенным артиклем:
Beide alten Leute sind am gleichen Tag gestorben.
Die beiden alten Leute waren fünfzig Jahre verheiratet.

sämtliche (= *alle*), *irgendwelche* обычно употребляются во множественном числе:
Wir haben sämtliche undichten Fenster erneuert.
Hast du noch irgendwelche alten Sachen für das Rote Kreuz?

Примечания

1. *all-, sämtlich-, irgendwelch-* употребляются в единственном числе вместо определенного артикля перед субстантивированными прилагательными или существительными, употребляющимися без артикля (см. § 37, II, 3):
alles Gute, aller graue Beton, mit sämtlichem schweren Gepäck, irgendwelches unbrauchbare Zeug

2. Аналогично употребляется *einig-*, но только в единственном числе (множественное число см. § 37, II)
einiges Wesentliche, nach einiger großen Anstrengung

3. Обратите внимание на следующие особенности в склонении ряда прилагательных:

   а) Прилагательные, оканчивающиеся на *-el*:

dunkel	но:	die dunkle Straße
edel		ein edler Wein
eitel		ein eitles Mädchen
nobel		ein nobles Geschäft

b) Прилагательные, оканчивающиеся на -er:

sauer	но:	der sau*re* Apfel
teuer		ein teu*res* Auto

однако:

bitter		ein bitt*er*er Geschmack
finster		ein finst*er*er Tunnel

c) hoch   но: ein ho*hes* Gebäude

d) Прилагательные, оканчивающиеся на -*a*, употребляются в несклоняемой форме:
eine ros*a* Blume, ein lil*a* Kleid
eine prim*a* Idee

e) Прилагательные, образованные от названий городов, оканчиваются на -*er*.
Они не склоняются и всегда пишутся с большой буквой:
der Hamburg*er* Hafen, in der Berlin*er* S-Bahn, zum New York*er* Flughafen
См. также: der Schweiz*er* Käse, die Schweiz*er* Banken

1 Вставьте окончания.

1. der freundlich_ Herr; die alt_ Dame; das klein_ Mädchen
2. wegen des freundlich_ Herrn; wegen der alt_ Dame; wegen des klein_ Mädchens
3. mit dem freundlich_ Herrn; mit der alt_ Dame; mit dem klein_ Mädchen
4. ohne den freundlich_ Herrn; ohne die alt_ Dame; ohne das klein_ Mädchen
5. dieser alt_ Esel; jene klein_ Hexe; manches groß_ Kamel; wegen …; von …; für …
6. dieser dunkl_ Wald; jene nass_ Wiese; das tief_ Tal; oberhalb …; gegenüber …; durch …
7. der teur_ Mantel; die golden_ Halskette; das wertvoll_ Schmuckstück; statt …; mit …; ohne …
8. derselbe frech_ Junge; dieselbe mutig_ Frau; dasselbe vergesslich_ Mädchen; wegen …; bei …; für …

2 Вставьте окончания.

1. die link_ Politiker; trotz der …; von den …; über die …
2. die recht_ Parteien; wegen der …; mit den …; ohne die …
3. die schwer_ Lastwagen; infolge der …; zwischen den …; durch die …
4. die zu eng_ Schuhe; trotz der …; mit den …; ohne die …
5. sämtliche jung_ Männer; trotz …; von …; gegen …
6. beide alt_ Freunde; von …; mit …; für …

3 Употребите словосочетания из упражнения 1 во множественном, из упражнения 2 – в единственном числе. Просклоняйте эти словосочетания.

II Склонение прилагательных после неопределенного артикля

	maskulin	feminin	neutral
Sg. Nom.	ein *junger* Mann	eine *junge* Frau	ein *kleines* Kind
Akk.	einen jungen Mann	eine *junge* Frau	ein *kleines* Kind
Dat.	einem jungen Mann	einer jungen Frau	einem kleinen Kind
Gen.	eines jungen Mannes	einer jungen Frau	eines kleinen Kindes
Pl. Nom.	junge Männer	junge Frauen	kleine Kinder
Akk.	junge Männer	junge Frauen	kleine Kinder
Dat.	jungen Männern	jungen Frauen	kleinen Kindern
Gen.	junger Männer	junger Frauen	kleiner Kinder

1. В единственном числе необходимо заучить 5 форм, выделенных жирным шрифтом, во всех остальных стоит окончание -*en*. Множественное число прилагательных в этом случае употребляется без артикля, поэтому прилагательное получает окончания определенного артикля, по которым можно определить падеж:

   им. п.: -e (di*e*)   вин. п.: -e (di*e*)   дат. п.: -en (d*en*)   род. п.: -er (d*er*)

2. По этому же образцу во множественном числе склоняются прилагательные после количественных числительных:
   Zwei klein*e* Kinder spielen im Hof.
   Ich habe dir *drei* neu*e* Zeitschriften mitgebracht.

3. Как прилагательные без артикля во множественном числе склоняются также следующие неопределенные числительные: *andere, einige, etliche, folgende, mehrere, verschiedene, viele, wenige:*

   ед. ч.:

   mit *einem* nett*en* Freund
   das Ergebnis *einer* lang*en*
      Besprechung
   ein alt*er* Baum

   мн. ч.:

   mit *anderen* nett*en* Freunden
   das Ergebnis *einiger* lang*er*
      Besprechungen
   viele alt*e* Bäume

4 Употребите следующие словосочетания с предлогами в нужном падеже.

   wegen ...; außer ...; durch ...
   1. ein treu_ Hund;
   2. ein tief_ Tal (n);
   3. ein falsch_ Pass;
   4. eine gefährlich_ Kurve (f);
   5. ein zerbrochen_ Glas;
   6. eine gut_ Freundin;
   7. ein wichtig_ Brief

5 Выполните упражнение по следующему образцу:

   A: *Ein zerbrochener Spiegel!*
   B: *Was soll ich denn mit einem zerbrochenen Spiegel?*
      Einen zerbrochenen Spiegel kann ich doch nicht gebrauchen!

   1. ein zerrissen_ Tischtuch
   2. ein kaputt_ Auto
   3. ein defekt_ Fernseher
   4. ein wacklig_ Stuhl

5. ein abgetreten_ Teppich (m)
6. eine durchgebrannt_ Birne (f)
7. eine ungenau gehend_ Uhr
8. ein verbogen_ Fahrrad

9. ein uralt_ Kinderwagen
10. ein stumpf_ Messer (n)
11. ein alt_ Wecker (m)
12. ein veraltet_ Lexikon (n)

6 Вставьте окончания.

1. mit ein_ interessant_ Bericht (m)
2. für ein schön_ Erlebnis
3. ohne ein_ freundlich_ Gruß (m)
4. außer ein_ klein_ Kind
5. während ein_ gefährlich_ Fahrt
6. mit ein_ tüchtig_ Angestellten (f)
7. gegen ein_ stärker_ Gegner
8. durch ein_ älter_ Arbeiter
9. mit ein_ zuverlässig_ Freund
10. außer ein_ alt_ Regenschirm (m)
11. statt ein_ freundlich_ Wortes

12. ein höflich_ Mensch
13. wegen ein_ schwer_ Unfalls
14. infolge ein_ leicht_ Verletzung
15. mit ein_ hilfsbereit_ Schüler
16. ohne ein_ schwer_ Fehler
17. mit ein_ klein_ Pause (f)
18. durch ein_ stark_ Schlag (m)
19. für ein_ gut_ Zweck (m)
20. infolge ein_ stark_ Sturms (m)
21. ein intelligent_ Junge
22. ein klug_ Mädchen

7 Поставьте словосочетания из упражнений 5 и 6 во множественное число.

8 Выполните упражнение на склонение прилагательных в единственном и множественном числе по следующему образцу. Ответ необходимо варьировать по смыслу, например: „*in der Campingabteilung / im 3. Stock*".

elektrisch / Kaffeemaschine (f)
A: *Ich möchte bitte eine elektrische Kaffeemaschine.*
B: *Elektrische Kaffeemaschinen gibt es in der Haushaltsabteilung.*

1. tragbar / Fernseher (m)
2. vollautomatisch / Waschmaschine (f)
3. unzerbrechlich / Milchflasche (f)
4. waschbar / Schaffell (n)
5. einbändig / Wörterbuch (n)
6. rund / Tischtuch (n)

7. wasserdicht / Taschenlampe (f)
8. lila (!) / Möbelstoff (m)
9. rosa (!) / Handtuch (n)
10. bunt / Kopftuch (n)
11. echt / Perlenkette (f)
12. dreiflammig / Gasherd (m)

III Склонение прилагательных после притяжательного местоимения

	maskulin		feminin		neutral	
Sg. Nom.	mein	*alter* Freund	meine	*alte* Freundin	mein	*altes* Auto
Akk.	meinen	alten Freund	meine	*alte* Freundin	mein	*altes* Auto
Dat.	meinem	alten Freund	meiner	alten Freundin	meinem	alten Auto
Gen.	meines	alten Freundes	meiner	alten Freundin	meines	alten Autos
Pl. Nom.	meine	alten Freunde	meine	alten Freundinnen	meine	alten Autos
Akk.	meine	alten Freunde	meine	alten Freundinnen	meine	alten Autos
Dat.	meinen	alten Freunden	meinen	alten Freundinnen	meinen	alten Autos
Gen.	meiner	alten Freunde	meiner	alten Freundinnen	meiner	alten Autos

1. В единственном числе прилагательное изменяется по образцу склонения прилагательных после неопределенного артикля. Во множественном числе во всех формах стоит окончание *-en*.

2. Аналогично склоняются прилагательные после местоимения *kein, keine, kein*, мн. ч. *keine*:

Das ist kein*e* besonder*e* Neuigkeit.

Das sind kein*e* besonder*en* Neuigkeiten.

Wir brauchen kein neu*es* Fahrrad.

Wir brauchen kein*e* neu*en* Fahrräder.

9 Образуйте вопросы. Вставьте недостающие окончания. Дайте ответы на вопросы.

Wo ist denn dein_ alt_ Fernseher?
A: Wo ist denn dein alter Fernseher?
B: Meinen alten Fernseher habe ich verschenkt.

Вопрос будет звучать более вежливо, если вы зададите его следующим образом:
Wo ist eigentlich dein alter Fernseher geblieben?

Wo ist... / Wo sind...
1. mein_ alt_ Fahrrad?
2. dein_ gestreift_ Kleid?
3. euer_ wertvoll_ Teppich?
4. eur_ chinesisch_ Vase (f)?
5. Ihr krank_ Hund?

6. eur_ gestrig_ Zeitung?
7. Ihr_ herrlich_ Bilder?
8. dein zweit_ Auto?
9. Ihr_ antik_ Tischlampe?

10 Образуйте вопросы при помощи следующей схемы и дайте ответы на них.

Was hast du		mein_	elegant_ Wagen (m)
		dein_	schnell_ Motorrad (n)
Was habt ihr	mit	sein_	alt_ Wohnung (f)
		ihr_	viel_ Geld (n)
			früher_ Vertrag (m) gemacht?
Was haben sie		unser_	schwarz_ Katze (f)
	ohne	euer_	alt_ Möbel (Pl.)
Was haben Sie		Ihr_	selten_ Briefmarken (Pl.)
			hübsch_ Garten (m)
			zweit_ Garage (f)

11 Вставьте, где необходимо, окончания родительного падежа единственного и множественного числа.

1. wegen ihr_ frech_ Bemerkung_
2. trotz unser_ wiederholt_ Anfrag_
3. wegen sein_ interessant_ Bericht_
4. trotz sein_ unfreundlich_ Brief_

5. wegen ihr_ krank_ Kind_
6. während unser_ lang_ Reise_
7. wegen sein_ ungenau_ Aussage_ (f)
8. trotz ihr_ hoh_ Rechnung_

IV Склонение прилагательных без артикля в единственном числе

	maskulin	feminin	neutral
Nom.	guter Wein	klare Luft	reines Wasser
Akk.	guten Wein	klare Luft	reines Wasser
Dat.	gutem Wein	klarer Luft	reinem Wasser
Gen.	guten Weines	klarer Luft	reinen Wassers

1. Прилагательное без артикля в единственном числе получает во всех падежах, кроме родительного падежа существительных мужского и среднего рода, окончания определенного артикля. В родительном падеже названных существительных стоит окончание -en.

2. Без артикля часто употребляются существительные, обозначающие неисчисляемые понятия и не имеющие поэтому формы множественного числа. К ним относятся:

   a) обозначение веществ и жидкостей, например: Holz, Eisen, Beton, Wasser, Öl, Benzin и т. п. (см. § 3, III, 2):
   Der Teller ist aus reinem Gold.
   Auf dem Bauernhof gibt's frische Milch.
   Schon der Geruch starken Kaffees belebt mich.

   b) обозначение чувств и качеств (часто в сочетании с предлогами), например: Mut, Ehrgeiz, Angst (см. § 3, III, 2):
   Alte Liebe rostet nicht.
   Er kämpfte mit großem Mut und zäher Ausdauer für seine Überzeugung.
   Rastloser Ehrgeiz trieb ihn vorwärts.

3. Неисчисляемые понятия употребляются часто в сочетании с неопределенными числительными allerlei, etwas, genug, mancherlei, mehr, viel, wenig.
   Im Keller liegt allerlei unbrauchbares Zeug.
   Heute trinkt man mehr schwarzen Tee als früher.
   Ich habe nur noch etwas trockenes Brot.

4. После nichts и перечисленных в пункте 3 числительных (allerlei и т. п.) часто употребляются субстантивированные прилагательные. Они склоняются и пишутся с большой буквой:
   Bei meiner Ankunft habe ich etwas Unangenehmes erlebt.
   Dabei hatte ich mit nichts Bösem gerechnet.

Примечание

Некоторые неисчисляемые существительные со значением неопределенного количества имеют во множественном числе значение „какие то, различные виды/сорта", напр.:
Fette = verschiedene von Tieren oder Pflanzen stammende Fettarten,
       z. B. Butter, Schmalz
Hölzer = verschiedene Holzarten
Weine = Weinsorten

Другие неисчисляемые существительные, указывающие на неопределенное количество, имеют во множественном числе новое, закрепленное за ним, лексическое значение, напр.:

Papiere = Dokumente (Führerschein, Pass etc.)
Gelder = öffentliche Geldzahlungen
Abwässer = schmutziges, verbrauchtes Wasser
Abgase = Rauch oder schädliches Gas

12 Начинайте каждое предложение словами: „Hier steht bzw. liegt ...“

Hier steht kühles Bier.

1. kühl_ Saft	6. warm_ Milch	11. lecker_ Kuchen
2. rot_ Wein	7. erfrischend_ Limonade	12. gesalzen_ Butter
3. kalt_ Sekt (m)	8. schwarz_ Tee	13. geräuchert_ Speck (m)
4. eisgekühlt_ Wasser	9. stark_ Kaffee	14. kalt_ Braten (m)
5. echt_ Obstsaft (m)	10. frisch_ Brot	15. heiß_ Suppe

13 Скажите, чем вы хотите или не хотите угостить своих гостей. Используйте материал упражнения 12: „Ich will sie mit ... bewirten, ...“

... mit kühl_ Bier, nicht mit warm_ Milch ...

14 А теперь предложите своим гостям: Bitte, nehmen Sie noch ein Glas (eine Tasse / einen Teller / ein Stück / eine Scheibe) ..., например:

...ein Glas kühles Bier!

Более вежливая форма вопроса: *Möchten Sie nicht noch ein Glas kühles Bier?*

V Склонение прилагательного без артикля в единственном и множественном числе

	maskulin			feminin			neutral		
Sg. Nom.	Evas	alter	Lehrer	Evas	alte	Lehrerin	Evas	altes	Heft
Akk.	Evas	alten	Lehrer	Evas	alte	Lehrerin	Evas	altes	Heft
Dat.	Evas	altem	Lehrer	Evas	alter	Lehrerin	Evas	altem	Heft
Gen.	–			–			–		
Pl. Nom.	Evas	alte	Lehrer	Evas	alte	Lehrerinnen	Evas	alte	Hefte
Akk.	Evas	alte	Lehrer	Evas	alte	Lehrerinnen	Evas	alte	Hefte
Dat.	Evas	alten	Lehrern	Evas	alten	Lehrerinnen	Evas	alten	Heften
Gen.	–			–			–		

Данный тип склонения встречается крайне редко:
а) после определения в родительном падеже:
  Ich habe mir Roberts neues Haus angesehen.
  In unserer Bibliothek stehen Goethes gesammelte Werke.

b) после вопросительного слова *wessen:*
Mit *wessen altem Auto* wollt ihr diesmal nach Spanien fahren?
Wessen klugen Ratschlägen bist du gefolgt?

c) после родительного падежа относительных местоимений *dessen, deren, dessen;* мн. ч. *deren* (см § 35, II, 2):
Die Freundin, *in deren gemütlicher Wohnung* ich in den Ferien gewohnt habe, ...
Der Nachbar, *dessen reicher Onkel* aus Amerika gekommen ist, ...

d) после редко употребляемых несклоняемых местоимений *manch, solch, welch:*

manch gut*er* Freund   manch gut*e* Freunde
auf solch fruchtbar*em* Feld   auf solch fruchtbar*en* Feldern

e) после личных местоимений в обращении к другим лицам или к самому себе. В единственном числе прилагательное получает окончания определенного артикля:
Du arm*es* Kind!
Mir ehrlich*em* Steuerzahler bleibt nichts erspart.

Во множественном числе употребляется окончание *-en:*
wir klein*en* Rentner; mit uns schlecht bezahl*ten* Hilfsarbeitern

15 An der Garderobe ist einiges hängen bzw. liegen geblieben.

rot_ Halstuch (n) ... Ulla
A: Wessen rotes Halstuch ist das?
B: Das ist Ullas rotes Halstuch.

1. hübsch_ Tasche ... Ilse
2. alt_ Hut ... Albert
3. warm_ Mantel ... Uta
4. gelb_ Mütze (f) ... Ruth
5. hölzern_ Armband (n) ... Gisela

6. wollen_ Schal ... Richard
7. weiß_ Handschuhe (Pl.) ... Ingeborg
8. blau_ Jacke ... Hans
9. braun_ Kamm (m) ... Inge
10. klein_ Kalender (m) ... Michael

16a Выполните упражнение по следующему образцу. Используйте материал упражнения 15.

Gib mir Ullas rotes Halstuch! Ich bring' es ihr.

b   *A: Was machst du denn mit Ullas rotem Halstuch?*
       B: Ich will es ihr bringen.

Упражнения по склонению прилагательных

17 Вставьте окончания. Найдите в правой колонке объяснение выражений, стоящих в левой колонке.

1. ein salomonisch_ Urteil (n)

2. in den saur_ Apfel beißen

a) ein bestimmt_ Geschehen (n) überall weitererzählen

b) jdm. einen freundlich_ Empfang bereiten

3. jdn. mit offen_ Armen empfangen

4. mit einem blau_ Auge davonkommen
5. jdm. golden_ Berge versprechen

6. wie ein Blitz aus heiter_ Himmel
7. jdm. golden_ Brücken bauen
8. etw. geht nicht mit recht_ Dingen zu

9. dunk_ Geschäfte machen

10. jdn. wie ein roh_ Ei behandeln
11. die erst_ Geige spielen

12. jdm. mit gleich_ Münze (f) heim-
    zahlen

13. etwas an die groß_ Glocke hängen

14. sich keine grau_ Haare wachsen
    lassen
15. auf keinen grün_ Zweig kommen

c) die wichtigst_ Person in einer
   Gruppe sein
d) unrechtmäßig_, betrügerisch_ Handel (m) treiben
e) jdm. groß_ Versprechungen
   machen, aber das gegeben_ Wort
   nicht halten
f) jdm. großzüg_ Hilfe anbieten
g) eine klug_ Entscheidung
h) sich keine unnötig_ Sorgen
   machen
i) nur leicht_ Schaden (m) erleiden,
   obwohl beinah etwas Schlimm_
   passiert wäre
j) ein ganz unerwartet_ Ereignis (n)
k) zu einer unangenehm_ Handlung
   gezwungen sein
l) im Leben keinen recht_ Erfolg
   haben
m) Gleich_ mit Gleich_ vergelten oder:
   jdm. etw. mit der gleich_ Härte
   zurückgeben
n) ein unerklärlich_ Geschehen / eine
   ungesetzlich_ Handlung
o) mit jdm. mit groß_ Vorsicht (f)
   umgehen

18 Вставьте окончания. Попробуйте самостоятельно объяснить выражения,
содержащиеся в этом упражнении.

1. Er wirkt wie ein rot_ Tuch auf mich.
2. vor sein_ eigen_ Tür kehren
3. Er ist ein Schuft reinst_ Wassers.
   (Schuft = böser Mensch)
4. etw. ist für den hohl_ Zahn
5. sauer verdient_ Geld
6. alles in rosig_ Licht sehen
7. am gleich_ Strang (m) ziehen
   (Strang = dickes Seil)
8. leer_ Stroh (n) dreschen
9. taub_ Ohren predigen (Dat.)
10. rein_ Tisch machen
11. hinter schwedisch_ Gardinen sitzen

12. mit offen_ Augen ins Unglück
    rennen
13. etw. beim richtig_ Namen nennen
14. auf dem letzt_ Loch pfeifen
15. Er ist mit dem link_ Bein zuerst
    aufgestanden.
16. wie auf glühend_ Kohlen sitzen
17. jdm. klar_ Wein einschenken
18. Er ist ein schwer_ Junge.
19. im siebent_ Himmel sein
20. frei_ Hand haben
21. nur mit halb_ Ohr zuhören
22. nur ein halb_ Mensch sein

19a Вставьте окончания.

Eine kalifornisch_ Filmgesellschaft wollte einen spannend_ Goldgräberfilm drehen, der zum groß_ Teil in den Wäldern
des nördlich_ Kanada spielen sollte.

Man hätte natürlich das winterlich_ 5
Goldgräberdorf in den Filmstudios
nachbauen können und die nachge-
macht_ Holzhäuser, die krumm_

10 Straßen mit weiß_, glitzernd_ Salz bestreuen können, aber der Regisseur
wünschte echt_ Schnee, wirklich_ Kälte
und natürlich_ Licht; deshalb brachte
man alles Notwendig_ in mehrer_
15 schwer_ Lastwagen in ein einsam_ Dorf
an der kanadisch_ Grenze. Etwas Besser_
hätten sich die Schauspieler nicht vorstellen können, denn es bedeutete für
sie einige herrlich_ Tage in den ruhig_
Wäldern Kanadas. Dort war noch kein
20 richtig_ Schnee gefallen und die Schauspieler faulenzten in der warm_ Oktobersonne, angelten in den nah_ Seen
und genossen ihre frei_ Zeit. Nach drei
lang_ Wochen verlor die Filmgesell-

schaft endlich die Geduld, denn jeder   25
nutzlos_ Tag kostete eine Menge hart_
Dollars (Gen.); so ließ sie zwanzig groß_
Lastwagen voll von teur_ Salz nach
Kanada kommen, was wieder einiges
gut_ Geld kostete. Das Salz wurde von   30
kanadisch_ Sportfliegern über das ganz_
Dorf verstreut und es war, als es fertig
war, eine wunderschön_ Winterlandschaft. In der nächst_ Nacht begann es
zu schneien, am früh_ Morgen lag in   35
den schwarz_ Wäldern ringsum dick_
Schnee, nur in dem Goldgräberdorf war
nichts ander_ zu sehen als hässlich_
braun_ Matsch (m).

b   Urlaub machen – aber richtig!

Drei lang_ Wochen richtig faul sein,
lang_ schlafen und gut_ Essen genießen,
an ein_ schön_ Strand in d_ warm_ Sonne liegen und gelegentlich ein erfri-
5 schend_ Bad in sauber_ Meerwasser
nehmen, das ist d_ ersehnt_ Urlaubs-
traum viel beschäftigt_ Menschen (Gen.),
die d_ ganz_ Jahr nie Zeit für sich haben.
10 Doch gerade dies_ viel geplagt_ Menschen will das plötzlich_ Faulenzen
nicht bekommen. Mit d_ gut_ Schlaf ist
es nichts. Man fühlt sich zerschlagen
und müde. Für solch_ Urlaub suchend_
15 Menschen, die ein ganz_ Jahr lang unter
stark_ Stress standen, ist das „süß_
Nichtstun" nicht erholsam. Und für
d_jenig_, die ohnehin ein geruhsam_

Leben führen, ist das Faulenzen in d_
dreiwöchig_ Ferien in der Regel langwei-   20
lig. Kein Wunder, dass sich der Hobby-
urlaub immer größer_ Beliebtheit erfreut;
Ferien mit interessant_, abwechslungs-
reich_ Programm.
Im Aktiv-Urlaub bleibt der Erholung su-   25
chend_ Mensch tätig. Aktiv-Urlaub, das
kann mit ein_ vormittäglich_ Sprachkurs, tätig_ Mithilfe bei archäologisch_
Ausgrabungen, sportlich_ Segeln, an-
strengend_ Bergtouren, konzentriert_   30
Schachspielen usw. verbunden sein.
Körperlich_ und geistig_ Tätigkeit mil-
dert die ungewohnt_ Belastung durch
die plötzlich_ Umstellung im Urlaub. –
Maßvoll_ Stress, das ist wichtig!   35

c   Wer hat Schuld?

In den südamerikanisch_ und afrika-
nisch_ Urwäldern hat in den letzt_ Jahren eine ökologisch_ Tragödie begonnen. Die Zerstörung des brasilianisch_
5 Urwalds soll hier als warnend_ Beispiel
stehen: Brasilien, ein Land mit stark zu-
nehmend_ Bevölkerung, braucht für
viel_ Millionen unterernährt_ Menschen neu_ Landwirtschaftsgebiete. Nun
10 gibt es am Amazonas riesig_ Urwälder

und es ist verständlich, dass man diese
unbewohnt_ Gebiete nutzbar machen
wollte.
Auf einer Fläche von mehrer_ 10 000
Quadratkilometern wurden sämtliche   15
uralt_ Bäume abgeholzt oder abgebrannt und die neu_ Siedler, arm_ Leute
aus den unter_ Schichten der Bevölkerung, begannen mit ihrer schwer_ Arbeit. Im erst_ Jahr bekamen sie reich_   20

Ernten, das zweit_ Jahr brachte schon geringer_ Erträge und im darauf folgend_ Jahr zeigte sich eine schrecklich_ Katastrophe. Auf dem Boden, der mit so
25 groß_ Mühe bearbeitet worden war, wuchs nichts mehr. Alle jung_ Pflanzen verwelkten, die neugesät_ Saat vertrocknete im unfruchtbar_ Boden. Etwas Unerwartet_ war geschehen? Nein! Der
30 schön_ Plan der brasilianisch_ Regierung war ein schwer_ Irrtum! Erst jetzt begann man mit geologisch_ Untersuchungen des Urwaldbodens und musste feststellen, es ist Sand, locker_, trocken_ Sand!
35 Die Frage ist nun, wie solche riesig_ Bäume auf diesem sandig_ Boden überhaupt wachsen konnten. Nach unseren neuest_ Erkenntnissen geschieht das so: In dem feucht_ und heiß_ Klima vermodern (= verwesen, verfaulen) herab-
40 fallend_ Blätter und Äste sehr schnell und bilden ausreichend_ Dünger für die Bäume, deren weit ausgebreitet_ Wurzeln flach unter dem Sandboden liegen. 45

Nun hatte man aber alle jahrhundertalt_ Bäume abgeholzt; im weit_ Umkreis von viel_ Kilometern war kein einzig_ Baum stehen geblieben, so dass die täglich_ Sonnenhitze und schwer_ Regenfälle den schutzlos_ Boden zerstörten. 50 Nachdem die Siedler nach Ablauf des dritt_ Jahres ihr unfruchtbar_ Land wieder verlassen hatten, blieb nichts zurück als eine tot_ Wüste. 55 Etwas ander_ wäre es gewesen, wenn die Experten einig_ Jahre früher genauer_ Bodenuntersuchungen gemacht hätten. Dann hätten sie rechtzeitig festgestellt, dass im Urwaldgebiet groß_ Flächen un- 60 brauchbar sind, dass man aber auf kleiner_ Plätzen, die vom schützend_ Wald umgeben sind, viel_ Menschen ein sinnvoll_ Leben ermöglichen kann.

§ 40   Степени сравнения прилагательных

Общие сведения

1. Качественные прилагательные и некоторые наречия образуют степени сравнения: сравнительную и превосходную.

2. Качественные прилагательные относятся к существительным и выступают в роли определения – зависимого члена предложения:
    der sonnige Tag; ein regnerischer Sonntag.

3. Наречия, имеющие степени сравнения, относятся к глаголу и отвечают на вопрос wie? (как? какой?):
    Der letzte Sommer war heiß.

I Общие правила

	Adjektivattribut	Adverb
Komparativ	das kalte Wetter im Oktober das kältere Wetter im November	Im Oktober ist es oft schon kalt. Im November ist es meistens kälter.
Superlativ	der kälteste Januar seit zehn Jahren	Im Durchschnitt ist es im Januar am kältesten.

1. Сравнительная степень указывает на различие, большую степень выраженности какого-либо признака. После формы сравнительной степени, если за ней следует сравнение, употребляется союз *als.* (В немецком языке запятая перед этим союзом не ставится!) Сравнительная степень образуется при помощи *-er.*

   a) Форма сравнительной степени прилагательного получает наряду с *-er* окончание:
   der *stärkere* Wind; ein *leichteres* Gewitter

   b) Наречие в сравнительной степени оканчивается только на *-er.*
   In Hamburg regnete es *stärker* als in Hannover.

2. Превосходная степень передает высшую степень выраженности какого-либо признака, поэтому она употребляется с определенным артиклем. Превосходная степень образуется при помощи *-st-.*

   a) Форма превосходной степени прилагательного получает наряду с *-st-* окончание:
   der *längste* Tag des Jahres

   b) Форма превосходной степени наречия образуется при помощи *am ... -sten:*
   Am 22. Juli war die Sicht auf die Alpen *am klarsten.*

II Употребление превосходной степени

1. Превосходная степень называет высшую степень выраженности признака по отношению ко всем явлениям данного класса:
   Der Äquator ist der *längste* Breitengrad.

2. В большинстве случаев бывает необходимо ограничить значение превосходной степени указанием на время или место:
   Der Mount Everest ist der *höchste* Berg *der Erde.*
   Das war der *wärmste* Maitag *seit zehn Jahren.*
   Wir wohnen in der *hässlichsten* Stadt, *die ich kenne.*

3. В качестве ограничителя может выступать местоимение *einer,* указывающее на одно лицо из группы лиц или на один предмет из нескольких (см. § 37, I, 3). После *einer, eine, eines* употребляется родительный падеж множественного числа (в более редких случаях – *von* + дательный падеж):
   Der Rhein ist *einer der verkehrsreichsten Ströme* (m).
   Die Heuschrecke ist *eines der schädlichsten Insekten* (n).
   Die Königin lebt in *einem der schönsten Schlösser* (n) von England.
   Zum Glück ist meine Wohnung *eine der billigsten* (Wohnungen) in Frankfurt.

III Особые формы степеней сравнения

1. Ряд односложных прилагательных образует сравнительную и превосходную степени при помощи умлаута:
   arm, *ärmer, am ärmsten;*
   а также: alt, dumm, grob, hart, jung, kalt, klug, krank, kurz, lang, rot, scharf, stark, schwach, warm; тоже: gesund.

2. a) Особые формы сравнительной степени:

hoch	attributiv	das hohe Haus	das höhere Haus	das höchste Haus
	adverbial	es ist hoch	es ist höher	es ist am höchsten
nah	attributiv	das nahe Ziel	das nähere Ziel	das nächste Ziel
	adverbial	es ist nah	es ist näher	es ist am nächsten
gut	attributiv	die gute Art	die *bessere* Art	die *beste* Art
	adverbial	es ist gut	es ist *besser*	es ist am *besten*
viel	attributiv	viele Angebote	*mehr* (undekli-nierbar) Angebote	die *meisten* Ange-bote
	adverbial	es gibt viel	es gibt *mehr*	es gibt am *meisten*
gern	adverbial	das tue ich gern	das tue ich *lieber*	das tue ich am *liebsten*

Примечания

1. *mehr* (не склоняется) обозначает неопределенное количество и стоит перед существительным без артикля в единственном и множественном числе. (см. § 37, II, 4 и § 39, III, 3)

2. *mehrere* (склоняется) обозначает неопределенное число (= einige, mehr als zwei):
   Ich musste *mehrere* Stunden beim Zahnarzt warten.

b) Особые формы превосходной степени, оканчивающиеся на -*stens.*

höchstens	Kleine Kinder sollten *höchstens* drei Wochen von ihren Eltern getrennt sein.
nächstens	Wir werden Sie *nächstens* genauer informieren.
bestens	Er war *bestens* auf sein Examen vorbereitet.
meistens	Für seine Verspätung hatte er *meistens* eine Ausrede.
wenigstens	Schick ihm *wenigstens* fünfzig Euro.
mindestens	Das Schwein wiegt *mindestens* vier Zentner.
zumind*est*	Du hättest *zumindest* anrufen können.

3. a) Прилагательные, оканчивающиеся на -*d, -t, -tz, -z,* и -*sch, -ss, -ß* образуют превосходную степень при помощи вспомогательного -*e:*

wild	wilder	am wildesten
breit	breiter	am breitesten
stolz	stolzer	am stolzesten
spitz	spitzer	am spitzesten
heiß	heißer	am heißesten
krass	krasser	am krassesten
hübsch	hübscher	am hübschesten

b) Вспомогательное -*e* употребляется также в превосходной степени прилагательных, образованных от причастия II слабых глаголов:

vertraut	vertrauter	am vertrautesten
beliebt	beliebter	am beliebtesten

Исключение составляют:

a) groß, größer, am größten

b) прилагательные, оканчивающиеся на -isch: am neid*isch*sten, am heim*isch*sten

c) прилагательные, производные от причастия I:
bedeutend, bedeutender, am bedeuten*dst*en
zutreffend, zutreffender, am zutreffen*dst*en

d) причастия II слабых глаголов, оканчивающиеся на -ert, -elt или -tet:
begeistert, begeisterter, am begeister*tst*en
bekümmert, bekümmerter, am bekümmer*tst*en
verzweifelt, verzweifelter, am verzweifel*tst*en
gefürchtet, gefürchteter, am gefürchte*tst*en

4. Особые формы имеют также прилагательные, оканчивающиеся на -el или -er:

dunk*el*	der dunk*le* Keller	es wird dunk*ler*	es ist am dunk*elsten*
ed*el*	der ed*le* Wein	er ist ed*ler*	er ist am ed*elsten*
teu*er*	der teu*re* Mantel	er ist teu*rer*	er ist am teu*ersten*

1a Выполните упражнения на сравнительную степень.

Sprich bitte laut!
Gut, ich werde jetzt lauter sprechen als bisher.

Готовность выполнить действие можно также выразить словами: „(ja) gern". Некоторое нетерпение выражает ответ, если он начинается словами: *Also schön, ich werde ...*, особенно в том случае, если *schön* стоит под ударением.

1. Schreib bitte schnell!
2. Sprich bitte deutlich!
3. Rechne bitte genau!
4. Hör bitte gut zu!
5. Sei bitte leise!
6. Lauf bitte langsam!
7. Bediene bitte freundlich!
8. Arbeite bitte sorgfältig!
9. Fahr bitte vorsichtig!
10. Sei bitte ordentlich!
11. Üb bitte viel!

b Der Bus fährt aber nicht sehr schnell!
Das stimmt, er könnte schneller fahren.

Согласие можно выразить также при помощи: *Da haben Sie Recht, ... ; Ja, wirklich, ... ; Da bin ich ganz Ihrer Meinung, ...* (Ударение падает на „wirklich" или „ganz")

1. Der Radfahrer fährt aber nicht sehr vorsichtig!
2. Der Motorradfahrer ist aber nicht sehr rücksichtsvoll!
3. Die Fußgänger gehen aber nicht sehr schnell über die Straße!
4. Der Autofahrer ist aber nicht sehr höflich!
5. Die Straßenlaternen sind aber nicht sehr hell!
6. Die Straße ist aber nicht sehr gut!
7. Der Bus ist aber nicht sehr billig!
8. Die Haltestelle ist aber nicht sehr nah!

c   Essen (n) / billig. Dieses Essen ist aber nicht billig!
Stimmt, es könnte billiger sein.

1. Kellner (m) / höflich
2. Kaffee (m) / stark
3. Brötchen (Pl.) / frisch
4. Suppe (f) / warm

5. Kartoffeln (Pl.) / weich
6. Bier (n) / kalt
7. Pudding (m) / süß
8. Äpfel (Pl.) / saftig

d   Schuhe (Pl.) / bequem. Sind die Schuhe nicht bequem?
Sie könnten bequemer sein.

В разговорной речи перед подобным ответом часто появляется „na ja":
Na ja, sie könnten. . .

1. Jacke (f) / warm
2. Einkaufstasche (f) / fest
3. Mantel (m) / leicht
4. Kleid (n) / modern
5. Anzug (m) / billig

6. Socken (Pl.) / lang
7. Wolle (f) / grob
8. Fell (n) / dick
9. Leder (n) / gut
10. Gürtel (m) / breit

2 Выполните упражнение на степени сравнения.

Fritz springt … als Emil. (hoch / Hans)
Fritz springt höher als Emil.
Aber Hans springt am höchsten.

1. Stella spricht … Deutsch als Michaela. (gut / Angela)
2. Müller arbeitet … als Maier. (zuverlässig / Schulze)
3. Wein trinkt er … als Bier. (gern / Sekt)
4. Seine Kusinen stehen ihm … als seine Tante. (nah / Geschwister)
5. Das Radio war … als der Plattenspieler. (teuer / der Fernseher)
6. Ein Skorpionstich ist … als ein Wespenstich. (gefährlich / ein Schlangenbiss)
7. Mein Schäferhund ist … als euer Dackel. (wild / der Jagdhund des Nachbarn)
8. Sie isst Rindfleisch … als Schweinefleisch. (gern / Hammelfleisch)
9. Im Einzelhandelsgeschäft ist die Bedienung … als im Warenhaus. (freundlich / im Tante-Emma-Laden)
10. Im Zug reist man … als im Bus. (schnell / im Flugzeug)
11. In der Sahara ist es … als in Israel. (heiß / am Äquator)
12. In Grönland ist es … als in Schweden. (kalt / im Nordosten von Russland)
13. Der Amazonas ist … als der Mississippi. (lang / der Nil)
14. In Asien sind Dialekte … als in Südamerika. (verbreitet / in Afrika)
15. In Europa ist die Zahl der Deutschsprechenden … als die Zahl der Menschen, die Englisch als Muttersprache sprechen. (hoch / die Zahl der Russischsprechenden)

3 Выполните упражнение на степени сравнения.

Ich möchte ein Paar warme Handschuhe.
Haben Sie keine wärmeren? – Nein, das sind die wärmsten, die wir haben.

Более вежливая форма ответа: *Nein, leider … ; Nein, es tut mir Leid, … ;* или *Ich bedaure, aber das …*

Ich möchte …

1. … einen guten Tennisschläger.
2. … eine große Einkaufstasche.
3. … einen kleinen Fotoapparat.
4. … festes Packpapier.
5. … ein Paar schwere Wanderschuhe.
6. … ein Paar leichte Sommerschuhe.
7. … einen warmen Wintermantel.
8. … einen billigen Wecker.
9. … einen bequemen Sessel.
10. … einen preiswerten Kalender.

4 Herr Neureich ist mit nichts zufrieden.

Die Wohnung ist nicht groß genug.
Er möchte eine größere Wohnung.

1. Die Lampen sind nicht hell genug.
2. Die Möbel sind nicht elegant genug.
3. Das Porzellan ist nicht wertvoll genug.
4. Der Schrank ist nicht breit genug.
5. Der Orientteppich ist nicht alt genug.
6. Das Fernsehbild ist nicht groß genug.

5 Im Antiquitätenladen findet man …

interessante Dinge.
die interessantesten Dinge.

1. elegante Vasen
2. merkwürdige Bilder
3. alte Spielsachen
4. wertvolle Gläser
5. verrückte Bierkrüge
6. teure Möbel
7. hübsche Bilderrahmen
8. altmodische Stehlampen

6 Образуйте вопросы, употребив превосходную степень, и задайте их вашим товарищам. (ответы на стр. 323)

1. Wie heißt das (groß) Säugetier der Erde?
2. Wie heißt das (klein) Säugetier der Erde?
3. Wie heißt das Tier mit dem (hoch) Wuchs?
4. Welches Tier kann am (schnell) laufen?
5. Welche Schlange ist am (giftig)?
6. Wie heißt der (groß) Ozean?
7. Wie tief ist die (tief) Stelle des Meeres?
8. Welches ist der (klein) Erdteil?
9. Wo ist es am (kalt)?
10. Wo regnet es am (viel)?
11. In welcher Gegend der Erde ist es am (stürmisch)?
12. Wann ist auf der Nordhalbkugel der (kurz) Tag?
13. Wann ist auf der Nordhalbkugel der (lang) Tag?
14. Wie heißt das (leicht) Gas?
15. Wann sind wir von der Sonne am (weit) entfernt?
16. Wann ist die Sonne der Erde am (nah)?

7 Выполните упражнение по следующему образцу:

A: (behauptet) Der alte Turm ist *das schönste Gebäude* dieser Stadt.
B: (protestiert) *Es gibt aber noch andere schöne Gebäude in dieser Stadt.*
A: (muss zugeben) *Der alte Turm ist eines der schönsten Gebäude in dieser Stadt.*

1. Das Herz ist das empfindlichste Organ in unserem Körper.
2. Homer war der größte Dichter im Altertum.
3. Diese chinesische Vase ist das kostbarste Gefäß in diesem Museum.
4. Das Fahrrad ist die nützlichste Erfindung seit 200 Jahren.
5. Das Grippevirus ist wahrscheinlich das gefährlichste (Virus). (Pl.: *Viren*)
6. Der Zug von Paris nach Marseille ist der schnellste (Zug) in Frankreich.
7. Als wir den Professor kennen lernten, wussten wir nicht, dass er der bekannteste (Professor) für afrikanische Literaturgeschichte ist.
8. Der französische Regisseur hat den besten Film in dieser Saison gedreht.
9. Wir haben an der tollsten Party in diesem Winter teilgenommen.
10. In Köln wurde das hässlichste Museum (Pl. Museen) gebaut.
11. Seit der Renovierung gilt unser Haus als das schönste (Haus) im Viertel.
12. Wissen Sie, dass Sie mit dem einflussreichsten Mann in dieser Stadt gesprochen haben?

§ 41   Субстантивированные прилагательные и причастия

a) In unserem Abteil saßen einige *Jugendliche*.
b) Die jungen Leute diskutierten mit den *Reisenden*.
c) Ein alter *Beamter* wollte die Argumente der *Jugendlichen* nicht anerkennen.

Субстантивированные прилагательные и причастия склоняются как прилагательные.

a) Следующие употребительные существительные произошли от прилагательных:

der Adlige, ein -er
der Arbeitslose, ein - er
der Bekannte, ein - er
der Blinde, ein - er
der Blonde, ein - er
der Deutsche, ein - er
der Farbige, ein - er
der Fremde, ein - er
der Geizige, ein - er
der Gesunde, ein - er
der Heilige, ein - er
der Jugendliche, ein - er
der Kranke, ein - er
der Lahme, ein - er
der Rothaarige, ein - er
der Schuldige, ein - er
der Staatenlose, ein - er
der Taubstumme, ein - er
der Tote, ein - er
der Verwandte, ein - er
der Weise, ein - er
der Weiße, ein - er

b) Следующие употребительные существительные произошли от причастия I (причастие I образуется из инфинитива + -d: fragen*d*, laufen*d*; см. § 46, I):

der Abwesende, ein - er
der Anwesende, ein - er
der Leidtragende, ein - er
der Reisende, ein - er

der Auszubildende, ein - er   der Überlebende, ein - er
der Heranwachsende, ein - er   der Vorsitzende, ein - er

c) Следующие употребительные существительные произошли от причастия II
(Образование см. § 6 I 5, § 7, § 8, § 46):

der Angeklagte, ein - er   der Gelehrte, ein - er
der Angestellte, ein - er   der Geschiedene, ein - er
der Beamte, ein - er   der Verheiratete, ein - er
aber: die / eine Beamtin   der Verletzte, ein - er
der Behinderte, ein - er   der Verliebte, ein - er
der Betrogene, ein - er   der Verlobte, ein - er
der Betrunkene, ein - er   der Verstorbene, ein - er
der Gefangene, ein - er   der Vorgesetzte, ein - er

1 Охарактеризуйте следующие понятия по нижеприведенному образцу.

> der Geizige / möglichst nichts von seinem Besitz abgeben wollen
> *Ein Geiziger ist ein Mensch, der möglichst nichts von seinem Besitz abgeben will.*

1. der Betrunkene / zu viel Alkohol trinken (Perf.)
2. der Geschiedene / seine Ehe gesetzlich auflösen lassen (Perf.)
3. der Staatenlose / keine Staatszugehörigkeit besitzen
4. der Taubstumme / nicht hören und nicht sprechen können
5. der Weise / klug, vernünftig und lebenserfahren sein
6. der Überlebende / bei einer Katastrophe mit dem Leben davonkommen (Perf.)
7. der Vorsitzende / eine Partei, einen Verein o.Ä. leiten
8. der Lahme / sich nicht bewegen können
9. der Auszubildende / eine Lehre machen
10. der Vorgesetzte / anderen in seiner beruflichen Stellung übergeordnet sein

2 Охарактеризуйте следующие понятия по образцу упражнения 1.

1. der Weiße
2. der Farbige
3. der Verstorbene
4. der Gefangene
5. der Reisende
6. der Abwesende
7. der Anwesende
8. der Arbeitslose
9. der Einäugige
10. der Schuldige

3 Поставьте определения понятий из упражнения 2 во множественное число.

> der Weiße
> *Weiße sind Menschen mit heller Hautfarbe.*

4 Вставьте окончания.

Ein Betrunken_ fuhr gestern auf der Autobahn als sogenannter Geisterfahrer in der falschen Richtung. Dabei rammte er einen Bus. Trotzdem fuhr der Betrunken_ weiter. Die Leidtragend_ waren die Reisend_ in dem Bus, meist Jugendlich_, die zu einem Fußballspiel fahren wollten. Der Bus kam von der Fahrbahn ab und überschlug sich. Das Ergebnis: ein Tot_ und 15 Verletzt_. Ein Schwerverletzt_ wurde mit dem Hubschrauber ins Krankenhaus gebracht. Der Busfahrer, ein Angestellt_ der hiesigen Stadtverwaltung, blieb unverletzt; der Tot_ jedoch ist ein naher Verwandt_ des Fahrers. Dem Schuldig_, den man kurz nach dem Unfall stoppen konnte, wurde eine Blutprobe entnommen. Der Führerschein des Betrunken_ wurde sichergestellt.

§ 42   Наречия

I Общие правила

a) Ich sehe ihn *bald.*
    Er arbeitet *sorgfältig.*
    Dein Auto steht *da hinten.*

b) Das Wetter war *ungewöhnlich* gut.
    Sie ist *ziemlich* ungeschickt.

c) Er hat ein *bewundernswert* gutes Gedächtnis.

Наречия не склоняются. Они относятся к сказуемому и являются второстепенными членами предложения (см. § 22, VII–IX).

a) Наречия в роли обстоятельств отвечают на вопросы: *wann? wie? wo?* – когда? как? где? происходит действие.

b) Наречия могут употребляться в сочетании с другими наречиями. Вопрос к подобным предложениям звучит следующим образом: *Wie ungeschickt war sie?* – Ответ: *Ziemlich ungeschickt.*

c) Наречия могут сочетаться также с прилагательным в роли определения. Вопрос звучит следующим образом: *Was für ein Gedächtnis?* – Ответ: *Ein bewundernswert gutes Gedächtnis.*

II Наречия времени

Наречия времени указывают на время и характер протекания действия или состояния во времени: *wann? bis wann? seit wann? wie lange? wie oft?* (когда? с какого времени? как долго? как часто? и т. п.)

По значению наречия времени подразделяются на следующие группы:
1. **настоящее время:** heute, jetzt, nun, gerade; sofort, augenblicklich; gegenwärtig, heutzutage
2. **прошедшее время:** gestern, vorgestern; bereits, eben, soeben, vorhin, früher, neulich, kürzlich; inzwischen, unterdessen; einst, einmal, ehemals, jemals; seither, vorher, damals, anfangs
3. **будущее время:** morgen, übermorgen; bald, demnächst, nächstens, künftig; nachher, danach, später
4. **безотносительно к конкретному время:** wieder, oft, oftmals, häufig, mehrmals, stets, immer, immerzu, ewig; erst, zuerst, zuletzt, endlich; nie, niemals, morgens, mittags, abends, nachts, vormittags etc. ...

Примечание

В этом же значении употребляется винительный падеж ряда существительных, обозначающих время: *alle Tage, nächste Woche, jeden Monat, voriges Jahr* и т. д.

III Наречия образа действия

Наречия образа действия указывают на характер, особенности протекания действия или состояния: *wie? auf welche Art? mit welcher Intensität?* (как? каким образом? с какой интенсивностью? и т. п.).

1. В роли наречий образа действия могут выступать прилагательные:
   Er fragte mich *freundlich.*
   Es geht mir *schlecht.*
   В этой функции они не склоняются, но имеют степени сравнения.

2. Следующие наречия образа действия, большинство из которых сочетается с другим наречием, придают высказыванию определенные дополнительные значения. Они могут

усиливать значение наречия:	sehr, besonders, außerordentlich, ungewöhnlich
ослаблять значение наречия:	fast, kaum, beinahe; ganz, recht, einigermaßen, ziemlich
ставить значение наречия под сомнение:	wohl, vielleicht, versehentlich, vermutlich, möglicherweise, wahrscheinlich
подтвержать значение наречия:	sicher, bestimmt, allerdings, natürlich, gewiss, folgendermaßen, tatsächlich, absichtlich, unbedingt
отрицать значение наречия:	gar nicht, überhaupt nicht, keineswegs, keinesfalls; vergebens, umsonst

3. Следующие наречия образа действия образованны от сравнительной степени при помощи *-weise:*
   Er steht *normalerweise* um 7 Uhr auf.
   Er hat *dummerweise* den Vertrag schon unterschrieben.
   Sie haben *glücklicherweise* die Prüfung bestanden.
   Er hat ihm *verständlicherweise* nicht mehr als fünfzig Euro geliehen.

4. Следующие наречия, называющие причину или условие, образуются при помощи *-halber* или *-falls:*
   Wir haben *vorsichtshalber* einen Rechtsanwalt genommen. (= weil wir vorsichtig sein wollten)
   Das Haus ist *umständehalber* zu verkaufen. (= weil die Umstände so sind)
   Er wird *schlimmstenfalls* eine Geldstrafe zahlen müssen. (= wenn es schlimm kommt)
   Bestenfalls wird er freigesprochen. (= wenn der beste Fall eintritt)

IV Наречия места

Наречия места указывают на место протекания действия или состояния, направление движения. Они отвечают на вопросы: *wo? wohin? woher?* (где? куда? откуда?)
wo? da, dort, hier; außen, draußen, drinnen, drüben, innen; oben, unten, mitten, vorn, hinten, links, rechts

wohin? dahin, dorthin, hierhin; hinaus, heraus, hinein, herein, hinauf, herauf, hinunter, herunter, hinüber, herüber; aufwärts, abwärts, vorwärts, rückwärts, seitwärts – oder mit Präposition: nach unten / oben usw.

woher? daher, dorther – oder mit Präposition: von unten / draußen usw.

Примечания

1. С помощью окончания *-ig* от наречия могут образовываться прилагательные, употребляющиеся в роли определения:
   der *heutige* Tag, im *vorigen* Monat:
   heutig-, gestrig-, morgig-, hiesig-, dortig-, obig-, vorig-

2. От наречий *außen, innen, oben, unten, vorn, hinten* и т. п. также могут образовываться прилагательные, выступающие в роли определения:
   äußere Probleme, innere Krankheiten, das untere oder unterste Stockwerk, die hintere oder hinterste Reihe, die vorderen oder vordersten Stühle

1 Образуйте от наречия прилагательное, употребляющееся в роли определения.

die Zeitung von gestern   *die gestrige Zeitung*

1. die Nachricht von gestern
2. das Wetter von morgen
3. die Stadtverwaltung von hier
4. die Beamten von dort

5. die Jugend von heute
6. die Zeilen von oben
7. das Wissen von jetzt
8. die Versuche bisher

2 Вставьте по смыслу следующие наречия:

a) bestenfalls b) dummerweise c) folgendermaßen d) normalerweise e) oftmals
f) verständlicherweise g) vorsichtshalber

Wir sind diesen Weg … gegangen. Dennoch habe ich … die Wanderkarte mitgenommen. Ich denke, wir laufen am besten … : von hier über den Blocksberg nach Ixdorf. … kann man den Weg in einer Stunde zurücklegen. Wegen des Schnees braucht man heute … etwas länger. Jetzt habe ich doch … meine Brieftasche zu Hause gelassen! In meinem Portmonee habe ich nur noch fünf Mark; das reicht … für ein Bier für jeden.

3 Образуйте предложения с указанными наречиями.

Wie ist die Wohnung eingerichtet? / schön
Es handelt sich um eine schön eingerichtete Wohnung.

1. Wie groß sind die Hochhäuser? / erstaunlich
2. Wie hoch ist die Miete für die Büroräume? / unglaublich
3. Wie bekannt ist der Schauspieler? / allgemein
4. Wie ist mein neues Auto lackiert? / rot
5. Wie ist das Kind erzogen worden? / gut
6. Wie ist das Haus renoviert worden? / unvollständig und nicht sachgerecht
7. Wie ist die Einigung zwischen den Partnern entstanden? / mühsam

8. Wie wurde die Maschine konstruiert? / fehlerhaft
9. Wie wurden die Vorschriften zum Umweltschutz in der Chemiefabrik behandelt? / allzu oberflächlich
10. Wie zahlen die Mieter (Aktiv) / im Allgemeinen regelmäßig
11. Wie wachsen einige Bäume? / schnell
12. Wie wurde das Spiel unserer Fußballmannschaft verloren? / haushoch
13. Wie hat die Fußballmannschaft verloren? / haushoch
14. Wie argumentiert die Zigarettenindustrie im Streit mit dem Fernsehen? / ungeschickt
15. Wie wurde der Angeklagte verurteilt? / von dem Richter ungerecht
16. Wie hat man das Unfallopfer ins Krankenhaus gebracht? / schwerverletzt
17. Wie ist diese Suppe zu kochen? / besonders leicht
18. Wie sind diese Probleme zu lösen? / überhaupt nicht oder nur schwer

§ 43   Наречия образа действия, управляющие дательным или винительным падежом

I Список наиболее употребительных наречий, управляющих дательным падежом

abträglich	Das Rauchen ist *seiner Gesundheit* abträglich.
ähnlich	Das Kind ist *der Mutter* ähnlich.
angeboren	Der Herzfehler ist *ihm* angeboren.
angemessen	Ein Studium an einer Fachhochschule ist *ihm* angemessen.
behilflich	Der Gepäckträger war *der Dame* behilflich.
beschwerlich	Lange Zugreisen sind *mir* zu beschwerlich.
bekannt	Seine Aussage ist *mir* seit langem bekannt.
bewusst	Das ist *mir* noch niemals bewusst geworden.
böse	Er ist *seiner Freundin* böse.
entsprechend	Unser Verhalten war *dem seinen* entsprechend.
fremd	Er ist *mir* immer fremd geblieben.
gegenwärtig	Der Name war *dem Professor* im Augenblick nicht gegenwärtig.
geläufig	Das Wort ist *dem Ausländer* nicht geläufig.
gelegen	Die Nachzahlung kommt *mir* sehr gelegen.
gewachsen	Er ist *den Problemen* nicht gewachsen.
gleichgültig	Die Politik ist *mir* im Allgemeinen nicht gleichgültig.
nahe	Wir waren *dem Ziel* schon nahe.

peinlich	Sein Lob war *mir* peinlich.
recht	Sein Aufenthalt war *den Verwandten* nicht recht.
sympathisch	Die Zeugin war *dem Richter* sympathisch.
treu	Er ist *ihr* treu geblieben.
überlegen	Die bayerische Fußballmannschaft war *den Hamburgern* überlegen.
unterlegen	Er war *seinen Konkurrenten* unterlegen.
vergleichbar	Dein Lebensweg ist *meinem* vergleichbar.
verhasst	Dieser Mensch ist *mir* verhasst.
zugetan	Er ist *den Kindern* sehr zugetan.
zuwider	Deine Lügen sind *mir* zuwider.

II Наречия образа действия в сочетании с обозначением времени или меры

alt	Der Säugling ist erst *einen Monat* alt.
breit	Das Regal ist *einen Meter* breit.
dick	Das Brett ist *20 mm* dick.
hoch	Der Mont Blanc ist fast *5000 m* hoch.
tief	Die Baugrube ist etwa *zehn Meter* tief.
lang	Moderne Betten sind *2,30 m* lang.
schwer	Das kaiserlicher Silberbesteck war *einen Zentner* schwer.
weit	Vögel können über *10 000 Kilometer* weit fliegen.
wert	Die Aktien sind nur noch *die Hälfte* wert.

1 Вставьте местоимения или артикль.

1. Ich habe sie offenbar verärgert; nun ist sie … böse.
2. Der Arzt sagte zu mir: Möglichst keine Aufregung! Das ist … Gesundheit abträglich.
3. Er hat sich nicht mal bedankt. Das sieht … ähnlich!
4. Sie ist unglaublich gelenkig; das ist … angeboren.
5. Ich verstehe mich nicht gut mit ihnen; sie sind … fremd.
6. Du musst … Gesundheitszustand entsprechend leben!
7. Der ältere Herr mag die jungen Leute von nebenan. Sie sind … sympathisch und er ist … sehr zugetan; umgekehrt sind sie … beim Einkaufen und Tragen der Sachen gefällig.
8. Es ist … Menschen (Pl.) nicht gleichgültig, ob ihr Lebensgefährte … treu ist oder nicht.
9. Es ist … nicht bewusst, wann ich die Leute verärgert habe; aber ich weiß, ich bin … verhasst.

10. Sie ist ... in Mathematik, aber ich bin ... dafür in Sprachen überlegen. ... Anforderungen in den anderen Fächern sind wir beide gewachsen.

11. Das kommt ... gerade gelegen, dass du vorbeikommst! Kannst du ... beim Umräumen mal behilflich sein?

§ 44   Наречия с предложным управлением

Worauf seid ihr stolz?
Wir sind stolz *auf* sein ausgezeichnetes Examen.
Wir sind stolz *darauf*, dass er ein ausgezeichnetes Examen gemacht hat.

Список наиболее употребительных наречий с предложным управлением:

arm an + D	Phantasie
angesehen bei + D	seinen Kollegen
ärgerlich über + A	die Verspätung
aufmerksam auf + A	die Verkehrsregeln
begeistert von + D	dem neuen Backrezept
bekannt mit + D	seinen Nachbarn
bei + D	seinem Vorgesetzten
für + A	seine Unpünktlichkeit
bekümmert über + A	seinen Misserfolg
beliebt bei + D	seinen Kommilitonen
blass vor + D	Neid
böse auf + A	seinen Hund
betroffen von + D	der Gehaltskürzung
über + A	den plötzlichen Tod seines Vetters
besessen von + D	den neuen Ideen
beunruhigt über + A	die Wirtschaftslage
eifersüchtig auf + A	seine Schwester
entsetzt über + A	den Mord im Nachbarhaus
erfreut über + A	die rasche Genesung
erkrankt an + D	Kinderlähmung
fähig zu + D	dieser Tat
fertig mit + D	dem Kofferpacken
zu(r) + D	Abfahrt
frei von + D	Gewissensbissen
freundlich zu + D	allen Menschen

froh über + A	die neue Stellung
glücklich über + A	die billige Wohnung
interessiert an + D	den Forschungsergebnissen
nachlässig in + D	seiner Kleidung
neidisch auf + A	den Erfolg seines Kollegen
nützlich für + A	den Haushalt
rot vor + D	Wut
reich an + D	Talenten
stolz auf + A	sein gutes Ergebnis
schädlich für + A	die Bäume
überzeugt von + D	der Richtigkeit seiner Theorie
verbittert über + A	den langen Verwaltungsweg
verliebt in + A	die Frau seines Freundes
voll von + D	Begeisterung
verrückt nach + D	einem schnellen Sportwagen
verschieden von + D	seinen Geschwistern
verständnisvoll gegenüber + D	der Jugend
verwandt mit + D	der Frau des Ministers
verwundert über + A	seine Geschicklichkeit
voreingenommen gegenüber + D	berufstätigen Frauen
zufrieden mit + D	der guten Ernte
zurückhaltend gegenüber + D	seinen Mitmenschen

1 Вставьте предлоги.

1. Der Bauer ist … seiner Ernte sehr zufrieden; aber er ist verbittert dar_, dass durch die reiche Getreideernte die Preise fallen.
2. Der gute Junge ist ganz verrückt … meiner Schwester, aber die ist … ihm überhaupt nicht interessiert. Sie hat einen anderen Freund. Er ist nun … ihre Gleichgültigkeit recht bekümmert und … den Freund natürlich furchtbar eifersüchtig.
3. Der Stadtverordnete ist … seinen Kollegen sehr angesehen, denn er ist bekannt … seine gerade, mutige Haltung. Er ist freundlich … jedermann und verständnisvoll … den Anliegen der Bürger.
4. Viele Menschen sind beunruhigt … die politische Entwicklung. Sie sind entsetzt … die furchtbaren modernen Waffen und überzeugt … der Notwendigkeit, den Frieden zu bewahren.
5. Schon lange war mein Bruder … deine Schwester verliebt. Ich bin sehr froh und glücklich dar_, dass die beiden heiraten wollen und stolz … eine so hübsche und kluge Schwägerin. Die Eltern sind ihr … noch etwas voreingenommen; aber sie wird schon fertig … ihnen, da_ bin ich überzeugt.
6. Mein Bruder ist … Tuberkulose erkrankt. Als er es erfuhr, wurde er blass … Schreck. Nun ist er in einer Klinik, die bekannt … ihre Heilerfolge ist. Er ist ganz begeistert … der freundlichen Atmosphäre dort. Der Chefarzt ist beliebt … Personal und Patienten.
7. Ständig hat der Junge den Kopf voll … dummen Gedanken! Er ist besessen … schweren Motorrädern, aber nachlässig … seiner Arbeit, begeistert … Motorradrennen und fähig … den verrücktesten Wettfahrten!

8. Jetzt ist er beleidigt, weil du ihm
mal die Meinung gesagt hast. Er
wurde ganz rot ... Zorn und nun
ist er böse ... dich. Aber es war notwendig, dass du es ihm mal gesagt
hast, du kannst ganz frei ...
Schuldgefühlen sein.

§ 45   Пассив состояния

aktive Handlung: Kurz vor 8 Uhr *hat* der Kaufmann seinen Laden *geöffnet.*
passive Handlung: Kurz vor 8 Uhr *ist* der Laden *geöffnet worden.*

Как активное, так и пассивное предложения означают, что совершается какое-то
действие. Даже если в пассивном предложении действующее лицо не называется,
форма причастия *worden* указывает на возможное действующее лицо.

Zustandspassiv   Jetzt ist es 10 Uhr; seit zwei Stunden *ist* der Laden
Präsens: *geöffnet.*
Zustandspassiv   Als ich kam, *war* der Laden schon *geöffnet.*
Vergangenheit:

Пассив состояния образуется из глагола *sein* и причастия II основного глагола.

1. В пассиве состояния причастие II выступает либо как обстоятельство, либо как
определение. Оно обозначает результат действия, поэтому о действующем лице в
данном случае речь идти не может. Эти предложения отвечают на вопрос: *Wie ist*
der Zustand? (В каком состоянии?)

обстоятельство: определение:
Der Teller ist zerbrochen.   der zerbrochene Teller
Das Tor war verschlossen.   das verschlossene Tor

2. Из временных форм пассива состояния употребительны только две – презенс и
имперфект:
Heute *sind* die Kriegsschäden in Frankfurt fast völlig *beseitigt.*
1945 *war* die Altstadt Frankfurts gänzlich *zerstört.*

1   Frau Luther kommt spät nach Hause; ihr Mann war schon früher da.

Wäsche waschen
Ich wollte die Wäsche waschen, aber sie war schon gewaschen.

1. Teller (Pl.) spülen   6. die Kleider zur Reinigung bringen
2. Geschirr (n) wegräumen   7. den Teppich saugen
3. die Schuhe putzen   8. die Blumen gießen
4. die Betten machen   9. die Treppe wischen
5. die Hemden bügeln   10. das Abendessen zubereiten

2 Vor der Reise

Fenster schließen
Vergiss nicht die Fenster zu schließen!
Sie sind schon geschlossen.

Вашей репликой Вы подчеркиваете, что напоминание является излишним, так как все давно сделано: *Die sind schon längst geschlossen!*

1. die Fahrkarten kaufen
2. die Zeitung abbestellen
3. die Turnschuhe einpacken
4. die Wasserleitung abstellen
5. die Sicherungen abschalten
6. den Nachbarn informieren
7. die Tür verschließen
8. die Schlüssel beim Hausverwalter abgeben
9. ein Taxi rufen

3 Beim Arzt

Frau Kapp den Verband anlegen
Arzt: Haben Sie Frau Kapp schon den Verband angelegt?
Sprechstundenhilfe: Ja, er ist schon angelegt.

Ответ будет звучать успокаивающе, если медсестра скажет: *Ja, ja, der ist schon angelegt.* (Если речь идет о лицах, употребляются местоимения *er* или *sie*!) Подобные конструкции типичны для разговорной речи.

1. Herrn Müller den Arm röntgen
2. dem Jungen einen Krankenschein schreiben
3. diesem Herrn den Blutdruck messen
4. Frau Neumann wiegen
5. Frau Kübler Blut abnehmen
6. dem Verletzten die Wunde reinigen
7. den Krankenwagen benachrichtigen
8. das Rezept für Frau Klein ausschreiben

§ 46   Причастия в роли определения

Общие сведения

1. Причастие I и причастие II могут употребляться подобно прилагательным в роли определения.

2. Причастие I образуется из инфинитива + *-d,* например: *liebend, reißend* и т. д. В качестве определения причастие склоняется как прилагательное, например: *die liebende Mutter, der reißende Strom.*

3. Правила образования причастия II (см. § 6, I, 5; § 7; § 8). В качестве определения причастие склоняется как прилагательное, например: *die gekauften Sachen, die unterlassene Hilfe.*

4. Причастие I от возвратных глаголов употребляется в роли определения с возвратным местоимением *(sich nähern – das sich nähernde Schiff)*, причастие II – без возвратного местоимения *(sich beschäftigen – der beschäftigte Rentner)*.

I Общие правила

a)

	Das	*schreiende* Kind konnte rasch gerettet werden.
Erweiterung:	Das	*laut schreiende* Kind konnte rasch gerettet werden.
Erweiterung:	Das	*laut um Hilfe schreiende* Kind konnte rasch gerettet werden.

b)

	Die	*zerstörte* Stadt war ein schrecklicher Anblick.
Erweiterung:	Die	*durch Bomben zerstörte* Stadt war ein schrecklicher Anblick.
Erweiterung:	Die *im Krieg durch Bomben zerstörte* Stadt war ein schrecklicher Anblick.	

1. Причастие в склоняемой форме стоит непосредственно перед существительным, к которому оно относится.

2. К причастию могут относиться другие члены предложения, которые помещаются перед ним. Причастие и относящиеся к нему слова образует распространенное определение.

3. Распространенное определение стоит обычно между артиклем и существительным или непосредственно перед существительным, если последнее употребляется без артикля:
Am Arbeitsplatz verletzte Personen sind voll versichert.

4. Наряду с распространенным определением могут употребляться простые определения:
Unser *altes,* schon ein wenig *verfallenes* Fachwerkhaus muss renoviert werden.

II Распространенное определение с причастиями переходных глаголов (= глаголов, управляющих винительным падежом)

a)		
P. Präs. (Aktiv)	gl.* gl.	Der meinen Antrag *bearbeitende* Beamte *nimmt* sich viel Zeit.
		nahm sich viel Zeit.
		hat sich viel Zeit *genommen.*
Rel.-S. (Aktiv)	gl. gl. gl.	Der Beamte, der meinen Antrag *bearbeitet, nimmt* sich viel Zeit.
		bearbeitete, nahm sich viel Zeit.
		bearbeitet hat, hat sich viel Zeit genommen.

*gl. = gleichzeitig

b)

P. Perf.	gl.*	*Nicht mehr beachtete* Vorschriften *müssen* geändert werden.
(Passiv)	gl.	Vorschriften, die nicht mehr *beachtet werden, müssen* geändert werden.

P. Perf.	v.*	Der gut versteckte Schatz	*wird*	gefunden.
(Passiv)	v.		*wurde*	gefunden.
			ist	gefunden *worden.*
Rel.-S.	v.	Der Schatz, der gut *versteckt worden ist,*	*wird*	gefunden.
(Passiv)	v.		*worden war, wurde*	gefunden.
	v.		*worden war, ist*	gefunden *worden.*

* gl. = gleichzeitig   v. = vorzeitig

a) Определение с причастием I обозначает активные действия, состояния или процессы, протекающие параллельно с основным действием. Особенно ясно это видно на примере относительного придаточного предложения с активом. В придаточном предложении стоит та же временная форма, что и в главном.

b) Определение с причастием II обозначает пассивные действия, состояния или процессы. Это видно на примере относительного придаточного предложения в пассиве. В придаточном предложении употребляется форма настоящего времени, если речь идет о правилах или законах. Однако в большинстве случаев действие, передаваемое распространенным определением, уже закончено. Поэтому в придаточном предложении стоит форма предшествования (перфект или плюсквамперфект).

III Распространенное определение с причастиями непереходных глаголов, образующих перфект с глаголом „sein"

Gegenwärtiger Vorgang	*Beendeter Vorgang*
a) Verben der Bewegung mit *sein*:	
der *ankommende* Zug	der *angekommene* Zug
= der Zug, der gerade *ankommt*	= der Zug, der gerade *angekommen ist*
die *an die Unfallstelle eilenden* Passanten	die *an die Unfallstelle geeilten* Passanten
= die Passanten, die gerade an die Unfallstelle *eilen*	= die Passanten, die schon an die Unfallstelle *geeilt sind*
b) Verben der Zustandsänderung mit *sein*:	
die rasch *vergehende* Zeit	die *vergangene* Zeit
= die Zeit, die rasch *vergeht*	= die Zeit, die schon *vergangen ist*

1. Распространенное определение с причастием I обозначает действие в настоящем времени. Оно может быть преобразовано в относительное придаточное предложение в активе.

   Der *in Bonn ankommende* französische Außenminister begrüßt die Journalisten.
   Der französische Außenminister, der in Bonn *ankam*, begrüßt die Journalisten.

2. Распространенное определение с причастием II обозначает законченное, совершившееся действие. В относительном придаточном предложении этому типу распространенного определения соответствует причастие + глагол *sein*.

Der *verspätet angekommene* französische Außenminister wurde besonders herzlich begrüßt.
Der französische Außenminister, *der verspätet angekommen war*, wurde besonders herzlich begrüßt.

Примечание

Если непереходный глагол образует перфект с глаголом *haben*, то в роли определения может употребляться только причастие I от этого глагола:
Ein *tief schlafendes* Kind sollte man nicht wecken.
Nach 30 Jahren fuhr der *in Paris lebende* Maler wieder nach Spanien.

IV Распространенное определение с пассивом состояния

Der *seit Jahren verschlossene* Schrank wird (wurde) endlich geöffnet.
= Der Schrank, der *seit Jahren verschlossen ist (war)*, wird (wurde) endlich geöffnet.
Erst nach Jahren holen (holten) die Bankräuber ihre *gut versteckte* Beute.
= Erst nach Jahren holen (holten) die Bankräuber ihre Beute, die *gut versteckt ist (war)*.

1. Пассив состояния образуется от переходных глаголов. Вопрос к данным предложениям звучит следующим образом: Wie ist der Zustand nach einer vorangegangnen Handlung? (Какое состояние возникло после совершения действия?) (см. § 45).

2. В придаточном относительном, сооветствующем этому распространенному определению, может стоять только причастие II с глаголом + *sein*.

Примечание

В роли распространенного определения могут употребляться также прилагательные и относящиеся к ним слова. В придаточном относительном предложении в этом случае употребляется глагол *sein* в соответствующей временной форме:
der beim Publikum *beliebte* Schauspieler
= der Schauspieler, der beim Publikum *beliebt ist*
die seit 40 Jahren *notwendige* Änderung des Gesetzes
= die Änderung des Gesetzes, die seit 40 Jahren *notwendig ist*

1 Преобразуйте относительное придаточное предложение в распространенное определение.

die Banditen, die auf die Polizei schießen
die auf die Polizei schießenden Banditen

Was es in diesem Film alles zu sehen gibt! Da sind:

1. die Gangster, die eine Bank ausräumen

2. die Polizisten, die die Banditen jagen

3. die Häftlinge, die durch ein Keller-
fenster aus der Haftanstalt ausbre-
chen

4. die Wächter, die überall nach den
Entflohenen suchen

5. die Gefangenen, die über die
Dächer der Häuser fliehen

6. die Hubschrauber, die das Gang-
sterauto verfolgen

7. die Verfolgten, die rücksichtslos
über die Kreuzungen fahren

8. die Entflohenen, die unter einer
Brücke übernachten

9. die Spürhunde, die die Spuren der
Gangster verfolgen

10. die Gangster, die mit einem Flugzeug nach Südamerika entfliehen

2 Преобразуйте относительное придаточное в распространенное определение с
причастием II.

die • alte Vase, die in einem Keller gefunden worden ist
die in einem Keller gefundene alte Vase

Was da in einem Heimatmuseum alles zu finden ist:

1. eine • drei Meter hohe Figur, die
aus einem einzigen Stein herausge-
arbeitet worden ist

2. ein • 5000 Jahre altes Skelett, das
in einem Moor gefunden worden
ist

3. eine • zehn Zentner schwere
Glocke, die bei einem Brand aus
dem Kirchturm der Stadt gestürzt
ist

4. ein Bild der • Stadt, die 1944 durch
einen Bombenangriff zu 80 % zerstört worden ist

5. eine • Bibel, die von dem Begründer der Stadt vor 1200 Jahren mitgebracht worden ist

6. eine • wertvolle Porzellansamm-
lung, die der Stadt von einem rei-

chen Kunstfreund geschenkt
worden ist

7. • Geräte und Maschinen, die im
vorigen Jahrhundert zur Herstellung von Textilien verwendet worden sind

8. ein • Telegraphenapparat, der von
einem Bürger der Stadt 1909 erfunden worden ist

9. eine • genaue Nachbildung des alten Rathauses, die aus 100 000
Streichhölzern zusammengebastelt
worden ist

10. ein großes • Mosaik, das von einem
Künstler der Stadt aus farbigen
Glasstückchen zusammengesetzt
worden ist

3 Преобразуйте относительные придаточные в распространенное определение.

1. Die Ergebnisse, die in langjährigen
Wetterbeobachtungsreihen festgestellt worden sind, reichen nicht
aus, sichere Prognosen zu stellen.

2. Im Gegensatz zu dem sonnigen
und trockenen Klima, das südlich
der Alpen vorherrscht, ist es bei
uns relativ niederschlagsreich.

3. In den Vorhersagen, die vom Wet-
terdienst in Offenbach ausgegeben
werden, hieß es in diesem Sommer

meistens: unbeständig und für die
Jahreszeit zu kühl.

4. Ein Tiefdruckgebiet, das von den
Küsten Südenglands nach Südosten
zieht, wird morgen Norddeutschland erreichen.

5. Die Niederschlagsmenge, die am
8. August in Berlin registriert wurde,
betrug 51 Liter auf den Quadrat-
meter.

6. Das ist ein einsamer Rekord, der seit 100 Jahren nicht mehr erreicht worden ist.
7. Dagegen gab es in Spanien eine Schönwetterperiode, die über fünf Wochen mit Höchsttemperaturen von 30 bis 40 Grad anhielt.

8. Die allgemeine Wetterlage dieses Sommers zeigte Temperaturen, die von Süden nach Norden um 25 Grad voneinander abwichen.

4 Преобразуйте распространенное определение в относительное придаточное.

1. Über die Kosten des durch die Beschädigung einer Gasleitung entstandenen Schadens können noch keine genaueren Angaben gemacht werden.
2. Der bei seiner Firma wegen seiner Sorgfalt und Vorsicht bekannte Baggerführer Anton F. streifte bei Ausgrabungsarbeiten eine in den offiziellen Plänen nicht eingezeichnete Gasleitung.
3. Das sofort ausströmende Gas entzündete sich an einem von einem Fußgänger weggeworfenen und noch brennenden Zigarettenstummel.
4. Bei der Explosion wurden drei in der Nähe spielende Kinder von herumfliegenden Steinen und Erdbrocken getroffen.
5. Der telefonisch herbeigerufene Krankenwagen musste aber nicht die Kinder, sondern eine zufällig vorübergehende alte Dame ins Krankenhaus bringen, wo sie wegen eines Nervenschocks behandelt werden musste.

5 Образуйте распространенное определение.

1. Im Zoo von San Francisco lebte ein Löwe, der mit beiden Augen in jeweils verschiedene Richtungen schielte.
2. Er bot einen Anblick, der derart zum Lachen reizte, dass es nicht lange dauerte, bis er entdeckt und zu einem Star gemacht wurde, der beim Fernsehpublikum von ganz Amerika beliebt war.
3. Der Löwe, der von Dompteuren und Tierpflegern für seine Auftritte vorbereitet wurde, stellte sich allerdings so dämlich an, dass man ihm nur leichtere Aufgaben, die sein Fassungsvermögen nicht überschritten, zumuten konnte,
4. was aber dem Publikum, das wie närrisch in den unmäßig blöden Ausdruck des Löwen verliebt war, nichts auszumachen schien.
5. Damit die Sendung nicht langweilig wurde, engagierte man kleinere Zirkusunternehmen, die um ihre Existenz kämpften.
6. Sie nahmen natürlich die Gelegenheit, die sich ihnen bot, mit Freuden an,
7. aber alle ihre Darbietungen, die sorgfältig eingeübt worden waren, wurden von dem Publikum, das allein auf den schielenden Löwen konzentriert war, glatt übersehen.
8. Auch die Kritiken, die regelmäßig am Morgen nach der Sendung erschienen, erwähnten nur beiläufig die Akrobaten und Clowns, die bis heute unbekannt geblieben sind.

§ 47   Причастные обороты

		II	
a)	*Sich auf seine Verantwortung besinnend,* *	übernahm	*der Politiker* das schwere Amt.
	Der Politiker	übernahm,*	*sich auf seine Verantwortung besinnend*, das schwere Amt.
b)	*Napoleon, auf die Insel St. Helena verbannt,*	schrieb	seine Memoiren.
c)	*Den Verfolgern entkommen,* *	versteckte	sich *der Einbrecher* in einer Scheune.
	Der Einbrecher	versteckte	sich, *den Verfolgern entkommen*, in einer Scheune.

* По новому правописанию эти запятые необязательны, но могут стоять для избежания недоразумения. Запятые должны обязательно употребляться, если предложение прерывается, как например, в пункте *в* и в пунктах *а* и *с*, особенно вторых примерах.

1. Причастные обороты, как правило, относятся к подлежащему предложения.

2. В состав причастного оборота входят причастие в несклоняемой форме и относящиеся к нему слова.

3. В самостоятельном предложении причастный оборот может стоять либо на I, либо на III (IV).

4. В придаточном предложении причастный оборот стоит за подлежащим:
    Der Kranke war tief beunruhigt, nachdem *die Ärzte, laut über seinen Fall diskutierend*, das Krankenzimmer verlassen hatten.

5. Причастие I обозначает активное, причастие II – пассивное действие:
    a) Der Politiker, der sich auf seine Verantwortung *besann*, übernahm das schwere Amt. (причастие I = актив)
    b) Napoleon, der auf die Insel St. Helena *verbannt worden war*, schrieb seine Memoiren. (причастие II = пассив)
    c) Der Einbrecher, der den Verfolgern *entkommen war*, versteckte sich in einer Scheune. (причастие II = актив)

Примечание

В причастных оборотах никогда не употребляется причастие I от глаголов *sein* или *haben (seiend, habend)*. Эти формы опускаются:
Der Besucher, *den Hut in der Hand*, plauderte noch eine Weile mit der Hausfrau.
Die Geschwister, *ein Herz und eine Seele*, besuchten dieselbe Universität.

1   Образуйте причастные обороты.

> Der Sprecher forderte schärfere Kontrollen zum Schutz der Natur.
> (Er kam auf den Ausgangspunkt seines Vortrags zurück.)
> *Auf den Ausgangspunkt seines Vortrags zurückkommend forderte der Sprecher schärfere Kontrollen zum Schutz der Natur.*

1. Der Politiker bahnte sich den Weg zum Rednerpult. (Er wurde von Fotografen umringt.)
2. Der Redner begann zu sprechen. (Er war von den Blitzlichtern der Kameraleute unbeeindruckt.)
3. Der Redner begründete die Notwendigkeit härterer Gesetze. (Er wies auf eine Statistik der zunehmenden Luftverschmutzung hin.)
4. Der Politiker sprach zwei Stunden lang. (Er wurde immer wieder von Beifall unterbrochen.)
5. Die Besucher verließen den Saal. (Sie diskutierten lebhaft.)
6. Der Redner gab noch weitere Auskünfte. (Er wurde von zahlreichen Zuhörern umlagert.)

2 Выполните упражнение 1 по следующему образцу.

Der Sprecher forderte, auf den Ausgangspunkt seines Vortrags zurückkommend, schärfere Kontrollen zum Schutz der Natur.

3 Образуйте причастные обороты по образцу упражнений 1–2.

1. Lawinen entstehen vorwiegend um die Mittagszeit. (Sie werden meist durch Erwärmung hervorgerufen.)
2. Lawinen begraben Jahr für Jahr zahlreiche Menschen unter dem Schnee. (Sie stürzen von den Bergen herunter.)
3. Suchhunde haben schon manchen unter dem Schnee Verschütteten gefunden. (Sie wurden für diese Aufgabe speziell ausgebildet.)
4. Die Bora fegt Dächer von den Häusern, Autos von den Straßen und bringt Schiffe in Seenot. (Sie weht eiskalt von den Bergen des Balkans zur Adria herab.)
5. Der Föhn fällt als warmer, trockener Wind in die nördlichen Alpentäler. (Er kommt von Süden.)
6. Ärzte vermeiden bei Föhnwetter schwierigere Operationen. (Sie wurden durch negative Erfahrungen gewarnt.)

4 Замените причастный оборот придаточным предложением и дополните предложение частями из пунктов а–е.

Nach seiner Meinung gefragt ... (als)
Als man den Politiker nach seiner Meinung fragte, antwortete er nicht.

1. Seinem Prokuristen das Papier über den Schreibtisch reichend ... (indem)
2. Im Gras liegend und mit den Augen den Wolken folgend ... (während)
3. Mit seinen Fäusten laut auf das Rednerpult trommelnd ... (indem)
4. Sich in dem eleganten, teuren Mantel vor dem Spiegel drehend ... (während)
5. Nach ihrer Meinung befragt ... (als)

a) erklärte der Gewerkschaftsführer erregt, so könne es keinesfalls weitergehen.
b) dachte sie besorgt an ihr Konto.
c) dachte er über den Sinn des Lebens nach.
d) erklärte die bekannte Journalistin, auch das gegenwärtige Wirtschaftssystem werde einmal seinem Ende entgegengehen.
e) meinte der Chef: „Wir rationalisieren oder wir müssen zumachen!"

§ 48   „haben" и „sein" с частицей „zu"

a) eine Notwendigkeit, ein Zwang, ein Gesetz
   Aktiv   Die Reisenden müssen (sollen) an der Grenze ihre Pässe vorzeigen.
            Die Reisenden *haben* an der Grenze ihre Pässe vorzuzeigen.
   Passiv   An der Grenze müssen die Pässe vorgezeigt werden.
            An der Grenze *sind* die Pässe vorzuzeigen.

Сочетание глагола *haben* с частицей *zu* имеет значение долженствования
(необходимость, неизбежность) и носит активный характер. Ему соответствуют
модальные глаголы *müssen, sollen, nicht dürfen*. Пассивные предложения образуются при помощи глагола *sein + zu*, при этом значение долженствования по
сравнению с *haben + zu* усиливается. В глаголах с отделяемыми приставками
частица *zu* стоит между приставкой и корнем. Оба высказывания одинаковые по
смыслу, однако звучат повелительно и часто невежливо.

b) eine Möglichkeit oder Unmöglichkeit
   Passiv   Die alte Maschine kann nicht mehr repariert werden.
            Die alte Maschine *ist* nicht mehr *zu* reparieren.

Сочетание глагола *sein* с частицей *zu* имеет также значение возможности или
невозможности какого-либо действия и придает предложению пассивный
характер. Ему соответствует сочетание модальных глаголов *müssen* или *können*
с инфинитивом пассива.

Примечания

1. Пассивное значение имеют (см. § 19, III Примеч.):
    1. *sein + zu:* Das *ist* weder *zu* verstehen noch *zu* beweisen.
    2. Наречия, оканчивающиеся на *-bar, -lich:* Das ist weder verständ*lich* noch
        beweis*bar*.
    3. Глагол *lassen* + возвратное местоимение: Das *lässt sich* weder *verstehen* noch
        beweisen.

2. Предложения с другими средствами выражения пассивности относятся также к
    пассивным предложениям. Поэтому *es* стоит в соответствие с правилами (§ 19 II,
    пассивные предложения без подлежащего) только в позиции 1, в остальных
    случаях *es* не употребляется.
    Es lässt sich nicht erklären, warum er nicht gekommen ist.
    aber: Warum er nicht gekommen ist, lässt sich nicht erklären.
    Es ist nicht zu erklären, warum er nicht gekommen ist.
    aber: Sein Verhalten ist nicht zu erklären.

1 Образуйте предложения при помощи глаголов *haben* или *sein + zu +*
    инфинитив.

        Der Autofahrer muss regelmäßig die Beleuchtung seines Wagens prüfen.
        Der Autofahrer hat regelmäßig die Beleuchtung seines Wagens zu prüfen.

        Die Bremsen müssen auf Verkehrssicherheit geprüft werden.
        Die Bremsen sind auf Verkehrssicherheit zu prüfen.

Vorschriften:

1. Der Sportler muss auf sein Gewicht achten. Er muss viel trainieren. Er muss gesund leben und auf manchen Genuss verzichten.
2. Der Nachtwächter muss in der Nacht seinen Bezirk abgehen. Er muss die Türen kontrollieren. Unverschlossene Türen müssen zugeschlossen werden. Besondere Vorkommnisse müssen sofort gemeldet werden.
3. Der Zollbeamte muss unter bestimmten Umständen das Gepäck der Reisenden untersuchen. Das Gepäck verdächtiger Personen muss ggf. auf Rauschgift untersucht werden. Dabei können u.U. Spürhunde zu Hilfe genommen werden.
4. Der Autofahrer muss die Verkehrsregeln kennen und beachten. Er muss in den Ortschaften die vorgeschriebene Geschwindigkeit einhalten. Er muss Rücksicht auf die anderen Verkehrsteilnehmer nehmen. Der Polizei, der Feuerwehr und dem Krankenwagen muss auf jeden Fall Vorfahrt gewährt werden. Er muss seinen Führerschein immer mitführen. Das Motoröl muss nach einer bestimmten Anzahl von Kilometern erneuert werden.

2 Выполните упражнение по следующему образцу.

A: Ist dieser Schrank verschließbar?
B: Wie bitte?
A: Ich meine: Kann man diesen Schrank verschließen?
B: Ja (Nein), dieser Schrank ist (nicht) zu verschließen.

В ответе вместо *wie bitte?* можно также сказать: *Was meinten Sie, bitte? Was sagten Sie, bitte?*

1. Ist die Helligkeit der Birnen verstellbar?
2. Ist diese Handtasche verschließbar?
3. Ist dieses Puppentheater zerlegbar?
4. Ist diese Uhr noch reparierbar? (nicht mehr)
5. Sind die Teile des Motors austauschbar?
6. Sind diese Batterien wiederaufladbar?
7. Ist dieser Videorekorder programmierbar?
8. Ist dieser Ball aufblasbar?

3 Выполните упражнение по следующему образцу:

A: Wussten Sie, dass man Altpapier leicht wiederverwerten kann?
B: Natürlich, Altpapier ist leicht wiederzuverwerten.
C: Ja, dass sich Altpapier leicht wiederverwerten lässt, ist mir bekannt.

Wussten Sie, ...

1. dass man viel mehr Energie aus Wind erzeugen kann?
2. dass man Textilreste zu hochwertigem Papier verarbeiten kann?
3. dass es Motoren gibt, die man mit Pflanzenöl betreiben kann?
4. dass es bei uns Häuser gibt, die man fast ausschließlich mit Sonnenwärme beheizen kann?
5. dass man große Mengen von Kupfer (Cu) und Blei (Pb) aus Schrott gewinnt? (*der Schrott* = Metallabfall)

6. dass man Autoabgase durch einen Katalysator entgiften kann?
7. dass man aus Müll Heizgas gewinnen kann?
8. dass man nicht einmal in der Schweiz mit Hilfe des Wassers den Strombedarf decken kann?

9. dass man, wenn man ein Haus bauen will, in einigen Bundesländern Zuschüsse für eine Solaranlage bekommen kann?
10. dass man den Spritverbrauch der Autos durch langsameres Fahren stark herabsetzen kann? (*der Sprit* = Kraftstoff, z.B. Benzin)

4 Составьте небольшие диалоги по следующему образцу.

A: Man kann die Wahrheit seiner Aussage bestreiten.
B: Du irrst! Die Wahrheit seiner Aussage kann nicht bestritten werden.
C: So ist es! Die Wahrheit seiner Aussage ist nicht zu bestreiten.

1. Man kann Lebensmittel nach dem Ablauf des Verfallsdatums [noch] verkaufen.
2. Man kann dein altes Fahrrad [doch nicht mehr] verwenden. (mein / noch gut)
3. Man kann die genaue Zahl der Weltbevölkerung [leicht] feststellen.
4. Man konnte den Fehler in der Kühltechnik des Raumfahrzeugs finden.
5. Man kann Lebensmittel [auch] in Kühlhäusern nicht über längere Zeit frisch halten. (auch über längere Zeit)
6. Man kann Salz nicht in Wasser lösen. (problemlos)

7. [Auch] wenn wir unsere Einstellung ändern, können wir die finanziellen Probleme nicht lösen. (mit Sicherheit)
8. Mit dem Öl von Pflanzen kann man [auch] besonders konstruierte Motoren nicht betreiben. (ohne weiteres)
9. Ob die Nachrichten im Fernsehen oder in den Zeitungen wirklich zutreffen, kann der einfache Bürger [ohne weiteres] nachprüfen. (von dem einfachen … nicht)
10. Man kann die Anlage einer Mülldeponie in einem wasserreichen Gebiet [ohne weiteres] verantworten.

5 Двое „самых хитрых" конечно тоже хотят высказать свое мнение. Используйте для диалога предложения из упражнения 4 по нижеследующему образцу.

D: Also, das steht fest: Die Wahrheit seiner Aussage lässt sich nicht bestreiten!
E: Ja, ja, ganz recht! Die Wahrheit seiner Aussage ist unbestreitbar!

Говорящий от лица „Е" употребляет следующие выражения (следуя порядку предложений предыдущего упражнения):

1. nicht mehr verkäuflich
2. verwendbar
3. nicht feststellbar
4. nicht auffindbar
5. haltbar (ohne „frisch")

6. löslich
7. lösbar
8. betreibbar
9. nicht nachprüfbar
10. unverantwortlich

§ 49   Герундив

Aktiv		eine Aufgabe, die man nicht lösen kann.
Passiv	Die Quadratur	eine Aufgabe, die nicht gelöst werden kann.
sein + zu	des Kreises ist	eine Aufgabe, die nicht zu lösen ist.
Gerundivum		eine nicht zu lösende Aufgabe.

1. Герундив – это причастная конструкция с частицей *zu*, которая соответствует относительному придаточному предложению, содержащему глагол *sein + zu* (см. § 48). Таким образом герундив выражает возможность, невозможность или потребность чего-либо.

2. По содержанию герундив соответствует пассиву: die *zu lösende* Aufgabe = die Aufgabe, die *gelöst werden kann* оder *muss*. Несмотря на это, герундив образуется от причастия I:
   die *zu lösende* Aufgabe = die Aufgabe, die *zu lösen* ist (= инфинитив актив)

3. Частица *zu* стоит перед причастием I, в глаголах с отделяемой приставкой – между приставкой и корнем (см. § 16, I):
   die ein*zu*setzenden Beträge

1 Выполните упражнение на герундив.

Ein Fehler in der Planung, den man nicht wiedergutmachen kann, ist ein nicht wiedergutzumachender Fehler in der Planung.

1. Ein Gerät, das man nicht mehr reparieren kann, ist …
2. Eine Krankheit, die man nicht heilen kann, ist …
3. Ein Auftrag, der sofort erledigt werden muss, ist …
4. Seine Bemühungen, die man anerkennen muss, sind …
5. Die negative Entwicklung, die man befürchten muss, ist …
6. Die Besserung der wirtschaftlichen Lage, die man erwarten kann, ist …
7. Die Invasion von Insekten, die man nicht aufhalten kann, ist …
8. Der Schaden, den man nicht beseitigen kann, ist …
9. Eine Entscheidung, die nicht verantwortet werden kann, ist …
10. Das Komitee, das sofort gebildet werden muss, ist …

2 Образуйте со словосочетаниями упражнения 1 предложения.

Ein nicht wiedergutzumachender Fehler in der Planung führte zum Zusammenbruch der Firma.

3 Преобразуйте следующие относительные придаточные предложения:
a) в пассивное предложение, b) в предложение с глаголом *sein + zu*,
c) в герундив = причастную конструкцию с частицей *zu*.

Die Zahl Pi, die man nie vollständig berechnen kann, beweist die Unmöglichkeit der Quadratur des Kreises.

a) *Die Zahl Pi, die nie vollständig berechnet werden kann, beweist die Unmöglichkeit der Quadratur des Kreises.*

b) *Die Zahl Pi, die nie vollständig zu berechnen ist, beweist die Unmöglichkeit der Quadratur des Kreises.*

c) *Die nie vollständig zu berechnende Zahl Pi beweist die Unmöglichkeit der Quadratur des Kreises.*

1. Infolge der Erhöhung des Meeresspiegels, die man in den nächsten Jahrzehnten erwarten muss, werden viele Inseln im Meer versinken.

2. Immer wieder werden die gleichen ökologischen Fehler gemacht, die man nach den neuesten Erkenntnissen leicht vermeiden kann.

3. Die Mediziner müssen sich ständig mit neuen Grippeviren beschäftigen, die sie mit den vorhandenen Mitteln nicht identifizieren können.

4. Bei sogenannten Preisrätseln zu Werbezwecken werden oft Aufgaben gestellt, die man allzu schnell erraten kann,

5. denn meistens handelt es sich nur um den Firmennamen, den man an einer bestimmten Stelle ankreuzen muss.

6. Unkomplizierte Steuererklärungen, die man leicht bearbeiten kann, werden von den Finanzbeamten bevorzugt.

7. Die Verantwortlichen haben sich um die Akten, die man vernichten musste, persönlich gekümmert.

8. Für die einzige vom Orkan in Honduras verschonte kleine Stadt M. war der Strom der Flüchtlinge aus anderen Landesteilen ein Problem, das sie beim besten Willen nicht bewältigen konnte.

9. Der wissenschaftliche Wert von Erkenntnissen, die man nur im Labor erreichen kann, ist gering.

10. Bei einem Überschuss von Agrarprodukten werden zum Beispiel viele Tonnen von Tomaten und Gurken, die man weder verkaufen noch exportieren kann, vernichtet.

11. Das Gemüse, das man in kürzester Zeit vernichten muss, wird auf eine Deponie gebracht und verbrannt.

12. Diese Verschwendung von Lebensmitteln, die man nicht leugnen kann, ist eine aus der Agrarpreispolitik der Europäischen Wirtschaftsgemeinschaft resultierende Tatsache.

4 Преобразуйте причастную конструкцию с частицей *zu* (герундив) в относительное придаточное предложение: а) в форме пассива, b) с глаголом *sein + zu*.

1. Wenn die Ölquellen in Brand geraten, können *kaum jemals wiedergutzumachende* ökologische Schäden entstehen.

2. Die meisten als „Krebs" angesehenen Tumore sind zum Glück nur *ohne Schwierigkeiten operativ zu entfernende* Verdickungen des Zellgewebes.

3. Nach der Explosion in dem Chemiewerk hat man an einigen *besonders zu kennzeichnenden* Stellen auf dem Fabrikgelände rote Warnlichter aufgestellt.

4. *Von unparteiischen Kollegen nicht zu wiederholende* chemische oder medizinische Experimente haben keinen wissenschaftlichen Wert.

5. Um einige Schäden am Dach des alten Rathauses zu beheben schlug eine Firma vor, ein 25 Meter hohes, *an der Rückwand des Gebäudes aufzustellendes* Gerüst zu liefern.

6. Wegen eines *nicht restlos aufzuklärenden* Fehlers eines Chirurgen litt der Patient jahrelang an Rückenschmerzen.

7. Die einfachen, *leicht zu beweisenden* Ergebnisse des Chemikers überzeugten auch seine Kollegen.

8. Aufgrund von *nicht zu widerlegenden* Tatsachen bewies der Verteidiger die Unschuld des Angeklagten.

§ 50   Приложение

Nominativ	Nominativ	
Friedrich Ebert,	*der erste Präsident der Weimarer Republik,* war ein überzeugter Sozialdemokrat.	
	Genitiv	Genitiv
Der erste Präsident	der Weimarer Republik,	*des ersten demokratisch regierten Staates in der deutschen Geschichte,* war Friedrich Ebert.
Dativ	Dativ	
In der Bundesrepublik Deutschland,	*dem zweiten demokratisch regierten Staat in der deutschen Geschichte,* gelten die im Grundgesetz festgelegten Rechte der Bürger.	
Akkusativ	Akkusativ	
Für den Bundestag,	*die gesetzgebende Versammlung der Bundesrepublik,* sind die Artikel des Grundgesetzes bindend.	

1. Приложение содержит пояснительную информацию, относящуюся к существительному. Оно обычно стоит за существительным и выделяется запятыми.

2. Приложение является частью предложения, стоящей в том же падеже, что и существительное, к которому оно относится. В предложении может быть одновременно несколько приложений:
   Karl V., deutscher Kaiser, König von Spanien, Herrscher über die amerikanischen Kolonien, teilte vor seiner Abdankung sein Weltreich.

3. Приложение может вводиться при помощи *als* в обозначениях профессии, звания, религиозной или национальной принадлежности или при помощи *wie*, если речь идет о пояснении примером. Приложение с *als* запятой не отделяется, приложение с *wie* обычно выделяется запятыми:
   Der Papst *als Oberhaupt der katholischen Kirche* wandte sich mahnend an alle Regierenden.
   In der Steuergesetzgebung werden Abhängige, *wie zum Beispiel Kinder, Alte und Behinderte,* besonders berücksichtigt.

4. См. также обозначения дат:
Heute ist Freitag, *der* 13. Oktober.
Wir haben heute Freitag, *den* 13. Oktober.
Ich komme *am* Freitag, *dem* 13. Oktober.

1 Выполните упражнение на употребление приложения.

Das Geburtshaus Goethes • steht in Frankfurt. (der größte deutsche Dichter)
Das Geburtshaus Goethes, des größten deutschen Dichters, steht in Frankfurt.

1. Mit Eckermann • führte der Dichter zahlreiche lange Gespräche. (sein bewährter Mitarbeiter)
2. Goethe schrieb „Die Leiden des jungen Werthers" • nach einem bitter enttäuschenden Liebeserlebnis. (ein Roman in Briefen)
3. Die ersten Alphabete • kamen vor ungefähr 3500 Jahren auf. (vielleicht die größten Erfindungen der Menschheit)
4. Deutsch • wird in der Welt von etwa 110 Millionen Menschen gesprochen. (eine der germanischen Sprachgruppe zugehörige Sprache)
5. Innerhalb der germanischen Sprachen • finden sich große Ähnlichkeiten. (eine Sprachgruppe in der Familie der indogermanischen Sprachen)
6. „Alles Leben ist Leiden" ist ein Wort Arthur Schopenhauers •. (ein bekannter deutscher Philosoph des vorigen Jahrhunderts)
7. Von Ortega y Gasset • stammt das Wort: „Verliebtheit ist ein Zustand geistiger Verengung." (ein spanischer Philosoph)
8. Robert Koch • wurde 1905 der Nobelpreis verliehen. (der Begründer der bakteriologischen Forschung)
9. Der Dieselmotor • setzte sich erst nach dem Tod des Erfinders in aller Welt durch. (eine nach seinem Erfinder Rudolf Diesel benannte Verbrennungskraftmaschine)
10. Am 28. Februar 1925 begrub man den erst 54-jährigen Friedrich Ebert • (der erste Präsident der Weimarer Republik)
11. Die Tier- und Pflanzenbilder Albrecht Dürers • zeichnen sich durch sehr genaue Detailarbeit aus. (der berühmte Nürnberger Maler und Graphiker)
12. Am Samstag • jährte sich zum zehnten Mal der Tag, an dem Großbritannien, Dänemark und Irland der EG beigetreten sind. (der 1. Januar 1983)

§ 51   Зависимые определения

Ich muss deine Aussagen berichtigen: …
Nicht im November, sondern im Oktober ist das Haus nebenan abgebrannt.
Schon mein erster Anruf hat die Feuerwehr alarmiert.
Auch die anderen Bewohner unseres Hauses haben geholfen.
Selbst die alte Dame aus dem dritten Stock hat einige Sachen gerettet.
Gerade du solltest die Nachbarschaftshilfe anerkennen.
Nur die ausgebildeten Männer von der Feuerwehr konnten wirksam eingreifen.
Allein dem Mut der Feuerwehrleute ist es zu verdanken, dass niemand verletzt wurde.
Besonders der Arzt im Parterre hat Glück gehabt.
Sogar seine wertvollen Apparate konnten gerettet werden.
Erst spät in der Nacht wurden die letzten Brandwachen vom Unglücksort abgerufen.

1. Зависимые определения относятся непосредственно к одному из членов предложения, не занимая в предложении самостоятельного места. В разговорах они выделяются интонацией:
   Auch seinem eigenen Bruder hat er nicht mehr trauen können.
   Er hat *auch seinem eigenen Bruder* nicht mehr trauen können.

2. Зависимые определения обычно стоят перед членом предложения, которому они подчинены.

Примечания

Обратите внимание на следующее различие в значениях:
1. Er kam *auch* zu spät, genauso wie ich.
   Auch er kam zu spät, obwohl er sonst immer pünktlich ist.
2. Er hat seinen Wagen *selbst* repariert, denn er ist sehr geschickt.
   Selbst er (= sogar er) hat seinen Wagen repariert, obwohl er doch so ungeschickt ist. (См. § 36, III)
3. Ich saß eine halbe Stunde *allein* im Wartezimmer, später kamen noch andere Patienten.
   Bei dem Sturm in Norddeutschland stürzten *allein in Hamburg* mehr als zwanzig Bäume um. (= auch anderswo sind Bäume umgestürzt, hier wird aber nur von denen in Hamburg berichtet)

1 Вставьте по смыслу зависимые определения.

1. Nun brechen die Gangster … am helllichten Tag in Banken und Privatwohnungen ein! (erst / schon / nicht)
2. … die kleinsten Filialen auf dem Land verschonen sie nicht. (nicht / gerade / sogar)
3. Im Gegenteil, … die kleinen Banken sind oft das Ziel von Raubüberfällen. (erst / überhaupt / besonders)
4. Neulich haben Gangster … einen unterirdischen Gang zu einer Bank gegraben. (sogar / ganz / gerade)
5. Den Gang zu graben war wahrscheinlich … schön mühsam. (ganz / so / gar)
6. Dafür haben sie dann … eine Riesensumme „mitgenommen". (nur / eben / aber)

7. Das war … eine … raffinierte Idee. (überhaupt, ganz / allein, erst / ja, besonders)

8. … die Kriminalbeamten wunderten sich über so viel Raffinesse (selbst / allein / schon)

9. Dennoch, … kurze Zeit später hatte man die Burschen erwischt. (ganz / so / schon)

10. Die Kerle werden … schöne Strafen bekommen! (erste / ganz / so)

Часть IV

§ 52   Конъюнктив

Общие сведения

1. Изъявительное наклонение – индикатив, например: *er geht, er lernte, er hat gesagt* – рассматривалось в § 6. Индикатив представляет действие как факт, который имеет место в действительности или о котором говорящий полагает, что он имеет место в действительности.

2. Другим наклонением является сослагательное наклонение – конъюнктив, например: *er gehe / ginge, er lerne, er habe / hätte gesagt.*

   a) Конъюнктив I (конъюнктив косвенной речи, или конъюнктив чужого высказывания) представлен в следующей таблице:

a) Indikativ	Der Richter sagte: „Das glaube ich nicht."
b) Konjunktiv I	Der Richter sagte, *er glaube das nicht.*

   Пример a) передает чужую речь дословно, именно так, как было сказано. Прямая речь заключается в кавычки.

   Пример b) содержит косвенную передачу речи, а именно: кто-то рассказывает о том, что сказал судья. В предложении передается чужая речь, мнение другого человека.

   b) Конъюнктив II (ирреалис, или конъюнктив недействительности) представлен в следующей таблице:

a) Indikativ	Er ist krank, er kann dir nicht helfen.
b) Konjunktiv II	*Wenn er gesund wäre, könnte er dir helfen.*

   В примере a) речь идет о факте, в примере b) о желании, предположении, о чем-то нереальном.

3. Поскольку формы конъюнктива II часто употребляются вместо форм конъюнктива I, вначале будет рассмотрен конъюнктив II.

§ 53   Конъюнктив II

Образование

Indikativ	Konjunktiv II
a) er fährt	er *führe*
b) er fuhr	
er ist (war) gefahren	er *wäre gefahren*
er las	
er hat (hatte) gelesen	er *hätte gelesen*

В немецком языке конъюнктив имеет две временные формы – форму настоящего и форму прошедшего. При этом трем формам прошедшего времени индикатива в конъюнктиве соответствует одна форма.

| Форма настоящего времени конъюнктива II

1. Сильные глаголы

К основе имперфекта прибавляются следующие окончания:

	Singular	Plural
1. Person	-e	-en
2. Person	-est	-et
3. Person	-e	-en

Корневые гласные a, o, u получают умлаут:

Infinitiv	Indikativ Präteritum	Konjunktiv II Gegenwartsform
sein	war	ich wäre, du wär(e)st, er wäre …
bleiben	blieb	ich bliebe, du bliebest, er bliebe …
fahren	fuhr	ich führe, du führest, er führe …
kommen	kam	ich käme, du kämest, er käme …
ziehen	zog	ich zöge, du zögest, er zöge …

2. Слабые глаголы

Формы настоящего времени конъюнктива II совпадают с формами имперфекта индикатива. Корневой гласный умлаута не получает:

Infinitiv	Indikativ Präteritum	Konjunktiv II Gegenwartsform
fragen	fragte	ich fragte, du fragtest, er fragte …
sagen	sagte	ich sagte, du sagtest, er sagte …

3. Исключение составляют:

a) Модальные глаголы *dürfen, können, mögen, müssen,* глаголы смешанного спряжения *denken, bringen, wissen* и вспомогательные глаголы *haben* и *werden,* получающие умлаут в форме конъюнктива II:

Infinitiv	Indikativ Präteritum	Konjunktiv II Gegenwartsform
bringen	brachte	ich brächte, du brächtest, er brächte …
haben	hatte	ich hätte, du hättest, er hätte …
können	konnte	ich könnte, du könntest, er könnte …
werden	wurde	ich würde, du würdest, er würde …

b) У ряда сильных глаголов и глаголов смешанного спряжения корневые гласные в имперфекте индикатива и в конъюнктиве II различаются. Эти формы являются, однако, мало-употребительными. Предпочтение отдается описательной форме *würde* + инфинитив (см. § 54, III):

Infinitiv	Indikativ Präteritum	Konjunktiv II Gegenwartsform
helfen	half	hülfe
werfen	warf	würfe
verderben	verdarb	verdürbe
stehen	stand	stünde
sterben	starb	stürbe
nennen	nannte	nennte u. a.

Примечание

В конъюнктиве II употребляется только слабая форма от глаголов *senden – sandte / sendete, wenden – wandte / wendete.*

В устной (и отчасти в письменной) речи в настоящее время употребляют описательную конструкцию с *würde* + инфинитив. Только с модальными и вспомогательными глаголами всегда стоят формы Конъюнктив II. (см. § 54, III)

II Форма прошедшего времени конъюнктива II

1. Форма прошедшего времени образуется из вспомогательных глаголов *haben* или *sein* в конъюнктиве II и причастия II основного глагола:

Infinitiv	Vergangenheit im Konjunktiv II
haben	ich hätte gehabt, du hättest gehabt …
sein	ich wäre gewesen, du wär(e)st gewesen …
arbeiten	ich hätte gearbeitet, du hättest gearbeitet …
bleiben	ich wäre geblieben, du wär(e)st geblieben …
kommen	ich wäre gekommen, du wär(e)st gekommen …
ziehen	ich hätte gezogen, du hättest gezogen …

2. Трем формам прошедшего в индикативе противостоит одна форма прошедшего времени в конъюнктиве II :

Indikativ	Konjunktiv II
Hans kam. Hans ist gekommen. Hans war gekommen.	Hans *wäre gekommen*.

III Пассивные формы конъюнктива II

	Indikativ	Konjunktiv II
Gegenwart	ihm wird geholfen	ihm *würde geholfen*
Vergangenheit	ihm wurde geholfen	
	ihm ist geholfen worden ihm war geholfen worden }	ihm *wäre geholfen worden*

---

1 Проспрягайте следующие глаголы в конъюнктиве II. Образуйте формы настоящего и прошедшего времени.

1. rechnen	3. abreisen	5. ausschalten	7. lernen
2. arbeiten	4. sollen	6. telefonieren	8. klettern

2 Еще одно упражнение:

1. nehmen	3. schlagen	5. fliegen	7. frieren	9. rufen
2. essen	4. schließen	6. abfahren	8. erfahren	10. weggehen

3 Еще одно упражнение:

1. dürfen	2. denken	3. wissen	4. umbringen	5. absenden

4 Поставьте глаголы в соответствующую временную форму конъюнктива II.

1. du stehst
   du hast gestanden
2. es verdirbt
   es verdarb
3. sie widerstehen
   sie widerstanden
4. wir grüßten
   wir hatten gegrüßt
5. sie wird verhaftet
   sie wurde verhaftet
6. du erwiderst
   du hattest erwidert

7. sie redeten
   sie hatten geredet
8. er freute sich
   er hat sich gefreut
9. sie wollen reden
   sie wollten reden
10. ich will
    ich habe gewollt
11. er schneidet
    er hat geschnitten
12. sie klingeln
    sie klingelten

13. er handelt
    er handelte
14. ihr wandert
    ihr seid gewandert
15. ich fasse zusammen
    ich fasste zusammen
16. du reist ab
    du bist abgereist
17. ich musste abreisen
    ich habe abreisen müssen
18. sie wurden geschlagen
    sie sind geschlagen wor-
    den

§ 54   Употребление конъюнктива II

I Предложение, выражающее нереальное желание

a) Er ist nicht gesund. Er wünscht sich:
   Wenn ich doch gesund *wäre*!
   Wäre ich doch gesund!
b) Die Freunde sind nicht mitgefahren. Wir wünschen:
   Wenn sie nur (или: doch nur) *mitgefahren wären*!
   Wären sie nur (или: doch nur) *mitgefahren*!
c) Hans belügt mich immer. Ich wünsche mir:
   Wenn er mir doch die Wahrheit *sagte* (или: *sagen würde*)!
d) Ich habe Evas Adresse vergessen und wünsche mir:
   Wüsste ich doch (или: bloß) ihre Adresse!

1. Предложение, выражающее нереальное желание, может вводиться при помощи союза *wenn*. В этом случае сказуемое стоит в конце предложения. Если предложение образуется без союза *wenn*, сказуемое стоит в начале предложения.

2. В предложениях, выражающих нереальное желание, необходимо употреблять слова *doch, bloß, nur, doch nur*.

3. В конце предложения стоит восклицательный знак (!).

1 Образуйте предложения, выражающие нереальное желание. Обратите внимание: высказывания относятся к настоящему времени.

Sie kommt nicht zurück.   *Wenn sie doch zurückkäme!*
Es ist so heiß.   *Wenn es doch nicht so heiß wäre!*

1. Der Bus kommt nicht.
2. Es ist hier so dunkel.
3. Ich habe Angst. (nicht solche Angst)
4. Ich muss lange warten. (so lange)
5. Ich habe nicht viel Zeit. (etwas mehr)
6. Der Zug fährt noch nicht ab. (doch schon)

2 Образуйте предложения, выражающие нереальное желание. Обратите внимание: высказывания относятся к прошедшему времени.

> Du hast mir nicht geschrieben, wann du kommst.
> *Wenn du mir doch nur geschrieben hättest, wann du kommst!*

1. Du hast mir nicht gesagt, dass du Urlaub bekommst.
2. Ich habe nicht gewusst, dass du nach Spanien fahren willst.
3. Ich habe keine Zeit gehabt Spanisch zu lernen.
4. Du hast mir nicht geschrieben, was du vorhast.
5. Ich habe nicht genug Geld gespart um mitzufahren.

3 Употребите предложения, выражающие нереальное желание, без союза *wenn*, используйте материал упражнения 1–2.

4 Образуйте союзные и бессоюзные предложения, выражающие нереальное желание. Обратите внимание на временные формы:

1. Ich kann nicht zu der Ausstellung fahren.
2. Du hast mich nicht besucht, als du hier warst.
3. Er ist bei diesem schlechten Wetter auf eine Bergtour gegangen.
4. Er ist nicht hier geblieben.
5. Ich bin nicht informiert worden.
6. Ich darf nicht schneller fahren.
7. Ich werde von der Polizei angehalten.
8. Wir müssen noch weit fahren. (nicht mehr so weit)
9. Wir sind noch lange nicht da. (bald da)
10. Er schenkte der Stadt sein ganzes Vermögen.
11. Mein Bruder war nicht auf der Party.
12. Er hatte keine Zeit zu kommen.

5 Образуйте предложения, выражающие нереальное желание.

> Er arbeitet langsam. (schneller)
> *a) Wenn er doch schneller arbeitete!*
> *b) Wenn er doch nicht so langsam arbeitete!*

1. Sie spricht undeutlich. (deutlicher)
2. Die Fernsehsendung kommt spät. (früher)
3. Der Busfahrer fährt schnell. (langsamer)
4. Ich verdiene wenig Geld. (mehr)
5. Er stellt das Radio laut. (leiser)
6. Das Zimmer ist teuer. (billiger)

II Нереальные условные придаточные предложения

1. Wenn ich genug Geld habe, baue ich mir ein Haus.

Является реальным условным придаточным предложением, которое означает: *Ich spare und eines Tages werde ich bauen.* Иными словами, речь идет о реальном плане.

Wenn ich genug Geld hätte, baute ich mir ein Haus (или: würde ... bauen).

Нереальное условное придаточное предложение, которое означает: *Ich habe nicht genug Geld, ich kann nicht bauen; aber wenn ...* Иными словами, речь идет о нереальном плане, пожелании. В главном и придаточном предложениях стоит конъюнктив II.

2. **Wenn ich Zeit hätte, käme ich zu dir.**
   Ich käme zu dir, wenn ich Zeit hätte.
   Wenn ich gestern Zeit gehabt hätte, wäre ich zu dir gekommen.

Придаточное предложение может стоять перед главным или за главным предложением.

Hätte ich Zeit, (so) käme ich zu dir.

Условное придаточное может употребляться без союза *wenn*. В этом случае сказуемое перемещается на первое место. Главное предложение может вводиться словами *so* или *dann* и всегда стоит после придаточного.

Was machtet ihr, wenn jetzt ein Feuer ausbräche?
Hättest du mich gestern besucht, wenn du Zeit gehabt hättest?

Если сложносочиненное предложение имеет форму вопроса, придаточное предложение стоит за главным.

Er musste ein Taxi nehmen, sonst wäre er zu spät gekommen.
Man musste ihn ins Krankenhaus bringen, andernfalls wäre er verblutet.

После *sonst* или *andernfalls* часто употребляется конъюнктив II, при этом в главном предложении возможна следующая перестановка:

Er musste ein Taxi nehmen, *er* wäre *sonst* zu spät gekommen.

Es wäre mir angenehmer, er käme schon am Freitag.
Es wäre besser gewesen, wir hätten vorher mit ihm gesprochen.

После безличных высказываний в конъюнктиве II, содержащих, как правило, форму сравнительной степени, может стоять самостоятельное предложение.

III   Описательная форма конъюнктива II „würde" + инфинитив

(Wenn ich Karin *fragte, berichtete* sie mir von ihrer Tätigkeit.)

Подобные предложения, содержащие две формы слабых глаголов, могут означать, во-первых: 1. *Jedesmal, wenn ich sie fragte ...* (= имперфект индикатива) или, во-вторых: 2. *Im Fall, dass ich sie fragen sollte ...* (= настоящее время конъюнктива II). В этих случаях употребляют описательную форму *würde* + инфинитив. Однако следует избегать употребления этой формы в обеих частях сложносочиненного предложения.

Wenn ich Karin *fragen würde, berichtete* sie mir von ihrer Tätigkeit.
Wenn ich Karin *fragte, würde* sie mir von ihrer Tätigkeit *berichten*.

(Wenn sie mich zur Teilnahme *zwängen, träte* ich aus dem Verein *aus*.)
Wenn sie mich zur Teilnahme zu zwingen *versuchten, würde* ich aus dem Verein *austreten*.

Многие формы конъюнктива II от сильных глаголов считаются устаревшими, например: *träte, böte, grübe*. Они также заменяются на *würde* + инфинитив.

6 Sagen Sie, was besser wäre.

> Er kümmert sich nicht um sein Examen.
> *Es wäre besser, wenn er sich um sein Examen kümmerte.*
> или: *..., wenn er sich um sein Examen kümmern würde.*

1. Der Angestellte kommt nicht pünktlich zum Dienst.
2. Der Angeklagte sagt nicht die volle Wahrheit.
3. Die Stadt baut keine Radfahrwege.
4. Der Hausbesitzer lässt das Dach nicht reparieren.
5. Du kaufst keine neuen Reifen für dein Auto.
6. Sie geht nicht zum Arzt und lässt sich nicht untersuchen.
7. Er kauft sich keine neue Brille.
8. Der Motorradfahrer trägt keinen Schutzhelm.

7 Используйте материал упражнения 1. Отнесите высказывания к прошедшему времени.

> *Es wäre besser gewesen, wenn er sich um sein Examen gekümmert hätte.*

8 Употребите высказывания упражнений 6–7 по следующему образцу:

> *(1) Es wäre besser, er kümmerte sich um sein Examen.*
> или: *..., er würde sich um sein Examen kümmern.*
> *(2) Es wäre besser gewesen, er hätte sich um sein Examen gekümmert.*

9 Преобразуйте предложения в сложносочиненное предложение, выражающее нереальное условие, с союзом *wenn* или без него. Обратите внимание на временные формы!

> Er findet meine Brille nicht. Er schickt sie mir nicht.
> *Wenn er meine Brille fände, schickte er sie mir.*
> или: *..., würde er sie mir schicken.*

> Ich habe von seinem Plan nichts gewusst. Ich habe ihn nicht gewarnt.
> *Hätte ich von seinem Plan gewusst, hätte ich ihn gewarnt.*

1. Der Fahrgast hat keinen Fahrschein gehabt. Er hat 30 Euro Strafe zahlen müssen.
2. Der Ausländer hat den Beamten falsch verstanden. Er ist in den falschen Zug gestiegen.
3. Die beiden Drähte berühren sich nicht. Es gibt keinen Kurzschluss.
4. Es gibt nicht genügend Laborplätze. Nicht alle Bewerber können Chemie studieren.
5. Ich bin nicht für die Ziele der De- monstranten. Ich gehe nicht zu der Demonstration.
6. Du hast das verdorbene Fleisch gegessen. Dir ist schlecht geworden.
7. Der Apotheker hatte keine Alarmanlage installiert. Die Diebe konnten unbemerkt eindringen und bestimmte Medikamente mitnehmen.
8. Die Feuerwehr hat den Brand nicht sofort gelöscht. Viele Häuser sind von den Flammen zerstört worden. (nicht so viele)

10 Продолжите предложения, употребите при этом конъюнктив II.

1. Wäre sie nicht so schnell gefahren, so …
2. Hätte er nicht so viel durcheinander getrunken, so …
3. Hätte er dem Finanzamt nicht einen Teil seines Einkommens verschwiegen, …
4. Hätten wir nicht im Lotto gespielt, …
5. Wäre er nicht auf die Party seines Freundes gegangen, …
6. Hätten die Politiker rechtzeitig verhandelt, …
7. Wäre der Bus pünktlich gekommen, so …
8. Gäbe es keine Schreibmaschine, dann …
9. Würde er aus dem Gefängnis fliehen, …
10. Ginge ich in der Nacht durch den Stadtpark, …

11 Ответьте на вопросы с помощью придаточных предложений, выражающих нереальное условие.

Was würden Sie machen, wenn . . .

1. Sie ihre Tasche (Brieftasche) mit allen Papieren verloren hätten?
2. Ihr Zimmer (Ihre Wohnung) plötzlich gekündigt würde?
3. Sie eine Million Euro im Toto gewonnen hätten?
4. in Ihrer Nähe plötzlich jemand um Hilfe riefe?
5. Sie von einer giftigen Schlange gebissen worden wären?
6. Sie im Kaufhaus ein kleines Kind nach seiner Mutter schreien hörten?
7. Sie bei einem Versandhaus einen Anzug bestellt und ein Fahrrad erhalten hätten?
8. Sie zufällig auf der Straße ein Flugticket nach New York und zurück fänden?

12 Образуйте предложения с *sonst* или *andernfalls*. В этом упражнении второе предложение всегда стоит в форме прошедшего времени конъюнктива II.

Er musste ein Taxi nehmen. (er / zu spät zum Bahnhof / kommen)
Er musste ein Taxi nehmen, sonst wäre er zu spät zum Bahnhof gekommen.

1. Er musste das Dach neu decken lassen. (ihm / das Regenwasser / in die Wohnung / laufen)
2. Gut, dass du endlich zurückkommst! (ich / dich / durch die Polizei / suchen lassen)
3. Die Forscher mussten den Versuch abbrechen. (es / eine Explosion / geben / und / die teure Apparatur / zerstört werden)
4. Sie nahm ihren Studentenausweis mit. (sie / den normalen Fahrpreis / bezahlen müssen)
5. Mein Nachbar hat mich in ein langes Gespräch verwickelt. (ich / nicht so spät / zu dir kommen)
6. In diesem Winter musste man die Tiere des Waldes füttern. (sie / alle / verhungern)
7. Es war schon spät. (wir / bei dir / vorbeikommen)
8. Er musste aufhören zu rauchen. (ihn / der Arzt / nicht mehr behandeln)
9. Man musste den Patienten an eine Herz-Lungen-Maschine anschließen. (er / nicht mehr / zu retten sein)
10. Der Arzt entschloss sich zu einem Luftröhrenschnitt. (das Kind / ersticken)

13 Образуйте придаточные, выражающие нереальное условие. В тех случаях, если предложение стоит в скобках, употребляйте *würde* + инфинитив.

(Du erreichst einen günstigeren Preis.) Du handelst mit ihm.
Du würdest einen günstigeren Preis erreichen, wenn du mit ihm handeltest.

(Die alte Regelung gilt noch.) Dann ist alles viel leichter.
Wenn die alte Regelung noch gelten würde, wäre alles viel leichter.

1. (Du fragst mir die Vokabeln ab.) Du tust mir einen großen Gefallen.
2. (Du holst mich von der Bahn ab.) Ich brauche kein Taxi zu nehmen.
3. (Er spart viel Geld.) Er heizt etwas sparsamer.
4. Wir besuchen ihn. (Wir kennen seine Adresse.)
5. (Sie richten ihn hin.) Das Volk empört sich gegen die Regierung.
6. (Du liest das Buch.) Du weißt Bescheid.
7. Man pflanzt in der Stadt Bäume. (Man verbessert die Luft und verschönert die Stadt.)
8. (Ich kenne sein Geburtstagsdatum.) Ich gratuliere ihm jedes Jahr.

IV Нереальные придаточные сравнительные предложения

1. Sie schaut mich an, *als ob* sie mich nicht *verstünde.*
   Sie schaut mich an, *als ob* sie mich nicht *verstanden hätte.*

Сравнительное придаточное предложение *als ob* или *als* (реже – *als wenn* или *wie wenn*) содержат нереальные сравнения: Sie schaut mich so an, aber in Wirklichkeit versteht sie mich oder hat mich wahrscheinlich verstanden.

Er hat solchen Hunger, *als hätte* er seit Tagen nichts *gegessen.*

Если придаточное присоединяется к главному при помощи *als,* спрягаемая часть сказуемого стоит сразу за союзом.

2. Первая часть содержит реальное высказывание, оно стоит в индикативе.

14 Образуйте нереальные придаточные сравнительные предложения с союзами *als ob* или *als wenn.*

Der Junge tat so, (er / nicht laufen können)
Der Junge tat so, als ob (als wenn) er nicht laufen könnte.

1. Der Angler tat so, (er / einen großen Fisch an der Leine haben)
2. Der Lehrer sprach so laut, (seine Schüler / alle schwerhörig sein)
3. Unser Nachbar tut so, (Haus und Garten / ihm gehören)
4. Der Junge hat die Fensterscheibe eingeschlagen, aber er tut so, (er / ganz unschuldig sein)
5. Gisela sprang von ihrem Stuhl auf, (sie / von einer Tarantel gestochen worden sein) (die Tarantel = giftige Spinne)
6. Der Rennfahrer saß so ruhig hinter dem Steuer seines Rennwagens, (er / eine Spazierfahrt machen)
7. Der Hund kam auf mich zugerannt, (er / mich in Stücke reißen wollen)
8. Das Mädchen fuhr auf ihren Skiern so geschickt den Berg hinunter, (sie / das schon tausendmal geübt haben)

15 Употребите нереальные придаточные сравнительные предложения из упражнения 1 с союзом *als*.

> *Der Junge tat so, als könnte er nicht laufen.*

16 Продолжите предложения. Употребите конъюнктив II.

1. Der Politiker sprach so laut, als ob …
2. Der Busfahrer fuhr so schnell, als wenn …
3. Der Hotelgast gab so hohe Trinkgelder, als …
4. Der Arzt machte ein Gesicht, als …
5. Der Schriftsteller wurde gefeiert, als …
6. Die Musik kam so laut und klar im Radio, als …
7. Der Koch briet so viel Fleisch, als …
8. Der Zug fuhr so langsam, als …
9. Das Kind schrie so entsetzlich, als …
10. Die Kiste war so schwer, als …

17 Образуйте нереальные придаточные сравнительные предложения.

> Ich fühle mich bei meinen Wirtsleuten so wohl wie zu Hause.
> *Ich fühle mich bei meinen Wirtsleuten so wohl, als ob ich zu Hause wäre.*

1. Er hatte sich in den Finger gestochen und schrie wie ein kleines Kind.
2. Die Wirtin behandelte ihren Untermieter wie einen nahen Verwandten.
3. Er sieht aus wie ein Bettler.
4. Er gibt das Geld aus wie ein Millionär.
5. Er bestaunte das Auto wie einer, der noch nie ein Automobil gesehen hat. (… Auto, als ob er …)
6. Er schaute mich verständnislos an. (nicht verstanden haben)
7. Der Automechaniker stellte sich an wie einer, der noch nie einen Motor auseinander genommen hat. (… sich an, als ob er …)
8. Der Chef sprach mit dem Angestellten wie mit einem dummen Jungen.

V Нереальные придаточные предложения следствия

Es ist *zu* spät, *als dass* wir noch bei ihm anrufen könnten.
Ich hab' das Tier *viel zu* gern, *als dass* ich es weggeben könnte.

Придаточное предложение обычно относится к наречию с *zu* или *allzu* (= усиление значения). Слово *zu* означает, что действие или состояние выходят за границы возможного или переносимого, и поэтому следствие, называемое в придаточном предложении, не может осуществиться. В придаточном предложении всегда стоит конъюнктив II.

Er hat *so* viel Zeit, *dass* er das ganze Jahr verreisen könnte.

Следствие, называемое в предложении с *so … dass,* никогда не наступит, поэтому придаточное предложение стоит в форме конъюнктива II.

Er ging weg, *ohne dass* er sich verabschiedet hätte.

В предложении с союзом *ohne dass* ожидаемое следствие не реализовалось, поэтому в придаточном предложении стоит конъюнктив II.

18 Образуйте нереальные придаточные предложения следствия с союзом *zu ..., als dass*.

Die Versuche sind zu teuer. Man kann sie nicht unbegrenzt fortsetzen.
Die Versuche sind zu teuer, als dass man sie unbegrenzt fortsetzen könnte.

1. Der Schwimmer ist mit 32 Jahren schon zu alt. Er kann keine Spitzenleistungen mehr erbringen. (noch)
2. Diese Bergwanderung ist zu gefährlich. Ihr könnt sie nur mit einem Seil machen. (ohne Seil)
3. Die Tour ist zu weit. Sie können die Strecke nicht an einem Tag schaffen.
4. Die Wanderer sind viel zu müde. Sie wollen nicht mehr tanzen. (noch)
5. Das Hotel ist zu teuer. Wir können dort nicht wohnen.
6. Der Wind ist zu kalt. Das Laufen macht keinen Spaß mehr. (noch ... würde)
7. Die Mathematikaufgabe ist zu schwierig. Die Schüler können sie nicht lösen.
8. Das Bild ist zu groß. Ich will es mir nicht ins Zimmer hängen.
9. Die Reise ist zu anstrengend. Ich werde sie nicht mehr machen. (noch einmal ... würde)
10. Das Fernsehprogramm ist viel zu langweilig. Ich sehe es mir nicht an.

19 Поставьте предложения 1–5 из упражнения 18 в имперфект или перфект и образуйте нереальные придаточные предложения следствия.

Die Versuche waren zu teuer. Man konnte sie nicht unbegrenzt fortsetzen.
Die Versuche waren zu teuer, als dass man sie unbegrenzt hätte fortsetzen können.

20 Образуйте нереальные предложения следствия с союзом *so ..., dass*. Обратите внимание на временные формы!

Die Straßenbahn fuhr (fährt) so langsam, (man / ebenso gut laufen können)
Die Straßenbahn fuhr (fährt) so langsam, dass man ebensogut hätte laufen können (laufen könnte).

1. Die Sonne schien so warm, (man / im Badeanzug auf der Terrasse liegen können)
2. Sein Geschäft geht so gut, (er / es ganz groß ausbauen können)
3. Die Terroristen hatten so viele Waffen, (man / eine ganze Kompanie Soldaten damit ausrüsten können)
4. Der Sportwagen ist so teuer, (man / zwei Mittelklassewagen / sich dafür kaufen können)
5. Die Höhle hat so viele Gänge, (man / sich darin verlaufen können)
6. Das Haus, in dem er wohnt, ist so groß, (drei Familien / darin Platz finden)
7. Das Gift wirkt so stark, (man / mit einem Fläschchen / eine ganze Stadt vergiften können)
8. Der Mond schien so hell, (man / Zeitung lesen können)

21 Образуйте предложения с союзом *ohne dass*. Обратите внимание на временные формы!

> Sie waren oft hier in Wien. Sie haben uns nicht ein einziges Mal besucht.
> *Sie waren oft hier in Wien, ohne dass sie uns ein einziges Mal besucht hätten.*

1. Der Arzt überwies den Patienten ins Krankenhaus. Er hat ihn nicht untersucht.
2. Ein Onkel sorgte für die verwaisten Kinder. Er hat kein Wort darüber verloren.
3. Ein ausländischer Konzern kaufte die Fabrik. Es wurde nicht lange über den Preis verhandelt. (*es* fällt weg!)
4. Die Tochter verließ das Elternhaus. Sie schaute nicht noch einmal zurück.
5. Er wanderte nach Amerika aus. Er hat nie wieder ein Lebenszeichen von sich gegeben. (ohne dass er jemals wieder)
6. Luft und Wasser werden von gewissen Industriebetrieben verschmutzt. Diese werden dafür nicht zur Verantwortung gezogen.
7. Sie hat uns geholfen. Wir haben sie nicht darum gebeten.
8. Er verschenkte seine wertvolle Münzsammlung. Es hat ihm keinen Augenblick Leid getan.

VI Прочие сферы употребления конъюнктива II

Beinah(e) wäre das ganze Haus abgebrannt!
Fast hätte ich den Bus nicht mehr erreicht.

Предложения с *beinah(e)* или *fast* означают, что ожидавшееся не произошло. Вследствие этого употребляется форма прошедшего времени конъюнктива II.

Ich hätte dich besucht, aber ich hatte deine Adresse nicht.
Der Bus ist noch nicht da; dabei hätte er schon vor zehn Minuten kommen müssen.

Предложения служат противопоставлению реального и нереального действия.

Sollte es wirklich schon so spät sein?
Würdest du mir tatsächlich Geld leihen?

Конъюнктив II употребляется в вопросах, выражающих недоверие, сомнение.

Wären Sie so freundlich mir zu helfen?
Könnten Sie mir vielleicht sagen, wie ich zum Bahnhof komme?

Предложения выражают вежливую просьбу или приглашение, сформулированные как вопрос.

Würden Sie mir bitte einen Gefallen tun?
Würden Sie vielleicht gegen zehn Uhr noch mal anrufen?

В этом же значении часто употребляется описательная форма *würde* + инфинитив.

Zum Einkaufen dürfte es jetzt zu spät sein.
(Wie alt schätzt du Gisela?) Sie dürfte etwa zwanzig sein.

Если говорящий стремится выразить свое предположение очень осторожно, употребляется глагол *dürfen* в форме конъюнктива II.

So, das wär's für heute! (Morgen geht's weiter.)
Das hätten wir geschafft!

Предложение выражает, что часть какого-то действия (= часть работы) закончена.

Ich glaube, dass ich ihm in dieser Lage auch nicht helfen könnte.
Ich meine, dass er sich endlich ändern müsste.

Неуверенность, сомнение в реальности действия можно также выразить при помощи конъюнктива II. В главном предложении стоят глаголы *annehmen, glauben, denken, meinen*.

Ich kenne keinen anderen Arzt, der dir besser helfen könnte.
Ich wüsste kein Material, das härter wäre als ein Diamant.

Конъюнктив II иногда стоит в относительных предложениях, содержащих сравнительную степень и относящихся к главному предложению, в котором имеется отрицание.

22 Выполните упражнение на форму прошедшего времени конъюнктива II после *beinah(e)* или *fast*.

Hast du das Haus gekauft?
Nein, aber beinah (fast) hätte ich es gekauft.
Или: *Nein, aber ich hätte es beinah (fast) gekauft.*

1. Hast du dein Geld verloren?
2. Bist du betrogen worden?
3. Bist du verhaftet worden?
4. Ist das Flugzeug abgestürzt?
5. Hast du dein Geschäft verkaufen müssen?
6. Ist das Schiff untergegangen?
7. Seid ihr zu spät gekommen?

23 Выразите Вашим вопросом сомнение.

Ist sie wirklich erst 17? – Ja, das stimmt.
Sollte sie wirklich erst 17 sein? – Ja, das dürfte stimmen.

1. Ist dieses Haus wirklich für 100 000 Euro zu haben? – Ja, das stimmt.
2. Hat er wirklich die Wahrheit gesagt? – Nein, das war nicht die Wahrheit.
3. Ist er wirklich in schlechten finanziellen Verhältnissen? – Ja, das trifft leider zu.
4. Habe ich für diesen Pelzmantel wirklich 100 Euro zu viel bezahlt? – Ja, das stimmt annähernd.
5. Hatte der Sultan wirklich 90 Kinder? – Nein, es waren nur etwa 50.
6. Hat er mich mit Absicht falsch informiert? – Nein, er hat nur wieder mal nicht aufgepasst.
7. Ist der Zug wirklich schon abgefahren ? – Ja, der ist schon weg.
8. Hat der Zeuge sich wirklich nicht geirrt? – Nein, seine Aussage entspricht so ziemlich den Tatsachen.
9. Hat er seine Steuererklärung wirklich ungenau ausgefüllt? – Ja, die Angaben waren unzutreffend.

24 Образуйте вежливые вопросы.

> Nehmen Sie das Paket mit?
> *Würden Sie bitte das Paket mitnehmen?*
> *Könnten Sie bitte das Paket mitnehmen?*
> *Würden Sie so freundlich sein und das Paket mitnehmen?*
> *(... das Paket mitzunehmen?)*
> *Dürfte ich Sie bitten das Paket mitzunehmen?*
> *Würden Sie mir den Gefallen tun und das Paket mitnehmen?*
> *(... das Paket mitzunehmen?)*

1. Schicken Sie mir die Waren ins Haus?
2. Wo ist die Stadtverwaltung?
3. Wie komme ich zum Krankenhaus?
4. Reichen Sie mir das Salz?
5. Geben Sie mir noch eine Scheibe Brot?
6. Bringen Sie mir noch ein Glas Bier?
7. Helfen Sie mir den Wagen anzuschieben?
8. Wird der Eilbrief heute noch zugestellt? (... mir sagen, ob ...)
9. Kommen Sie gegen 5 Uhr noch mal vorbei?
10. Nimmst du dieses Päckchen mit zur Post?

25 Sagen Sie, was unter anderen Umständen möglich wäre.

> Zu Fuß kannst du den Zug nicht mehr erreichen; (mit dem Taxi / noch rechtzeitig zur Bahn kommen)
> *Zu Fuß kannst du den Zug nicht mehr erreichen; mit dem Taxi könntest du noch rechtzeitig zur Bahn kommen.*

1. Ohne Antenne kannst du das Programm von Bayern III nicht empfangen; (mit Antenne / du / es gut hereinbekommen)
2. Hier müssen alle Kraftfahrzeuge langsam fahren; (ohne diese Vorschrift / es / viele Unfälle geben)
3. Leider ist unser Auto kaputt; (sonst / wir / heute ins Grüne fahren)
4. Ohne Licht darfst du abends nicht Rad fahren; (sonst / dir / ein Unglück passieren)
5. Du brauchst unbedingt eine Waschmaschine; (damit / du / viel Zeit sparen)
6. Du machst dir keine genaue Zeiteinteilung; (sonst / du / viel mehr schaffen)
7. Diesen Ofen benutzen wir nur in der Übergangszeit; (im Winter / wir / das Haus damit nicht warm bekommen)
8. Die Arbeiter müssen zur Zeit Überstunden machen; (die Firma / andernfalls / die Liefertermine nicht einhalten)
9. Hier darfst du nicht fotografieren; (du / wegen Spionage verhaftet werden)

§ 55   Конъюнктив I

Образование

	Indikativ	Konjunktiv I
a)	er fährt	er *fahre*
b)	er wird fahren	er *werde fahren*
c)	er fuhr er ist / war gefahren	} er *sei gefahren*
	er sah er hat / hatte gesehen	} er *habe gesehen*

Конъюнктив I имеет три временные формы: a) форма настоящего, b) форма будущего (а также предположения), c) форма прошедшего.

I Образование формы настоящего времени

1. К основе инфинитива присоединяются те же окончания, которые употребляются в конъюнктиве II (см. § 53, I).

2. В результате возникают следующие формы:

starkes Verb	schwaches Verb	Verb mit Hilfs-e	Modalverb	Hilfsverb	
kommen	planen	schneiden	dürfen	haben	werden
(ich	(ich	(ich	ich	(ich	(ich
komme)	plane)	schneide)	dürfe	habe)	werde)
du	du	(du	du	du	du
kommest	planest	schneidest)	dürfest	habest	werdest
er	er	er	er	er	er
komme	plane	schneide	dürfe	habe	werde
(wir	(wir	(wir	(wir	(wir	(wir
kommen)	planen)	schneiden)	dürfen)	haben)	werden)
ihr	ihr	(ihr	ihr	ihr	(ihr
kommet	planet	schneidet)	dürfet	habet	werdet)
(sie	(sie	(sie	(sie	(sie	(sie
kommen)	planen)	schneiden)	dürfen)	haben)	werden)

Формы, взятые в скобки, совпадают с индикативом. Они заменяются на соответствующие формы конъюнктива II, чтобы их можно было отличать друг от друга. Если конъюнктив II совпадает с претеритумом, вместо него употребляют *würde* + инфинитив. Возникают следующие ряды соответсвий:

starkes Verb	schwaches Verb	Verb mit Hilfs-e	Modalverb	Hilfsverb	
ich	ich	ich	ich	ich	ich
käme	plante	schnitte	dürfe	hätte	würde
du	du	du	du	du	du
kommest	planest	schnittest	dürfest	habest	werdest
er	er	er	er	er	er
komme	plane	schneide	dürfe	habe	werde
wir	wir	wir	wir	wir	wir
kämen	planten	schnitten	dürften	hätten	würden
ihr	ihr	ihr	ihr	ihr	ihr
kommet	planet	schnittet	dürfet	habet	würdet
sie	sie	sie	sie	sie	sie
kämen	planten	schnitten	dürften	hätten	würden

В словоупотреблении это правило выдерживается не всегда. Так, например, конъюнктив II употребляется и во втором лице единственного и множественного числа: *du kämest, ihr kämet.*

Примечание

Во втором и третьем лице единственного числа настоящего времени конъюнктива I корневой гласный не изменяется, например: индикатив *du gibst, er gibt;* – конъюнктив I: *du gebest, er gebe.*

3. Исключение составляют формы глагола *sein:*

ich sei	wir seien
du sei(e)st	ihr seiet
er sei	sie seien

II Образование форм будущего времени (а также предположения)

1. Футурум I образуется из глагола *werden* и инфинитива:

ich würde kommen	wir würden kommen
du werdest kommen	ihr würdet kommen
er werde kommen	sie würden kommen

2. Футурум II образуется из глагола *werden* и инфинитива II:

ich würde gekommen sein	ich würde geplant haben
du werdest gekommen sein	du werdest geplant haben

III Образование форм прошедшего времени

Форма прошедшего времени образуется из глаголов *haben* или *sein* и причастия II.

ich sei gekommen	ich hätte geplant
du sei(e)st gekommen	du habest geplant

IV Пассивные формы конъюнктива I

Для образования данных форм используются названные в таблице формы глагола *werden*:

Gegenwart	ich würde informiert, du werdest informiert …
Zukunft	ich würde informiert werden, du werdest informiert werden …
Vergangenheit	ich sei informiert worden, du sei(e)st informiert worden …

1 Проспрягайте следующие глаголы. Употребите формы настоящего и прошедшего времени конъюнктива I.

1. reisen	4. fliegen	7. abschneiden	10. fahren
2. ordnen	5. fallen	8. sich ärgern	11. frieren
3. schicken	6. geben	9. beabsichtigen	12. benachrichtigt werden

2 Поставьте глаголы в соответствующие формы конъюнктива I.

1. ich stelle
er stellt
er stellte

2. du bittest
er bittet
wir baten

3. wir telefonieren
ihr telefoniert
sie telefonierten

4. sie grüßt
sie grüßen
sie grüßten

5. ich werde eingeladen
du wirst eingeladen
du wurdest eingeladen

6. du wirst dich erkälten
sie wird sich erkälten
sie werden sich erkälten

7. ich gehe
du gehst
er ist gegangen

8. sie betet
sie beten
er betete

9. sie schneidet
wir schneiden
wir haben geschnitten

10. ich antworte
er antwortet
ihr antwortet

11. er wird gewogen
wir werden gewogen
ihr wart gewogen worden

12. sie wird sich erholt haben
ihr werdet euch erholt haben
sie werden sich erholt haben

13. du fährst
ihr fahrt
sie fuhren

14. ich rufe an
du rufst an
sie riefen an

15. du streitest
sie streitet
ihr habt gestritten

16. er stirbt
sie sterben
sie starben

17. du wirst bestraft
er wird bestraft
sie wurde bestraft

§ 56   Употребление конъюнктива I

I   Косвенная речь

Direkte Rede	Indirekte Rede
In der Wahlnacht spricht der Parteivorsitzende. Er sagt unter anderem:	Ein Journalist berichtet. Der Parteivorsitzende sagte,
a) „Wir können stolz sein auf unseren Erfolg."	*dass sie* stolz auf *ihren* Erfolg sein könnten. *sie* könnten stolz sein auf *ihren* Erfolg.
b) „*Ihnen, liebe Parteifreunde,* danke ich herzlich."	er danke *seinen Parteifreunden* herzlich.
„Jetzt heißt es für uns alle: *Vorwärts, an die Arbeit!*"	jetzt heiße es für sie, *sofort mit der Arbeit zu beginnen.*
c) „*Für morgen* ist ein Gespräch mit dem Bundespräsidenten geplant."	*für heute, Montag,* sei ein Gespräch mit dem Bundespräsidenten geplant.
„*Hier* wird es einige Veränderungen geben."	*dort, im Bundestag,* werde es einige Veränderungen geben.
d) „Ich, als Demokrat, akzeptiere das Wahlergebnis, *auch wenn es anders ausgefallen wäre.*"	er, als Demokrat, akzeptiere das Wahlergebnis, *auch wenn es anders ausgefallen wäre.*

В косвенной речи передается только предметное содержание чужого высказывания, причем часто в сокращенной форме, например: Речи, документы, объявления и т. п. воспроизводятся в косвенной речи в сжатом виде. Употребление конъюнктива I подчеркивает, что передаются чужие слова, что говорящий дистанцируется от содержания этих высказываний.

a) 1. Косвенная речь может вводиться при помощи союза *dass.* Если сообщение продолжительное, придаточное предложение с союзом *dass* обычно стоит только в его начале.

2. В косвенной речи местоимения заменяются в зависимости от смысла высказывания. При этом особенно важно различать, кто говорит, к кому обращена речь или о ком идет речь, и в ряде случаев также, кто передает чужую речь.

b) 1. Обращения, эмоционально окрашенные, спонтанные выражения и т. п. при передаче речи обычно выпадают.

2. Для большей ясности можно повторять имена, добавлять по смыслу наречия, глаголы типа *bejahen, verneinen, ablehnen.*

c) В соответствии со смыслом меняются и наречия места или времени.

d) Конъюнктив II в косвенной речи сохраняется.

II Косвенный вопрос

Direkte Frage	Indirekte Frage
Er fragt:	Er fragt,
a) „*Gehst* du morgen zur Wahl?"	*ob* ich morgen zur Wahl ginge.
b) „*Wann* gehst du zum Wahllokal?"	*wann* ich zum Wahllokal ginge.
„*Welche Partei* willst du wählen?"	*welche Partei* ich wählen wolle.

В косвенной речи вопрос оформляется как придаточное предложение.

a) Вопросы без вопросительного слова вводятся союзом *ob*.

b) Вопросы с вопросительным словом присоединяются к главному предложению при помощи этого же вопросительного слова.

III Косвенное побуждение (императив косвенной речи)

Direkter Imperativ	Indirekter Imperativ
a) „Reg dich doch bitte nicht so auf!"	Er bat mich (freundlich), ich *möge* mich nicht so aufregen.
b) „Hört jetzt endlich auf, über das Wahlergebnis zu diskutieren!"	Er befahl uns (scharf), wir *sollten* aufhören über das Wahlergebnis zu diskutieren.

Косвенное побуждение передается при помощи модальных глаголов.

a) Вежливая просьба оформляется при помощи глагола *mögen*,

b) распоряжение или приказ – при помощи глагола *sollen*.

Примечание

Побуждение в третьем лице единственного числа или в первом лице множественного числа может также выражаться формами конъюнктива I:
Es *lebe* die Freiheit!
Damit *sei* die Sache vergessen!
Seien wir froh, dass alles vorbei ist!
Man *nehme* 15–20 Tropfen bei Bedarf und *behalte* die Flüssigkeit einige Zeit im Mund.
Man *nehme* ein Pfund Mehl, drei Eier und etwas Milch und *verrühre* das Ganze zu einem Teig.
Die Strecke b *sei* 7 cm. Man *schlage* von D aus einen Halbkreis über b.

Пунктуация в косвенной речи:

1. Двоеточие (:) и кавычки („. . .") в косвенной речи выпадают. Вместо их перед косвенной речью ставится запятая (,).

2. Поскольку побуждение, вопрос, просьба передаются в изложении, выпадают также восклицательный (!) и вопросительный (?) знаки.

1 Передайте содержание текста при помощи косвенной речи. Начните следующим образом: Fachleute weisen darauf hin, dass …

„Große Teile der Wälder in der Bundes-republik sind durch schwefelsäurehalti-gen Regen von einem allmählichen Ab-sterben bedroht. Nicht nur die Nadelhölzer, sondern auch die Laubbäu-me werden geschädigt. Sie reagieren zum Teil sogar noch empfindlicher als Nadelbäume. Als gefährlichste Verursa-cher des Waldsterbens sieht man die großen Kohlekraftwerke an, die die Schadstoffe durch hohe Schornsteine ableiten. Das entlastet zwar die nächste Umgebung, doch wird die Schädigung weiträumig in Gebiete getragen, die bis-her noch ökologisch gesund waren; denn hohe Schornsteine bringen die Schadstoffe in höhere Schichten der At-mosphäre und so können sie vom Wind ziemlich weit getragen werden. Gefordert werden neue Gesetze, die das Übel an der Wurzel packen. Es müssen Anlagen vorgeschrieben werden, die die Schadstoffe herausfiltern, so dass sie nicht mehr in die Luft gelangen kön-nen.“

2 Передайте содержание следующего газетного сообщения при помощи косвенной речи. Начните со слов: Die Zeitung berichtet, dass Teile Australiens …

Teile Australiens erleben eine katastro-phale Trockenheit. Infolge des Regen-mangels droht in fünf von sechs austra-lischen Bundesländern eine Dürre-katastrophe. Neben den Farmern, die bereits ihre Ernten und Tierherden ver-loren haben, spüren jetzt auch die Be-wohner der Städte den Wassermangel besonders stark. Für sie gilt eine strenge Beschränkung des Wasserverbrauchs. Sie dürfen ihre Gärten nicht mehr so inten-siv bewässern. Das Gießen ist ihnen tagsüber nur noch mit Kannen und Ei-mern erlaubt. Schläuche dürfen nur zwi-schen 19 und 21 Uhr benutzt werden. Die Geldstrafe, die auf Nichteinhaltung der Beschränkungen steht, ist von 100 auf 1000 Dollar erhöht worden. Zwan-zig Funkwagen machen Jagd auf Wasser-verschwender. In einigen Gemeinden des Staates Victo-ria ist die Not schon so groß, dass das Wasser auf 60 Liter pro Kopf und Tag ra-tioniert wurde. Perioden großer Trockenheit hat es in Australien schon oft gegeben. Eine sol-che Katastrophe ist aber in der Ge-schichte des weißen Mannes noch nie da gewesen.

3 Еще одно упражнение. Начните со слов: Der Verteidiger sagte, man …

Der Verteidiger sagte: „Man muss, wenn man ein gerechtes Urteil fällen will, die Kindheit und Jugendzeit des Angeklag-ten kennen. Als dieser drei Jahre alt war, starb seine Mutter. Sein Vater war ein stadtbekannter Trinker. Der Angeklagte hat noch drei Jahre mit seinem Vater zu-sammengelebt. Eine Tante, die den Haushalt führte, mochte ihn nicht und hat ihn oft geschlagen. Als der Ange-klagte sechs Jahre alt war, nahm man den ganz verwahrlosten Jungen aus dem Haushalt seines Vaters und steckte ihn in ein Waisenhaus, wo er bis zu seinem 14. Lebensjahr blieb. Nach seiner Entlas-sung kehrte der Junge zu seinem Vater zurück. Dieser veranlasste den Jungen immer wieder zu Diebstählen in Waren-häusern und Lebensmittelgeschäften. Mit sechzehn Jahren wurde der Jugend-liche zum ersten Mal wegen Diebstahls vor Gericht gestellt und von diesem in

eine Jugendstrafanstalt eingewiesen. So
hat der Angeklagte nie ein normales, ge-
25 regeltes Leben kennen gelernt; er hat nie
den Schutz und die Nestwärme erfahren, die eine Familie einem Heranwach-
senden im Allgemeinen bietet. Das muss
bei einer Verurteilung des Angeklagten
berücksichtigt werden."   30

4 Преобразуйте прямую речь в косвенную и наоборот.

Der Arzt fragte den Patienten: „Wie lange haben Sie die Kopfschmerzen schon?
Sind die Schmerzen ständig da oder treten sie nur manchmal auf? Liegen die
5 Schmerzen hinter den Augen? Haben
Sie auch nachts Kopfschmerzen? Nehmen Sie Tabletten? Was für Tabletten
haben Sie bis jetzt genommen? Ist der
Schmerz so stark, dass Sie es ohne Ta-
10 bletten nicht aushalten? Was für eine
Arbeit verrichten Sie im Büro? Wie lange müssen Sie täglich vor dem Bild-
schirm sitzen? Haben Sie die Möglichkeit Ihre Tätigkeit zu wechseln?"
Der Patient fragte den Arzt, wie oft er   15
die Tabletten nehmen solle, ob er im
Bett liegen bleiben müsse oder ob er
wenigstens zeitweise aufstehen dürfe,
wie lange die Krankheit denn wohl
dauere und ob er überhaupt wieder ganz   20
gesund werde.

5 Преобразуйте прямую речь в косвенную и наоборот.

Der Turnlehrer sagte zu den Schülern:
„Stellt euch gerade hin und streckt die
Arme nach vorn! Bringt jetzt die Arme
in weitem Bogen nach hinten, lasst den
5 Kopf zurückfallen und biegt den ganzen
Körper nach hinten durch! Jetzt kommt
langsam zurück, bis ihr wieder gerade
steht! Lasst nun den Oberkörper nach
vorn herunterfallen, bis der Kopf die
10 Knie berührt."
Der Lehrer sagt zu der Schülerin, dass sie
den Mund schließen und durch die Nase atmen solle. Sie solle die Übungen ruhig mitmachen, aber darauf achten,
dass nichts weh tue. Wenn es ihr zu an-   15
strengend werde, solle sie aufhören.
Uta sagte zum Lehrer, er möge sie entschuldigen, sie fühle sich nicht wohl
und wolle nach Hause gehen.

6 Преобразуйте косвенную речь в рассказе о пианисте А. Рубинштейне в прямую.
Какая форма передачи этой истории кажется Вам более живой?

Der berühmte Pianist Anton Rubinstein
unterhielt sich auf einer Konzerttour in
England mit einem Briten über seine
Auslandserfahrungen. Dabei sprachen
5 sie auch über die Konzertreise des
Künstlers in Spanien. Ob er denn Spanisch könne, fragte der Engländer. Rubinstein verneinte. Ob er dann wohl
Französisch gesprochen habe. Das habe
er auch nicht, entgegnete der Künstler   10
schon etwas verärgert. Womit er sich
denn in Spanien durchgeholfen habe,
wollte der neugierige Herr wissen. „Mit
Klavier!" erwiderte Rubinstein und ließ
den lästigen Frager stehen.   15

7 Преобразуйте прямую речь в косвенную.

Der Hahn und der Fuchs

Auf einem Baum saß ein alter Hahn. Ein Fuchs, der gerade vorbeikam, sah den Hahn und da er gerade Hunger hatte,
5 sagte er: „Komm doch herunter! Allgemeiner Friede ist unter den Tieren geschlossen worden. Komm herab und küsse mich, denn von heute ab sind wir Brüder!" „Lieber Freund", entgegnete
10 der Hahn, „das ist eine wunderbare Nachricht! Dort sehe ich auch zwei Hunde herbeieilen. Sie wollen uns sicher auch die Friedensnachricht bringen. Dann können wir uns alle vier küssen." „Entschuldige!" rief der Fuchs eilig, „ich habe noch einen weiten Weg. 15 Das Friedensfest werden wir später feiern!" Traurig, dass er seinen Hunger nicht stillen konnte, lief er davon. Der Hahn aber saß auf seinem Ast und 20 lachte: „Es macht doch Spaß einen Betrüger zu betrügen!"

(Nach La Fontaine)

8 Преобразуйте прямую речь в косвенную и наоборот.

Totgefragt

Auf einem Dampfer, der von Hamburg nach Helgoland fuhr, wendete sich eine Dame an den Kapitän und fragte: „Sind
5 Sie der Kapitän?" Der Kapitän bejahte.
„Ist es eigentlich gefährlich auf See?"
Der Kapitän verneinte, zur Zeit nicht, es sei ja beinah windstill. Da werde wohl keiner seekrank.
10 „Ach, das meine ich auch nicht", entgegnete die Dame, „ich meine nur wegen der Seeminen." (= Explosivkörper zur Vernichtung von Schiffen im Krieg) Da sei nichts zu befürchten, die seien al-
15 le längst weggeräumt.
„Aber wenn sich nun mal eine versteckt hat?"
Das könne sie nicht. Die Minen blieben immer an der Wasseroberfläche und
20 auch die allerletzten seien längst entdeckt und vernichtet worden. Da könne sie ganz beruhigt sein.
„Sie sind ja ein Fachmann. Sicher fahren Sie schon lange auf dieser Strecke?"
Er fahre schon vier Jahre. 25
„So lange fahren Sie schon? Wie hieß doch der Kapitän, der früher auf diesem Schiff fuhr? Es war so ein Großer, Blonder."
„Sein Name war Albers." 30
„Ja, an den kann ich mich noch gut erinnern. Lebt er noch?"
„Nein", bedauerte der Kapitän, Albers sei schon lange tot.
„Ach, das ist schade! Woran ist er denn 35 gestorben?"
Die Reisenden hätten ihn totgefragt, entgegnete der Kapitän und ließ die erstaunte Dame stehen.

9 Передайте содержание следующих сообщений при помощи косвенной речи.

Eine junge Ärztin erzählt ein Erlebnis von einer Expedition. Sie berichtet, dass vor einiger Zeit ...

„Vor einiger Zeit kam eine Mutter mit einem schwerkranken Säugling zu mir. Das Kind war schon blau im Gesicht und atmete schwer. Nach einer kurzen
5 Untersuchung konnte ich feststellen, dass eine leichte Form von Diphtherie vorlag. Nachdem ich, weil mir andere Instrumente fehlten, das altmodische, aber scharfe Rasiermesser unseres Kochs desinfiziert hatte, wagte ich einen 10 Schnitt in den Kehlkopf des Kindes. Das herausspritzende Blut versetzte die Mut-

ter in helle Aufregung. Sie schrie verzweifelt: „Sie tötet mein Kind! Sie
15 schlachtet es wie ein Schaf!" Viele Einwohner des Dorfes liefen mit drohenden Gebärden herbei, so dass ich das Schlimmste für mein Leben und das des Kindes fürchten musste. Zum Glück war
20 der Weg vom Dorf bis zu unserer Station steil und steinig und als die erregten Leute an meinem Zelt ankamen, atmete das Kind schon wieder ruhig und hatte seine natürliche Gesichtsfarbe zurückgewonnen. Seitdem behandeln die Dorf- 25 bewohner mich wie eine Heilige und es ist schwierig, sie davon zu überzeugen, dass ich keine Toten erwecken kann."

10 Ещё одно упражнение:

Ein Pilot berichtet über seine Erlebnisse bei einer versuchten Flugzeugentführung.

„Genau um 23.37 Uhr, als sich unsere Maschine in etwa 500 Meter Höhe über den letzten Ausläufern des Taunus befand, teilte mir unsere Stewardess, Frau
5 Schröder, aufgeregt mit: ‚Einem Passagier ist schlecht geworden; er ist ganz bleich und sein Kopf liegt auf der Seitenlehne seines Sessels.' Ich schickte meinen Kollegen, Flugkapitän Berger, in
10 den Passagierraum. Nach kurzer Zeit kam Berger zurück und berichtete: ‚Der Mann ist erschossen worden. Wahrscheinlich ist eine Pistole mit Schalldämpfer benutzt worden, denn
15 niemand hat etwas gehört.'
Diese Nachricht habe ich sofort an die Bodenstationen in München, Wien und Mailand weitergegeben. Die Antworten lauteten allerdings nur etwa so: ‚Fliegen
20 Sie ruhig weiter und lassen Sie alles genau beobachten. Im Augenblick können wir Ihnen nichts Genaues sagen. Die Polizei ist informiert worden.'
In den nächsten eineinhalb Stunden er-
25 eignete sich nichts, aber kurz vor der Landung in Wien erschienen zwei maskierte Männer in der Tür zur Pilotenkanzel, richteten ihre Pistolen auf mich und Kapitän Berger und befahlen: ‚Bewegen Sie sich nicht! Sie können wählen: Ent- 30 weder halten Sie sich an unsere Befehle oder Sie werden erschossen! Das Ziel der Reise ist Tripolis. Die Maschine wird augenblicklich gesprengt, wenn Sie nicht alle unsere Befehle befolgen!' 35
Ich war ganz ruhig, weil ich mir vorher schon alles überlegt hatte. Ironisch fragte ich: ‚Was machen Sie denn mit der Leiche, wenn wir landen?' Diese Frage machte die Leute stutzig. Der eine be- 40 fahl dem anderen, in den Passagierraum zu gehen und nachzusehen. Es gelang mir, den hinter mir stehenden Luftpiraten zu Fall zu bringen, indem ich die Maschine auf die Seite legte. Kapitän 45 Berger konnte den Augenblick nützen, den Mann zu entwaffnen. Der zweite leistete keinen Widerstand mehr, nachdem er gesehen hatte, dass sein Komplize bereits gefesselt war." 50

11 Ещё одно упражнение:

Ein ärztliches Gutachten
Professor B. über den Angeklagten F.:
„Es handelt sich bei dem Angeklagten um einen überaus einfältigen Men-
5 schen. Seine Antworten auf Fragen nach seiner Kindheit lassen auf schwere Störungen im häuslichen Bereich schließen. So antwortete er auf die Frage: ‚Haben Ihre Eltern Sie oft geschla-
gen?' mit der Gegenfrage: ‚Welche El- 10 tern meinen Sie? Den mit den grauen Haaren hasse ich, aber die beiden Frauen mit den Ohrringen besuchen mich manchmal im Gefängnis und bringen mir Kaugummi mit.' Offensichtlich 15 wuchs der Angeklagte in derart ungeordneten Familienverhältnissen auf,

dass nur äußere Anhaltspunkte wie graues Haar oder Ohrringe in ihm einige Erinnerungen wachrufen. In einem so gestörten Hirn wie dem des Angeklagten gleiten Erinnerungen und Vorstellungen ineinander, Fakten verlieren an Realität und unwichtige Eindrücke nehmen plötzlich einen bedeutenden Platz ein." An die Geschworenen gewandt erklärte Professor B.: „Beachten Sie, dass ein Mensch, der nicht angeben kann, wer seine Eltern sind, für ein Verbrechen, das er unter Alkoholeinfluss begangen hat, nach dem Grundsatz ‚im Zweifel für den Angeklagten' nicht oder nur unter der Bedingung strafmildernder Umstände verantwortlich gemacht werden darf."

Часть V

§ 57   Предлоги

Общие сведения

В немецком языке имеются следующие группы предлогов:

1. Предлоги, управляющие одним падежом:

   a) винительным: bis, durch, entlang, für, gegen, ohne, um, wider;

   b) дательным: ab, aus, außer, bei, dank, entgegen, entsprechend, gegenüber, gemäß, mit, nach, nebst, samt, seit, von, zu, zufolge.

2. Предлоги, управляющие дательным и винительным падежами: an, auf, hinter, in, neben, über, unter, vor, zwischen.

   Эти предлоги различаются прежде всего при обозначении места:

   a) Если в виду имеется целенаправленное движение к чему-либо, предлог управляет винительным падежом. Словосочетание с предлогом отвечает на вопрос *wohin?* (куда?)

   b) Если речь идет о положении в пространстве – определенном месте, площади, помещении – предлог стоит с дательным падежом. Словосочетание отвечает на вопрос *wo?* (где?)

3. Предлоги, управляющие родительным падежом (см. § 61).

4. Если глагол с отделяемой приставкой сочетается с предлогом, имеющим одинаковое значение с приставкой, отделяемая приставка опускается:
   Jetzt müssen wir *aussteigen*. – Jetzt müssen wir *aus dem Zug steigen*.
   Als der Redner *vortrat*, lächelte er. – Als der Redner *vor das Publikum trat*, lächelte er.

Примечания

В дальнейшем не рассматриваются:

1. Предлоги в составе управления глаголов (см. § 15, III) и соответствующих именных сочетаний:
   sich fürchten vor   Furcht vor
   kämpfen für / gegen / um   Kampf für / gegen / um

2. Предлоги, относящиеся к наречиям, и их соответствующие именные сочетания:
   neidisch sein auf   Neid auf
   reich sein an   Reichtum an

3. Немецкие предлоги многозначны, в последующем они приводятся только в наиболее употребительных значениях.

§ 58   Предлоги, управляющие винительным падежом

I bis

1. Без артикля

   a) при обозначении места и времени:
   Bis Hamburg sind es noch etwa 250 Kilometer.
   Bis nächsten Montag muss die Arbeit fertig sein.
   Er will noch *bis September* warten.

   b) перед числительными при обозначении верхнего (часто в сочетании с *zu*):
   Von 13 *bis 15 Uhr* geschlossen!
   Ich zahle *bis zu 50 Euro,* nicht mehr.

   c) перед наречиями:
   Bis dahin ist noch ein weiter Weg.
   Auf Wiedersehen, *bis bald (bis nachher, bis später).*

2. В сочетании с другими предлогами, определяющими падеж словосочетания:

   a) *bis* + предлог, управляющий винительным падежом:
   Wir gingen *bis an den Rand* des Abgrunds.
   Der Zirkus war *bis auf den letzten Platz* ausverkauft.
   Er schlief *bis in den Tag* hinein.
   Bis auf den Kapitän wurden alle gerettet (= alle außer dem Kapitän).

   b) *bis* + предлог, управляющий дательным падежом:
   Kannst du nicht *bis nach dem Essen* warten?
   Bis vor einem Jahr war noch alles in Ordnung.
   Bis zum Bahnhof will ich dich gern begleiten.

II durch

1. При обозначении места:
   Wir gingen *durch den Wald.*
   Er schaute *durchs Fenster.*

2. При обозначении причины, средства, способа, посредством которого совершается действие (особенно часто в пассивных предложениях):
   Er hatte *durch einen Unfall* seinen rechten Arm verloren.
   Der kranke Hund wurde *durch eine Spritze* eingeschläfert.
   Diese Nachricht habe ich *durch den Rundfunk* erfahren.

3. При указании на способ, которым осуществляется действие. (см. также Придаточные предложения с союзом *indem*, § 31, IV):
   Durch die Benutzung eines Notausgangs konnten sich die Bewohner retten.
   Durch jahrelanges Training stärkte der Behinderte seine Beinmuskeln.

4. При указании на время, обычно в форме *hindurch,* стоит после существительного:
   Den September hindurch hat es nur geregnet.
   Das ganze Jahr hindurch hat sie nichts von sich hören lassen.

III entlang

1. При указании на направление движения вдоль чего-либо:
   Er fuhr *die Straße entlang.*
   Das Schiff fuhr *den Fluss entlang.*
   Sie gingen *den Bahnsteig entlang.*

2. При указании на положение в пространстве вдоль чего-либо
   (*an* + существительное в дательном падеже ... *entlang*):
   Am Zaun entlang wachsen Kletterpflanzen.
   An der Mauer entlang werden Leitungen gelegt.

3. Иногда этот предлог сочетается с родительным падежом, в этом случае он стоит
   перед существительным (см. § 61):
   Entlang des Weges standen Tausende von Menschen.

Примечание

В глаголах движения *entlang* является отделяемой приставкой:
Sie *gingen* den Bahnsteig *entlang.* (entlanggehen)
Er *rannte* an der Mauer *entlang.* (entlangrennen)

IV für

1. При указании, в чьих интересах осуществляется действие, для кого или для чего,
   при указании на предназначенность для кого-либо или чего-либо:
   Ich tue alles *für dich.*
   Der Blumenstrauß ist *für die Gastgeberin.*
   Er gab eine Spende *für das Rote Kreuz.*

2. В значении „вместо кого-либо“:
   Bitte geh *für mich* aufs Finanzamt.
   Er hat schon *für alle* bezahlt.

3. При указании на срок, ограниченное время:
   Ich komme nur *für zwei Tage.*
   Hier bleiben wir *für immer.*

4. При сравнении:
   Für sein Alter ist er noch sehr rüstig.
   Für einen Architekten ist das eine leichte Aufgabe.
   Für seine schwere Arbeit erhielt er zu wenig Geld.

5. При указании на цену или стоимость:
   Wie viel hast du *für das Haus* bezahlt?
   Ich habe es *für 200 000 Euro* bekommen.

6. При указании на последовательность одинаковых существительных без артикля.
   Dasselbe geschieht *Tag für Tag, Jahr für Jahr.*
   Er schrieb das Protokoll *Wort für Wort, Satz für Satz* ab.

V gegen

1. При указании на движение в направлении к чему-либо до соприкосновения с предметом:
   Er schlug mit der Faust *gegen die Tür.*
   Sie fuhr mit hoher Geschwindigkeit *gegen einen Baum.*

2. При обозначении приблизительного времени или количества (несколько меньше, чем предполагось):
   Wir kommen *gegen 23 Uhr* oder erst *gegen Mitternacht.*
   Man erwartet *gegen 400 Besucher.*

3. При указании на противодействие, борьбу против чего-либо или кого-либо:
   Ärzte sind *gegen das Rauchen.*
   Wir müssen etwas *gegen die Fliegen* tun.

4. При указании на сравнение или замену:
   Gegen ihn bin ich ein Anfänger.
   Ich habe die zehn Euro *gegen zwei Fünfeurostücke* eingetauscht.

VI ohne

Существительные с предлогом *ohne* обычно употребляются без артикля. Артикль стоит только в том случае, если требуется конкретизация существительного:
Ohne Auto können Sie diesen Ort nicht erreichen.
Ohne Sprachkenntnisse wirst du niemals Chefsekretärin.
Ohne ihren Mann war sie völlig hilflos.
Ohne die Hilfe meiner Schwester hätte ich den Umzug nicht geschafft.

VII um

1. При обозначении места *(= um ... herum)*

   a) указание на расположение вокруг чего-либо:
      Um den Turm (herum) standen viele alte Bäume.
      Wir saßen *um den alten Tisch (herum)* und diskutierten.

   b) указание на движение вокруг чего-либо:
      Gehen Sie dort *um die Ecke*, da ist der Briefkasten.
      Die Insekten fliegen dauernd *um die Lampe herum.*

2. При обозначении времени и количества

   a) указание на время:
      Um 20 Uhr beginnt die Tagesschau.

b) указание на приблизительное время или количество (немного больше или меньше):

Die Cheopspyramide wurde *um 3000 v. Chr.* erbaut.
Um Weihnachten sind die Schaufenster hübsch dekoriert.
Die Uhr hat *um die 150 Euro* gekostet.

c) указание на количественное различие:

Die Temperatur ist *um 5 Grad* gestiegen.
Die Preise wurden *um 10 %* reduziert.
Wir müssen die Abfahrt *um einen Tag* verschieben.

3. При указании на утрату, лишение чего-либо:

Er hat ihn *um seinen Erfolg* betrogen.
Vier Menschen sind bei dem Unfall *ums Leben* gekommen.
Er hat ihn *um sein ganzes Vermögen* gebracht.

VIII wider

Предлог употребляется в значении, близком значению предлога *gegen* (см. V), в ряде устойчивых словосочетаний:

Er hat *wider Willen* zugestimmt.
Wider Erwarten hat er die Stellung bekommen.
Wider besseres Wissen verurteilte er den Angeklagten.

1 Вставьте по смыслу следующие предлоги:
a) bis b) durch c) entlang d) für e) gegen f) ohne g) um h) wider.

… Vermittlung eines Freundes konnte ich meinen alten Wagen … 1000 Euro verkaufen. … das neue Auto brauche ich einen Bankkredit. … Erwarten besorgte mir mein Onkel einen Kredit von einem Geldinstitut. … zur völligen Zurückzahlung bleibt der Wagen natürlich Eigentum der Bank.

5   Tag … Tag erfinden die Kinder neue Spiele. Sie rennen … die Wette … den Sandkasten herum. Sie hüpfen auf einem Bein … zum Zaun und wieder zurück. Dann rennen sie in entgegengesetzten Richtungen am Zaun … . Wer zuerst wieder zurück ist, hat gewonnen.

Wenn wir Karten spielen, spielen wir … Zehntelcent. … hundert verlorene
10   Punkte zahlt man also zehn Cent. Ganz … Geld macht uns das Kartenspielen keinen Spaß. In die Karten des anderen zu schauen, ist … die Spielregel. Wir spielen meist … … Mitternacht. Spätestens … ein Uhr ist Schluss.

§ 59   Предлоги, управляющие дательным падежом

I   ab

1. При обозначении места или времени, начиная с какого-либо пункта или момента (часто без артикля; в этом же значении может стоять *von … ab*):
   Ich habe die Reise *ab Frankfurt* gebucht.
   Ab kommender Woche gilt der neue Stundenplan.
   Jugendlichen *ab 16 Jahren* ist der Zutritt gestattet.
   Ab morgen werde ich ein neues Leben beginnen.

2. При обозначении даты предлог может управлять также винительным падежом:
   Ab ersten Januar werden die Renten erhöht.
   Ab Fünfzehnten gehe ich in Urlaub.
   однако и: *ab dem ersten Januar; ab dem Fünfzehnten*

II   aus

1. При указании на движение изнутри (= *aus … heraus*):
   Er trat *aus dem Haus.*
   Er nahm den Brief *aus der Schublade.*
   Sie kommen um 12 *aus der Schule.*

2. При указании на происхождение (место или время):
   Die Familie stammt *aus Dänemark.*
   Diese Kakaotassen sind *aus dem 18. Jahrhundert.*
   Er übersetzt den Roman *aus dem Spanischen* ins Deutsche.

3. При указании на материал, из которого что-либо сделано (без артикля):
   Die Eheringe sind meistens *aus Gold.*

4. При указании на причину действия или поведения (без артикля):
   Er hat seinen Bruder *aus Eifersucht* erschlagen.
   Aus Furcht verhaftet zu werden, verließ er die Stadt.
   Aus Erfahrung mied der Bergführer den gefährlichen Abstieg.

III   außer

1. При указании на исключение, ограничение:
   Außer einem Hund war nichts Lebendiges zu sehen.
   Außer Milch und Honig nahm der Kranke nichts zu sich.

2. В устойчивых словосочетаниях (без артикля):
   с глаголом *sein*: außer Atem, außer Betrieb, außer Dienst, außer Gefahr, außer Kurs, и т. д., etwas steht außer Frage, außer Zweifel

etwas außer Acht lassen; etwas außer Betracht lassen
jemand ist außer sich (= sehr aufgeregt sein), außer Haus
с родительным падежом: außer Landes sein

IV bei

1. При обозначении места (= *in der Nähe von*):
Hanau liegt *bei Frankfurt.* – Sie müssen *beim Schwimmbad* rechts abbiegen.

2. При указании на местонахождение (местопребывание):
Ich war *beim Arzt.*
Jetzt arbeitet er *bei einer Baufirma,* vorher war er *beim Militär.*
Sie wohnt jetzt *bei ihrer Tante,* nicht mehr *bei mir.*

3. При указании на одновременность действия или процесса, выраженного субстантивированным глаголом или существительным. (Придаточные предложения с союзами *wenn* и *als* см. § 26, I):
Er hatte sich *beim Rasieren* geschnitten.
Beim Kochen hat sie sich verbrannt.
Bei der Arbeit solltest du keine Musik hören.

4. При указании на условие или обстоятельства действия:
Bei deiner Gewissenhaftigkeit und Sorgfalt ist der Fehler kaum erklärlich.
Bei aller Vorsicht gerieten sie doch in eine Falle.
Bei seinem Temperament ist das sehr verständlich.

5. В устойчивых словосочетаниях (большей частью без артикля):
bei Nacht und Nebel, bei schönstem Wetter, bei Tagesanbruch и т. д.
jemanden *beim Wort* nehmen
bei offenem Fenster schlafen
jemanden *bei guter Laune* halten
etwas *bei Strafe* verbieten и др.

V dank

Предлог *dank* употребляется при обозначении действий, качеств и состояний, благодаря которым был достигнут положительный эффект:
Dank dem Zureden seiner Mutter schaffte er doch noch das Abitur.
Dank seinem Lebenswillen überlebte der Gefangene.

VI entgegen

Предлог *entgegen* употребляется при указании на противоположное ожидаемому, которое часто наступает неожиданно. Предлог может стоять как перед существительным, так и за ним:
Entgegen den allgemeinen Erwartungen siegte die Oppositionspartei.
Den Vorstellungen seiner Eltern entgegen hat er nicht studiert.

Примечание

entgegen в роли приставки является отделяемой приставкой, указывает на встречное движение:

Das Kind *lief* seinem Vater *entgegen*. (entgegenlaufen)
Er *kam* meinen Wünschen *entgegen*. (entgegenkommen)

VII entsprechend

Предлог *entsprechend* употребляется при указании на соответствие. Он может стоять как перед существительным, так и за ним:

Er hat *seiner Ansicht entsprechend* gehandelt.
Entsprechend ihrer Vorstellung von südlichen Ländern haben die Reisenden nur leichte Kleidung mitgenommen.

VIII gegenüber

1. При обозначении места (предлог может стоять, как перед существительным, так и за ним):

   Gegenüber der Post finden Sie verschiedene Reisebüros.
   Der Bushaltestelle gegenüber wird ein Hochhaus gebaut.

2. В значении „по отношению к лицам, их высказываниям", „по отношению к чему-либо" (предлог стоит за существительным):

   Dir gegenüber habe ich immer die Wahrheit gesagt.
   Den Bitten seines Sohnes gegenüber blieb er hart.
   Kranken gegenüber fühlen sich viele Menschen unsicher.
   Den indischen Tempeln gegenüber verhielt er sich gleichgültig.

3. *gegenüber* в сочетании с глаголами *stehen, sitzen, liegen* и т. п. является отделяемой приставкой:

   Sie *saß* mir den ganzen Abend *gegenüber*. (gegenübersitzen)

IX gemäß

Предлог употребляется преимущественно в юридических текстах (= *entsprechend*, может стоять как перед существительным, так и за ним):

Gemäß der Straßenverkehrsordnung ist der Angeklagte schuldig.
Das Gesetz wurde *den Vorschlägen der Kommission gemäß* geändert.

X mit

1. При указании на совместность действий, на наличие чего-либо:

   Jeden Sonntag bin ich *mit meinen Eltern* in die Kirche gegangen.
   Mit ihr habe ich mich immer gut verstanden.
   Wir möchten ein Zimmer *mit Bad*.

2. При указании на орудие или средство, способ совершения действия:
   Wir heizen *mit Gas*.
   Ich fahre immer *mit der Bahn*.
   Er öffnete die Tür *mit einem Nachschlüssel*.

3. a) При указании на чувства, сопровождающие осуществление чего-либо, на образ действия (часто без артикля):
   Ich habe *mit Freude* festgestellt, dass …
   Er hat das sicher nicht *mit Absicht* getan.
   Mit Arbeit, Mühe und Sachkenntnis hat er seine Firma aufgebaut.

   b) При указании на способ осуществления действия (часто без артикля):
   Er hat das Examen *mit Erfolg* abgeschlossen.
   Die Maschinen laufen *mit hoher Geschwindigkeit*.
   но: Sie schrieb ihre Briefe immer *mit der Hand*.

4. При указании на время, наступление чего-либо:
   Mit 40 (Jahren) beendete er seine sportliche Laufbahn.
   Mit der Zeit wurde sie ungeduldig.

XI nach

1. При обозначении места без артикля

   a) с наименованием городов, континентов, сторон света (об исключениях см. § 3, III):
   Unsere Überfahrt *nach England* war sehr stürmisch.
   но: Wir fahren in die Türkei.
   Die Kompassnadel zeigt immer *nach Norden*.
   но: Im Sommer reisen viele Deutsche in den Süden.

   b) с наречиями:
   Bitte kommen Sie *nach vorne*.
   Fahren Sie *nach links* und dann geradeaus.

2. При обозначении времени

   a) без артикля с наименованиями церковных праздников, дней недели, месяцев, а также существительных типа *Anfang, Ende* …:
   Nach Ostern will er uns besuchen.
   Ich bin erst *nach Anfang (Ende) September* wieder in Frankfurt.
   Nach Dienstag nächster Woche sind alle Termine besetzt.
   Es ist 5 Minuten *nach 12*.

   b) с артиклем:
   Nach dem 1. April wird nicht mehr geheizt.
   Nach der Feier wurde ein Imbiss gereicht.
   Der Dichter wurde erst *nach seinem Tode* anerkannt.

3. В значении „согласно", „в соответствии с чем-либо" (документом, ожиданием и т. п.) предлог может стоять как перед существительным, так и за ним.
   (см. также придаточные с *so … wie*, см. § 31, I):
   Dem Protokoll nach hat er Folgendes gesagt …
   Nach dem Gesetz darf uns der Hauswirt nicht kündigen.
   Meiner Meinung nach ist der Satz richtig.
   Er spielt *nach Noten*; er zeichnet *nach der Natur*.

4. При указании на последовательность:
Nach dir komme ich dran.
Nach Medizin ist Jura das beliebteste Studienfach.

XII nebst

Предлог употребляется в значении „вместе с чем-либо, кем-либо" *(= samt, zusammen mit)*, как правило, без артикля:
Er verkaufte ihm das Haus *nebst Garage.*

XIII samt

Предлог употребляется в значении „вместе с чем-либо, кем-либо" *(= zusammen mit, auch noch zusätzlich):*
Er kam überraschend – samt seinen acht Kindern.
устойчивое выражение: Sein Besitz wurde samt und sonders versteigert. (= vollständig)

XIV seit

1. При обозначении времени

a) без артикля при наименованиях церковных праздников, дней недели, месяцев, существительных типа *Anfang, Mitte, Ende ...*:
Seit Pfingsten habe ich euch nicht mehr gesehen.
Er ist *seit Dienstag* krankgeschrieben.
Seit Anfang August hat er wieder eine Stellung.

b) с артиклем:
Seit der Geburt seiner Tochter interessiert er sich für Kinder.
Seit einem Monat warte ich auf Nachricht von euch.
Seit dem 28. Mai gilt der Sommerfahrplan.

XV von

1. При обозначении места:
Ich bin gerade *von Schottland* zurückgekommen.
Der Wind weht *von Südwesten.*
Vom Bahnhof geht er immer zu Fuß nach Hause.
Das Regenwasser tropft *vom Dach.*

2. При обозначении даты:
Vom 14.7. bis 2.8. haben wir Betriebsferien.
Ich danke Ihnen für Ihren Brief *vom 20.3.*

3. a) *von ... ab* при указании на направление от исходного пункта:
Von der Brücke ab sind es noch zwei Kilometer bis zum nächsten Dorf;
von dort ab können Sie den Weg zur Stadt selbst finden.

b) *von … aus* при указании на исходный пункт в пространстве:
Vom Fernsehturm aus kann man die Berge sehen.
Von Amerika aus sieht man das ganz anders.

c) *von … an* при указании на исходный момент времени (*также von … ab*):
Von 15 Uhr an ist das Büro geschlossen.
Er wusste *von Anfang an* Bescheid.

4. При указании на действующее лицо, источник действия в пассивных предложениях:
Er ist *von Unbekannten* überfallen worden.
Der Schaden wird *von der Versicherung* bezahlt.
Der Polizist wurde *von einer Kugel* getroffen.

5. a) Вместо родительного падежа при существительных, употребляющихся без артикля:
Viele Briefe *von Kafka* sind noch nicht veröffentlicht.
Man hört den Lärm *von Motoren.*
Zur Herstellung *von Papier* braucht man viel Wasser.

b) В роли определения, стоящего за существительным:
eine wichtige Frage – eine Frage *von Wichtigkeit*
ein zehnjähriges Kind – ein Kind *von zehn Jahren*
der Hamburger Senat – der Senat *von Hamburg*

6. В устойчивых словосочетаниях:
von heute auf morgen; in der Nacht von Dienstag auf Mittwoch (vom Dienstag zum Mittwoch); von Tag zu Tag; von Ort zu Ort

XVI zu

1. При указании на конечный пункт движения, с обозначениями места или лиц:
Er schwimmt *zu der Insel* hinüber.
Gehen Sie doch endlich *zu einem Arzt.*
Er bringt seine Steuererklärung *zum Finanzamt.*
Am Freitag komme ich *zu dir.*

2. При обозначении времени

a) без артикля с наименованиями церковных праздников:
Zu Weihnachten bleiben wir zu Hause.

b) с артиклем при указании на определенный момент времени:
Zu dieser Zeit, d.h. im 18. Jahrhundert, reiste man mit Kutschen.
Zu deinem Geburtstag kann ich leider nicht kommen.

3. При указании на намерение, цель (см. также *damit …; um … zu* §§ 32, 33):
Zum Beweis möchte ich folgende Zahlen bekannt geben …
Man brachte ihn *zur Feststellung seiner Personalien* ins Polizeipräsidium.
Zum besseren Verständnis muss man Folgendes wissen …

4. При указании на чувства, которыми сопровождается выполнение действия:
Zu meinem Bedauern muss ich Ihnen mitteilen …
Ich tue das nicht *zu meinem Vergnügen.*

5. При указании на изменение, преобразование, переход в новое состояние:
Unter Druck wurden die organischen Stoffe *zu Kohle*.
Endlich kommen wir *zu einer Einigung*.

6. При указании на количественное соотношение, стоимость:
Umfragen ergeben ein Verhältnis von *1 : 3 (eins zu drei)*
gegen das geplante neue Rathaus.
Wir haben jetzt schon *zum vierten Mal* mit ihm gesprochen.
Liefern Sie mir 100 Kugelschreiber *zu je 1 Euro*.

7. В устойчивых словосочетаниях
   a) без артикля:

zu Hause sein	*zu Boden* fallen
zu Besuch kommen	*zu Hilfe* kommen
zu Gast sein	*zu Gott* beten
zu Fuß gehen	*zu Ansehen / zu Ruhm* kommen
zu Mittag / zu Abend essen	*zu Ende* sein
zu Bett gehen	*zu Tisch* kommen / sitzen

   b) с артиклем:
   zur Rechten / zur Linken eines anderen stehen / sitzen
   die Nacht *zum Tag* machen
   etwas *zum Frühstück* essen
   Zucker *zum Tee* nehmen

XVII zufolge

1. Предлог употребляется в значении „согласно сказанному", „согласно чему-либо"
и стоит после существительного:
Der Diagnose des Arztes zufolge kann der Beinbruch in zwei
Monaten geheilt werden.

2. Если предлог стоит перед существительным, он управляет родительным падежом:
Zufolge des Berichts wurden einige Keller überflutet.

1 Вставьте по смыслу следующие предлоги:
a) ab b) aus c) außer d) bei e) mit f) nach g) seit.

… zwei Wochen ist die Gewerkschaft schon in Verhandlungen … der Betriebs-
leitung. … den Angaben einiger Gewerkschaftsführer hat man sich bis jetzt
nicht geeinigt. … Donnerstag wird deshalb gestreikt. … den Büroangestellten
machen alle Betriebsangehörigen mit. Die Büroangestellten streiken … dem
Grunde nicht, weil sie in einer anderen Gewerkschaft sind. Die Forderung …
Lohnerhöhung liegt … 8 Prozent.

2 Еще одно упражнение. Предлоги: a) dank b) entgegen c) gegenüber d) samt.

Ein Feuer vernichtete den Hof des Bauern Obermüller … Stall und Scheune. …
der Hilfe der Nachbarn konnte der Bauer wenigstens seine Möbel und die
Haustiere retten. Einem Nachbarn … äußerte der Bauer den Verdacht der

Brandstiftung. Aber ... diesem Verdacht stellte man später fest, dass ein Kurz-schluss die Ursache des Brandes war.

3 Еще одно упражнение. Предлоги: a) ab b) außer c) dank d) gemäß e) entgegen.

... den Satzungen des Vereins gehören der Tierschutz und die Tierpflege zu den wichtigsten Aufgaben der Mitglieder. ... zahlreicher Spenden konnte der Verein ein neues Tierheim erbauen. ... Katzen und Hunden werden auch alle anderen Haustiere aufgenommen. ... einer anders lautenden Mitteilung in der Zeitung ist das Tierheim täglich ... sonntags ... 9 Uhr geöffnet.

§ 60 Предлоги, управляющие винительным и дательным падежами

I an

1. При обозначении места

   a) в винительном падеже, если словосочетание отвечает на вопрос *wohin?* (куда?):
   Er stellt die Leiter *an den Apfelbaum.*
   Sie schreibt das Wort *an die Tafel.*
   Wir gehen jetzt *an den See.*

   b) в дательном падеже, если словосочетание отвечает на вопрос *wo?* (где?):
   Frankfurt liegt *am Main.*
   Die Sonne steht schon hoch *am Himmel.*
   An dieser Stelle wuchsen früher seltene Kräuter.

2. С дательным падежом при обозначении времени суток, дат, дней недели:
   Am Abend kannst du mich immer zu Hause erreichen.
   Sie ist *am 7. Juli 1981* geboren.
   Am Freitagnachmittag ist um 4 Uhr Dienstschluss.
   Am Anfang schuf Gott Himmel und Erde.
   Am Monatsende werden Gehälter gezahlt.

3. При указании приблизительного количества (= *ungefähr,* меньше, чем указано):
   Es waren *an (die) fünfzig Gäste* anwesend.
   Die Villa hat *an (die) 20 Zimmer.*

4. *an ... vorbei* управляет дательным падежом, часто употребляется в составе глагола с отделяемой приставкой:
   Er *ging an mir vorbei* ohne mich zu erkennen.
   Perfekt: Er *ist an mir vorbeigegangen* ohne mich zu erkennen.

5. Устойчивое словосочетание, употребляющееся в условных нереальных предложениях:
   Ich *an deiner Stelle* hätte anders gehandelt.
   An meiner Stelle hättest du genauso gehandelt.

II auf

1. При обозначении места

   a) с винительным падежом в ответе на вопрос *wohin?* (куда?):
   Er stellte die Kiste *auf den Gepäckwagen*.
   Plötzlich lief das Kind *auf die Straße*.
   Er legte seine Hand *auf meine*.

   b) с дательным падежом в ответе на вопрос *wo?* (где?):
   Dort *auf dem Hügel* steht ein alter Bauernhof.
   Auf der Erde leben etwa 6 Milliarden Menschen.
   Auf der Autobahn dürfen nur Kraftfahrzeuge fahren.

2. При обозначении времени:
   Von Freitag *auf Sonnabend* haben wir Gäste.
   Dieses Gesetz gilt *auf Zeit*, nicht *auf Dauer*.
   Der erste Weihnachtstag fällt *auf einen Dienstag*.
   Kommen Sie doch *auf ein paar Minuten* herein.

3. a) *auf … zu*, с винительным падежом при указании на движение в направлении к чему-либо, кому-либо:
   Der Enkel lief *auf die Großmutter zu*.
   Der Enkel ist *auf die Großmutter zugelaufen*. (перфект)

   b) *auf … hin*, с винительным падежом при указании на предшествующее высказывание:
   Auf diesen Bericht hin müssen wir unsere Meinung korrigieren.

   c) *auf … hinaus*, с винительным падежом при указании на последующий период времени:
   Er hatte sich *auf Jahre hinaus* verschuldet.

4. В устойчивых словосочетаниях

   a) с винительным падежом:
   Er warf einen Blick auf den Zeugen und erkannte ihn sofort.
   Das Schiff nimmt Kurs auf Neuseeland.
   Auf die Dauer kann das nicht gut gehen.
   Wir müssen uns endlich auf den Weg machen.
   Das Haus muss auf jeden Fall verkauft werden.
   Auf einen Facharbeiter kommen zehn Hilfsarbeiter.
   Sie fahren nur für zwei Wochen auf Urlaub.

   b) с дательным падежом:
   Ich habe ihn auf der Reise / auf der Fahrt / auf dem Weg hierher kennen gelernt.
   Auf der einen Seite (einerseits) habe ich viel Geld dabei verloren, auf der anderen Seite (andererseits) habe ich eine wichtige Erfahrung gemacht.
   Wie sagt man das auf Deutsch? (oder: in der deutschen Sprache)

III hinter

1. При обозначении места

   a) с винительным падежом в ответе на вопрос *wohin?* (куда?):
   Stell das Fahrrad *hinter das Haus!*
   Das Buch ist *hinter das Bücherregal* gefallen.

   b) с дательным падежом в ответе на вопрос *wo?* (где?):
   Das Motorrad steht *hinter der Garage.*
   Er versteckte den Brief *hinter seinem Rücken.*

2. В значении „поддерживать"
   с винительным падежом: Die Gewerkschaft stellt sich *hinter ihre Mitglieder.*
   с дательным падежом: Die Angestellten stehen *hinter ihrem entlassenen Kollegen.*

3. *hinter ... zurück* с дательным падежом:
   Sie blieb hinter der Gruppe der Wanderer zurück.
   Sie ist hinter der Gruppe der Wanderer zurückgeblieben. (Перфект)

4. В устойчивых словосочетаниях:
   jemanden *hinters Licht führen* (= jemanden betrügen)
   hinterm Mond sein (= uninformiert sein)

IV in

1. При обозначении места

   a) с винительным падежом в ответе на вопрос *wohin?* (куда?):
   Ich habe die Papiere *in die Schreibtischschublade* gelegt.
   Am Sonnabendvormittag fahren wir immer *in die Stadt.*
   Er hat sich *in den Finger* geschnitten.

   b) с дательным падежом в ответе на вопрос *wo?* (где?):
   Die Villa steht *in einem alten Park.*
   Der Schlüssel steckt immer noch *im Schloss.*
   Bei diesem Spiel bilden wir einen Kreis und einer steht *in der Mitte.*

2. С дательным падежом при обозначении времени

   a) при указании на ограниченный отрезок времени, выраженный в секундах,
   минутах, часах; в неделях, месяцах, временах года; в годах, столетиях и т. п.
   Обратите внимание: *am Tag, am Abend,* но: *in der Nacht.*
   In fünf Minuten (= innerhalb von) läuft er einen halben Kilometer.
   Im April beginnen die Vögel zu brüten.
   Im Jahr 1914 brach der Erste Weltkrieg aus.
   Im 18. Jahrhundert wurden die schönsten Schlösser gebaut.

Примечание:

Даты обозначаются либо одними цифрами, либо цифрами в сочетании с
im Jahr (im Jahr 1914, in den Jahren 1914 bis 1918). Употребление *in* без *Jahr* –
грубая ошибка.

b) при указании на срок в будущем, начиная с момента разговора:
In fünf Minuten ist Pause.
In zwei Tagen komme ich zurück.
In einem halben Jahr sehen wir uns wieder.

3. С дательным падежом при указании на письменный или устный источник:
In dem Drama „Hamlet" von Shakespeare steht folgendes Zitat: …
Im Grundgesetz ist festgelegt, dass …
In seiner Rede sagte der Kanzler: „ … "
In dieser Hinsicht hat er Recht, aber …

4. С дательным падежом при обозначении внутренних и внешних обстоятельств,
сопровождающих действие:
In seiner Verzweiflung machte er eine Dummheit.
In ihrer Angst sprangen einige Seeleute ins Wasser.
In seinen Familienverhältnissen ist nichts geregelt.
In diesem Zustand kann man den Kranken nicht transportieren.

5. В устойчивых словосочетаниях:
etwas ist *in Ordnung*
jemand fällt *in Ohnmacht*
etwas geschieht *im Geheimen / im Verborgenen*
jemand ist *in Gefahr*
ein Gesetz tritt *in Kraft*

V neben

1. При обозначении места

a) с винительным падежом в ответе на вопрос *wohin?* (куда?):
Der Kellner legt das Besteck *neben den Teller.*
Er setzte sich *neben mich.*

b) с дательным падежом в ответе на вопрос *wo?* (где?):
Der Stall liegt rechts *neben dem Bauernhaus.*

2. С дательным падежом в значении „дополнительно к чему-либо":
Neben seinen physikalischen Forschungen schrieb er Gedichte.
Sie betreut *neben ihrem Haushalt* auch noch eine Kindergruppe.

VI über

1. При обозначении места

a) с винительным падежом в ответе на вопрос *wohin?* (куда?):
Der Entenschwarm fliegt *über den Fluss.*

Der Sportler sprang *über die 2-Meter-Latte*.
Er zog die Mütze *über die Ohren*.

b) с дательным падежом в ответе на вопрос *wo?* (где?):
Der Wasserkessel hing *über dem Feuer*.
Das Kleid hing unordentlich *über dem Stuhl*.

2. С винительным падежом в значении „пересекать что-л.":
Die Kinder liefen *über die Straße* und dann *über die Brücke*.
Der Sportler schwamm *über den Kanal* nach England.

3. Без артикля при обозначении промежуточных пунктов на пути следования:
Wir fahren von Frankfurt *über München* nach Wien, dann *über Budapest* nach Rumänien.

4. При указании на промежуток времени, в течение которого осуществляется действие (обычно предлог стоит за существительным):
Den ganzen Tag über hat er wenig geschafft.
Den Winter über verreisen wir nicht. (но: *übers Wochenende*)

5. С винительным падежом при указании на превышение какого-либо предела:
Die Bauarbeiten haben *über einen Monat* gedauert.
Sie ist *über 90 Jahre* alt.
Das geht *über meine Kräfte*.
Sein Referat war *über alle Erwartungen* gut.

6. С винительным падежом при указании на содержание чего-либо:
Sein Vortrag *über die Eiszeiten* war hochinteressant.
Über die Französische Revolution gibt es verschiedene Meinungen.

7. В устойчивых выражениях:
Plötzlich, gleichsam *über Nacht,* hat sie sich völlig verändert.
Er sitzt *über seinen Büchern*.
Er ist *über seiner Lektüre* eingeschlafen.
Der Geldfälscher ist längst *über alle Berge*.

VII unter

1. При обозначении места

a) с винительным падежом в ответе на вопрос *wohin?* (куда?):
Die Schlange kroch *unter den Busch*.
Sie legte ihm ein Kissen *unter den Kopf*.

b) с дательным падежом в ответе на вопрос *wo?* (где?):
Die Katze sitzt *unter dem Schrank*.
Die Gasleitungen liegen einen halben Meter *unter dem Straßenpflaster*.

2. С дательным падежом при обозначении времени или количества:
Kinder *unter zehn Jahren* sollten täglich nicht mehr als eine Stunde fernsehen.
Sein Lohn liegt *unter dem Mindestsatz*.

3. С дательным падежом при обозначении лиц или предметов, находящихся между или среди аналогичных:
Zum Glück war *unter den Reisenden* ein Arzt.
Unter den Goldstücken waren zwei aus dem 3. Jahrhundert.
Unter anderem sagte der Redner …

4. С дательным падежом при указании на условие действия:
Natürlich konntet ihr *unter diesen Umständen* nicht bremsen.
Die Bergwanderer konnten nur *unter großen Schwierigkeiten* vorankommen.
Der Angeklagte stand während der Tat *unter Alkoholeinfluss*.
Es ist unmöglich, *unter solchen Verhältnissen* zu arbeiten.

5. В устойчивых словосочетаниях:
ein Vergehen / ein Verbrechen fällt *unter den Paragraphen* …
etwas *unter den Teppich* kehren (= nicht weiter verfolgen)
etwas *unter Kontrolle* bringen / halten
unter Wasser schwimmen / sinken
etwas unter der Hand (= heimlich) kaufen / verkaufen

VIII vor

1. При обозначении места

   a) с винительным падежом в ответе на вопрос *wohin?* (куда?):
   Stell den Mülleimer *vor das Gartentor*!
   Beim Gähnen soll man die Hand *vor den Mund* halten.

   b) с дательным падежом в ответе на вопрос *wo?* (где?):
   Das Taxi hält *vor unserem Haus*.
   Auf der Autobahn *vor Nürnberg* war eine Baustelle.
   In der Schlange standen noch viele Leute *vor mir*.

2. С дательным падежом при обозначении времени:
Vor drei Minuten hat er angerufen.
Der Zug ist 10 Minuten *vor 8* abgefahren.
Leider hat er kurz *vor der Prüfung* sein Studium abgebrochen.

3. С дательным падежом при указании на причину действия или поведения:
Vor Angst und Schrecken fiel er in Ohnmacht.
Er konnte sich *vor Freude* kaum fassen.

4. В устойчивых словосочетаниях:
Gnade vor Recht ergehen lassen
ein Schiff liegt im Hafen vor Anker
vor Gericht stehen
vor Zeugen aussagen
vor allen Dingen

IX zwischen

1. При обозначении места

   a) с винительным падежом в ответе на вопрос *wohin?* (куда?):
   Er hängte die Hängematte *zwischen zwei Bäume.*
   Sie nahm das Vögelchen *zwischen ihre Hände.*

   b) с дательным падежом в ответе на вопрос *wo?* (где?):
   Er öffnete die Tür *zwischen den beiden Zimmern.*
   Der Zug verkehrt stündlich *zwischen München und Augsburg.*

2. С дательным падежом при обозначении времени или количества:
   Zwischen dem 2. und 4. Mai will ich die Fahrprüfung machen.
   Zwischen Weihnachten und Neujahr wird in vielen Betrieben nicht gearbeitet.
   Auf der Insel gibt es *zwischen 60 und 80 Vogelarten.*

3. С дательным падежом при указании на взаимоотношение:
   Der Botschafter vermittelt *zwischen den Regierungen.*
   Das Kind stand hilflos *zwischen den streitenden Eltern.*

4. В устойчивых словосочетаниях:
   zwischen Tür und Angel stehen
   sich zwischen zwei Stühle setzen
   zwischen den Zeilen lesen

1 *an (am)* или *in (im)*? Вставьте предлоги, где это необходимо.

Meine Eltern sind … 1980 nach Berlin gezogen. … Frühjahr 1983 habe ich hier mein Studium begonnen. … 1988 bin ich hoffentlich fertig. … 20. Mai beginnen die Semesterferien. … Juni fahre ich nach Frankreich. Meine Freunde in Paris erwarten mich … 2. Juni. – … kommenden Wochenende
5 besuchen wir unsere Verwandten in Kassel. Mit dem Auto sind wir … fünf Stunden dort. … Sonntag machen wir mit ihnen einen Ausflug in die Umgebung. … der Nacht zum Montag kommen wir zurück. … Montag braucht mein Vater nicht zu arbeiten.

2 Еще одно упражнение:

Noch nie hat sich die Welt so schnell verändert wie … den letzten zweihundert Jahren. … Jahr 1784 entwickelte James Watt die erste brauchbare Dampfmaschine. … Juli 1783 ließen die Brüder Montgolfier den ersten Warmluftballon in die Luft steigen. Keine zweihundert Jahre später, … 21.7.1969,
5 landeten die ersten Menschen auf dem Mond. … 1807 fuhr zum ersten Mal ein Dampfschiff 240 Kilometer den Hudson-Fluss (USA) hinauf. … unserem Jahrzehnt sind Dampfschiffe längst unmodern geworden. … gleichen Jahr erstrahlten die Straßen in London im Licht der Gaslaternen. … 20. Jahrhundert hat jedes Dorf seine elektrische Straßenbeleuchtung.
10 Die erste deutsche Dampfeisenbahn fuhr … 7.12.1835 von Nürnberg nach Fürth. Hundert Jahre später gab es in Deutschland über 43 000 Kilometer Eisenbahnlinien.
(Fortsetzung Übung § 61, Nr. 17)

3 *An (am)* или *in (im)*? А теперь как можно быстрее:

... einem Monat, ... drei Tagen, ... meinem Geburtstag, ... Morgen, ... 20 Sekunden, ... der Nacht, ... letzten Tag des Monats, ... Jahresanfang, ... der Neuzeit, ... Jahr 1945, ... Herbst, ... Samstag, ... Juli, ... zwei Jahren, ... Nachmittag, ... dritten Tag, ... wenigen Jahrzehnten, ... der Zeit vom 1. bis 10., ... der Mittagszeit, ... diesem Augenblick, ... Moment

4 Выполните упражнение на презенс глаголов *stehen – stellen / sitzen – setzen / liegen – legen / hängen (stark) – hängen (schwach)*.

Zeitung / auf / Tisch / liegen
Wo liegt denn die Zeitung?
Auf dem Tisch! Du weißt doch, ich lege die Zeitung immer auf den Tisch.

1. Fotos (Pl.) / in / Schublade (f) / liegen
2. Jacke (f) / an / Garderobe (f) / hängen
3. Besen (m) / in / Ecke (f) / stehen
4. Puppe (f) / auf / Stuhl (m) / sitzen
5. Schlüssel (Pl.) / neben / Tür (f) / hängen
6. Wecker (m) / auf / Nachttisch (m) / stehen
7. Handtuch (n) / neben / Waschbecken (n) / hängen
8. Schallplatten (Pl.) / in / Schrank (m) / liegen
9. Vogel (m) / in / Käfig (m) / sitzen

5 А теперь поставьте предложения из упражнения 4 в перфект.

Ich habe die Zeitung doch auf den Tisch gelegt!
Ja, sie hat vorhin noch auf dem Tisch gelegen!

6 Выполните упражнение по следующему образцу:

auf / Küchentisch / legen
Wo hast du den Hundertmarkschein gelassen? Hast du ihn vielleicht auf den Küchentisch gelegt?
Nein, auf dem Küchentisch liegt er nicht.

1. in / Hosentasche (f) / stecken
2. in / Küchenschrank (m) / legen
3. in / Portmonee (n) / stecken
4. auf / Schreibtisch (m) / legen
5. in / Schreibtischschublade (f) / legen
6. hinter / Bücher (Pl.) / legen
7. zwischen / Seiten (Pl.) eines Buches / legen
8. unter / Radio (n) / legen
9. unter / Handtücher (Pl.) / im Wäscheschrank / legen
10. in / Aktentasche (f) / stecken

7 Familie Günzler zieht um und die Leute von der Spedition helfen. – „Wohin?"
Вставьте артикли.

Zuerst hängen sie die Lampen in den Zimmern an … Decken (Pl.). Dann legen sie den großen Teppich in … Wohnzimmer, den runden Teppich in …
Esszimmer und den Läufer (= langer, schmaler Teppich) in … Flur (m). Dann
kommen die Schränke: Sie stellen den Bücherschrank in … Wohnzimmer an
5 … Wand (f) neben … Fenster (n); den Kleider- und den Wäscheschrank stellen sie in … Schlafzimmer zwischen … Fenster und den Geschirrschrank in
… Esszimmer neben … Tür (f). Die Garderobe stellen sie in … Flur. Sie tragen den Tisch in … Esszimmer und stellen die Stühle um … Tisch. Die Betten kommen natürlich in … Schlafzimmer und die Nachttischchen neben …
10 Betten. Auf … Nachttischchen (Pl.) stellen sie die Nachttischlampen. Dann
packen sie die Bücher aus und stellen sie in … Bücherschrank. Tassen, Teller
und Gläser kommen in … Geschirrschrank und die Kleider hängen sie in …
Kleiderschrank. Die Spüle stellen sie in … Küche (f) zwischen … Herd (m)
und … Küchenschrank. Nun hängen die Günzlers noch die Vorhänge an
15 … Fenster (Pl.) In der Zwischenzeit tragen die Leute von der Spedition noch
die Sitzmöbel in … Wohnzimmer. Dann setzen sich alle erst mal in …
Sessel (Pl.) und auf … Couch (f) und ruhen sich aus. Gott sei Dank! Das
meiste ist geschafft!

8 „Wo?" Alles hängt, steht oder liegt an seinem Platz.

Die Lampen *hängen* an *den* Decken. Der große Teppich *liegt* im Wohnzimmer,
der runde Teppich …

9 *Wo?* или *wohin*? Вставьте предлоги и артикли.

Für Familie Günzler bleibt noch viel zu tun: Herr G. hängt z. B. die Blumenkä-
sten … … Balkongitter (n), dann kauft er Blumen und setzt sie … … Kä-
sten (Pl.). In der Küche dauert es lange, bis die drei Hängeschränke … …
Wand hängen, und Frau G. braucht einen halben Tag, bis die Töpfe … …
5 Schränken stehen und die vielen Küchensachen alle … … richtigen Platz
liegen. … … Arbeitszimmer stehen zwei Bücherregale … … Wand, ein
Schreibtisch steht … … Fenster, ein Schreibmaschinentisch steht … …
Fenster und … Tür. Frau G. nimmt die Aktenordner aus den Kartons und
stellt sie … … Regale. Die Schreibmaschine stellt sie … … Schreibmaschi-
10 nentisch und das Schreibpapier legt sie … … Schubladen (Pl.). „Wo sind
denn die Schreibsachen?" fragt sie ihren Mann. „Die liegen schon … …
Schreibtisch", sagt Herr G., „ich habe sie … … mittlere Schublade gelegt."

§ 61   Предлоги, управляющие родительным падежом

1. Предлоги, обозначающие время (в придаточных предложениях с *wenn, als, solange, während,* см. § 26, I, II):

anlässlich	*Anlässlich des 100. Todestages des Dichters* wurden seine Werke neu herausgegeben.
außerhalb	Kommen Sie bitte *außerhalb der Sprechstunde.*
binnen	Wir erwarten Ihre Antwort *binnen einer Woche.* (также: innerhalb)
während	*Während des Konzerts* waren die Fenster zum Park weit geöffnet.
zeit	Er hat *zeit seines Lebens* hart gearbeitet.

2. Предлоги, обозначающие место:

abseits	*Abseits der großen Eisenbahnstrecke* liegt das Dorf M.
außerhalb	Spaziergänge *außerhalb der Anstaltsgärten* sind nicht gestattet. (также для обозначения времени)
beiderseits	*Beiderseits der Grenze* stauten sich die Autos.
diesseits	*Diesseits der Landesgrenzen* gelten noch die alten Ausweise.
inmitten	*Inmitten dieser Unordnung* kann man es nicht aushalten.
innerhalb	*Innerhalb seiner vier Wände* kann man sich am besten erholen. (также для обозначения времени)
jenseits	*Jenseits der Alpen* ist das Klima viel milder.
längs, längsseits	*Längs der Autobahn* wurde ein Lärmschutzwall gebaut.
oberhalb	Die alte Burg liegt *oberhalb der Stadt.*
seitens, von seiten	*Seitens seiner Familie* bekommt er keine finanzielle Unterstützung.
unterhalb	*Unterhalb des Bergdorfs* soll eine Straße gebaut werden.
unweit	*Unweit der Autobahnausfahrt* finden Sie ein Gasthaus.

3. Предлоги, обозначающие причину (о придаточных предложениях с *weil,* см. § 27):

angesichts	*Angesichts des Elends der Obdachlosen* wurden größere Summen gespendet.
aufgrund	*Aufgrund der Zeugenaussagen* wurde er freigesprochen.
halber (в постпозиции)	*Der Bequemlichkeit halber* fuhren wir mit dem Taxi.
infolge	*Infolge eines Rechenfehlers* wurden ihm 150 Euro mehr ausgezahlt.
kraft	Er handelte *kraft seines Amtes.*
laut (без артикля и окончания родительного падежа)	*Laut Paragraph I der Straßenverkehrsordnung* war er an dem Unfall mitschuldig.
mangels	Er wurde *mangels ausreichender Beweise* freigesprochen.
zufolge	(см. § 59, XVII)
zugunsten	Er zog sich *zugunsten seines Schwiegersohnes* aus dem Geschäft zurück.
wegen (также в постпозиции)	*Wegen eines Herzfehlers* durfte er nicht Tennis spielen.

Предлог *wegen* в сочетании с дательным падежом допускается только в разговорной речи, в письменной форме обязательно требуется родительный падеж. Только при сочетании с личными местоимениями предлог *wegen* употребляется обычно с дательным падежом: *Machen Sie sich wegen mir keine Sorgen. meinetwegen,* (лучше: *deinetwegen, Ihretwegen …*)

4. Предлоги со значением уступки (в придаточных с *obwohl*, см. § 30, I):

trotz   *Trotz seines hohen Alters* kam der Abgeordnete zu
                         jeder Sitzung.

Но с личным местоимением: *mir zum Trotz, dir zum Trotz* и т. д.

ungeachtet   *Ungeachtet der Zwischenrufe* sprach der Redner weiter.

5. Предлоги со значением противопоставления (о придаточных с *anstatt dass* и инфинитивном обороте, см. § 33):

statt (или: anstatt)   *Statt eines Vermögens* hinterließ er seiner Familie nur Schulden.

anstelle   *Anstelle des wahren Täters* wurde ein Mann gleichen Namens
                        verurteilt.

6. Предлоги с инструментальным значением (о придаточных с *indem,* см. § 31, IV):

anhand   *Anhand eines Wörterbuchs* wies ich ihm seinen Fehler nach.

mit Hilfe (тажке: So ein altes Bauernhaus kann nur *mit Hilfe eines Fachmanns*
  von + дат. п.)   umgebaut werden.

mittels, vermittels   *Mittels eines gefälschten Dokuments* verschaffte er sich
                        Zugang zu den Akten.

vermöge   *Vermöge seines ausgezeichneten Gedächtnisses* konnte er
                        alle Fragen beantworten.

7. Предлоги со значением следствия (о придаточных с союзом *damit* и инфинитивном обороте с *um ... zu,* см. § 32):

um … willen   *Um des lieben Friedens willen* gab er schließlich nach.

zwecks (обычно   *Zwecks besserer Koordination* wurden die Ministerien
  без артикля)   zusammengelegt.

---

1 Вставьте по смыслу следующие предлоги: a) abseits b) anlässlich c) außerhalb d) beiderseits e) binnen f) inmitten g) unweit (2x) h) zeit.

… seines Lebens hatte Herr Sauer von einem eigenen Haus geträumt. Es sollte ruhig und … der großen Verkehrslinien liegen, also irgendwo draußen, … der Großstadt. Andererseits sollte es natürlich … einer Bus- oder Bahnlinie liegen, damit die Stadt leichter erreichbar ist.

… der Festwoche einer Hilfsorganisation wurden Lose verkauft. Erster Preis: ein Einfamilienhaus. – Herr Sauer gewann es! Aber da es … eines Industriegebiets lag, war es sehr laut dort. … des Grundstücks (auf beiden Seiten) führten Straßen mit viel Verkehr entlang und … des Industriegebiets, nur 2,5 km entfernt, lag auch noch der Flugplatz. … eines Monats hatte Herr Sauer es verkauft.

---

2 Вставьте по смыслу следующие предлоги, обратите внимание на окончания.
Предлоги: a) wegen b) dank c) unweit d) halber e) binnen f) ungeachtet.

1. Ich muss leider … ein__ Monats   2. Geben Sie mir d__ Ordnung …
   ausziehen.   Ihre Kündigung bitte schriftlich.

3. ... d__ Hilfe meines Freundes habe ich ein möbliertes Zimmer gefunden.

4. Es liegt ... d__ Universität.

5. ... d__ Nähe der Universität habe ich keine Ausgaben für Verkehrsmittel.

6. Deshalb nehme ich das Zimmer ... d__ hoh__ Miete.

3 Вставьте недостающие окончания, продолжите следующие предложения.

1. Der Sportler konnte ein__ schwer__ Verletzung *wegen* ...
2. In den Alpen gibt es *oberhalb* ein__ gewiss__ Höhe ...
3. *Ungeachtet* d__ groß__ Gefahr ...
4. *Aufgrund* sein__ schwer__ Erkrankung ...
5. *Anstelle* mein__ alt__ Freundes ...
6. *Um* d__ lieb__ Friedens *willen* ...

7. *Unweit* mein__ alt__ Wohnung ...
8. *Abseits* d__ groß__ Städte ...
9. Wenn die Arbeitgeber bei der Lohnerhöhung *unterhalb* d__ 4-Prozent-Grenze bleiben, ...
10. Wenn ich nicht *innerhalb* d__ nächst__ vier Wochen eine Stelle finde, ...

4 Поставьте словосочетание в именительный падеж, а затем употребите его с предлогом в родительном падеже. Продолжите предложения.

sein__ intensiv__ Bemühungen / dank
seine intensiven Bemühungen – dank seiner intensiven Bemühungen
Dank seiner intensiven Bemühungen fand er endlich eine Anstellung.

1. sein__ technisch__ Kenntnisse / dank
2. unser__ schnell__ Hilfe / infolge
3. mein__ jüngst__ Schwester / anstelle
4. ihr__ jetzig__ Wohnung / unterhalb
5. ihr__ gut__ Fachkenntnisse / trotz
6. sein__ langweilig__ Vortrag__ / während
7. d__ erwartet__ gut__ Note / anstatt
8. d__ laut__ Bundesstraße / abseits
9. ihr__ siebzigst__ Geburtstag__ / anlässlich
10. sein__ wiederholt__ Wutanfälle / aufgrund

11. d__ umzäunt__ Gebiet__ / außerhalb
12. ein__ Meute bellend__ Hunde / inmitten
13. dies__ hoh__ Gebirgskette / jenseits
14. ein__ selbstgebastelt__ Radiosender__ / mittels
15. d__ zuständig__ Behörde / seitens
16. d__ geplant__ Reise / statt
17. d__ holländ__ Grenze / unweit
18. sein__ schwer wiegend__ Bedenken (Pl.) / ungeachtet
19. vorsätzlich__ Mord / wegen
20. ein__ schwer__ Unfall__ / infolge

5 В следующем упражнении перепутанны предлоги. Восстановите смысловые отношения. Обратите внимание на окончания существительных.

1. *Abseits* sein__ hundertjährig__ Bestehens veranstaltete der Wanderverein einen Volkslauf.

2. Die Wanderstrecke verlief *anlässlich* d__ groß__ Straßen.

3. *Wegen* d__ groß__ Kälte beteiligten sich viele Menschen an dem 35 Kilometer langen Lauf.

4. *Ungeachtet* d__ stark__ Regens suchten die Wanderer Schutz in einer Waldhütte.

5. *Dank* d__ ungeheur__ Anstrengung gab niemand vorzeitig auf.

6. *Trotz* d__ vorzüglich__ Organisation gab es keinerlei Beschwerden.

6 Еще одно упражнение с аналогичным заданием:

1. *Mittels* ein__ grob__ Konstruktionsfehlers brach die fast neue Brücke plötzlich zusammen.

2. *Infolge* ein__ fröhlich__ Tanzparty brach plötzlich Feuer in der Wohnung aus.

3. *Während* ein__ raffiniert__ Tricks verschaffte der Spion sich Geheiminformationen aus dem Computer.

4. *Anstelle* sein__ siebzigsten Geburtstags erhielt der ehemalige Bürgermeister zahlreiche Gratulationsbriefe.

5. *Trotz* d__ erkrankt__ Bundespräsidenten wurde der ausländische Staatsmann vom Bundestagspräsidenten begrüßt.

6. *Anlässlich* d__ Bemühungen aller Beteiligten konnte keine Kompromisslösung gefunden werden.

Повторение

7 Tagesablauf eines Junggesellen – Вставьте артикли и окончания, например: *am, ins, einem.*

Herr Müller steigt morgens um sieben Uhr aus … Bett. Als Erstes stellt er sich unter … Dusche (f); dann stellt er sich vor … Spiegel (m) und rasiert sich. Er
5 geht zurück in__ Schlafzimmer, nimmt sich Unterwäsche aus … Wäscheschrank, nimmt seinen Anzug vo__ Kleiderständer (m) und zieht sich an. Er geht in … Küche, schüttet Wasser in
10 … Kaffeemaschine, füllt drei Löffel Kaffee in … Filter (m) und stellt die Maschine an. Dann geht er an … Haustür und nimmt die Zeitung aus … Briefkasten (m). Nun stellt er das Geschirr auf
15 … Tisch in … Wohnküche, setzt sich auf ein__ Stuhl, trinkt Kaffee und liest in … Zeitung zuerst den Lokalteil. Dann steckt er die Zeitung in … Aktentasche, nimmt die Tasche unter … Arm und
20 geht zu sein__ Bank. Dort steht er den ganzen Vormittag hinter … Schalter (m) und bedient die Kundschaft. Zu Mittag isst er in … Kantine (f) der Bank. Am Nachmittag arbeitet er in … Kreditabteilung (f) seiner Bank. Meist 25 geht er dann durch … Park (m) nach Hause. Bei schönem Wetter geht er gern noch etwas i__ Park spazieren und wenn es warm ist, setzt er sich auf ein__ Bank, zieht seine Zeitung aus … Tasche und 30 liest. Am Abend trifft er sich oft mit sein__ Freunden in ein__ Restaurant (n). Manchmal geht er auch in__ Theater (n), in … Oper (f) oder zu ein__ anderen Veranstaltung (f). Wenn es einen 35 Krimi i__ Fernsehen (n) gibt, setzt er sich auch mal vor … Fernseher. Manchmal schläft er vor … Apparat ein. Gegen 12 Uhr spätestens geht er in__ Bett. 40

8 Вставьте предлоги и артикли, например: *ins, zum* и т. д.

Gestern Abend fuhr ein Betrunkener … … alten Volkswagen … … Main (m). Das Auto stürzte … … Kaimauer (f) … Wasser und ging sofort unter. Einige 5 Leute, die … … Brücke (f) standen, liefen sofort … nächsten Telefon und … fünf Minuten war die Feuerwehr schon da. Zwei Feuerwehrmänner … Taucheranzügen und … Schutzbrillen 10 … … Gesicht (n) tauchten … kalte Wasser. Sie befestigten … Wasser Stricke … … beiden Stoßstangen des Wagens. Ein Kran zog das Auto so weit … … Wasser, dass man die Türen öffnen konnte. Der Fahrer saß ganz still … 15 … Platz … Steuer; sein Kopf lag … … Lenkrad. Er schien tot zu sein. Vorsichtig wurde das Auto … … trockene Land gehoben, dann holte man den Verunglückten … … Wagen. Als man 20 ihn … … Boden (m) legte, …

Закончите эту историю.

9 Wohin sind Sie gereist? – Ich bin … gereist.

I in die Türkei, die Schweiz, der Sudan, die Vereinigten Staaten, die Niederlande, der Bayerische Wald, das Hessenland, die Antarktis, die GUS, die Hauptstadt der Schweiz, der Nordteil von Kanada, die Alpen, das Engadin, das Burgenland, meine Heimatstadt.

II nach Kanada, Australien, Österreich, Ägypten, Israel, Kroatien, Russland, Bolivien, Nigeria, Hessen, Bayern, Bern, Klagenfurt, Sylt, Helgoland, Sri Lanka

III auf die Insel Sylt, die Seychellen und die Malediven (Pl.) (= Inselgruppe im Indischen Ozean), die Insel Helgoland, der Feldberg, die Zugspitze, das Matterhorn, der Mont Blanc

IV an der Rhein, die Elbe, die Ostseeküste, der Bodensee, die Donau, der Mississippi, der Amazonas, die Landesgrenze

Wie lange sind Sie dort geblieben?

I *Im / In* der / den … bin ich … Tage / Wochen geblieben.

II *In* Kanada / … bin ich … geblieben.

III *Auf* dem / der / den … bin ich … geblieben.

IV *Am* Rhein / *An* der … bin ich … geblieben.

10 Это упражнение лучше выполнять в группе.

	Wohin sind Sie gereist?	*Wie lange sind Sie dort geblieben?*
die Buchmesse	A: Zur Buchmesse.	Auf der Buchmesse bin ich einen Tag geblieben.
der Feldberg	B: Auf den Feldberg.	Auf dem Feldberg bin ich einen Vormittag geblieben.
Kanada	C: Nach Kanada.	In Kanada bin ich …
mein Onkel	D: Zu meinem Onkel.	Bei meinem Onkel …
der Neusiedler See	E: An den Neusiedler See.	Am Neusiedler See …

1. Spanien
2. die Schweiz
3. die Vereinigten Staaten
4. Polen
5. der Bodensee
6. die Insel Helgoland

7. Australien
8. Hamburg
9. meine Heimat-
   stadt
10. New York

11. die Zugspitze
    (= Deutschlands
    höchster Berg)
12. der Vierwaldstät-
    ter See
13. die Atlantikküste

14. Großbritannien
15. der Urwald
16. der Äquator
17. mein Schul-
    freund

18. die Chirurgen-
    Tagung
19. Wien
20. die Automobil-
    ausstellung

11 Еще одно упражнение:

	Wohin gehst du?	*Was machst du da?*
das Postamt	A: *Zum Postamt.*	*Auf dem Postamt hole ich Brief-marken.*
mein Freund	B: *Zu meinem Freund.*	*Bei meinem Freund spielen wir Karten.* Oder: *Mit meinem Freund arbeite ich.*
die Gastwirtschaft	C: *Zur Gastwirtschaft.*	*In der Gastwirtschaft esse ich zu Mittag.*
die Donau	D: *Zur Donau.* Oder: *An die Donau.*	*An der Donau beobachte ich die Wasservögel.*

1. der Bahnhof
2. der Zug
3. der Fahrkarten-
   schalter
4. der Keller
5. der Dachboden
6. der Balkon
7. der Goetheplatz
8. die Straße
9. das Restaurant
10. das Reisebüro

11. meine Schwester
12. der Aussichtsturm
13. der Friedhof
14. die Kirche
15. der Supermarkt
16. der Zeitungskiosk
17. Tante Emma
18. das Theater
19. Hamburg
20. das Ausland

21. das Land (auf; = in
    eine ländliche
    Umgebung)
22. der Wald
23. die Wiese
24. die Quelle
25. der See
26. das Feld
27. der Rhein
28. das Fenster

12 Wohin gehst (fährst / steigst / fliegst) du?
(В ряде случаев возможны варианты.)

| I
Ich gehe | an
(ans)
auf
(aufs)
in
(ins)
nach
zu
(zum/zur) | 1. mein Zimmer
2. meine Freundin
3. die Straße
4. der Balkon
5. das Kino
6. die Garage
7. der Keller
8. die Schlucht
9. der Arzt | 10. Herr Doktor Kra-
mer
11. Frau Atzert
12. Angelika
13. das Reisebüro
14. die Schule
15. der Unterricht
16. das Klassenzimmer
17. der Metzger
18. die Bäckerei | 19. das Café
20. die Fabrik
21. die Polizei
22. das Finanzamt
23. das Militär
24. die Kirche
25. der Friedhof
26. die Post
27. die Haltestelle
28. der Briefkasten |
| II
Ich steige | | 1. die Zugspitze (Berg)
2. der Zug
3. die U-Bahn | 4. das Dach
5. der Aussichtsturm
6. die Straßenbahn | |

III Ich fahre	1. Brasilien 2. die Mongolei 3. Los Angeles 4. ein fernes Land 5. die Schwarzmeerküste 6. die Wüste	7. der Urwald 8. der Tunnel 9. die Oper 10. das Land (d.h. in ein Dorf) 11. meine Freunde ... Berlin
IV Ich fliege	1. meine Heimatstadt 2. der Schwarzwald 3. das Gebirge 4. Dänemark 5. Tschechien	6. der Nordpol 7. die Türkei 8. Südamerika 9. Spanien

13 **Wo bist du?** Используйте обстоятельства места из упражнения 12.

Ich bin in meinem Zimmer / bei meiner Freundin usw.

14 **Jeder hat im Urlaub etwas anderes vor.** – Вставьте предлоги и окончания, например: *ins, zur, zum.*

A. fährt ... München.
B. fliegt ... d__ Insel Helgoland
C. fliegt ... Kanada.
D. geht ... Land (z. B. ... ein Dorf).
E. fährt ... Finnland.
F. fährt ... d__ Schweiz.
G. fährt ... ihr__ Onkel ... Wien.
H. reist ... ein__ Freundin ... Österreich.
I. bleibt (!) ... d__ Bundesrepublik und zwar ... ihr__ Eltern.
J. lernt Französisch ... Nancy.
K. geht angeln ... Irland.
L. fliegt ... Brasilien und geht ... d__ Urwald.
M. fliegt ... Ostasien.

N. fährt jeden Tag ... Schwimmbad.
O. spielt täglich zwei Stunden Fußball ... Stadion (n) oder ... d__ Fußballplatz.
P. fährt ... Wandern ... d__ Berge.
Q. macht eine Klettertour ... d__ Alpen.
R. geht ... Krankenhaus und lässt sich operieren.
S. geht ... ein Hotel ... d__ Feldberg ... Schwarzwald.
T. verbringt den Urlaub ... ein__ Bauernhof ... Odenwald.
U. geht ... ein__ Pension ... Interlaken ... d__ Schweiz.

15 Вставьте, где это необходимо, по смыслу следующие предлоги: *bei, gegen, nach, um, zu (zur/zum), vor, seit.*

Er ist ... wenigen Minuten aus dem Haus gegangen, aber er ist ... Punkt 12 Uhr wieder da. Gewöhnlich verlässt er das Büro ... 17 Uhr.
⁵ ... Anfang der Schiffsreise war ich dauernd seekrank, ... Schluss hat mir sogar ein Sturm nichts mehr ausgemacht.
Wir sind heute ... Hochzeit eingeladen. ... dieser Gelegenheit treffen wir
¹⁰ einige alte Freunde. Wir sollen ... neun Uhr zum Standesamt kommen. ... 13

Uhr (ungefähr) gibt es ein Festessen im Hotel Krone. Am Abend ... der Hochzeit haben wir viel getanzt. Wir sind erst ... drei Uhr in der Nacht (später als 3) ¹⁵ nach Hause gekommen.
... zwei Tagen ist Markttag. ... Zeit sind die Erdbeeren preiswert. Wenn man ... die Mittagszeit (ungefähr), also ... Schluss der Verkaufszeit auf den ²⁰ Markt kommt, kann man oft am günstigsten einkaufen.

... Ostern fahren wir meist zum Skifahren in die Alpen. ... Weihnachten bleiben wir zu Hause, aber ... Silvester sind wir gern bei Freunden und feiern.
Drei Wochen ... seinem Tod hatte er sein Testament geschrieben. ... seiner Beerdigung waren viele Freunde und Verwandte gekommen. ... seinem Tod erbte sein Sohn ein großes Vermögen, aber ... wenigen Jahren war davon nichts mehr übrig.

16 Вставьте предлоги *an (am), bei, gegen, in (im), nach, um, von, zu (zum)*.

Morgens stehe ich ... halb sieben Uhr auf. ... sieben Uhr (ungefähr) trinke ich Kaffee. ... 7.35 Uhr geht mein Bus. Kurz ... acht bin ich im Büro. Ich arbeite ... acht bis zwölf und ... halb eins bis halb fünf. Dann gehe ich zum Bus; er fährt ... 16.45 Uhr. ... 25 Minuten bin ich zu Hause.
... Samstag, dem 3. März, abends ... acht Uhr findet in der Stadthalle ein Konzert statt. ... Beginn spielt das Orchester die dritte Sinfonie von Beethoven, dann folgt ... 150. Geburtstag des Komponisten die c-moll-Sinfonie von Brahms. Das Konzert endet ... 22.30 Uhr (ungefähr).

... jedem ersten Sonntag ... Monat unternimmt der Wanderverein „Schwalbe" ... gutem Wetter eine Wanderung. Die nächste Fußtour ist ... Sonntag, dem 6. Juni. Die Mitglieder treffen sich ... 8.10 Uhr am Bahnhof. ... halb neun geht der Zug. ... etwa einer Stunde ist man in Laxdorf, dem Ausgangspunkt der Wanderung. ... 13 Uhr (ungefähr) werden die Wanderer den Berggasthof „Lindenhof" erreichen. ... dem Essen wird die Wanderung fortgesetzt. ... 17.26 Uhr geht der Zug von Laxdorf zurück. Die Mitglieder können also ... 19 Uhr (ungefähr) wieder zu Hause sein.

17 Продолжение текста упражнения 2 из § 60. Выполните упражнение по образцу упражнения 16.

... etwa 150 Jahren erfand Samuel Morse den Schreibtelegraphen. ... 1876 entwickelte N. Otto einen Benzinmotor und ... Jahr 1879 baute Werner von Siemens seine erste elektrische Lokomotive. ... einem Herbsttag des Jahres 1886 fuhr ... ersten Mal ein Automobil durch Stuttgarts Straßen. Gottlieb Daimler, geboren ... 17.3.1834, hatte es gebaut. ... seiner ersten Fahrt in dem neuen Auto schrien die Leute: „Der Teufel kommt!" G. Daimler ist ... 6.3.1900, also ... ... Jahren, gestorben. Aus den Werkstätten von Daimler und C.F. Benz entstand ... 1926 die Daimler-Benz-Aktiengesellschaft. ... 1893 bis 97, also nur 17 Jahre ... Ottos Benzinmotor, entwickelte Diesel einen neuen Motor; er wurde ... späteren Jahren nach seinem Erfinder Dieselmotor genannt. ... Jahr 1982, also 82 Jahre ... Daimlers Tod, gab es allein in der Bundesrepublik Deutschland mehr als 27 Millionen Automobile.

18 А теперь совсем быстро: Употребите предлоги *am, bei, gegen, in (im), um, zu (zur)*.

... wenigen Sekunden, ... Mittwoch, ... acht Tagen, ... der Nacht, ... Nachmittag, ... 12 Uhr (ungefähr), ... Mitternacht, ... diesem Moment, ... Weihnachten, ... meinem Geburtstag, ... Hochzeit meiner Schwester, ... Morgen (ungefähr), heute ... 14 Tagen, ... Frühjahr, ... Anfang der Ferien, ... Sonnenaufgang, ... nächster Gelegenheit, ... wenigen Augenblicken, ... August, ... zwei Jahren, ... 17 Uhr

§ 62   Устойчивые словосочетания с функциональными глаголами

I   Глаголы с дополнением в винительном падеже

Устойчивые сочетания глагол + существительное в винительном падеже в немецком языке часто употребляют. Глаголы в таких сочетаниях почти не имеют самостоятельного значения, а образуют вместе с существительным смысловое единство.

Bei Waldbränden *ergreifen* die meisten Tiere rechtzeitig *die Flucht.* (= sie fliehen)
Der Politiker *gab* im Fernsehen *eine Erklärung ab.* (= er erklärte öffentlich)
Wir *haben* endlich *eine Entscheidung getroffen.* (= wir haben uns entschieden)

Список некоторых глаголов в устойчивых словосочетаниях:

Простые глаголы

1. *fällen*
   a) eine Entscheidung b) ein Urteil
2. *finden*
   a) ein Ende b) Anerkennung c) Ausdruck d) Beachtung/Interesse e) Beifall
   f) Ruhe g) Verwendung
3. *führen*
   a) den Beweis b) ein Gespräch/eine Unterhaltung c) Krieg
4. *geben*
   a) jdm. (eine) Antwort b) jdm. (eine) Auskunft c) jdm. (den) Befehl d) jdm. Bescheid e) jdm. seine Einwilligung f) jdm. die Erlaubnis g) jdm. die Freiheit
   h) jdm. die Garantie i) jdm. (die) Gelegenheit j) jdm. die Ohrfeige k) jdm. einen Rat/einen Tip/einen Wink l) jdm. die Schuld m) jdm. einen Tritt/einen Stoß n) (jdm.) Unterricht o) jdm. das Versprechen/sein Wort p) jdm. seine Zustimmung q) jdm./einer Sache den Vorzug
5. *gewinnen*
   a) den Eindruck b) die Überzeugung c) einen Vorsprung
6. *halten*
   a) eine Rede/einen Vortrag/eine Vorlesung b) ein (sein) Versprechen/sein Wort
7. *holen*
   a) Atem b) sich eine Erkältung/eine Infektion/eine Krankheit c) sich den Tod
8. *leisten*
   a) eine Arbeit b) einen Beitrag c) Hilfe d) Zivildienst e) Ersatz f) Widerstand
9. *machen*
   a) den Anfang b) jdm. ein Angebot c) jdm. Angst d) mit jdm. eine Ausnahme e) ein Ende f) jdm. (eine) Freude g) sich die Mühe h) eine Pause i) Spaß j) einen Spaziergang k) einen Unterschied l) einen Versuch m) jdm. einen Vorwurf/Vorwürfe
10. *nehmen*
    a) Abschied b) Anteil (an jdm./etwas) c) Bezug (auf etwas) d) Einfluss (auf jdn./etwas) e) ein Ende f) Platz g) Rache h) Stellung

11. *schaffen*
   a) Abhilfe b) Klarheit c) Ordnung d) Ruhe e) Arbeitsplätze
12. *stiften*
   a) Frieden/Unfrieden b) Unruhe
13. *treffen*
   a) mit jdm. ein Abkommen/eine/die Vereinbarung b) eine Entscheidung
   c) Maßnahmen d) Vorsorge e) Vorbereitungen
14. *treiben*
   a) (zu viel) Aufwand b) Handel c) Missbrauch d) Sport e) Unfug
15. *wecken*
   a) Erinnerungen b) Gefühle c) Interesse d) die Neugier

Глаголы с отделяемыми и неотделяемыми приставками

16. *abgeben*
   a) eine Erklärung b) seine Stimme c) ein Urteil
17. *ablegen*
   a) einen Eid/einen Schwur b) ein Geständnis c) eine Prüfung
18. *abschließen*
   a) die Arbeit b) die Diskussion c) einen Vertrag
19. *annehmen*
   a) den Vorschlag b) die Bedingung c) die Einladung d) (die) Hilfe
   e) Vernunft f) die Wette
20. *anrichten*
   a) ein Blutbad b) Schaden c) Unheil d) Verwüstungen
21. *anstellen*
   a) Berechnungen b) Nachforschungen c) Überlegungen d) Versuche
   e) Unfug/Dummheiten
22. *antreten*
   a) den Dienst b) die Fahrt c) die Regierung
23. *aufgeben*
   a) die Arbeit b) seinen Beruf c) den Plan d) die Hoffnung e) das Spiel
   f) den Widerstand
24. *ausführen*
   a) eine Arbeit b) einen Auftrag c) einen Befehl d) einen Plan e) eine Reparatur/Reparaturen
25. *begehen*
   a) eine Dummheit b) (einen) Fehler c) einen Mord d) Selbstmord e) Verrat
26. *durchsetzen*
   a) seine Absicht b) seine Forderungen c) seine Idee(n) d) seine Meinung
   e) seinen Willen
27. *einlegen*
   a) Beschwerde/Protest b) Berufung c) ein gutes Wort (für jdn.)
28. *einreichen*
   a) einen Antrag/ein Gesuch b) Beschwerde c) die Examensarbeit
   d) einen Vorschlag
29. *einstellen*
   a) die Arbeit b) die Herstellung c) den Betrieb d) das Rauchen e) die Untersuchung f) den Versuch/das Experiment

30. ergreifen
a) Besitz (von etwas) b) die Flucht c) die Gelegenheit d) Maßnahmen
e) das Wort

31. erstatten
a) Anzeige b) (einen) Bericht

32. verüben
a) einen Mord b) eine (böse) Tat c) ein Verbrechen

33. zufügen
a) jdm. Böses b) jdm. Kummer c) jdm. eine Niederlage d) jdm. Schaden
e) jdm. Schmerzen

34. zuziehen
a) sich eine Erkältung/eine Grippe b) sich Unannehmlichkeiten c) sich eine
Verletzung/schwere Verletzungen

1a Ответьте на вопросы в перфекте. Употребите глаголы в устойчивых сочетаниях
№ 1–15.

Wer macht einen Spaziergang? (die Eltern / mit ihren Kindern)
Die Eltern haben mit ihren Kindern einen Spaziergang gemacht.

1. Wer findet Anerkennung? (der Politiker / bei den Wählern)
2. Wer gibt der Firmenleitung die Schuld? (der Gewerkschaftsvertreter / an den Verlusten)
3. Wer gewinnt einen Vorsprung von zwei Metern? (der polnische Läufer)
4. Wer hält eine Vorlesung? (ein Professor aus Rom / am 4.5. / über Goethe)
5. Wer leistet Hilfe? (das Rote Kreuz / bei der Rettung der Flüchtlinge)
6. Wer macht mir ein Angebot? (der Makler / für ein Ferienhaus)
7. Wer macht dem Neffen Vorwürfe? (die Tante / wegen seiner Unhöflichkeit)
8. Wer trifft eine Entscheidung? (der Chef / am Ende der Verhandlungen)
9. Wer schafft 150 neue Arbeitsplätze? (eine Textilfabrik / in der kleinen Stadt)
10. Was weckt das Interesse des Wissenschaftlers? (die Arbeit eines Kollegen)

b Так же, но с глаголами № 16–34.

1. Wer nimmt die Wette an? (Peter)
2. Wer richtet großen Schaden an? (die Fußballfans / beim Spiel ihrer Mannschaft)
3. Wer tritt seinen Dienst an? (der neue Pförtner / am 2. Mai)
4. Wer gibt seinen Beruf auf? (der Schauspieler / nach drei Jahren)
5. Wer setzt seine Forderungen durch? (der Arbeitslose / beim Sozialamt)
6. Wer legt Berufung ein? (der Rechtsanwalt / gegen das Urteil)
7. Wer reicht die Examensarbeit endlich ein? (die Studentin / bei ihrem Professor)
8. Wer ergreift das Wort? (der Bürgermeister / nach einer langen Diskussion im Stadtparlament)
9. Wer erstattet Anzeige? (der Mieter / gegen den Hausbesitzer)
10. Wer zieht sich schwere Verletzungen zu? (der Lastwagenfahrer / bei einem Unfall)

11. Wer stellt das Rauchen ein? (die Fluggäste / während des einstündigen Fluges)

12. Wer hat der Firma großen Schaden zugefügt? / (ein Mitarbeiter / durch Unterschlagungen)

c Ответьте на вопросы. Выберите наилучший вариант словосочетания и объясните свой выбор. В скобках предлагается подходящий для ответа глагол.(стр. 311–313)

Ein junger Familienvater geht zum Wohnungsamt. Was will er? (Nr. 28)
Er reicht einen Antrag ein.

1. Der Junge ist ohne Jacke und Mütze aufs Eis gegangen. – Was war die Folge? (7)
2. Die Kinder machten das Fenster auf, damit der Vogel wegfliegen konnte. – Was haben sie getan? (4)
3. Ich hatte vergessen die Blumen meiner Nachbarin zu gießen. – Wie reagierte sie, als sie zurückkam? (9)
4. Die Not in vielen Teilen der Welt ist groß. – Was müssen die reicheren Länder tun? (8)
5. Wir wollen diese schöne Wohnung mieten. – Was müssen wir tun? (18) (… mit dem Hausbesitzer einen Miet-…)

6. Der Hund meiner Tante ist weggelaufen. – Was tut sie? (21)
7. Der Künstler hatte keinen Erfolg. – Wie reagierte er? (23)
8. Der Wasserhahn tropft, deshalb habe ich einen Handwerker gerufen. – Was hat er gemacht? (24)
9. Die Elektronik-Firma hat ein nicht konkurrenzfähiges Produkt auf den Markt gebracht. – Was hat sie daraufhin getan? (29)
10. Die Kollegen streiten dauernd miteinander. – Was muss der Chef tun? (12)

2a Замените курсивно напечатанные глаголы устойчивыми глагольными сочетаниями существительным в винительном падеже (№ 1–15). Обратите внимание на время.

1. Das Gericht *hat* noch nicht *entschieden,* ob der Angeklagte freigesprochen werden kann. (1a)
2. Der Vortrag des Atomwissenschaftlers *interessierte* die anwesenden Forscher sehr. (2d – bei den … Forschern großes Interesse)
3. Leere Flaschen müssen abgegeben werden, damit sie *wieder verwendet* werden können. (2g)
4. Viele Länder, die *sich* früher *bekriegten,* sind heute miteinander befreundet. (3c – Krieg gegeneinander …)
5. Wenn die Eltern *nicht einverstanden sind,* kann der Fünfzehnjährige das teure Lexikon nicht bestellen. (4e – ihre Einwilligung)

6. Wie viele Stunden *unterrichten* Sie pro Woche? (4n)
7. Glauben Sie, dass er hält, was er *verspricht*? (6b)
8. Von Zeit zu Zeit müssen die Meeressäugetiere an die Wasseroberfläche schwimmen *um zu atmen.* (7a)
9. Wer einen Gegenstand stark beschädigt, muss *ihn ersetzen.* (8e – muss dafür …)
10. Man muss *unterscheiden* zwischen denen, die in der Diktatur die Anführer waren, und denen, die nur Mitläufer waren. (9k)
11. Noch im Hotel *verabschiedeten sich* die Teilnehmer der Veranstaltung. (10a) (voneinander)

12. Die Gäste wurden gebeten *sich zu setzen.* (10f)
13. Die Geschwister *vereinbarten,* jedes Jahr in ihrer Heimatstadt zusammenzukommen. (13b)

14. Schon vor Tausenden von Jahren *handelten* Kaufleute mit Salz. (14b)

b То же задание, только с № 16–34.

1. Im letzten Herbst *sind* nur 75 Prozent der Wähler *zur Wahl gegangen.* (16b)
2. Nach langen Verhören *gestand* der Angeklagte schließlich. (17b)
3. Alle Soldaten mussten auf die Fahne *schwören.* (17a)
4. Nach zwei Jahren war er endlich *mit seiner Doktorarbeit fertig.* (18a)
5. Die Eltern ermahnten ihren sechzehnjährigen drogensüchtigen Sohn, doch *vernünftig zu sein.* (19e)
6. Ein Wirbelsturm *verwüstete große Teile des Landes.* (20d – schwere Verwüstungen in + D)
7. Die Versicherungsgesellschaft *forscht* zur Zeit *nach* dem Schiff, das im Pazifischen Ozean verschwunden ist. (21b)
8. Punkt neun Uhr *ist* die Reisegruppe *losgefahren.* (22b)
9. Sie *hat keine Hoffnung mehr,* dass ihr Mann zu ihr zurückkommt. (23d)
10. Acht Tage hatten die Bürger ihre Stadt tapfer verteidigt; am neunten Tag *ergaben sie sich,* da sie kein Wasser mehr hatten. (23f)
11. Er ist ein Typ, der *alles* selbst *repariert.* (24e)

12. Er *hat falsch gehandelt,* als er das Zimmer im Studentenheim nicht angenommen hat. (25b)
13. Der Gefangene *hatte sich* in seiner Zelle *umgebracht.* (25d)
14. Er sollte 30 Euro Mahngebühr an das Finanzamt zahlen; darüber *hat* er *sich beschwert.* (27a – dagegen)
15. Der Betriebsrat *hat* Verschiedenes zur Arbeitszeitverkürzung *vorgeschlagen* und bei der Geschäftsleitung *abgegeben.* (28d – verschiedene Vorschläge)
16. Die Fluggäste werden beim Verlassen des Warteraumes gebeten *nicht mehr zu rauchen.* (29d)
17. Das hoch verschuldete Unternehmen *konnte nicht weiterarbeiten.* (29c) (musste…)
18. Viele Menschen *sind* aus Angst vor einem möglichen Bombenangriff *geflohen.* (30b)
19. Infolge des nasskalten Wetters *haben sich* viele Menschen *erkältet.* (34a)
20. Der Skirennfahrer *hat sich* beim Abfahrtslauf schwer *verletzt.* (34c)

II Устойчивые глагольные словосочетания: переходный глагол + предложное дополнение

Ich *nehme Bezug auf* Ihr Schreiben vom 15. Januar.
Sie *machen sich Hoffnung auf* eine billige Wohnung in München.
Wir *wissen* seit langem *Bescheid über* seine Schulden.

Переходный глагол образует вместе с дополнением в винительном падеже смысловое единство (см. § 14, VIII). Это устойчивое словосочетание связано с предложным дополнением.

Употребление или отсутствие артикля закреплены за каждым отдельным сочетанием. Артикль во множественном числе отсутствует, если в единственном числе стоял неопределенный артикль:
Sie führten ein Gespräch mit ihm. / Sie führten Gespräche mit ihm.

В остальных случаях действуют правила § 15, II:
Sie machen sich Hoffnung darauf, eine billige Wohnung in München zu bekommen.
Wir wissen seit langem Bescheid darüber, dass er hohe Schulden hat.

Перечень некоторых устойчивых глагольных словосочетаний с предложным дополнением:

1. Abschied nehmen	von + D	den Eltern	
2. einen Antrag stellen	auf + A	Kindergeld	
3. die Aufmerksamkeit lenken	auf + A	das Unrecht	darauf, dass
4. Ansprüche stellen	an + A	das Leben; den Partner	
5. Bescheid wissen	über + A	die Steuergesetze	darüber, dass / wie / wann / wo
6. Beziehungen haben	zu + D	Regierungskreisen	
7. Bezug nehmen	auf + A	die Mitteilung	
8. Druck ausüben	auf + A	die Politiker	
9. Einfluss nehmen	auf + A	eine Entscheidung	darauf, dass / wie
10. eine / die Frage stellen	nach + D	der Bezahlung	danach, ob / wann / wie
11. sich Gedanken machen	über + A	ein Thema	darüber, dass / ob / wie / wo
12. Gefallen finden	an + D	dem Spiel	daran + Inf.-K. / wie
13. ein Gespräch / Gespräche führen	mit + D über + A	einem Mitarbeiter einen Plan	darüber, dass / ob
14. sich Hoffnung / Hoffnungen machen	auf + A	einen Gewinn	darauf, dass / Inf.-K.
15. die Konsequenz / Konsequenzen ziehen	aus + D	dem Verhalten eines anderen	daraus, dass / wie
16. Kritik üben	an + D	dem Verhalten eines Menschen; einer Aussage	daran, dass / wie
17. Notiz nehmen	von + D	einer Person; einem Ereignis	davon, dass / wie
18. Protest einlegen	gegen + A	eine Entscheidung	dagegen, dass / wie
19. Rache nehmen	an + D	einer Person	
20. ein Recht haben	auf + A	eine Erbschaft	darauf, dass / Inf.-K.
21. Rücksicht nehmen	auf + A	einen Nachbarn	darauf, dass
22. Schritt halten	mit + D	einem Menschen; einer Entwicklung	
23. Stellung nehmen	zu + D	einem Problem	dazu, ob / wie

24.	einen Unterschied machen	zwischen + D	einer Idee und der Wirklichkeit	
25.	eine Verabredung treffen	mit + D	der Freundin	
26.	(eine) Verantwortung übernehmen / auf sich nehmen / tragen	für + A	einen Mitmenschen; eine Fehl-entwicklung	dafür, dass / Inf.-K.
27.	ein Verbrechen / einen Mord begehen / verüben	an + D	einem Geldboten	
28.	Vorbereitungen treffen	für + A	eine Expedition	
29.	Wert legen	auf + A	Genauigkeit	darauf, dass / wie / Inf.-K.
30.	Widerstand leisten	gegen + A	einen Feind; eine Entscheidung	dagegen, dass

3 Вставьте предлоги.

1. Meine Cousine weiß ... unsere verwandtschaftlichen Beziehungen besser Bescheid.
2. Ich nehme Bezug ... Ihren Brief vom 2. März dieses Jahres.
3. Du musst die Konsequenzen ... deinem Verhalten ziehen; man wird dir kündigen.
4. Die Bürger legten Protest ... die Erhöhung der Wasser- und Abwassergebühren ein.
5. Der Bürgermeister legte Wert ... eine genaue Darstellung der Vorgänge.
6. Die Studenten leisteten Widerstand ... die neuen Prüfungsvorschriften.
7. Nimm mit deinem Fahrrad ein bisschen Rücksicht ... die Fußgänger.
8. Viele Länder können ... dem Tempo der technischen Entwicklung nicht Schritt halten.
9. Warum musst du nur ... allem Kritik üben?
10. Der Politiker nahm ... der Abwesenheit der Journalisten keine Notiz.

4 Замените глаголы подходящими устойчивыми глагольными сочетаниями.

1. Am Ende des Urlaubs auf dem Bauernhof verabschiedeten sich die Gäste von ihren Gastgebern. (1)
2. Wenn die Studenten den Zuschuss zum Studiengeld nicht beantragen, bekommen sie natürlich auch nichts. (2)
3. Ich beziehe mich auf die Rede des Parteivorsitzenden vom 1.3. (7)
4. Natürlich fragten die Arbeiter nach der Höhe des Lohnes und den sonstigen Arbeitsbedingungen. (Pl.) (10)
5. Die Werksleitung überlegte, ob sie das Werk stilllegen sollte. (darüber, ob) (11)
6. Den Kindern gefiel der kleine Hund auf dem Bauernhof so gut, dass die Eltern ihn schließlich dem Bauern abkauften. (so großen Gefallen) (12)
7. Der Professor sprach mit der Studentin über ihre Dissertation. (13)
8. Die Skifahrer im Sportzentrum hofften auf baldigen Schnee. (14)
9. Die Bevölkerung der Stadt kritisierte das städtische Bauamt und seine Pläne zur Verkehrsberuhigung. (16)
10. Viele Menschen interessiert die drohende Klimakatastrophe anscheinend gar nicht. (17)
11. Die Beamten protestierten gegen die angekündigte Gehaltskürzung. (18)

12. Er rächte sich an seinen lieblosen Verwandten und schenkte sein Vermögen der Kirche. (19)

13. Jedes der drei Kinder kann einen Teil des Erbes für sich beanspruchen. (20)

14. Die Entwicklung der Technik in den industrialisierten Ländern ist zum Teil so schnell, dass andere Länder kaum mithalten können. (damit) (22)

15. Die Bürger wurden gefragt, ob sie sich zu den Plänen der Stadtverwaltung äußern wollten. (23)

16. Juristen unterscheiden die Begriffe „Eigentum" und „Besitz". (24)

17. In diesem Wald haben vor 200 Jahren die Dorfbewohner einen Kaufmann ermordet. (27)

18. Wir müssen uns auf unseren Umzug nach Berlin vorbereiten. (28)

19. Für meinen Hausarzt ist es wichtig, dass die Patienten frei über ihre Krankheit sprechen. (29)

20. Die Betriebe sollen rationalisiert werden; dagegen wollen viele etwas unternehmen. (30)

5 Замените устойчивые глагольные сочетания простыми глаголами. Объясните смысл предложения.

1. Es ist nicht gut, wenn Kinder zu viele Ansprüche stellen.

2. Jetzt muss ich aber endlich eine Frage stellen.

3. Manche Menschen wollen immerzu auf andere Einfluss nehmen.

4. Er hat schon zu lange Kritik an mir geübt.

5. Nachdem er den Film zweimal gesehen hatte, fand er doch Gefallen daran.

6. Jeder Kranke muss sich Hoffnungen machen, sonst wird er nie gesund.

7. Du musst dir nicht ständig über die Probleme anderer Leute Gedanken machen.

8. Für ihn bin ich eine Null. Er hat noch nie Notiz von mir genommen.

9. Gegen diesen Unsinn müssen wir jetzt Protest einlegen.

10. Der Sizilianer wollte an seinem Feind Rache nehmen.

11. Ich habe mit meiner Freundin eine Verabredung getroffen.

12. Für die Reise wollen wir rechtzeitig Vorbereitungen treffen.

III Устойчивые словосочетания из глаголов с дополнением в особой функции

Общие сведения

1. В научном и канцелярском языках встречаются предложения с часто употребляемыми, простыми глаголами, как например, *kommen, bringen, nehmen, stellen* и т. д. Утратив начальное значение, подобные глаголы употребляются в устойчивых словосочетаниях (состоящих из предлога, дополнения в винительном или дательном падежах и глагола) и имеют лишь грамматическую функцию.

2. Устойчивые словосочетания с функциональными глаголами по своей форме не изменяемы, они требуют употребления определенного предлога, так же, как и употребления артикля или его отсутствие.

Für das nächste Jahr *stellte* der Finanzminister neue Steuergesetze *in Aussicht.*
Selbstverständlich *werden* die Steuererhöhungen bei der Bevölkerung *auf Ablehnung stoßen.*
Die neue Steuerreform soll so schnell wie möglich *zum Abschluss gebracht werden.*

Следующий перечень является выборочным:

1. auf Ablehnung stoßen
2. etwas zum Abschluss bringen; zum Abschluss kommen
3. etwas in Angriff nehmen
4. jdn. / etwas in Anspruch nehmen
5. etwas zum Ausdruck bringen; zum Ausdruck kommen
6. etwas in Aussicht stellen; in Aussicht stehen
7. etwas in Betracht ziehen
8. etwas in Betrieb setzen / nehmen
9. etwas unter Beweis stellen
10. etwas in Beziehung setzen; in Beziehung stehen
11. etwas in Brand setzen; in Brand geraten
12. etwas zur Diskussion stellen; zur Diskussion stehen
13. jdn. / etwas unter Druck setzen; unter Druck stehen
14. jdn. zur Einsicht bringen; zur Einsicht kommen
15. etwas in Empfang nehmen
16. etwas zu Ende bringen; zu Ende kommen
17. zu einem Entschluss kommen; zu einem Ergebnis kommen
18. etwas in Erfahrung bringen
19. jdn. in Erstaunen setzen / versetzen
20. etwas in Erwägung ziehen
21. etwas in Frage stellen; in Frage stehen; in Frage kommen
22. in Gang kommen
23. im eigenen Interesse (oder dem eines anderen) liegen
24. etwas in Kauf nehmen
25. in Konflikt geraten / kommen mit jdm. oder etwas
26. etwas in Kraft setzen; in Kraft treten
27. auf Kritik stoßen
28. jdn. zum Lachen / Weinen bringen
29. von Nutzen sein
30. etwas zur Sprache bringen; zur Sprache kommen

Примечание

Обратите внимание на разницу значения:
Man *bringt* die Konferenz gegen Mitternacht *zum Abschluss.*
Die Konferenz *wird* gegen Mitternacht *zum Abschluss gebracht.*
Gegen Mitternacht *kommt* die Konferenz *zum Abschluss.*
Man *setzte* das Gesetz *in Kraft.*
Das Gesetz *wurde in Kraft gesetzt.*
Das Gesetz *trat in Kraft.*

6 Дополните глагол устойчивого сочетания

1. a) Man will jetzt das Kraftwerk in Betrieb …
   b) Man glaubt, seine Wirtschaftlichkeit unter Beweis … zu können.
2. a) Ich … jetzt zum Abschluss meiner Rede.
   b) Im Anschluss daran wollen wir das Thema zur Diskussion …
3. a) Der Bauernhof ist aus unbekannten Gründen in Brand …
   b) Brandstiftung … sehr wahrscheinlich nicht in Frage.
4. a) Heute soll wieder das Thema Reinerhaltung der Luft zur Diskussion …
   b) Bei dieser Gelegenheit werden wir das Thema Energie durch Windräder zur Diskussion …
5. a) Die Idee der erneuerbaren Energie … bei Gegnern immer wieder auf Kritik.
   b) Diese Kritik … vermutlich im Interesse der großen Stromverbände.
6. a) Die Naturschützer wollen zum Beispiel die Nutzung der Solarenergie im großen Stil in Angriff …
   b) Dabei … sie auf Ablehnung bei gewissen Politikern und Unternehmen.
7. a) Der Redner … noch einmal die Notwendigkeit der Nutzung erneuerbarer Energie zum Ausdruck.
   b) Man versprach, den verstärkten Einsatz erneuerbarer Energie in Erwägung zu …
8. a) Die Regierung … finanzielle Hilfe für die Errichtung von Solaranlagen in Aussicht.
   b) Eine entsprechende Verordnung soll am 1. Mai in Kraft …
9. a) Man fürchtet, dass man mit den Vertretern der Atomenergie in Konflikt …
   b) Die Sparerfolge der Ökologen werden die anderen in Erstaunen …
10. a) Die Notwendigkeit der Erzeugung von Atomstrom wird von vielen Fachleuten nicht in Frage …
    b) Ob man in der Streitfrage „Mit oder ohne Atomstrom?" jemals zu einem klaren Ergebnis … wird?

7 Употребляйте при ваших ответах указанные выражения.

Hat die neue Verordnung schon Gültigkeit? (26a)
Ja, sie wurde schon in Kraft gesetzt.

1. Wurde der neue Gesetzentwurf von der Opposition abgelehnt? (1) (bei der Opposition)
2. Wollen die Wissenschaftler ihre Studie jetzt abschließen? (2a)
3. Glauben Sie, dass die Arbeit vor Jahresende abgeschlossen wird? (2b)
4. Will man dann eine neue Forschungsarbeit beginnen? (3)
5. Wird man Wissenschaftler einer anderen Fakultät zu Hilfe holen? (4) (die Hilfe von … soll …)
6. Wollte der Künstler in seinem Bild den Wahnsinn des Krieges ausdrücken? (5a)
7. Ist es ihm gelungen, in seinem Bild den Wahnsinn des Krieges deutlich auszudrücken? (5b) (Ja, in dem Bild …)
8. Kündigt die Forschungsgruppe neue Erkenntnisse auf dem Gebiet der Genforschung an? (6a)
9. Sind ganz neue Erkenntnisse zu erwarten? (6b) (Ja, es stehen …)
10. Wurden bei der Untersuchung der Kranken auch ihre Lebensumstände berücksichtigt? (7)
11. Haben Sie die Gebrauchsanweisung gelesen, bevor Sie die Maschine angestellt haben? (8)

12. Konnte der Angeklagte seine Unschuld beweisen? (9)
13. Wurde der politische Gefangene bearbeitet (13a), so dass er nicht wagte die Wahrheit zu sagen?

14. Sahen die Demonstranten ein (14b), dass sie bei der Bevölkerung keine Unterstützung fanden? (zu der Einsicht)
15. Empfing der Sieger im Tennis den Pokal gleich nach dem Spiel? (15)

8 Еще одно упражнение:

1. Haben die Schüler ihre Gemeinschaftsarbeit noch vor den Ferien beendet? (16a)
2. Hast du auch gehofft, dass der Redner bald Schluss machen würde? (16b) (zum Ende)
3. Konnte die junge Frau sich nicht entschließen (17a) die Arbeit anzunehmen? (zu dem Entschluss)
4. Versuchten die Journalisten denn nicht etwas über die Konferenz der Außenminister zu erfahren? (18) (Doch, sie …)
5. Überraschte der Zauberkünstler die Kinder mit seinen Tricks? (19)
6. Sicher musste viel bedacht werden, bevor man die neue Industrieanlage baute? (20) (Ja, vielerlei musste …)
7. Bezweifelte jemand den Sinn dieses Beschlusses? (21a) (Ja, ein Teilnehmer …)

8. Ist die Rücknahme des Beschlusses ausgeschlossen? (21c) (Ja, eine Rücknahme …)
9. Stimmt es, dass Dieselmotoren bei großer Kälte nicht laufen wollen? (22)
10. Sind Sie bereit, bei der langen Fußtour Unbequemlichkeiten auf sich zu nehmen? (24)
11. Hat es bei deiner Schwarzmarkttätigkeit Schwierigkeiten mit der Polizei gegeben? (25) (Ja, ein paarmal …)
12. Stimmt es, dass das neue Gesetz ab nächsten Monat gelten soll? (26b)
13. Wurde das neue Gesetz nicht allgemein kritisiert? (27) (Doch, …)
14. Sind denn deine Karate-Kenntnisse zu irgendetwas nütze? (29) (Ja, bei einem Überfall können …)
15. Sind unsere Probleme in der Versammlung besprochen worden? (30b)

9 Замените выражение, напечатанное курсивом, простым глаголом. При этом иногда необходимо перестроить предложение.

Der Richter wollte die Beweisaufnahme *zum Abschluss bringen*.
Der Richter wollte die Beweisaufnahme abschließen.

1. a) Die Vorschläge des Bürgermeisters *stießen* im Gemeinderat *auf Ablehnung*. b) Weil man aber *zum Ende kommen* wollte, vertagte man die Angelegenheit. c) Bei der nächsten Sitzung *stellte* der Bürgermeister die Vorschläge erneut *zur Diskussion*. (jdn. bitten etwas zu diskutieren)

2. a) Der Angeklagte behauptete, die Polizei habe ihn *unter Druck gesetzt*. (jdn. bedrängen) b) Er gab aber zu, dass er mit dem Gesetz *in Konflikt geraten* sei. (das Gesetz übertreten) c) Mit dem plötzlichen Geständnis *setzte* der Angeklagte alle Anwesenden *in Erstaunen*. (staunen über)

3. a) Die Verkaufsverhandlungen wollten nicht recht *in Gang kommen.* b) Natürlich *brachten* die Käufer den Umsatz des Geschäfts in den letzten Jahren *zur Sprache.* (sprechen über) c) Die unklaren Statistiken *stießen* bei ihnen *auf Kritik.* d) Sie meinten, es *liege* doch *im Interesse* des Verkäufers, wenn er den Käufern reinen Wein einschenke.

4. a) Der Zirkusclown war bekannt dafür, dass er Groß und Klein *zum Lachen brachte.* b) Zum Schein *kam* er stets mit seinem Kompagnon *in Konflikt.* (streiten) c) Mit einer wilden, aber furchtbar komischen Prügelei *brachte* er die Vorstellung *zum Abschluss.*

IV Идиоматические выражения и их значения

10 Дополните артикль.

1. kein Blatt vor … (m) Mund nehmen: seine Meinung offen sagen
2. aus … (f) Haut fahren: ungeduldig, wütend werden
3. jemandem auf … (Pl.) Finger sehen: jemanden genau kontrollieren
4. etwas aus … (f) Luft greifen: etwas frei erfinden
5. ein Haar in … (f) Suppe finden: einen Nachteil in einer Sache finden
6. jemandem um … (m) Hals fallen: jemanden umarmen
7. etwas in … (f) Hand nehmen: eine Sache anfangen und durchführen
8. von … (f) Hand in … (m) Mund leben: sehr arm leben
9. sich etwas aus … (m) Kopf schlagen: einen Plan aufgeben
10. Er ist seinem Vater wie aus … (n) Gesicht geschnitten: Er sieht seinem Vater sehr ähnlich.
11. etwas auf … (f) Seite legen: etwas sparen, zurücklegen
12. ein Spiel mit … (n) Feuer: eine gefährliche Sache
13. das springt in … (Pl.) Augen: das fällt stark auf
14. sich aus … (m) Staub machen: heimlich weggehen, fliehen
15. sich jemandem in … (m) Weg stellen: jemandem Schwierigkeiten machen
16. sein Geld aus … (n) Fenster werfen: sein Geld nutzlos ausgeben
17. jemandem den Stuhl vor … (f) Tür setzen: jemanden aus dem Haus schicken, „hinauswerfen"
18. in … (m) Tag hinein leben: planlos leben
19. jemandem auf … (f) Tasche liegen: vom Geld eines anderen leben
20. in … (f) Tinte sitzen: in einer unangenehmen Lage sein
21. unter … (m) Tisch fallen: eine Sache bleibt unbeachtet / unberücksichtigt
22. Die Ferien stehen vor … Tür: Es ist kurz vor den Ferien.
23. jemanden an … (f) Wand stellen: jemanden erschießen
24. einer Sache aus … (m) Weg gehen: eine Sache nicht tun, vermeiden
25. einen Rat in … (m) Wind schlagen: einen Rat nicht beachten
26. den Mantel nach … (m) Wind hängen: seine Meinung so ändern, wie es nützlich ist
27. jemandem auf … (m) Zahn fühlen: jemanden gründlich prüfen
28. mir liegt das Wort auf … (f) Zunge: ich weiß das Wort, aber ich kann mich im Augenblick nicht daran erinnern
29. auf … (f) Nase liegen: krank sein

30. jemandem in … (Pl.) Ohren liegen: jemanden mit Bitten quälen
31. jemanden auf … (f) Palme bringen: jemanden in Wut bringen
32. wie aus … (f) Pistole geschossen: ganz schnell
33. unter … (Pl.) Räuber fallen: in schlechte Gesellschaft geraten
34. die Rechnung ohne … (m) Wirt machen: sich irren
35. aus … (f) Reihe tanzen: etwas anderes tun als all die anderen
36. bei … (f) Sache sein: sich auf etwas konzentrieren
37. etwas auf … (f) Seite schaffen: etwas stehlen

11 Дополните артикль и предлог. (Если вы не знаете, какой предлог, посмотрите в упражнении 9.)

Er hat kein festes Einkommen und lebt … … Hand … … Mund. Daher hat er auch keine Möglichkeit jeden Monat etwas … … Seite zu legen. Seit zehn Jahren liegt er nun seinem Vater … … Tasche! Sie hat ihm jetzt klar ihre Meinung gesagt und hat kein Blatt … … Mund genommen. Das hat ihn natürlich sofort … … Palme gebracht. Sie hat ihm geraten sich endlich um eine Stelle zu bewerben, aber er schlägt ja jeden Rat … … Wind. Er *will* ja nicht arbeiten und geht jedem Angebot … … Weg. Und wenn sie ihm auch immer wieder damit … … Ohren liegt, er kümmert sich nicht darum und lebt weiter … … Tag hinein. Kein Wunder, dass sie manchmal … … Haut fährt! Es wird nicht mehr lange dauern, dann setzt sie ihm den Stuhl … … Tür; dann sitzt er aber … … Tinte! Sie verdient sauer das Geld und er wirft es … … Fenster! Wenn er glaubt, dass das so weitergehen kann, dann hat er die Rechnung … … Wirt gemacht. Soll er sich doch endlich … … Staub machen! Aber wenn er ganz allein ist, fällt er bestimmt bald … … Räuber. Und das will sie doch auch nicht; sie liebt ihn doch so sehr! Ach, soll er doch endlich mal sein Leben … … Hand nehmen! Aber wenn er schon mal eine Arbeit angefangen hat, findet er bestimmt bald ein Haar … … Suppe. Sie müsste ihm genauer … … Finger sehen. Stattdessen fällt sie dem Faulenzer … … Hals, sobald er nach Hause kommt!

Ответы к упражнению 6 из § 40:

1. der Blauwal 2. die Spitzmaus 3. die Giraffe 4. die Antilope 5. die Kobra 6. der Pazifische oder Stille Ozean 7. 10 900 m 8. Australien 9. in der Antarktis 10. auf Hawaii 11. an den Küsten der Antarktis 12. am 21. Dezember 13. am 21. Juni 14. Wasserstoff (chem. Zeichen: H) 15. am 3. Juli (!) 16. am 2. Januar (!)

§ 63   Употребление временных форм: презенса, перфекта, претеритума, плюсквамперфекта

I   Презенс и перфект

Презенс: время, показывающее настоящее в разговорной речи.
„Dort *fliegt* ein Storch. *Siehst* du ihn?" – „Nein, *warte* einen Augenblick! Ohne meine Brille *kann* ich ihn nicht *sehen*."

Перфект: время, показывающее прошедшее в разговорной речи.
„Gestern *ist* der erste Storch in diesem Frühjahr *vorübergeflogen*. Das *hat* mir meine Freundin *gesagt*. Aber ich *habe* ihn leider nicht *gesehen*, weil ich meine Brille nicht rechtzeitg *gefunden habe*."

Эти времена согласуются друг с другом в разговорной речи.

Презенс

Разговорное время для выражения действий, процессов и состояний в настоящем и будущем.
„Heute Vormittag *macht* mein Sohn sein Examen. Er *ist* der Beste. Er *schafft* bestimmt eine ausgezeichnete Note."

В письменной речи презенс употребляется

- в прямой речи:
  Es war ein bitterkalter Winter und das arme Mädchen rief: „Es *ist* Weihnachts-abend. *Kauft* mir doch ein paar Streichhölzchen *ab*."

- в правилах и законах:
  Wer einem anderen etwas *stiehlt* und dabei *gefasst wird*, *wird bestraft*.

- в естественно-научных познаниях:
  Die Erde *dreht* sich um die Sonne. Die Gravitation *ist* ein physikalisches Gesetz.

Кроме того презенс в письменной речи употребляется в следующих случаях:

- для передачи содержания рассказов, романов, опер, фильмов, пьес и т. д.
  Die Oper „Aida" von Verdi *spielt* im alten Ägypten. Der Prinz *verliebt* sich in Aida und *kämpft* um sie …

- в рецензиях прессы, радио, телевидения
  Der Autor *schreibt* flüssig und elegant, aber es *fehlt* ihm an historischen Kenntnissen.

- иногда в исторических изложениях
  Am Weihnachtsabend des Jahres 800 *wird* Karl der Große in Rom zum Kaiser *gekrönt*. Der Papst *setzt* ihm die Krone auf das Haupt.

Перфект

Разговорное время для выражения действий, процессов и состояний в прошедшем. (см. также § 21 о футуруме)
In der Schule *habe* ich mich immer *gelangweilt*. Wenn wir auf dem Schulhof Fußball *gespielt haben*, *hat* der Hausmeister *geschimpft* …

В письменной речи перфект употребляется

- в прямой речи:
  Das arme Mädchen mit den Streichhölzern dachte: „Heute Abend *ist* meine Großmutter *gestorben*. Sie *hat* mich lieb *gehabt* und mir alles *gegeben*.“

- в общих высказываниях, действие которых произошло до действия в презенсе:
  Seit Emil von Behring einen Impfstoff gegen die Diphtherie *entdeckt hat*, sterben weniger Kinder an dieser schrecklichen Krankheit.

II Претеритум и плюсквамперфект

Претеритум: прошедшее время письменной речи, употребляемое в литературных и информирующих текстах.
Es *war* einmal ein Fischer, der *fing* einen großen Fisch. Der Fisch *öffnete* sein Maul und *sprach* mit menschlicher Stimme.
Am 3. September *begann* die Konferenz in Tokio. Die Präsidenten aller asiatischen Länder *versammelten* sich in dem prächtigen Saal und *begrüßten* sich feierlich.

Плюсквамперфект: прошедшее время для передачи действий, произошедших до другого действия в претеритуме.
Es war einmal ein Fischer, der schon viele Fische gefangen hatte, aber so ein großer Fisch *war* ihm noch niemals vorher ins Netz *gegangen*.
Am 3. September begann die Konferenz in Tokio. Obwohl die Präsidenten der asiatischen Länder vorher gegeneinander *gestritten hatten*, begrüßten sie sich freundlich.

Оба времени, претеритум и плюсквамперфект, согласуются в письменной речи друг с другом.

Претеритум

Время в письменной речи

- Претеритум употребляется в письменной речи в прозе: в романах, рассказах, повестях. Употребление временных форм в литературе является в высокой мере стилистическим приемом, в литературе могут употребляться все временные формы.

- Последние известия пишутся в газетах и читаются по телевидению в претеритуме.

В устной речи претеритум употребляется:

- при пересказе сказок и рассказов
  Die Großmutter erzählt: Es *war* einmal eine schöne Prinzessin. Sie *lebte* in einem Schloss …

- в сообщении о собственных переживаниях (для создания особого стиля пересказа)
  Heute früh bin ich aufgestanden, aber plötzlich *donnerte* es an meiner Tür. Ich *rannte* hin und da *stand* …

- В немецких письмах довольно свободно происходит переход от перфекта к претеритуму. Умеющие хорошо писать письма употребляют для личных сообщений перфект, однако для создания особого повествующего стиля переходят на претеритум.

Плюсквамперфект

Время в письменной речи

Эта временная форма употребляется в немецкой литературе как «время повествования» в романах, прозе, рассказах, повестях. Ее применение в литературе не уставливается какими-либо правилами, использование временных форм часто зависит от личного стиля автора.
Er stand vor der Haustür, suchte in seinen Taschen, aber er fand seinen Schlüssel nicht, denn er *hatte* ihn am Morgen zu Hause *vergessen*.

В устной речи плюсквамперфект может обозначать действие, предшествующее действию в перфекте:
Alles, was er mir *erzählt hatte*, habe ich mir gemerkt.

Примечания

1. Модальные и вспомогательные глаголы в устной речи вместо перфекта употребляются в претеритуме.
   Ich *war* unruhig (не: bin … gewesen), weil ich meine Brille nicht sofort *hatte* (не: gehabt habe) und deshalb den Storch nicht *sehen konnte* (не: habe sehen können).

2. При долгом повестовании в плюсквамперфекте о чем-то совершившемся ранее другого прошедшего рассказывающий может перейти на претеритум.

3. Последние известия в газетах и по телевидению часто начинаются в перфекте, далее сообщение ведется в претеритуме.
   „Geisterstimmen" in einer Nürnberger Wohnung *haben* in der Nacht zum Freitag zu einem Polizeieinsatz *geführt*. Die Mieterin *wählte* gegen Mitternacht den Notruf, weil nach ihren Worten „geisterhafte Stimmen" aus der Wand *drangen*. Die angerückten Beamten *waren* „hellhörig": Sie *fanden* den Geist in einem Schrank in Gestalt eines dudelnden Radios.

FAZ, 9.3.1996

1 Вставьте глаголы в правильном времени.

Ein Professor, der nachts um 12 Uhr mit dem Flugzeug nach New York (reisen wollen), (sitzen) müde in seinem Sessel, nachdem er alle seine Sachen (ein-
5 packen), als plötzlich das Telefon (klin-geln). Es (sein) der Freund des Profes-sors, der schon früh am Abend (schlafen gehen) und einen Traum (haben), den er jetzt dem Professor (mitteilen): „Ich
10 (abstürzen sehen) im Traum ein Flug-zeug mit derselben Nummer, die auf deiner Flugkarte (stehen), über dem At-lantischen Ozean. Bitte (fliegen) nicht nach New York." Der Professor (verspre-
15 chen) dem Freund nicht zu fliegen. Als der Professor am nächsten Morgen (aufwachen), (rufen hören) er die Zei-tungsjungen auf der Straße: „Flugzeug Nr. 265 abgestürzt!" Er (springen) aus
20 dem Bett, (greifen) nach seiner Flugkar-te und (erkennen) dieselbe Nummer. – Sobald er sich (anziehen), (rennen) er auf die Straße, um seinem Freund, der ihn (warnen), zu danken. Als er um die Ecke (biegen), (zusammenstoßen) er so 25 unglücklich mit einem kleinen Jungen auf einem Kinderfahrrad, dass er (stür-zen) und auf das Pflaster (schlagen). „Das (sein) das Ende!", (denken) der Professor, „mein Freund (Recht haben) 30 doch."
Aber es (kommen) anders: Am späten Nachmittag (erwachen) er in einem Krankenzimmer und als sich eine freund-liche Pflegerin über ihn (beugen), (sein) 35 seine erste Frage: „Was (geschehen) mit den Insassen des Flugzeugs Nr. 265?" – „Bitte (aufregen) Sie sich nicht!", (ant-worten) die Krankenschwester. „Nur ei-ne Falschmeldung! Die Maschine (lan- 40 den) sicher." Bevor der Professor wieder in Ohnmacht (sinken), (flüstern) er: „Dann (irren) sich mein Freund also."

2 Назовите инфинитив глаголов и определите время глагола. Объясните употребление плюсквамперфекта в текстах.

Zweimal ließen Fahrer am Wochenende ihre Wagen stehen, nachdem sie zuvor erheblichen Schaden angerichtet hat-ten.
5
Der US-Autohersteller Ford hat im 1. Quartal 1996 einen dramatischen Ge-winneinbruch auf 982 Millionen Mark verzeichnet. In der entsprechenden Vor-
10 jahreszeit hatte der Konzern noch weit über zwei Milliarden Mark verdient.

Zu einem Vortragsabend mit dem The-ma „Mineralien in den Gesteinen der
15 Rhön" hatte die Geschäftsleitung der Firma Franz Carl Nüdling eingeladen. Referent Rudolf Geipel stellte unter an-derem fest, dass die Rhön noch ein weißer Fleck auf der mineralogischen
20 Landkarte sei.

Die Beamten hatten angehalten, weil das Fahrzeug des 27-Jährigen mit Warn-blinklicht auf dem Seitenstreifen der Autobahn abgestellt war. Der Fahrer ver-wies auf eine Panne und die Öllache un- 25 ter seinem Wagen.
Als er von der Streife überprüft werden sollte, gab er an, keine Papiere dabeizu-haben. Die Beamten hatten aber eine Jacke auf dem Rücksitz des Autos ent- 30 deckt, worin sich auch Ausweispapiere befanden. Das sei die Jacke seines Bru-ders, erklärte der Erfurter. Die nun miss-trauisch gewordenen Ordnungshüter nahmen den 27-Jährigen mit auf das Re- 35 vier.
Hier stellte sich heraus, dass der Be-schuldigte gelogen hatte. Den Führer-schein bereits wegen Trunkenheit am Steuer verloren, hatte er versucht seine 40 Identität zu verheimlichen.

3 Вставьте глагол в правильном времени.

Nachdem es, wie es in Ländern nördlich der Alpen oft (vorkommen), vier Wochen lang (regnen), (erscheinen) an einem Maimorgen endlich die Sonne am
5 heiteren Himmel. Sogleich (herausstrecken) ein Regenwurm, der schon lange durch die andauernde Kälte beunruhigt (sein), seinen Kopf aus dem feuchten Boden.
10 Bevor er sich noch richtig (wärmen können), (entdecken) er dicht neben sich einen zweiten Regenwurm, den er, wie er wohl (wissen), noch nie vorher (sehen). Trotzdem (sich verbeugen) er tief und
15 (beginnen) folgende höfliche Rede: „Lieber Herr Nachbar, als wir uns vor 14 Tagen im Dunkel der Erde (treffen), (sagen können) ich Ihnen nicht meinen Gruß und meine Verehrung, denn leider (sich beschäftigen müssen) man dort unten
20 immer mit Fressen und mit vollem Mund (sprechen dürfen) niemand, der von seinen Eltern gut (erziehen / Passiv). Jetzt aber (begrüßen dürfen) ich Sie mit großem Vergnügen und (bitten) Sie
25 um Ihre Freundschaft." In ähnlicher Weise (reden) er noch einige Zeit fort, (sich beklagen) über die Schweigsamkeit des anderen und (fragen) ihn nach Namen und Herkunft, bis der zweite Re-
30 genwurm endlich sein Geschwätz (unterbrechen) und mürrisch (antworten): „Quatsch doch nicht so blöd, ich bin doch dein Hinterteil!"

4 То же задание, что в упр. 3.

Ein Blinder (geschenkt bekommen) 500 Euro von der Frau eines Freundes, der vor einiger Zeit (sterben). Der Blinde (denken) niemals vorher an so ein un-
5 verhofftes Geschenk und deshalb (verstecken wollen) er das Geld, wie es so viele arme Leute (tun), in seinem Garten. Nachdem er ein tiefes Loch (graben) und seinen Schatz (verpacken und
10 hineinlegen), (verlassen) er sehr zufrieden den Ort seiner Handlung. Während dieser Arbeit (beobachten können) ihn ein Nachbar durch den Gartenzaun. Der diebische Mensch (steigen) in der fol-
15 genden Nacht in den Garten des Blinden und (nehmen) das Geld an sich. Als der Blinde am Morgen (entdecken), dass sein Schatz (stehlen / Passiv), (sterben wollen) er vor Kummer. Aber Not (ma-
20 chen) erfinderisch. Er (gehen) zu seinem Nachbarn, den er (verdächtigen) und (sagen): „Herr Nachbar, Sie (nachdenken helfen müssen) mir in einer schwierigen Angelegenheit. Vor einiger Zeit (geben / Passiv) mir von einem Freund
25 1000 Euro, die ich für ihn (verstecken sollen). Aus Angst vor Dieben (eingraben) ich die Hälfte an einem sicheren Ort. Ich (fragen wollen) Sie, ob es gut (sein / Konjunktiv), wenn ich auch den
30 Rest an die gleiche Stelle (legen)?" Selbstverständlich (raten) der Nachbar dem Blinden zu dem gleichen Versteck, aber sobald der Blinde in sein Haus (zurückkehren), (zurückbringen) der
35 Nachbar, der die ganze Summe (haben wollen), das gestohlene Geld in den Garten des Blinden. Kurze Zeit darauf (ausgraben) der Blinde seinen Schatz glücklich wieder.
40

Приложение

Правила пунктуации: запятая

I Запятая ставится

1. между простыми повествовательными предложениями без союзов или перед союзами *aber, doch, jedoch, sondern, trotzdem.* Перед союзами *und, oder, beziehungsweise, sowie, entweder ... oder, sowohl ... als (auch), weder ... noch* запятая по новым правилам не ставится:
   Alle lachten, aber er machte ein unglückliches Gesicht.
   Es regnete, trotzdem fuhr er mit dem Fahrrad ins Büro.

2. между главным предложением и придаточным:
   Ich freue mich, wenn du kommst.
   Obwohl er uns verstand, antwortete er nicht.

3. между несколькими различными придаточными предложениями:
   Ich weiß, dass ich ihm das Geld bringen muss, weil er darauf wartet.

4. между однородными членами предложения. Перед союзами *und, oder* и т. д. запятая не ставится. (см. 1):
   In der gestohlenen Tasche waren Schlüssel, Geld, Ausweise und persönliche Sachen.
   Du musst endlich den Professor, seinen Assistenten oder den Tutor danach fragen.
   Im Urlaub wollen wir lange schlafen, gut essen, viel baden und uns einmal richtig erholen.

II Запятыми выделяются

стоящие посередине главного предложения:

1. относительные и другие придаточные предложения
   Der Apfelbaum, den er selbst gepflanzt hatte, trug herrliche Früchte.

2. приложение
   Die Donau, der längste Fluss Europas, mündet ins Schwarze Meer.

3. причастные обороты
   Er schlief, von der anstrengenden Reise erschöpft, zwölf Stunden lang.

4. распространенные инфинитивные обороты и инфинитивные обороты с *um ... zu, ohne ... zu, anstatt ... zu:*
   Sie begann, um bald zu einem Ergebnis zu kommen, sofort mit der Arbeit.

III Запятая может стоять

для более четкого разграничения предложения или для избежания недоразумения

1. перед распространенными инфинитивными оборотами
   Er hofft(,) jeden Tag ein bisschen mehr Sport treiben zu können.
   Er hofft jeden Tag(,) ein bisschen mehr Sport treiben zu können.

2. перед инфинитивными оборотами с *um … zu, ohne … zu, anstatt … zu*
   Er ging zur Polizei(,) um seinen Pass abzuholen.

3. между однородными членами предложения и предложениями, соединенными союзами *und, oder* и т. д.
   Er geht immer zu Fuß zur Arbeit(,) und in die Stadt fährt er mit dem Bus.

Список сильных и неправильных глаголов

Общие сведения

1. Глаголы, включенные в список, являются корневыми глаголами. Их значение может варьироваться в зависимости от значения приставок, управления и т. п., например глагол *brechen:*
   Der Verlobte hat *sein Wort* (A) gebrochen.
   Der Junge hat den Ast *ab*gebrochen.
   Vier Häftlinge sind aus dem Gefängnis *aus*gebrochen.
   Der Gast hat das Glas *zer*brochen.
   Er hat *sich* den Arm gebrochen.
   Der junge Mann hat *mit* seinen Eltern gebrochen.
   Der Kranke hat *dreimal am Tag* gebrochen.

2. Символы (N = Nominativ, D = Dativ, A = Akkusativ, Inf.-K. = Infinitivkonstruktion) указывают на синтаксические особенности употребления глагола. Если глагол может употребляться и без соответствующего распространителя, то условное обозначение последнего заключено в скобки, например, *fahren* (A).
   В колонке „Gebrauch" не содержится никаких указаний, потому что глагол может употребляться только с обстоятельствами места или времени, а также с предложным дополнением.

Infinitiv	3. Pers. Sg. Präsens	3. Pers. Sg. Präteritum	3. Pers. Sg. Perfekt	Gebrauch
backen	er bäckt (backt)	er backte (buk)	er hat gebacken	A
befehlen	er befiehlt	er befahl	er hat befohlen	D + Inf.-K.
beginnen	er beginnt	er begann	er hat begonnen	A
beißen	er beißt	er biss	er hat gebissen	A
bergen	er birgt	er barg	er hat geborgen	A
bersten	er birst	er barst	er ist geborsten	–
betrügen	er betrügt	er betrog	er hat betrogen	A
bewegen[1]	er bewegt	er bewog	er hat bewogen	A + Inf.-K.

[1] *bewegen* (stark): Was hat ihn bewogen, so schnell abzufahren?
bewegen (schwach): Der Polizist bewegte den Arm.

Infinitiv	3. Pers. Sg. Präsens	3. Pers. Sg. Präteritum	3. Pers. Sg. Perfekt	Gebrauch
biegen	er biegt	er bog	er hat gebogen	A
bieten	er bietet	er bot	er hat geboten	D A
binden	er bindet	er band	er hat gebunden	A
bitten	er bittet	er bat	er hat gebeten	A + Inf.-K.
blasen	er bläst	er blies	er hat geblasen	(A)
bleiben	er bleibt	er blieb	er ist geblieben	–
braten	er brät (bratet)	er briet	er hat gebraten	A
brechen	er bricht	er brach	er ist / hat gebrochen	(A)
brennen	er brennt	er brannte	er hat gebrannt	–
bringen	er bringt	er brachte	er hat gebracht	D A
denken	er denkt	er dachte	er hat gedacht	–
dingen[2]	er dingt	er dang	er hat gedungen	A
dreschen	er drischt	er drosch	er hat gedroschen	A
dringen[3]	er dringt	er drang	er ist / hat gedrungen	–
dürfen	er darf	er durfte	er hat gedurft	–
empfehlen	er empfiehlt	er empfahl	er hat empfohlen	D + Inf.-K. D A
erlöschen[4]	er erlischt	er erlosch	er ist erloschen	–
erschrecken[5]	er erschrickt	er erschrak	er ist erschrocken	–
erwägen	er erwägt	er erwog	er hat erwogen	A
essen	er isst	er aß	er hat gegessen	A
fahren[6]	er fährt	er fuhr	er ist / hat gefahren	(A)
fallen	er fällt	er fiel	er ist gefallen	–
fangen	er fängt	er fing	er hat gefangen	A
fechten	er ficht	er focht	er hat gefochten	–
finden	er findet	er fand	er hat gefunden	A
flechten	er flicht	er flocht	er hat geflochten	A
fliegen[7]	er fliegt	er flog	er ist / hat geflogen	(A)
fliehen	er flieht	er floh	er ist geflohen	–
fließen	er fließt	er floss	er ist geflossen	–
fressen	er frisst	er fraß	er hat gefressen	A
frieren	er friert	er fror	er hat gefroren	–
gären[8]	er gärt	er gor	er ist gegoren	–

[2] *dingen:* heute nur noch „einen Mörder dingen = der gedungene Mörder"
[3] *ist / hat gedrungen:* Das Wasser ist in den Keller gedrungen. – Er hat auf die Einhaltung des Vertrages gedrungen.
[4] *erlöschen* (stark): Das Feuer erlosch im Kamin.
löschen (schwach): Die Feuerwehr löschte das Feuer.
[5] *erschrecken* (stark): Das Kind erschrak vor dem Hund.
erschrecken (schwach): Der Hund erschreckte das Kind.
[6] *ist / hat gefahren:* Er ist nach England gefahren. – Er hat den Wagen in die Garage gefahren.
[7] *ist / hat geflogen:* Wir sind nach New York geflogen. – Der Pilot hat die Maschine nach Rom geflogen.
[8] *gären* (stark): Der Most gor im Fass.
gären (schwach): Schon Jahre vor der Revolution gärte es im Volk.

Infinitiv	3. Pers. Sg. Präsens	3. Pers. Sg. Präteritum	3. Pers. Sg. Perfekt	Gebrauch
gebären	sie gebiert (gebärt)	sie gebar	sie hat geboren	A
geben	er gibt	er gab	er hat gegeben	D A
gedeihen	er gedeiht	er gedieh	er ist gediehen	–
gehen	er geht	er ging	er ist gegangen	–
gelingen	es gelingt	es gelang	es ist gelungen	D + Inf.-K.
gelten	er gilt	er galt	er hat gegolten	–
genesen	er genest	er genas	er ist genesen	–
genießen	er genießt	er genoss	er hat genossen	A
geschehen	es geschieht	es geschah	es ist geschehen	–
gewinnen	er gewinnt	er gewann	er hat gewonnen	(A)
gießen	er gießt	er goss	er hat gegossen	A
gleichen	er gleicht	er glich	er hat geglichen	D
gleiten	er gleitet	er glitt	er ist geglitten	–
glimmen	er glimmt	er glomm	er hat geglommen	–
graben	er gräbt	er grub	er hat gegraben	(D) A
greifen	er greift	er griff	er hat gegriffen	(A)
haben	er hat	er hatte	er hat gehabt	A
halten	er hält	er hielt	er hat gehalten	(A)
hängen[9]	er hängt	er hing	er hat gehangen	–
hauen	er haut	er hieb (haute)	er hat gehauen	A
heben	er hebt	er hob	er hat gehoben	A
heißen	er heißt	er hieß	er hat geheißen	(N) AA
helfen	er hilft	er half	er hat geholfen	D
kennen	er kennt	er kannte	er hat gekannt	A
klimmen	er klimmt	er klomm	er ist geklommen	–
klingen	er klingt	er klang	er hat geklungen	–
kneifen	er kneift	er kniff	er hat gekniffen	A
kommen	er kommt	er kam	er ist gekommen	–
können	er kann	er konnte	er hat gekonnt	A
kriechen	er kriecht	er kroch	er ist gekrochen	–
laden	er lädt	er lud	er hat geladen	A
lassen[10]	er lässt	er ließ	er hat gelassen	(D) A
laufen	er läuft	er lief	er ist gelaufen	–
leiden	er leidet	er litt	er hat gelitten	–
leihen	er leiht	er lieh	er hat geliehen	D A
lesen	er liest	er las	er hat gelesen	A
liegen	er liegt	er lag	er hat gelegen	–
lügen	er lügt	er log	er hat gelogen	–
mahlen	er mahlt	er mahlte	er hat gemahlen	A

---

[9]   *hängen* (stark): Die Kleider hingen im Schrank.
     hängen (schwach): Sie hängte die Kleider in den Schrank.
[10] *lassen* (stark): Sie ließ die Kinder zu Hause.
     veranlassen (schwach): Die Behörden veranlassten die Schließung des Lokals.

Infinitiv	3. Pers. Sg. Präsens	3. Pers. Sg. Präteritum	3. Pers. Sg. Perfekt	Gebrauch
meiden	er meidet	er mied	er hat gemieden	A
melken	er melkt	er molk (melkte)	er hat gemolken	A
messen	er misst	er maß	er hat gemessen	A
mögen	er mag	er mochte	er hat gemocht	A
müssen	er muss	er musste	er hat gemusst	–
nehmen	er nimmt	er nahm	er hat genommen	D A
nennen	er nennt	er nannte	er hat genannt	AA
pfeifen	er pfeift	er pfiff	er hat gepfiffen	A
preisen	er preist	er pries	er hat gepriesen	A
quellen	er quillt	er quoll	er ist gequollen	–
raten	er rät	er riet	er hat geraten	D + Inf.-K.
reiben	er reibt	er rieb	er hat gerieben	A
reißen[11]	er reißt	er riss	er hat / ist gerissen	–
reiten[12]	er reitet	er ritt	er ist / hat geritten	(A)
rennen	er rennt	er rannte	er ist gerannt	–
riechen	er riecht	er roch	er hat gerochen	(A)
ringen	er ringt	er rang	er hat gerungen	–
rinnen	er rinnt	er rann	er ist geronnen	–
rufen	er ruft	er rief	er hat gerufen	A
salzen	er salzt	er salzte	er hat gesalzen	A
saufen	er säuft	er soff	er hat gesoffen	A
saugen	er saugt	er sog (saugte)	er hat gesogen (gesaugt)	(A)
schaffen[13]	er schafft	er schuf	er hat geschaffen	A
scheiden[14]	er scheidet	er schied	er hat / ist geschieden	(A)
scheinen	er scheint	er schien	er hat geschienen	–
scheißen	er scheißt	er schiss	er hat geschissen	–
schelten	er schilt	er schalt	er hat gescholten	A (AA)
scheren	er schert	er schor	er hat geschoren	(D) A
schieben	er schiebt	er schob	er hat geschoben	A
schießen	er schießt	er schoss	er hat geschossen	(A)
schlafen	er schläft	er schlief	er hat geschlafen	–
schlagen	er schlägt	er schlug	er hat geschlagen	A
schleichen	er schleicht	er schlich	er ist geschlichen	–
schleifen[15]	er schleift	er schliff	er hat geschliffen	A
schließen	er schließt	er schloss	er hat geschlossen	A
schlingen	er schlingt	er schlang	er hat geschlungen	(A)

[11] *hat / ist gerissen:* Das Pferd hat an dem Strick gerissen. – Der Strick ist gerissen.

[12] *ist / hat geritten:* Er ist durch den Wald geritten. – Er hat dieses Pferd schon lange geritten.

[13] *schaffen* (stark): Am Anfang schuf Gott Himmel und Erde.
schaffen (schwach): Ich habe die Arbeit nicht mehr geschafft.

[14] *hat / ist geschieden:* Der Richter hat die Ehe geschieden. – Er ist ungern von hier geschieden.

[15] *schleifen* (stark): Er hat das Messer geschliffen.
schleifen (schwach): Er schleifte den Sack über den Boden.

Infinitiv	3. Pers. Sg. Präsens	3. Pers. Sg. Präteritum	3. Pers. Sg. Perfekt	Gebrauch
schmeißen	er schmeißt	er schmiss	er hat geschmissen	A
schmelzen[16]	er schmilzt	er schmolz	er hat / ist geschmolzen	A
schneiden	er schneidet	er schnitt	er hat geschnitten	(A)
schreiben	er schreibt	er schrieb	er hat geschrieben	(D) A
schreien	er schreit	er schrie	er hat geschrie(e)n	–
schreiten	er schreitet	er schritt	er ist geschritten	–
schweigen	er schweigt	er schwieg	er hat geschwiegen	–
schwellen[17]	er schwillt	er schwoll	er ist geschwollen	–
schwimmen[18]	er schwimmt	er schwamm	er ist / hat geschwommen	–
schwingen	er schwingt	er schwang	er hat geschwungen	(A)
schwören	er schwört	er schwor	er hat geschworen	(D) A
sehen	er sieht	er sah	er hat gesehen	A
sein	er ist	er war	er ist gewesen	N
senden[19]	er sendet	er sandte (sendete)	er hat gesandt (gesendet)	(D) A
singen	er singt	er sang	er hat gesungen	A
sinken	er sinkt	er sank	er ist gesunken	–
sinnen	er sinnt	er sann	er hat gesonnen	–
sitzen	er sitzt	er saß	er hat gesessen	–
sollen	er soll	er sollte	er hat gesollt	–
spalten	er spaltet	er spaltete	er hat gespalten	A
speien	er speit	er spie	er hat gespie(e)n	–
spinnen	er spinnt	er spann	er hat gesponnen	A
sprechen	er spricht	er sprach	er hat gesprochen	A
sprießen	er sprießt	er spross	er ist gesprossen	–
springen	er springt	er sprang	er ist gesprungen	–
stechen	er sticht	er stach	er hat gestochen	(A)
stehen	er steht	er stand	er hat gestanden	–
stehlen	er stiehlt	er stahl	er hat gestohlen	D A
steigen	er steigt	er stieg	er ist gestiegen	–
sterben	er stirbt	er starb	er ist gestorben	–
stieben	er stiebt	er stob	er ist gestoben	–
stinken	er stinkt	er stank	er hat gestunken	–
stoßen[20]	er stößt	er stieß	er hat / ist gestoßen	–
streichen	er streicht	er strich	er hat gestrichen	A
streiten	er streitet	er stritt	er hat gestritten	–

[16] *hat / ist geschmolzen:* Das Wachs ist geschmolzen. – Sie haben das Eisenerz geschmolzen.

[17] *schwellen* (stark): Seine linke Gesichtshälfte ist geschwollen.
schwellen (schwach): Der Wind schwellte die Segel.

[18] *ist / hat geschwommen:* Der Flüchtling ist durch die Elbe geschwommen. – Er hat drei Stunden im Schwimmbad geschwommen.

[19] *senden* (stark): Sie hat mir ein Weihnachtspäckchen gesandt.
senden (schwach): Um 20 Uhr werden die Nachrichten gesendet.

[20] *hat / ist gestoßen:* Ich habe mich an der Küchentür gestoßen. – Er ist mit dem Fuß gegen einen Stein gestoßen.

Infinitiv	3. Pers. Sg. Präsens	3. Pers. Sg. Präteritum	3. Pers. Sg. Perfekt	Gebrauch
tragen	er trägt	er trug	er hat getragen	(D) A
treffen	er trifft	er traf	er hat getroffen	A
treiben[21]	er treibt	er trieb	er hat / ist getrieben	(A)
treten[22]	er tritt	er trat	er ist / hat getreten	–
trinken	er trinkt	er trank	er hat getrunken	A
tun	er tut	er tat	er hat getan	A
verbleichen	es verbleicht	es verblich	er / es ist verblichen	–
verderben[23]	er verdirbt	er verdarb	er hat / ist verdorben	(DA)
verdrießen	es verdrießt	es verdross	es hat verdrossen	A
vergessen	er vergisst	er vergaß	er hat vergessen	A
verlieren	er verliert	er verlor	er hat verloren	A
verschwinden	er verschwindet	er verschwand	er ist verschwunden	–
verzeihen	er verzeiht	er verzieh	er hat verziehen	D A
wachsen	er wächst	er wuchs	er ist gewachsen	–
waschen	er wäscht	er wusch	er hat gewaschen	(D) A
weichen[24]	er weicht	er wich	er ist gewichen	–
weisen	er weist	er wies	er hat gewiesen	D A
wenden	er wendet	er wandte (wendete)	er hat gewandt (gewendet)	(A)
werben	er wirbt	er warb	er hat geworben	(A)
werden	er wird	er wurde	er ist geworden	N
werfen	er wirft	er warf	er hat geworfen	A
wiegen[25]	er wiegt	er wog	er hat gewogen	A
winden	er windet	er wand	er hat gewunden	A
wissen	er weiß	er wusste	er hat gewusst	A
wollen	er will	er wollte	er hat gewollt	A
wringen	er wringt	er wrang	er hat gewrungen	A
ziehen[26]	er zieht	er zog	er hat / ist gezogen	A
zwingen	er zwingt	er zwang	er hat gezwungen	A + Inf.-K.

[21] *ist / hat getrieben:* Sie hat die Kühe auf die Weide getrieben. – Das Boot ist an Land getrieben.

[22] *hat / ist getreten:* Er ist ins Zimmer getreten. – Er hat mir auf den Fuß getreten.

[23] *hat / ist verdorben:* Er hat mir alle Pläne verdorben. – Das Fleisch ist in der Hitze verdorben.

[24] *weichen* (stark): Der Bettler wich nicht von meiner Seite.
weichen (schwach): Die Brötchen sind in der Milch aufgeweicht.

[25] *wiegen* (stark): Der Kaufmann wog die Kartoffeln.
wiegen (schwach): Die Mutter wiegte ihr Kind.

[26] *hat / ist gezogen:* Das Pferd hat den Wagen gezogen. – Er ist in eine neue Wohnung gezogen.

Список грамматических терминов

активное предложение (предложение в активном залоге)	*der Aktivsatz*	= Действие исходит от определенных лиц или предметов. См. также „пассивное предложение“. *Herr Müller gräbt seinen Garten um.* *Das Schiff versinkt im Ozean.*
альтернативный	*alternativ*	= обозначающий альтернативную возможность: *Entweder* gelingt das Experiment *oder* wir müssen wieder von vorne anfangen.
артикль	*der Artikel* (das Geschlechtswort)	1. определенный артикль: единственное число: *der, die, das* множественное число: *die* 2. неопределенный артикль: единственное число: *ein, eine, ein* множественное число: без артикля
будущее время (футурум)	*das Futur*	1. определенное будущее время: Wir müssen uns beeilen, es *wird* gleich *regnen*. (Futur I) Bis morgen *werden* wir das Problem *gelöst haben*. (Futur II) 2. предполагаемое будущее время: Im Lauf der nächsten Jahre *werden* wir uns wohl *wiedersehen*. (Futur I) Es ist sechs Uhr; sie *wird* schon nach Hause *gegangen sein*. (Futur II) Для выражения будущего в немецком языке служит форма презенса + лексический указатель времени: Herr Koop *heiratet* nächsten Montag.
винительный падеж (аккузатив)	*der Akkusativ* (der 4. Fall, Wenfall)	= употребление в предложении: 1. дополнение в винительном падеже (вопрос: *wen?* или *was?*): Ich sehe *den Berg*. 2. при обозначении времени (вопрос: *wann?*): Er kommt *jeden Freitag*. 3. при обозначении меры (вопрос: *wie lang?* и т. д.): Der Tisch ist *einen Meter* lang. Der Säugling ist *einen Monat* alt.
возвратное местоимение	*das Reflexivpronomen* (rückbezügliches Fürwort)	= употребляется при глаголах, указывает на подлежащее. Im Urlaub haben wir uns gut erholt. Er beschäftigt *sich* nur mit seinen Tauben. Der Junge und das Mädchen trafen *sich* im Café.

вопрос **(вопросительное** **предложение)**	*die Frage*	1. прямой вопрос: „*Kommst du bald?*" „*Wann kommst du?*" 2. косвенный вопрос: Sie fragte, *ob er bald komme.* Sie fragte, *wann er komme.* 3. вопросительное предложение в роли придаточного: Ich weiß nicht, *ob er kommt.* Ich weiß nicht, *wann er kommt.*
временный **(темпоральный)**	*temporal*	= обозначающий временную отнесенность время (вопрос *wann?*): 1. временное простое предложение: Es blitzte und donnerte, *dann begann es zu regnen.* 2. временное придаточное предложение: *Als er starb,* war er 85 Jahre alt. 3. обстоятельство времени: *Am 3. Juli* beginnen die Ferien. *Jeden Morgen* fährt er nach Darmstadt.
вспомогательный **глагол**	*das Hilfsverb*	*haben, sein, werden*
главное (простое) **предложение**	*der Hauptsatz*	= полное, самостоятельное предложение; спрягаемая часть сказуемого стоит на втором месте: *Er gab mir das Buch zurück.*
глагол	*das Verb* (Zeit- oder Tätigkeitswort)	1. исходной формой глагола является инфинитив: *essen, abreisen, erkennen, sich unterhalten* 2. в предложении глагол употребляется в спрягаемой форме: *er isst, er reiste … ab, er erkennt, er unterhält sich*
глаголы с **неотделяемыми** **приставками**	*untrennbare Verben*	= глаголы, приставки которых никогда не отделяются: Er *zerreißt* den Brief.
глаголы с **отделяемой** **приставкой**	*trennbare Verben*	= глаголы, приставки которых отделяются в определенных позициях: Er *reist* um 23 Uhr *ab.*
гласный	*der Vokal*	*a, e, i (ie), o, u*
дательный падеж **(датив)**	*der Dativ* (der 3. Fall, Wemfall)	= употребление в предложении: дополнение в дательном падеже (вопрос *wem?*) Ich vertraue *meinem Nachbarn.*
дифтонг	*Diphthong* (der Doppellaut)	= состоящий из двух гласных звуков: *au, ei, eu*

дополнение (объект)	*das Objekt*	= употребление в предложении: 1. дополнение в винительном падеже (вопрос: *wen?* или *was?*): Wir lieben *den Wein* und *die Musik.* 2. дополнение в дательном падеже (вопрос: *wem?*): Der Lehrling widerspricht *dem Meister.* 3. дополнение в родительном падеже: (вопрос: *wessen?*): Der Händler wurde *des Betrugs* verdächtigt.
единственное число	*der Singular*	= *Ich lese die Zeitung.*
женский род	*feminin*	= *die Frau, die Beamtin, die Polin, die Bank, die Hoffnung*
зависимое определение	*das Rangattribut*	*Nicht* der Angeklagte, sondern das Gericht muss die Tat beweisen. *Auch* seine Stimme sollte gehört werden.
именительный падеж (номинатив)	*der Nominativ* (der 1. Fall, Werfall)	= употребление в предложении: подлежащее (вопрос: *wer?* или *was?*): *Der Polizist* zeigte uns den Weg.
именное сказуемое	*der Prädikatsnominativ*	= дополнение к глаголам *sein* и *werden* и т. д., сочетающимся с двумя именительными падежами: Die Biene ist *ein Insekt.*
имя прилагательное	*das Adjektiv* (das Eigenschaftswort)	*grün, breit, alt, mutig*
имя существительное	*das Substantiv*	= часть речи; пишется с большой буквой; как правило, употребляется с артиклем: die *Sonne,* der *Mond,* множественное число: die *Sterne*
императив (повелительное наклонение)	*der Imperativ*	= повелительная форма: *Gib mir die Hand!* *Denkt an die Zukunft!* *Bitte warten Sie!*
имперфект (прошедшее время)	*das Imperfekt*	= форма прошедшего времени, употребляемая в письменном повествовании: 1. актив: Er *studierte* Chemie. 2. пассив: Er *wurde* verhaftet.
индикатив (изъявительное наклонение)	*der Indikativ*	= форма действительности в отличие от формы недействительности. См. также „конъюнктив". *ich sage, ich habe gesagt; du läufst, du bist gelaufen*

инструментальный	*instrumental*	= обозначающий способ, средство или инструмент, при помощи которого осуществляется действие: 1. придаточное предложение образа действия: Sie fanden den Weg aus dem Urwald, *indem sie einem Fluss folgten.* 2. обстоятельство образа действия с предлогом: *Mittels (Mit Hilfe) eines Kompasses* bestimmen die Seeleute ihren Kurs.
инфинитив (основная форма глагола)	*der Infinitiv*	= неспрягаемая форма глагола: 1. инфинитив I актив: *üben, kommen* 2. инфинитив II актив: *geübt haben; gekommen sein* 3. инфинитив I актив: *geübt werden* 4. инфинитив II актив: *geübt worden sein*
инфинитивная группа (инфинитивный оборот)	*die Infinitivkonstruktion*	1. инфинитивная группа после определенных глаголов: Er *versuchte* den Bewusstlosen aus dem Wasser *zu ziehen.* 2. инфинитивный оборот с „um, ohne, anstatt": Er besucht den Kurs *um Englisch zu lernen.* Er ging vorbei *ohne mich anzusehen.* Sie reden nur *anstatt zu handeln.*
ирреалис	*irrealer Konjunktiv*	= наклонение недействительности, конъюнктив недействительности: 1. предложение, выражающее, нереальное желание: *Wenn sie doch käme! / Käme sie doch!* 2. нереальное условное придаточное предложение: *Wenn ich Geld hätte, führe ich nach Italien!* 3. нереальное придаточное сравнительное предложение: Er tat so, *als ob er krank wäre.*
количественное числительное	*die Kardinalzahlen* (die Grundzahl)	*eins, zwei, drei … hundert, tausend …* *(1, 2, 3 …)*
конъюнктив (сослагательное наклонение)	*der Konjunktiv*	= форма сослагательного наклонения со значением возможности: 1. конъюнктив I = см. „косвенная речь" 2. конъюнктив II = см. „ирреалис" (конъюнктив недействительности)
косвенная речь	*die indirekte Rede*	= передача прямой речи другим лицом: Er sagte, *er gehe in die Kirche.* Er sagte, *er sei in die Kirche gegangen.*

личное местоимение	*das Personalpronomen* (das persönliche Fürwort)	1. как средство наименования лиц: *Ich* gehe nach Hause. Leider hast *du* mir nicht geantwortet. *Ihr* habt alles verdorben. 2. как средство указывания на уже упомянутые лица или предметы: Ich kenne meine Freundin. *Sie* ist sehr zuverlässig. Der Schüler fragte. Der Lehrer antwortete *ihm*.
местоимение	*das Pronomen* (das Fürwort)	1. см. „возвратное местоимение" 2. см. „личное местоимение" 3. см. „неопределенное местоимение" 4. см. „относительное местоимение" 5. см. „притяжательное местоимение" 6. см. „указательное местоимение"
местоименное наречие	*das Pronominaladverb*	= замещает уже упомянутое предложное дополнение: (Er denkt an seine Heimat.) Er denkt *daran*, in seine Heimat zurückzukehren.
множественное число	*der Plural*	*Wir spielen mit den Kindern.*
модальный	*modal*	= обозначающий образ действия (вопрос: *wie?*) 1. наречия образа действия или обстоятельства образа действия: Seine Höflichkeit war mir *angenehm*. *Mit freundlichen Worten* erklärte er mir meine Fehler. 2. придаточные сравнительные предложения образа действия: Er verhielt sich *so, wie ich es erwartet hatte.* 3. придаточные сравнительные предложения образа действия: a) реальные придаточные сравнительные предложения: Er verhielt sich *genauso wie früher.* b) нереальные придаточные сравнительные предложения: Er tat *so, als ob er alles wüsste.*
модальный глагол	*das Modalverb*	*können, wollen, müssen* и т. д., *lassen*
мужской род	*maskulin*	*der Mann, der Bäcker, der Pole, der Schrank, der Staat*
наклонение	*der Modus*	= индикатив (изъявительное наклонение), конъюнктив (сослагательное наклонение)

наречие	*das Adverb* (das Umstandswort)	Er kommt *heute*. (вопрос: *wann?*) Er steht *dort*. (вопрос: *wo?*) Er spricht *schnell*. (вопрос: *wie?*)
неопределенное местоимение	*das Indefinitpronomen* (das unbestimmte Fürwort)	= указывает на неопределенные лица или предметы: *Jemand* hat mich angerufen. *Manches* Küchengerät ist unnütz.
непереходные глаголы	*intransitive Verben*	= глаголы, управляющие косвенными падежами (не управляющие винительным падежом): Er *geht* nach Hause. Der Schrank *steht* in der Ecke. Das Mädchen *gefällt* mir nicht.

обозначающий
 место
	lokal	= локальный (вопрос: *wo?* или *wohin?*)
		 1. наречия места или обстоятельства
		     места:
		     Dort liegt der Brief. (вопрос: *wo?*)
		     Im Zug sprach mich ein Herr an.
		     (вопрос: *wo?*)
		     Wir wollen *auf den Berg* steigen.
		     (вопрос: *wohin?*)
		 2. придаточные предложения,
		     называющие место действия:
		     Ich weiß nicht, *wo meine Brille ist.*
		     Ich weiß nicht, *wohin ich meine Brille*
		     gelegt habe.

обстоятельство	*die adverbiale Angabe*	Er kommt *jeden Freitag um acht Uhr.* (вопрос: *wann?*) Er wohnt *in der Gartenstraße neben* *dem Postamt.* (вопрос: *wo?*) Er läuft *auf die Straße.* (вопрос: *wohin?*) Er spricht *mit leiser Stimme.* (вопрос: *wie?*)
окончание	*die Endung*	см. „основа"

определение	*das Attribut*	1. определение, выраженное
		     прилагательным:
		     der *grüne* Baum, *frische* Luft
		 2. определение, выраженное существи-
		     тельным в родительном падеже:
		     der Bruder *meines Mannes*
		 3. определение, выраженное
		     обстоятельствами:
		     der Kongress *in der alten Oper*
		     die Nachrichten *um 20 Uhr*
		     im *Hamburger* Hafen

основа и
 окончание
	der Stamm und
	 die Endung
		основа: окончание:
		         geb *en*
		 du *lach* *st*
		 ihr *könnt* *et*
		 des *Kind* *es*
		        schön *er* и т. д.

основные формы глагола	*Stammformen*	= формы глагола, от которых образуются спрягаемые формы глагола: *lachen,* er *lachte,* er hat *gelacht* *gehen,* er *ging,* er ist *gegangen*
относительное местоимение	*das Relativpronomen* (bezügliches Fürwort)	der Mann, *der* … die Frau, *die* … das Kind, *das* … и т. д.
относительное придаточное предложение	*der Relativsatz*	в именительном падеже: Kinder, *die viel Süßigkeiten essen,* haben oft schlechte Zähne. в родительном падеже: Der Bauer, *dessen Scheune abgebrannt war,* erhielt Schadenersatz. в дательном падеже: Man hat den Ingenieur, *dem ein Fehler nachgewiesen wurde,* entlassen. в винительном падеже: Spät abends kam ein Gast, *den niemand kannte.*
падеж	*der Kasus* (der Fall)	именительный, родительный, дательный, винительный
пассивное предложение (предложение в пассивном залоге)	*der Passivsatz*	= важно само действие, действующие лица либо неизвестны, либо не представляют для говорящего интереса. См. также „активное предложение". *Hier wird eine Straße gebaut.*
пассив состояния	*das Zustandspassiv*	= причастие II + глагол *sein* обозначают состояние, наступившее после свершившегося действия (вопрос: *wie?*) Die Stadt *ist zerstört.*
переходные глаголы	*transitive Verben*	= глаголы, управляющие винительным падежом: Sie *bauen* einen Staudamm. Er *steckte* den Geldschein in die Tasche.
перфект	*das Perfekt*	= форма прошедшего времени, употребляемая в устной речи: 1. актив: Ich *bin* gestern zu spät *gekommen.* Wir *haben* das Paket zur Post *gebracht.* 2. пассив: Gestern *ist* mein Freund *operiert worden.*
плюсквамперфект	*das Plusquamperfekt*	= Форма, выражающая предшествование в прошедшем времени, употребляется преимущественно в письменном повествовании: 1. актив: Weil er seinen Schlüssel *vergessen hatte,* musste er bei uns übernachten.

		2. пассив: Weil dier Fahrpreise *erhöht worden waren*, fuhren noch mehr Leute mit dem eigenen Auto.
подлежащее	*das Subjekt*	= часть предложения, стоящая в именительном падеже (вопрос: *wer?* или *was?*): *Die Sonne* steht hoch am Himmel. Endlich kam *er* zum Essen.
порядковое числительное	*die Ordinalzahlen* (die Ordnungszahl)	der *erste*, der *zweite* ... der *hundertste* ... (1., 2. ... 100.) Am ersten Tag ... / Er war der Erste.
превосходная степень	*der Superlativ*	= высшая степень сравнения: 1. превосходная степень прилагательного: Der 21. Juni ist der *längste* Tag des Jahres. 2. превосходная степень наречия: Um Weihnachten sind die Tage *am kürzesten.*
предлог	*die Präposition*	с винительным падежом: *für, gegen* и т. д. с дательным падежом: *aus, bei* и т. д. с винительным и дательным падежами: *auf, unter* и т. д. с родительным падежом: *während, wegen, trotz* и т. д.
предложное дополнение	*das Präpositionalobjekt*	= относится к глаголам с предложным управлением: Ich verlasse mich *auf seine Ehrlichkeit.* Er fürchtet sich *vor seinem Examen.*
презенс	*das Präsens*	= форма настоящего времени в устной речи, обозначает также действия, простирающиеся в прошедшее, настоящее и будущее: 1. актив: Was *tust* du? – Ich *höre* Musik. Die Erde *kreist* um die Sonne. 2. пассив: Ich *werde verfolgt.* Seit Jahrtausenden *werden* die gleichen mathematischen Regeln *angewandt.*
претеритум	*das Präteritum*	= форма прошедшего времени в письменной речи 1. актив: Er *studierte* Chemie. 2. пассив: Er *wurde* verhaftet.
придаточное предложение	*der Nebensatz*	= зависимое, неполное предложение; спрягаемая часть сказуемого стоит в придаточном предложении на последнем месте (Исключения см. §§ 18 сл., 28, 54, II): Er versteht mich, *weil er mich kennt.*

приложение	*die Apposition* (der Beisatz)	Herr Meyer, *unser neuer Kollege,* ist sehr sympathisch.
приставка	*das Präfix* (die Vorsilbe)	= часть слова, стоящая в начале производного существительного, наречия и. т.д., например: *be-, er-, ge-, ver-*: *be*kennen, das *Be*kenntnis; die *Be*kanntschaft, *be*kannt; *ver*wenden, die *Ver*wendung; die *Ver*wandtschaft, *ver*wandt (По отношению к неотделяемым приставкам употребляется немецкий термин „Vorsilbe“.)
притяжательное местоимение	*das Possessivpronomen* (das besitzanzeigende Fürwort)	= указывает на принадлежность: *Mein* Bruder studiert in München. Er ärgert sich über *seinen* Kollegen. Ich habe *Ihren* Brief leider noch nicht beantwortet.

причастие I	*das Partizip Präsens*
	(das Mittelwort der Gegenwart)
		= инфинитив + d: *lachend, weinend*
		1. в качестве обстоятельства:
		   Das Kind lief *weinend* in die Küche.
		2. в качестве определения:
		   Das *weinende* Kind lief in die Küche.

причастие II	*das Partizip Perfekt* (das Mittelwort der Vergangenheit)	Er ist *gekommen.* Er hat mich *erkannt.* Er ist *eingeschlafen.* Das Dokument ist *gefälscht* worden.
причастный оборот	*der Partizipialsatz*	= причастие в роли обстоятельства с относящимися к нему словами: Die Zuschauer zeigten *Beifall klatschend und laut jubelnd* ihre Zustimmung.

причинный (каузальный)	*kausal*	= обозначающий причину (вопрос: *warum?*)
		1. причинное простое предложение:
		   Sie kommt heute nicht, *denn wir haben uns gestritten.*
		   Wir haben uns gestritten; *darum kommt sie heute nicht.*
		2. причинное придаточное предложение:
		   Sie kommt heute nicht, *weil wir uns gestritten haben.*
		3. обстоятельство причины с предлогом:
		   Wegen unseres Streits kommt sie heute nicht.

противительный	*adversativ*	= обозначающий противопоставление: Ich kenne alle Wörter, *aber* ich verstehe den Satz nicht.
прямая речь	*die direkte Rede*	Er sagte: „Ich gehe jetzt.“ Er fragte: „Gehst du jetzt?“ Er befahl: „Geh jetzt!“

распространенное определение	die Partizipial-konstruktion	= причастие в роли определения с относящиеся к нему слова: 1. причастие I: Das *am Ende der Straße liegende* Hotel … = Das Hotel, das am Ende der Straße liegt, … 2. причастие II: Die *durch ein Erdbeben zerstörte* Stadt … = Die Stadt, die durch ein Erdbeben zerstört worden ist, …
род	*das Genus* (= das Geschlecht)	мужской, женский, средний
родительный падеж (генитив)	*der Genitiv* (der 2. Fall, Wesfall)	= употребление в предложении: 1. дополнение в родительном падеже (вопрос *wessen?*): Man klagte ihn *des Diebstahls* an. 2. определение в родительном падеже: Der Vortrag *des Professors* war interessant.
склонение	*die Deklination*	склонение существительных, артикля, местоимений и прилагательных: именительный падеж: *der Mann* родительный падеж: *des Mannes* дательный падеж: *dem Mann* винительный падеж: *den Mann* и т. д.
следственный (консекутивный)	*konsekutiv*	= обозначающий следствие: придаточное предложение следствия: Er war *so* aufgeregt, *dass* er stotterte. Er hatte keine Kinder, *so dass* sein Neffe alles erbte.
согласный	*der Konsonant* (der Mitlaut)	*b, c, d, f, g, h* и т. д.
союз	*Konjunktion*	= слово, служащее для соединения предложений: 1. сочинительные союзы: Er geht voran *und* ich folge ihm. (auf Position 0) Du hast dich nicht verändert; *darum* habe ich dich sofort erkannt. (auf Position 1) 2. подчинительные союзы (auch: Subjunktionen): Sein Sohn erbte alles, *als* er starb. Er bekam die Erbschaft, *weil* er fleißig und tüchtig war.
спрягаемый глагол	*konjugiertes Verb*	= спрягаемая часть сказуемого. Употребление в предложении: Глагол стоит в спрягаемой форме, или в форме с личным окончанием:

Er *geht* zu Fuß zur Schule.
Du *hast* dich erkältet.
Wir *kamen* zu spät *an.*
… , als er gefragt *wurde.*
… , weil ihr nicht gekommen *seid.*

спряжение	*die Konjugation* (die Beugung des Verbs)	*ich gehe* *du gehst* *er geht* *wir gehen* и т. д.
сравнительная степень	*der Komparativ*	1. сравнительная степень прилагатель- ного: Der Sekretär ist *längere* Zeit im Geschäft als sein Chef. 2. сравнительная степень наречия: Der Sekretär ist *älter* als sein Chef.
средний род	*neutral*	*das Kind, das Pferd, das Land, das Fenster,* *das Parlament*
указательное местоимение	*das Demonstrativpronomen* (das hinweisende Fürwort)	= указывает на определенные лица или предметы: *Dieser* Turm ist der älteste der Stadt. Wie man das macht, *das* weiß ich nicht.
умлаут	*Umlaut*	*ä (äu), ö, ü*
управление глаголов	*die Rektion der Verben*	= указывает на падеж, который глагол требует после себя.
условный	*konditional*	= обозначающий условие: 1. реальное условное придаточное предложение: *Wenn er nicht kommt,* fahren wir ohne ihn. 2. нереальное условное придаточное предложение: *Wenn er jetzt noch käme,* könnten wir ihn mitnehmen.
устойчивое слово-сочетание с функциональным глаголом	*das Funktionsverbgefüge*	= сочетание, состоящее из глагола, предлога и дополнения в винительном падеже: Er *bringt* das Problem *zur Sprache.* Man *kam* schnell *zu einem Ergebnis.*
уступительный (концессивный)	*konzessiv*	= обозначающий уступку: 1. уступительное простое предложение: Ich kann ihn nicht leiden, *aber ich* *lade ihn doch ein.* Ich kann ihn nicht leiden, *trotzdem* *lade ich ihn ein.* 2. уступительное придаточное предложение: Ich lade ihn ein, *obwohl ich ihn nicht* *leiden kann.* 3. обстоятельство уступки с предлогом: *Trotz meiner Abneigung* lade ich ihn ein.

функциональный глагол	*das Funktionsverb*	= глагол, составляющий вместе с дополнением в винительном падеже устойчивое словосочетание: Sie *trifft* eine Entscheidung. Er *legt* Beschwerde *ein*.
целевой (финальный)	*final*	= обозначающий цель: 1. придаточное предложение цели: *Damit der Fall geklärt wird,* muss ich Folgendes sagen … 2. целевой инфинитивный оборот: *Um den Fall zu klären* muss ich Folgendes sagen … 3. обстоятельство цели, выраженное существительным с предлогом: *Zur Klärung des Falles* muss ich Folgendes sagen …
время	*das Tempus*	= временная форма глагола, см. презенс, претеритум, перфект, плюсквамперфект, футурум
имперфект (прошедшее время)	*Imperfekt*	см. „претеритум"

Индекс

annehmen § 16 II 1. (придаточные предложения с сою-
зом „dass" / инфинитивная
группа); § 54 VI (конъюнктив II); § 62 I (устойчивые
глагольные словосочетания)

anpassen an § 15 III

Anrede   обращение § 4 прим.;
§ 56 I

anrichten § 62 I

in Anspruch nehmen § 62 III

Ansprüche stellen § 62 II

anstatt … zu § 33

anstelle § 61 5.

anstellen § 62 I

anstrengen, § 16 II 1.

-ant § 2 II

Antarktis § 3 III 1.

Antrag stellen § 62 II

antreten § 62 I

antworten § 6 IV (спряжение);
§ 12 II 4. (перфект); § 14 II
(управление глаголов); § 16
II 1. (придаточные предложения с союзом „dass" /
инфинитивная группа)

anvertrauen § 14 III

Anwesende § 41

sich anziehen § 10 4.

Apposition   приложение § 50

Araber § 2 II

arbeiten § 11 1. (императив);
§ 12 II 4. (перфект); § 53 II
1. (конъюнктив II)

Arbeitslose § 41

Architekt § 2 II 3.

Argentinier § 2 II

ärgerlich über § 44

ärgern § 16 II 4.; ~ *mit/über*
§ 15 III

sich ärgern § 10 4.

arm § 40 III 1.; ~ *an* § 44

Artikel   артикль§ 3 (употребление артикля); § 1–2 (склонение существительных);
§ 39 (склонение прилага-
тельных); § 35 II 2. (после
относительного местои-
мения)

Arzt § 1

Asiate § 2 II

atmen § 6 IV 2.

attributives Partizip Perfekt
причастие II в роли определения § 45

attributiver Komparativ   сравнительная степень прилагательного в роли опреде-
ления § 40 I 1.; превосхо-
дный степень прилагатель-
ного в роли определения
§ 40 I 2.

auch § 51

auf § 60 II

auf- § 7 1.

aufblühen § 12 I 2.

Aufforderung   обращение § 11
(императив); § 18 I
(модальные глаголы);
§ 54 VI (конъюнктив II)

aufgeben § 62 I

aufgrund § 61 3.

aufhören § 12 II 4.; § 16 II 1.

aufhören mit § 15 III

aufmerksam auf § 44

Aufmerksamkeit lenken
§ 62 I

sich aufregen § 10 4.

aufstehen § 12 I 1.

Auftrag   поручение § 18 I

aufwachen § 12 I 2.

aufwärts § 42 IV

augenblicklich § 42 II 1.

aus § 59 II

aus- § 7 1.

zum Ausdruck bringen/kommen
§ 62 III

Ausdruck der Vermutung -
значение предположитель-
ности § 21 (футурум)

ausführen § 62 I

sich ausruhen § 10 3.

Aussageweise   наклонение § 52
(конъюнктив)

außen § 42 IV

außer § 59III

außerhalb § 61 1., 2.

außerordentlich § 42 III 2.

in Aussicht stellen/stehen
§ 62 III

Australier § 2 II

ausweichen § 14 II

Auszubildende § 41

Auto § 1 II

Automat § 2 II 3.

B

bald § 42 II 3.

bald – bald § 24 II 5.

Bär § 2 II 4.

Bauer § 2 II 4.

be- § 8 1.

beabsichtigen § 16 I, II 1.

Beamte § 41

beantworten § 14 III

sich bedanken § 10 3.

bedauern § 16 III 2.

bedeutend § 40 III 2. прим. 3.

Bedingungssatz   условное придаточное предложение § 28;
нереальное ~ § 54 II

bedürfen § 14 VI

sich beeilen § 10 3.

Befehl   приказ § 11; § 18 I

befehlen § 14 II; § 16 II 3.

sich befinden § 10 3.

befreien aus/von § 15 III

befürchten § 16 I; II 1.

begegnen § 14 II

begehen § 62 I

begeistert § 40 III 2. прим. 3.;
~ *von* § 44

beginnen § 12 II 4.; § 16 II 1.;
~ *mit* § 15 III

behaupten § 16 III 2.

sich beherrschen § 10 4.

behilflich § 43 I

Behinderte § 41

bei § 59 IV

bei- § 7 1.

beide § 38 I прим. 1.; § 39 I 2.

beiderseits § 61 2.

beinah(e) § 42 III 2.; § 54 VI

beistehen § 14 II

bekannt § 43 I; ~ *bei/für/mit*
§ 44

Bekannte § 41

bekennen § 16 III 2.

beklagen über § 15 III

bekommen § 8 3.

bekümmert § 40 III 2. прим. 3.;
~ *über* § 44

Belgier § 2 II

beliebt bei § 44

sich bemühen § 10 4.; § 12 II
2.; ~ *um* § 15 III; § 16 II 2.

Benzin § 3 III 2.; § 39 IV 2.

bereits § 42 II 2.

berichten § 8 4.; § 16 II 1.

Beruf § 3 III 3.

sich beruhigen § 10 4.

sich beschäftigen § 10 4.;
§ 12 II 2.

beschäftigen mit § 15 III

Bescheid wissen § 62 II

352 Приложение

ge- § 8 1.

geben § 11 (императив); § 14 I 4. (с дополнением в винительном падеже), III (с дополнениями в винительном и дательном падежах); § 62 I (устойчивые сочетания)

Gebot требование § 18 I

Gedanke § 2 II 5.

sich Gedanken machen § 62 II

Gefährte § 2 II 1.

gefallen § 12 II 4. (перфект); § 14 II (с дополнением в дательном падеже); § 16 II 4. (придаточные предложения с союзом „dass" / инфинитивные группы)

Gefallen finden § 62 II

Gefangene § 41

Gefühle § 3 III 2.; § 39 IV 2.

gefürchtet § 40 III 2. прим. 3.

gegen § 58 V

gegenüber § 59 VIII

gegenwärtig § 42 II 1.; § 43 I

Gegenwartsform форма частоящего времени § 53 I; § 55 I

gehen § 6 III, 1. (спряжение); § 12 I 1. (перфект); § 18 III (~ сходный по употреблению с модальными глаголами)

gehorchen § 14 II

gehören § 5 I 1.; § 14 II; ~ zu § 15 III

Geizige § 41

geläufig § 43 I

Geld § 3 III 2.

gelegen § 43 I

Gelehrte § 41

gelingen § 14 II; § 16 II 4.

gemäß § 59 IX

genauso § 31 I

Genitivattribut определение в родительном падеже § 3 III 1., 6.

Genosse § 2 II 1.

genug § 39 IV 3.

genügen § 14 II; § 16 II 4.

Genus род § 35 I 1.; ~ в относительном падеже § 35 II 3.

gerade § 42 II 1.; § 51

geradeso § 31 I

geraten in/unter § 15 III

gern § 40 III 2.

Gerundivum герундив § 49

Geschiedene § 41

Geschlecht род § 5 II 1.

Gesetz закон § 18 I

gesetzt den Fall § 28 II

Gespräch führen § 62 II

gestehen § 16 III 2.

gestern § 42 II 2.

gestrig- § 42 IV Anm. 1.

gesund § 40 III 1.

Gesunde § 41

gewachsen § 43 I

Gewichtsangaben обозначения веса § 3 III 4.

gewinnen § 62 I

gewiss § 42 III 2.

gewöhnen an § 15 III; § 16 II 2.

Glas § 1 I; § 3 III 2.

glauben § 12 II 4. (перфект); § 14 II (с дательным падежом); § 16 I, II 1. (придаточные предложения с союзом „dass" / инфинитивные группы); § 54 VI (конъюнктив II); ~ an § 15 III

gleichgültig § 43 I

Gleichzeitigkeit одновременность § 16 III 1.; § 46 III 1.

glücklich über § 44

glücklicherweise § 42 III 3.

Graf § 2 II 4.

gratulieren § 14 II

grob § 40 III 1.

groß § 40 III 2. прим. 3.

gut § 40 III 2.

H

haben § 6 II, III (спряжение); § 11 1. (императив); § 12 (перфект); § 14 I 4. (mit Akk.); § 47 прим. (в причастных оборотах); § 53 I 3., II 1. (конъюнктив II); § 55 I 2. (конъюнктив I); ~ zu § 48

halb § 38 III 1.

halber § 61 3.

halten § 62 I

halten für/von § 15 III

handeln um § 15 III

handelnde Person действующее лицо § 19 II

Handlung действие § 19 II

hängen § 12 II 4.; § 13 I

hart § 40 III 1.

Hase § 2 II 1.

häufig § 42 II 4.

Hauptsatz главное / простое предложение § 16 II, § 28 II (придаточные предложения с союзом „dass"); § 19 II (безличные пассивные предложения); § 22 (порядок слов); § 23 (сложносочиненные предложения); § 25 (~ в сочетании с придаточными предложениями)

Heide § 2 II 1.

Heilige § 41

heiß § 40 III 2.прим. 3.

heißen § 14 VII

heizen § 6 VI 1.

Held § 2 II 4.

helfen § 14 II (с дательным падежом); § 18 III (сходный по утреблению с модальными глаголами), IV (с двумя инфинитивами); § 53 I 3., III (конъюнктив II)

her- § 7 1.

Heranwachsende § 41

herauf § 42 IV

heraus § 42 IV

herein § 42 IV

Herr § 2 II 4.

herrschen über § 15 III

herüber § 42 IV

herunter § 42 IV

heute § 42 II 1.

heutig- § 42 IV прим. 1.

heutzutage § 42 II 1.

hier § 42 IV

hierhin § 42 IV

hiesig- § 42 IV прим. 1.

Hilfsverb вспомогательный глагол § 6 (спряжение); § 12 (перфект); § 19 (пассив); § 21 (футурум); § 22, § 25 (порядок слов)

hin- § 7 1.

hinauf § 42 IV

hinaus § 42 IV

hinein § 42 IV

sich hinlegen § 10 4.

hinten § 42 IV

hinter § 60 III

hinter- § 8 1.

hinterbringen § 9 II прим.

hinterlassen § 9 II прим.

hinüber § 42 IV